ISBN 978-0-331-23887-7
PIBN 10600774

BIBLIOTHEK

DES

LITTERARISCHEN VEREINS

IN STUTTGART.

LXXVIII.

STUTTGART.

GEDRUCKT AUF KOSTEN DES LITTERARISCHEN VEREINS.

1865.

AYRERS DRAMEN

HERAUSGEGEBEN

VON

ADELBERT VON KELLER.

DRITTER BAND.

18—27.

STUTTGART.

GEDRUCKT AUF KOSTEN DES LITTERARISCHEN VEREINS

NACH BESCHLUSS DES AUSSCHUSSES VOM APRIL 1862.

1865.

DRUCK VON H. LAUPP IN TÜBINGEN.

(18)

COMEDIA, DRITTER THEIL, VON VALENTINO VND VRSO,

auß der Beschreibung Wilhelmi Zilij von Beern in Vchtlandt, hat 6 Actus vnd 42 Personen.

Waltwitt, der Verräther, ein Türckischer Mann, geht ein, tregt ein weissen Stab in Händen, winckt damit vnd sagt:

STill, still! ich will euch etwas sagen,
Daß sich gester hat zugetragen
10 Zu Aquitania am Hof,
Davon ich gfangener Mann entloff.
Die Eclaramund ist darinn,
Auch der Vrsus vnd Valentin,
[288ᵈ]　So wol die schön Bellisandt,
15 Die Keiserin aus Griechenlandt.
Die hab ich hören Rahtschlagen,
Wie sie mein König wöllen verjagen
Von Aquitania der Statt.
Dem offenbahr ich jhren Raht,
20 Ob er der sachen zuvor köm,
Kriegshülff von Fürsten zu sich nem,
Daß er die Statt mit Sturm gewinn;
Dann ich vermerck, das Valentin
Kürtzlich zu seinem Vatter zieh
25 Vnd laß sein Claramunda hie,
Dieweil der groß Türckisch Soldan
Constantinopel belegert schon
Mit all seim Volck biß ins dritt Jar,
Daß sie drinn stehen in grosser gfahr,
30 So will er zu hülff kommen jhn.

Ayrer.

Derhalb ich guter hoffnung bin,
Wem jetzt der König bekrieg die Statt,
Er sie leichtlich zu gwinnen hat.
Da würd es geben gute beüd.
5 Derhalb fein schweigt vnd ruig seit!
Der König Ferragus geht rein.
Dem wirdts seltzam zu hören sein,
Daß jhr schreit, wie die Zanbrecher
Vnd wie die gschefftigen Säustecher,
10 Die etwan ein reins Schwein gstochen han.
Fürwar, er ist ein hefftiger Mann.
Wenn jhr jhn werd zu zorn bewegen,
So lest er euch ins Narrnhauß legen
Vnd lest euch darinn werden gscheid.
15 Drumb schweigt! er ist von hinn nit weit.

Waltwitt deüt, man soll still sein, vnd geht ab. Ferragus, der
König auß Portugal, geht ein vnnd hat ein Ehrnholt vnd zwen
Trabanten mit sich, schüttelt den Kopff, ficht mit den Händen
vnd sagt:

20 Mann hat mich in der gantzen Welt
Beedes zu Hof vnd auch zu Felt
Gefürcht als einen solchen Mann,
Deß gwalt kein Mensch nit' möcht fürstahn.
Deß bin ich hoch in freüden gschwebt,
25 Ohn alle sorg gar sicher glebt
Vnd hab mich selbst genennet frey,
Daß ich Vnüberwindlich sey,
Hab starck gepochet auff mein macht,
Die ist mir gar zu nichts gemacht.
30 Mein feind haben mich vberwunden,
Die ich schon hett gfangen vnd bunden.
[289] Vil Kampff ich schon verloren hab.
Zieh ich jetzt so mit schaden ab,
So verlier ich mein ruhm vnd ehr
35 Vnd kan sie kriegen nimmermehr.
Drumm wil mein Schwerd ich in mich stechen
Vnd dise schmach selbst an mir rechen.

Der Ehrnholt vnd die Trabanten lauffen zu, halten jhn. Der
Ehrnholt sagt:

Großmechtiger König, was soll das sein?
Secht! dorten kommt Waltwitt herein,
5 Ein gfangener Heid drinn auß der Statt.
Den hört, was er zu werben hat!
Villeicht bringt er euch gute Mer.

Ferragus setzt sich nider vnd sagt:
Ja wol, heist jhn halt zu mir her!

10 Waltwitt geht ein, neigt sich vnd sagt:
Großmechtiger König, in der Statt
Eur Schwester jhrn Breutigam hat
Mit der gfangen Frauen Bellisandt,
Der gwesenen Keiserin in Griechenland.
15 Der Hertzog in Aquitania
Hat sein Tochter, die Fessonna,
Vrso, dem rauhen Ritter, geben,
Die thun allsammt in freuden leben,
Dieweiln noch wehret die Hochzeit.
20 Auch wird alle ding zubereit
Daß man Tauff die Eclaramund;
Dann Valentin der zeucht jetzund
Zu seim Vatter in Griechenland,
Daß er sich mit jhm mach bekand.
25 Als dann will er auch Hochzeit halten.

Ferragus sagt:
Ey das müß sein all vnglück walten!
Hast kein besser zeitung, als die,
Dergleich ich vor gehöret nie,
30 So back dich nauß an liechten Galgen!
Oder ich will dir den balck zerwalchen.
Du solst dein lebtag dencken dran.

Waltwitt sagt:
Nein, kein bessere zeitung ich han.
35 Ich hab gemeint, eur Majestat
Werd auffnemen zu danck vnd gnad,

91*

Was ich jhr jetzt hab zeiget an,
Daß sie sich darnach richten kan,
[289ᵇ]   Vnd ich davon ein Tranckgelt kriegen.

Ferragus, der König, sagt:

5 Alles vnglück thu dich betriegen!
Wolstu erst vil erwider parren,
Ich wolt dich schlagen zu eim Narren.

Der König schmirt jhn wol ab vnd er geht ab; darnach sagt der König:

10 Ich hab mich gar erzürnet hart.
Ehrnholt, sag dem König Triumphart,
Wenn er mein Schwester haben wöll,
Er sich eylend auffmachen söll
Mit allem Kriegsvolck, das er hat,
15 Mir helffen gwinnen dise Statt,
Darinn mein Schwester sich auffhalt,
Vnd sag jhm, er soll kommen halt!

Sie gehn alle ab. Kompt Waltwitt wider, gar traurig vnd greint:

20 Ist das der danck der zuloser,
Der zudrittler vnd Liebkoser,
Der Ohrnmelcker vnd Merleintrager,
Der zeitungspeher vnd wundersager?

✱

21 ? zudüttler. So in Fischarts bienenkorb bl. 210. Vgl. zututtler und
das entsprechende verbum zututtlen fastnachtspiele s. 89. 254. Dalimils
chronik 118, 13:

Bruoder, ich weiz wol, daz von grôzem neit
Uns zuotuteln und reizen unsir leut.

In einem klopfan von Folz heißt es:

Solstu ein jar um eine werben
Mit zutüteln und um si naschen.

Zuotiteln gebraucht noch Wolfg. Fabr. Capito in Wackernagels deutschem leseb. 3, 1, 305, 34. Das einfache tütelen = schmeicheln findet sich
schon im Servatius z. 2978 in Haupts zeitschr. 5, 165. In dem gedichte
der jüngling, das Haupt dem Konrad von Haslau zuschreibt, steht z. 177
bis 190 eine lehrreiche stelle über das wort. Haupts zeitschr. 8, 555. Vgl.
Schmellers bayer. wb. 1, 405. Lexers kärntisches wb. 80.

Gibt man denselben solchen lohn,
Will ich bey zeit lassen davon
Vnd alls gehn lassen, wie es geht.
Ey, das ich jetzt auch gschwigen hett!
5 So wer mir jetzt mein haut noch gantz.
Seh hin! verkauff mehr ein Fuchsschwantz!
O solten all, die Merlein tragen,
Also, wie ich, hart werden gschlagen,
Was gelts? es würd der Fuchsschwentzer,
10 Suppendiener vnd faullentzer
In der Statt kaum halb sein so vil,
Wie ich auch davon lassen will,
Mir vmb ein andere Narung werben,
Auff daß ich kan mit Ehren sterben.

Er geht ab. Kompt Savarij, der Hertzog von Aquitania, Valentin mit Eclaramunda, Vrsus mit Fessonna, Bellisandt vnd
Pacollet. Valentin neigt sich vnd sagt:

Großmechtiger Fürst, euch ist bewist,
Daß hertiglich belägert ist
20 Alexander, der Griechisch Keiser
Von Soldan, seins Gotts ein verheisser,
[289ᶜ]   Außzurotten die Christenheit,
Vnd König Pipinus auch leid
Zu Constantinopel in der Statt;
25 Die sein beid hefftig außgematt
Wegen der vilfeltigen Schlacht,
Die sie ein zeit haben verbracht.
Weil dann der Keiser ist mein Vatter
Vnd Pipin mein höchster Wohlthater,
30 Der mich von Kindheit auff erzug,
So hab ich zeit vnd vrsach gnug,
Daß ich von euch scheid widerumb,
Mein Vatter vnd Vettern zu hilff kumm.
Weil mir Pacollet zugsagt hat,
35 Er wöll mir helffen in die Statt,
Bitt ich, jhr wollt mir vrlaub geben.
Gott laß vns allesammt erleben,

Daß wir gsund sehen einander wider!

Eclaramunda fengt an vnd weint:

Kein wunder wers, ich fiel gleich nider
Vnd stürb vor grossem hertzenleid.
5 Ach hertzlieb, bedenckt euren Eydt,
Den jhr mir thet mit Hand vnd Mundt!
Wolt jhr aber hinweg jetzund?
Wenn wird denn vnser Hochzeit wern?

Valentin sagt:

10 Ich hett sie jetzt gehalten gern.
So hab ich doch kein rast vnd ruh,
Biß ich mein Vatter sehen thu
Vnd jhm auch hilff auß seiner not.
Aber so halt mir hülffet Gott,
15 Daß ich widerumb alhier komm,
So will ich, ich sey ehrenfromm,
Mit euch zu Kirch vnd strassen gehn.
Der Hertzog vnd Vrsus all zwen
Sollen euch dieweil Tauffen lassen
20 Vnd ich will mich auch auff der strassen
Nicht saumen, weil mir Pacollet
Mit seiner Kunst tretlich beysteht,
Daß ich auffs ehst herwider kumm.

Eclaramunda sagt:

25 Ach Herr, thut das! ich bitt euch drumb.
Nicht beger ich daß auß Geilheit,
Sonder weil sich offt balt begeit, —
Daß eines von dem andern kumb,
Sehen einander nicht widerumb
30 Vnd es auch grosse gfahr hie hat.
Solt mein Bruder gwi̇ı   ie Statt,
So geb er mich dem K   Trumphart,
Dem ich vorhin   ard;
Vnd wolt ich   Leben
35 So müst ich
[289ᵈ]   Dem kem ic

Valentin sagt:

Weil ich hab die vnglegenheit,
Daß ich nicht frölich mehr sein kan,
Biß ich mein Vatter gsehen han
5 Vnd jhm geholffen auß der not,
So befehlt die sach vnserm Gott,
So lang biß ich komm wider her!

Savarij, der Hertzog, sagt:

So wolln wir nach eur beger
10 Durch vnsern Bischoff in der Statt
Schaffen gut glegenheit vnd Raht,
Daß eur Gemahl getauffet werd.

Eclaramunda sagt:

Nun weils eur Lieb also begert,
15 Muß ich es auch geschehen lassen.
Doch bitt ich vber alle massen,
Ir wolt kommen auffs ehest her,
Mir auch grüssen mein Herrn Schweher,
So woll den Herrn König Pipin.

20 Bellisandt sagt:

Mein Son, Gott helff dir mit freuden hin!
Sag dem Keiser, jhn laß dein Mutter,
So woll Pipin nun meinen Bruder,
Zu vil tausentmal freundlich grüssen;
25 Vnd wie ich vil hab leiden müssen
Ohn alle schult vil manches Jar,
Daß sey jetzt kundt vnd offenbar.
Doch hab ichs jhm alles vergeben
Vnd versih mich   jhm darneben,
30 Er werd sein zor   e schwinden,
Buß thun haben von   en Sünden,
Die er hat an vn   al   than.

V   :

   l ich nicht   en kan.

Will ich meim Herr Schwehr, dem Alten,
Als sein Kriegshauptman thun schutz halten.
Doch grüß mir auch den Vatter mein!
Sag, ich wöll auch halt bey jhm sein!
5 Deßgleich grüß den König Pipin
Vnd die er mit jhm geführet dahin,
Meinen Schwager, den Grünen Ritter!
Wenn du kanst, so bring jhn auch mitter,
Daß er mich lerne kennen baß!

10   Valentin sagt:

Ich will verrichten alles daß.
[290] Nun, Pacollet, sag mir allein,
Wenn wir zu Constantinopel sein,
Dieweil der weg ist zimlich weit!

15   Pacollet sagt:

Ey morgen auffs lengst vmb Vesperzeit
Wöll wir. sein auff deß Keisers Saal,
Zu nacht mit jhm nemen das Mal.

       Valentin sagt:

20 Wenn du das kanst, so ist es vil.
Damit ich von euch scheiden will.

Er gesegnet sie alle mit einander vnd sie Weinen alle vnd
gehn ab. Kommt Alexander, der Keiser, mit Melisso vnnd
Rudolpho, seinen Rähten, Pipino, dem König, auch dem Grünen Ritter vnd Plandeman, setzt sich vnd sagt:

Ir lieben getreuen, der Gottes güt,
Der vns so gnedig hat behüt
In diser grossen gfehrlichen schlacht
Vnd brochen hat der Türcken pracht,
30 Dem haben wir zu sagen Lob,
Deß schutz vns schwebet stettigs ob.
Iedoch sein wir darob betrübt,
Daß der Feind die gantz Statt vmbgibt,
Das zu vns kommen kan niemand
35 Vnd mangelt vns an Proviant.

Darumb so müssen wir das wagen,
Entweder durch die Feindt vns schlagen
Oder die Statt vor Hunger auffgeben.

Pipinus, der König, sagt:

5 Dasselb laß mich gar nicht erleben!
Ehe wann ich wolt rahten darzu,
Daß man die Statt auffgeben thu,
Ehe will ich frey in die schantz geben
All mein Volck, auch mein Leib vnd Leben
10 Vnd mich vor an mein feinden rechen.

Der Grün Ritter sagt:

Wie jetzt eur Majestatt thet sprechen,
Also halt ich es auch für recht
Vnd würd jeder redlicher Knecht
15 Lieber im streit lassen sein Leben,
Als sich dem Feind in die Hand geben.
Drumb fast jhr Majestat ein hertz!
Den Feind treib wir noch hinderwertz
Mit Gottes vnd des glückes gnad.
20 Drumb ist Königlich Majestat
[290ᵇ] Mit mir zu·eur Majestat kommen,
Daß dem feind werd sein boßheit gnommen,
Vnd wöllen vns wehren allzeit,
Wie thun sollen. redlich Kriegsleüt.
25 Heut aber ist es worden spat.
Kommt morgen tag, so kommt auch raht.
Heut wöll wir vns geben zu ruh.

Alexander, der Keiser, sagt:

Die Malzeit ist gerichtet zu;
30 Drumb kommt nur rein in die Türnitz!
Darinn wollen wir essen jetzt.

Kompt Valentin vnd Pacollet eingangen. Valentin sagt:

Mein, sag, wie vnd wo wir jetzt sind!

Pacollet sagt:

35 Secht jhr nicht das Keiserlich Hofgesind,

Daß gleich will gehn zu dem Nachtmal?
Daß ist der Keiserliche Saal
Eurs Vatters zu Constantinopel.

Valentin sagt:

5 Ietzund machstu mein freud mir doppel,
Daß ich so halt bin kommen her.

Er zeigt auff den Grün Ritter vnd sagt:

Mein Pacollet, sag, wer ist der,
So dort steht bey dem Keiser drinn?

10 #### Pacollet sagt:

Es ist eur Vätter, König Pipin,
Vnd ist der Grün Ritter dabey
Vnd Plandeman, die alle drey
Habt jhr gesehen zuvor mehr.

15 #### Pipinus sicht sich vmb vnd sagt:

Mich dunckt, wie das ich Leut hie hör.

Er geht zu Valentin vnd gibt jm die Hand vnd sagt:

Potz Valentin, das ist ein wunder,
Daß ich dich hie finde jetzunder.
20 Wo kommstu her? das sag mir gschwind!

Valentin sagt:

Von Aquitania wir kommen sind,
Euch wider den Türcken hülff zu thon.

Pipinus geht zum Keiser vnd sagt:

25 Großmechtiger Keiser, wie, wenn eur Son,
Den mein Schwester von euch geborn
Vnd sie so lang hat ghabt verlohrn,
[290c] Sich jetzo wider funden hett?

Alexander, der Keiser, sagt:

30 Vor freud das Hertz vns weinen thet
Vnd möchten solches leiden wol.

Der grün Ritter sicht jhn, fellt jhm vmb den Halß vnd sagt:

Nun ist jetzt mein Hertz Freüden vol,

Daß ich sih mein gnedigsten Herrn.

Pipinus führt den Keiser zu Valentin vnd sagt:

Weil eur Majestatt thut hegern,
Zu sehen jhren einen Sohn,
5 Ich euch wol zu jhm bringen kan.
Da steht er vnd heist Valentin.
Sein Ziehvatter ich gwesen bin.
Denn hat euch jetzt das Glück herbracht.

Der Keiser fellt jhm vmb den Halß, gibt jm die Hand vnd sagt:

10 Ach, es geht vns zu ein Anmacht.
Halt vns, daß wir nicht fallen vmb!
Ach weh! wie Kümmer wir vns drumb,
Daß wir vnsern liebsten Gemahl,
Die Ehrnthugent, vest wie Stahl,
15 Das allerkeüschte Ehrenweib
Mit jhrem grossen schwangern Leib
So vnschuldig haben vertrieben,
Die bißher ist im Ellend blieben!
Ach, wo ist dann der Bruder dein
20 Mit der geliebten Mutter sein,
Vnser Hertzallerliebsten Frauen,
Die wir so gern wolten schauen
Vnd jhr abbitten die Missethat?
Leg nur der Feind nicht vor der Statt,
25 So wolt wir sie suchen behend,
Vnd wenn sie wer an der Welt end.
Ach lieber Sohn, komm, setz dich nider!
Mit Freüden sehen wir dich wider.

Plandeman gibt jhm die Hand vnd sagt:

30 Gnedigster Herr, seyt mir willkomm!
Gern seh ich euch jetzt widerumb,
Weil ich euch hab im Walt verlorn,
Da euch eur Mutter hat geborn,
Weil ich riedt nach einer Wehmutter.
35 Wo habt jhr glasen eurn Bruder,
Den ich bey Aquitania fund

Vnd das mal gar nicht reden kund?
Wie gehts jhm vnd der Mutter eur?

Valentin sagt:

Wir haben außgstanden vil Abentheuer.
5 Mein Bruder Vrsus hat bekommen
Deß Hertzogs Tochter, zum Weib genommen
Die allerschönste Fessonna,
Ist jetzt zu Aquitania
Bey meiner schön Eclaramund,
10 Die man auch würd tauffen jetzund.
Alsdann ich mit jhr Hochzeit hab.
Ein Ehrn bilt mir Antwort gab,
Mir sagt, von wem ich wer geborn,
Wo ich fend mein Mutter verlorn
15 Vnd wie mein Bruder redent würd,
Vnd der klein Mann hat mich gefürt
Inn einem Tag inn Portugal,
Da kam wir all inn grosse Qual
Von dem König, dem Schwager mein,
20 Der wolt vns anthun Todtespein.
Aber sein Anschlag war vmbsonst
Vnd seind wir durch deß Männleins kunst
All vnbeschädigt bracht davon.
Daselbst mein Mutter ich gfunden han
25 Vnd bracht in Aquitania:
Dieselbig wartet mein Allda,
Daß ich sie wider holen soll.

Alexander, der Keiser, fellt jhm in die Red vnd sagt:

Nun ist vnser Hertz freüden voll.
30 Wenn vns nur Gott verlieh die Gnad,
Daß der Feind käm von vnser Statt,
Wolten wir selbst ziehen zu jhr,
Ihr alles guts thun für vnd für,
Weil wir jhr haben so übels than.
35 Ach Gott vnd wenn wir dencken dran,
So geht vns zu gleich ein Ohnmacht,
Daß wir vns nicht baß haben bedacht.

Gott helff vns wider Zsamm mit Freüden!

Valentin sagt:

Das Glück würd sein auff vnser seyten,
Daß man den Feind abtreiben thu.
5 Ich will auch starck helffen darzu.
So hilfft vns auch Pacollet,
Der vil der schwartzen Kunst versteht
Vnd mehr thut, als sonst tausent Mann.

Alexander, der Keiser, sicht jhn an, gibt jm die Hand vnd sagt:

10 Das ist gut, wenn er solches kan.
Mein Mann, jhr sollt vns willkomm sein.

[291]   ### Pacollet sagt:

Ja von Person bin ich wol klein,
Aber sehr groß von gschicklichkeit.
15 In Kriegen, stürmen vnd im streit
Will ich euch allen thun vil guts,
Vnd sey den Feinden botten drutz!
Ich bin auch darumb alher kommen.

Der Grün Ritter sagt:

20 Potz, jetzt hab ich erst recht vernommen.
Seit jhr der Zwerg, der Pacollet,
Den mein Schwester erziehen thet
Vnd jhn darnach studiren ließ
Die schwartzen künste zu Pariß,
25 So wolt mir auch Gottwillkomm sein!

Sie geben jhm alle die Händ. Pipinus, der König, sagt:

Lob sey Gott, das die Schwester mein
Ist widerumb kommen zu Landt
Vnd das jhr Vnschuldt ist bekandt!
30 Nun hab ich weder rast noch ruh,
Biß ich sie wider kriegen thu,
Die allerliebsten Schwester mein.

Alexander, der Keiser, sagt:

Ir lieben Herrn, kommt all herein,
35 Daß wir vns schier zur Tafel setzen,

In freudn mit gutem gsprech ergötzen!
Vnd solch vnser freud zu bedeüten,
So lassen wir all glocken leüten
Vnd das Te Deum laudamus singen,
5 Auch ferrners reden von den dingen,
Auff das wir alle widerumben
Mit lieb vnd freuden zusamm kommen
Vnd dem lieben Gott dancken drummen.

Abgang jhr aller.

10 ### ACTUS PRIMUS.

Kompt Soldan, der Türckisch Keiser, Peviam, sein FeldtOber-
ster, vnnd Solatius, sein Sohn, mit noch mehr gerüsten Leuten
vnd sagt:

Ir Herrn, hört! was wird bedeüten,
15 Daß die in der Statt also leüten,
Pfeiffen, singen vnd frölich sein
Vnd achten vnser so gar klein,
Als wenn wir nicht jhr feinde wern?
Fürwar, wir möchten wissen gern,
20 Was sie darzu bewegen thet.

[291ᵇ] ### Peviam sagt:

Man weis, das jhn an speiß abgeht,
Auch das sie nicht mehr haben zu schiessen
Vnd vns die Statt auffgeben müssen,
25 Daß ich mich nicht weiß zu besinnen,
Warumb sie sein so lustig drinnen.
Fürwar, es wird etwas bedeuten.
Sie werden mit vns wollen streiten.
Darumb raht ich, das man hab acht
30 Vnd mach ein Ordnung zu der Schlacht.
Fürwar, es wird bleich nasen geben.

Solatius sagt:

Sie werden vns wol lassen leben.
Nicht vil sie an vns gwunnen han.
35 Doch secht! ich seh ein staub auffgan.
Es kommt ein groß Volck auß der Statt.

. Ein jeder schaff jhm selbst gut raht!

Die in der Statt fallen rauß, schlagen mit den Türcken. Solatius wird erschlagen, den tregt man ab. Sie lauffen alle ab.
Kommen erstlich der Soldan, Peviam vnd wer sonst mit jhnen
5   gewest. Soldan sagt:

Vnser Son der ist schon todt,
Dem helff Machomet, vnser Gott!
Nun bringt vns sein todt grosse pein.
Drumb wehrt euch vnd schlagt dapffer drein!
10 Wer das nicht thut, der muß auch sterben.
Ach wenn wir nur könnten verderben
Den neuen Ritter Valentin,
Auch den Grün Ritter, welcher vorhin
Mit vns ein Türck gewesen ist
15 Vnd jetzo worden ist ein Christ!
Die zwen wolt wir gern erlangen.

Peviam sagt:
Großmechtiger Herr, wenn wir sie fangen,
So gieb ich darzu disen raht,
20 Daß man sie zu nechst vor der Statt
Gar hoch hin an zwen galgen heng.

Soldan sicht sich vmb vnd sagt:
Secht, secht! was ist das für ein dreng!
O wehr sich, der sich wehren kan!
25 Die feind die greiffen wider an.

[291ᶜ] Die Christen kommen wider, schlagen auff die Türcken,
die wehren sich vnd wird der Grün Ritter vnd Valentin gefangen; die andern lauffen ab. Der Soldan sagt:
Da recht! das sein die rechten Knaben,
30 Nach den wir lang getrachtet haben.
In meim Zelt jhn alle viere bind,
Wenn ich nein komm, das ichs drinn find!

Man führt sie gebunden ab. Der Soldan sagt:
Eins schrecklichen todts sollens sterben
35 Vnd kein Mensch soll jhn gnad erwerben.

Er geht auch ab. Pacollet geht mit seim stab ein vnd sagt:

> Es kommt ein vnglück nach dem andern,
> Daß kaum eines mag von vns wandern,
> So ist das ander vor der Thür.
> 5 Mein geist mir heut hat tragen für,
> Wie Valentin vnd der Grün Ritter
> Liegen in einer gfencknus bitter
> Bey dem Soldan in seinem Zelt.
> Da muß ich sehen, das mirs nicht fehlt,
> 10 Daß ich sie wider ledig mach.
> Hab mich schon bedacht auff die sach.

Er geht ab. Peviam geht ein mit zwen Trabanten, führen
die beede gefangene gebunden vnd sagt:

> Der groß Soldan wird kommen schir.
> 15 Drumb bind den gefangenen alle vier
> Vnd last sie liegen in dem Zelt,
> Wie vns sein Majestat vermelt!

Man bind sie beede vnd lest sie liegen. Die Kriegsleut gehn
ab. Der Grün Ritter sagt:

> 20 Ach weh! hie müß wir vnser Leben
> Gebunden den Feinden vbergeben
> Vnd müssen sterben in spot vnd schand.

Valentin sagt:

> Ey schweyg! Gott der verlest niemand.
> 25 Er kan vns wol ein mittel schicken,
> Daß wir kommen von diesen stricken.

Pacollet geht ein, sicht sie dort liegen vnd sagt:

> Habt euch ein gut hertz, jr gfangen Leüt!
> Ich will euch halt erretten beyd.
> 30 Doch thut nur nicht, samm jhr mich kendt!
> Vil wenger mich mit Namen nendt!

[291ᵈ]
> Fürwar es soll vns allen glingen.
> Den König will ich in dStatt bringen,
> Vberantworten dem Keiser in seim Saal
> 35 Vnd jhr solt auch mit auffs selbe mal.

Er geht beseits. Kommt der Türckisch Soldan mit Peviam
vnd zweyen Trabanten, vnd als er Pacollet sicht, gibt er jhm
die Hand vnd sagt:

Mein Pacollet, wo kommstu hieher?

Pacollet führt den Soldan auff die seiten vnd sagt:

Großmechtiger König, sehr gute mehr
Von der Königin auß Portugal.
Die lest euch laden auff jhren Saal,
Weil jhr Herr jetzt nicht ist zu Hauß,
10 Sonder in den Krieg zogen auß.
Da wolt sie der lang tragend Lieb,
Die hat so einen starcken trieb,
Daß sie sich kan nicht widersetzen,
Mit eurer Majestat ergötzen.
15 Da bitt ich eur Majestat zur Reiß.

Soldan sagt:

Zu jhr ich nicht zu kommen weiß,
Weil wir hie liegen vor der Statt.

Pacollet sagt:

20 Großmechtiger König, ich weiß gut raht.
Der Krieg hat wol vier tag stillstand
Vnd ich gib euch mein Treü zu pfand,
So balt vnd es morgen thut tagen,
Sol vns beede mein Rößlein tragen
25 Ein halben Tag in Portugal.
Auff dem vilschönsten KönigsSaal
Da möcht jhr euch mit freud ergötzen,
Vnd wenn wir vns wider auffsetzen,
Sein wir den andern halben tag
30 Wieder alhie; glaubt, was ich sag!

Soldan sagt zu Peviam:

Du solst ein weil Oberster sein,
Dann ich will mit dem Liebsten mein
Ein Tag oder drey außspacirn.
35 Dieweil thu du das Heer regirn!
Ietzt aber geht all von mir ab!

Allein ich hie zu reden hab.

Sein gesind geht alles ab, der Soldan setzt sich vnd sagt zu
Pacollet:

Dein rath ist mir zu hertzen gangen,
5 Vnd ich nichts kan thun noch anfangen,
Biß ich zu meiner liebsten kumm.
Drumb thu das best! ich bitt dich drumb.

Er entschlefft. Pacollet bind die zwen auff vnd sagt zu
jhnen:

10 Bald macht euch auff vnd laufft davon!
Kein Mensch im Läger erwachen kan,
Vil weniger kan man euch verletzen.
Ietzt will ich den König auffsetzen
Vnd führn dem Keiser in die Statt,
15 Daß er werd ghenckt deß Tages spat.

Die gefangenen lauffen davon. Soldan, der König, sagt:

Mir ist ein süesser Schlaf ankommen,
In dem ich hab groß freud vernommen.
Drumb last vns auff sein! es ist zeit,
20 Dieweil der Weg ist mechtig weit,
Vnd ich wolt gern balt sein bey jhr.

Pacollet sagt:

So thu eur Majestat folgen mir!

Sie gehn ab. Kommen Keiser Alexander, König Pipinus vnd
jhre Räht oder Trabanten. Alexander sagt:

Wir haben wol ein König erschlagen,
Iedoch den grösten schaden tragen,
Weil Valentin ist gar verlorn,
Mit dem Grün Ritter erschlagen worn.
30 Daß bringt vns schweres creutz vnd pein.

Pipinus, der König, sagt:

Wo mag dann jetzt der Zwerg wol sein,
Der jederzeit vil kund vnd west?
Wenn derselbig nicht thut das best,
35 So möcht es vmb jhn gschehen sein.

Alexander, der Keiser, sagt:

Still, still! es kommt was seltzams rein.

Pacollet kommt mit dem Türckischen Soldan vnd sagt zum Keiser:

5 Großmechtiger Keiser, ich bring euch heunt
Den Türckischen Soldan, eurn Feind.
Mit dem möcht jhr thun, was jhr wölt.
Auch hab ich erledigt die Heldt,
Den Grün Ritter vnd Valentin,
10 Die der Türck führet gfangen hin
Vnd hat sie heut wollen auffhencken.

Soldan sagt:

Thustu mich meinem Feind verschencken,
Der du mir ander dieng versprachst,
15 Du ein Treüloser Mann sein magst.

Vnd zum Keiser sagt er:

Großmechtiger König, ich bitt vmb gnad.
Ich will stracks ziehen von der Statt.
[292ᵇ]   Last mich nur daßmal gnad erwerben!

20   **Alexander, der Keiser, sagt:**

Für die zwen Helden mustu sterben.
Dein vntreu vber dir außgeht.
Schau! da kommen die Helden beed.

Valentin vnd der Grün Ritter gehn ein. Alexander, der Kei-
25   **ser, sagt:**

Eurer zukunft sein wir erfreud.
Daß allergröst glück hab wir heut,
Weil euch dasselbig hat ledig gemacht
Vnd vnsern Feind in die Händ bracht.
30 Führt jhn wol verwahrt von vns auß
Vnd henckt jhn vber die Maurn nauß!
So balt es morgen frü thut tagen.

Man führt den Soldan ab. Pipinus sagt:

Ietzt hab wir die Feind gut zu schlagen,

92 *

Dann wenn man jhn hinauß ghenckt hat,
So fallen wir nauß aus der Statt.
Villeicht verleit vns Gott das glück,
Daß wir die Feind treiben zu rück.

Sie gehn ab. Als dann henckt man den Soldan vber die
Maurn hinauß. Peviam kommt mit etlichen gerüsten Kriegsleuten, sicht den Keiser, erschrickt vnd sagt:

O Machomet, der angst vnd not!
Sich! da henckt vnser Soldan todt.
10 Gwiß hat jhn der klein Zwerg die nacht
Gfenglich in dise Statt gebracht.
Ach weh! was sollen wir anfangen?
Der König ist vber die Maurn ghangen.

Alexander mit den seinigen fellt herauß, schlegts alles in die
flucht vnd nach beschehenem nachjagen sagt er:

Gott hat deß Feinds gewalt verhindert.
Nun fallt ein vnd das Läger plündert
Vnd zündet alles an mit Feur!
Du Son komst vns gar wol zu steur
20 Mit deinem Zwerg vnd seiner Kunst.
Deß soll er ewig haben gunst.
Nun nemmt den ghenckten König ab,
Daß man jhn nach seim Standt begrab!
Wir aber wollen frölich sein,
25 Befehlen, das die gantz gemein
[292ᶜ]   Gott danck vmb sein grosse wolthat,
Die er vns heut erzeiget hat.

Sie gehn alle ab. Kompt Ferragus, der König auß Portugal,
mit zweyen Trabanten, setzt sich vnd sagt:

30 Albie warten wir mit verlangen,
König Trumphart ehrlich zu empfangen,
Der vns groß hilff versprochen hat,
Damit wir gwinnen dise Statt,
Dem Hertzog drin nemen sein Leben
35 Vnd Trumphart vnser Schwester geben,
Daß sie der Christ nicht vberkumm

Vnd das wir jhn selbst bringen vmb;
Dann ich will gar nicht lassen ab,
Biß ich die Statt gewunnen hab.

Trumphart, der König, geht ein mit etlich gerüsten Leüten
vnd Adroman, seinem Zauberer. Der König Ferragus empfecht jn vnd sagt:

Eur Lieb sol vns willkommen sein!
Wolt jhr die liebste Schwester mein,
So helft mir gwinnen dise Statt!
10 Pacollet, der Zauberer, hat
Sie mit Zauberkunst bracht daher.
Daß bringet mir anfechtung schwer
Vnd bitt, jhr wolt mir beystand than.

Trumphart sagt:

15 Ich hab mein Zauberer Adroman;
Denselbigen beduncken thut,
Er sey in solcher Kunst so gut
Oder besser als Pacollet.
Wenn sonst die sach kein bschwerung bett,
20 So wer die Statt zu gwinnen halt.
Adroman, sag, wie dirs gefallt!

Adroman sagt:

Pacollet mit seim Zauberroß
Der begeht vil der wunder groß.
25 Aber was gelts? sich soll zutragen,
Daß ich sein Roß in wenig tagen
Im listiglich will triegen ab.
Vnd wenn ich das bekommen hab,
So will ich, die schönste Jungfrauen
30 Eclaramund solt jhr mir vertrauen,
Euch, König, bringen in eur Land,
So dörfft jhr anlegen kein Hand
[292ᵈ] Weder zu stürmen noch zu streiten.

Trumphart sagt:

35 Das thu! glück sey auff deiner seiten!

Nun so wöllen rahtschlagen wir,
Was weiter sey zu nemen für.

Abgang jhr aller. Kompt Pacollet mit seim stab, hat zwen
Brieff in Händen vnd sagt:

5 Nun bin ich zu Aquitania
Vnd wart der Eclaramunda
Vnd auch der Keiserin Bellisandt,
Auff das ich jhnen mach bekandt,
Daß jhr Keiserlich Majestat
10 Reü hat vber jhr Missethat
Vnd das er seinen Gemahl frumm
Zu sich will nemen widerumb,
Auch wie es geht dem Valentin,
Damit ein guter Pott ich bin.
15 Hoff, ein gut Trinckgelt zu erlangen.
Schau! dort kommen sie her gegangen.

Eclaramund vnd Bellisandt gehn ein vnd führen einander bey
der Hand. Eclaramunda sagt:

Gnedigste Keiserin, mir ist gar bang,
20 Daß Valentin außbleibt so lang,
Weil ich nicht weiß, wie es jhm gat,
Vnd liegt der Feind drauß vor der Statt,
Der vns drenget vnd presset hart.
Auch sagt man, das König Trumphart,
25 Welcher meiner zur Ehe begert,
Meim Bruder zu hilff kommen werd
Vnd dise Statt mit sturm gewinnen.

Bellisandt sagt:

Wir wern villeicht wol sicher binnen,
30 Allein ich trag in meinem hertzen
Vberauß grosse klag vnd schmertzen,
Dieweil mir gar nicht ist bewist,
Was sins gegn mir der Keiser ist,
Ob ich sey außgsöhnt oder nit.

35 **Pacollet laufft herfür vnd sagt:**
Gnedigste Frau, gebt euch zu frid!

Ietzt komm ich gleich auß Griechenland.
Eur Gmahl euch den Brieff hat gesandt
Vnd ist vmb Gotts willen sein bitt,
Ir wolt auff jhn sein zornig nit,
[293]   5 Daß er euch hab das übel than.
Er will auff das ehst, als er kan,
Euch allhie wider holen ab.

    Zu Eclaramunda sagt er:
Vnd diesen Brieff mir da auch gab
10 Der löbliche Fürst Valentin.

    Sie lesen alle beede. Bellisandt sagt:
Ietzt ist mir all mein trauren hin.
Gott sey lob, der all ding vermag
Vnd meiner Vnschult hilfft an Tag!
15 Der helff, daß ich mag widerumben
Zu meim Hertzlieben Gemahl kommen,
Daß ich jhm all mein noht kan klagen,
Was sich hißher mit mir zutragen
Vnd wie es mir ergangen sey.

20   Eclaramunda sagt:
Deßgleichen ich mich herzlich frey,
Daß mir mein Herr Gemahl hat gschriben.
Er wird auch von der Lieb getrieben.
Daß er mit mir will Hochzeit han,
25 Nimm ich billich mit Freüden an.
Pacollet, mit euch da will ich
Nach billichen Dingen vertragen mich.

    Sie gehn bede ab. Pacollet sagt:
Ey wie grosse Freüd hab ich gmacht,
30 Daß ich jhm hab die Brieff gebracht!
Ietzt will ich zu ihm gehn hinein
Vnd sehen, wie sie frölich sein.

Er will abgehen, so begegnet ihm Adroman vnd sagt:
    Sich, wo hinauß, mein Pacollet?
35 Wie komm wir hie zusamm alle beed?

Wo hat dich her geweht der Wind?

Pacollet sagt:

Ja freylich, wir all beede sind
Warlich solcher Gesellen zwen,
5 Wenn wir einander wöllen beystehn,
Wir können wol was richten auß,
Doch schier zu vil beyd in eim Hauß.

**Vrsus geht ein mit Eclaramunda vnd Bellisand, sicht sie vnd
sagt:**

10 Wie kommen die Gauckler vnd Spilleüt
Auff disen Saal zusammen heüt?
Last schauen, was köndt jhr vns machen,
Daß wir davon hetten zu lachen?

[293b] Adroman macht ein Kräiß mit Charactern. Eclaramunda vnd Bellisandt heben die Kleider auff. Eclaramunda sagt:

Ach weh, ach weh! wo soll ich nauß?
Das Wasser würd einstossen das Hauß.
Secht, wie die Fisch drinn lauffen vmb!

Bellisandt sagt:

20 Weiß nicht, wie ich zum Wasser komm,
Weil dise grosse WasserQual
Hie lauffet vmb den FürstenSaal.
Ich fürcht, es werde vns ertrencken.
O wie groß Forcht thut mich bekrencken!
25 Sagt doch! wo soll wir flihen hin?

Vrsus sagt:

Ob der Gschicht ich verstürtzet bin.
Doch bin ich versichert dabey,
Daß es nur ist ein Gaucklerey.
30 Secht, wie dunckt eim, die Fisch im Wasser
Wachssen zu vns je lenger je basser!
Schaut, wie ein Hirsch im Wasser schwimbt!
Eür beder Kunst mich wunder nimbt.

Pacollet hebt an zu singen nachfolgendts Lied Im Thon:
35   Lob sey den Göttern allezeit.

1.

Lieb, du bist ein verborgens Feůr,
Im Hertzen angezündet,
Ein grosse Pein, sehr vngeheůr,
₅ Ein Bandt, das gar hart bindet.
Angnemer Schad vnd süsses Gifft,
Liebliche Bitterkeite,
Das offt den schmählichen Todt stifft,
ja Todte stifft,
₁₀ Fröliche Pein allzeite.

2.

Was du lieb hast, das weist du wol;
Du aber kansts nicht wissen,
Sonder steckst alles zweiffels vol,
₁₅ Ob man dir auch sey gflissen,
Zu lieben dich von Hertzen grund,
Du wollst dann deim Weib glauben,
Daß sie dich lieb zu aller stund,
ja zu aller stund.
₂₀ Damit kan sie dich betauben.

3.

Darumb ich dich jetzt warnen thu.
Die Lieb helt selten Treůe,
Geht offt mit List vnd Lügen zu
₂₅ Vnd kompt darein groß Reůe,

[293ᶜ]

Weil den Weibern ist angeborn,
Daß sie die Mann nur vexirn,
Füllen jhn mit geschwetz die ohrn,
ʼja gschwetz die Ohrn
₃₀ Vnd vmb den Gänßdreck sie führen.

4.

Ovidius selbst schreiben thut:
Blind Narren glauben leichte
Vnd dichten jhn selbst guten mut.
₃₅ Ir lieb sie schön gedeůchte,
Daß sie jhrs schadens empfinden nicht;
Sonst man jhn helffen künde.
Ein Kranker, der sich gern Kranck sicht,

14 O steckts.

ja gern Kranck sicht,
Kein Artzney für jhn finde.

5.

Also ein Puler sucht alzeit
5 In der betörten Liebe
Sein wollust vnd ergötzlichkeit,
So doch auß jhrem triebe
Nichts kommt, denn schad vnd grosse schand,
Schmertzen deß guts vnd Ehre,
10 Kommt offt drob dem Hencker in dHand,
ja Hencker in dHand.
Drumb folget meiner Lehre!

6.

Daß allerschröcklichst aber ist,
15 Daß man solch böse sachen
Gut heissen thut zu aller frist.
Will jhr ein schön schein machen,
Als habens vor auch jhr mehr gethan.
Doch warn ich dich mit treuen.
20 Die zeit wird Rosen bringen schon,
ja bringen schon.
Schau, das dich nicht thu reuen!

Sie schlaffen alle im Saal. Adroman sagt zu Pacollet:

Mein Pacollet, komm mit mir rein!
25 Beleid mich in die Kammer dein,
Daß ich auch drinnen schlaff die Nacht!
Du hast sie alle schlaffent gmacht
Mit deim lustigen lieben Gsang.
Doch werden sie nicht schlaffen lang,
30 Sonder sich balt wider besinnen;
Vnd wenn sie vns bey jhn nit finnen,
Wird das wunder noch grösser sein.

Pacollet sagt:

So komm du halt mit mir herein!

Abgang jhr beder. Kommt Adroman gar allein vnd sagt:

[293ᵈ]　　　Den Pacollet hab ich betrogen,
Mit eim starcken schlaf vberzogen,

Daß er gar nicht erwachen kan.

Sein Rößlein ich jhm gstolen han,

Darauff er so weit Reiten kundt.

Da will ich nemen Eclaramundt,

5 Sie bringen dem König Trumphart.

Nun mach ich mich gleich auff die fahrt.

Er tregt sie schlaffent ab.   Vber ein weil erwacht Vrsus vnd

Bellisandt.   Vrsus sagt:

Was wunders ist doch gschehen hie?

10 So hart gschlaffen hab ich noch nie.

Wo ist die Jungfrau Eclaramund,

Die ich erst hinnen bey euch fund?

Bellisandt sicht auff, schlegt die Händ ob dem Kopff zusam-

men vnd sagt:

15 Ach weh deß jammers, angst vnd klag!

Die allergrösten sorg ich trag,

Der ander Zauberer hab sie hin.

So traurig ich nie gwesen bin,

Seit ich euch bed mein Sön verluhr.

20 Ach, wo wöll wir sie finden nur,

Mein zukünfftige liebe Schnur?

Sie gehn alle ab.

ACTUS SECUNDUS.

Kompt Pacollet, schlegt die Händ ob dem Kopff zusamm vnd

25   sagt:

Ach jammer, weh vnd hertzenleidt!

Nun kan ich wol schweren ein Eydt,

Daß mir dergleich vor nie ist gschehen.

Ach Gott, wie hab ichs vbersehen,

30 Daß Adroman, der Zauberer groß,

Mir heimlich gstohlen hat mein Roß

Vnd Eclaramund drauff weg geführt?

Dasselb mir zu rechen gebürt

Vnd ich will gar nicht lassen ab,

35 Biß ich mich wol gerochen hab.

Abgang. Trumphart, der König, geht allein ein vnd sagt:

> Adroman mir gwißlich versprach,
> Er wolt mir noch heut disen tag

[294]
> Eclaramund, die liebsten mein,
> 5 An meine seiten stellen fein.
> Daß erwart ich hie mit verlangen.

Adroman geht ein, bringt die gefangen Eclaramunda schlaffent
getragen mit sich vnd sagt:

> Großmächtiger König, jetzt leist ich diß,
> 10 Was ich euch dise tag verhieß,
> Nemlich die schön Eclaramund
> Die hat schon gschlaffen ettlich stundt
> Vnd kan auch nicht erwachen ehe,
> Biß mein Zauberey vbergehe.
> 15 Die hab ich auß der Statt gebracht.

Trumphart sagt:

> Mein Adroman, wie hastus gmacht,
> Da du sie führest auß dem Schloß?

Adroman sagt:

> 20 Der Pacollet der hat ein Roß,
> Darauff man ein eintzlichen tag
> Zweyhundert Meil wol fahren mag.
> Dasselbig Roß hab ich jhm genommen
> Vnd bin damit auß dem Schloß kommen,
> 25 Daß mich kein Mensch hat gsehen nicht.

Trumphart küst die Eclaramunda vnd sagt:

> Mein Adroman, mich doch bericht,
> Wie du das Pferd also kanst wenden,
> Daß es allenthalb kan anlenden
> 30 Vnd den rechten weg fahren thut!

Adroman sagt:

> Ey das ist alls zu machen gut.
> Kompt her! ich wills euch gar balt weissen.

Trumphart sagt:

So will ich mich dessen befleissen,
Daß ich sie mit mir führ zu hauß:
So ist dem Krieg der boden auß.

Sie tragen die Jungfrau schlaffend ab, Kommen baldt wider.

5   **Trumphart sagt:**

O daß Roß kan ich richten schon,
Daß ich darauff heim fahren kan
Mit der hertzallerliebsten mein.

        Adroman sagt:

10 Duncken eur Majestat der sach gewiß sein,
Daß jhr nicht fahrt in ein fremts Land,
Darinnen jhr seit unbekand,
[294ᵇ]   Vnd geh euch alles übels an?

        Trumphart sagt:

15 Ey schweig! ich weiß jhm wol zu than.

Sie gehn wider ab. Kompt Pacollet mit dem Hertzog Savarij vnd Vrso. Der Hertzog sagt:

Es kommt ein jammer auß dem andern.
Es kans vnglück kaum von vns wandern,
20 So ist vns ein anders begeget.
Ach wie bin ich so hart beweget,
Daß Königlich Fräulein zu beklagen?

        Pacollet sagt:

Was wolln eur Fürstlich Gnaden sagen?
25 Hett ich wider mein gutes Pferdt,
Daß ist wol eines Landes werdt,
Daß mir Adroman hat gestolen!
Nun schwer ich jhm jetzt vnverholen,
Daß jhm kein Mensch soll gnad erwerben,
30 Er muß vor meinen augen sterben
Sammt auch dem König Ferrago.

        Vrsus sagt:

Wenn das gescheh, so wer wir fro,
Zumal wenn man Eclaramund
35 Wider zu Land herbringen kund.

So wolten wir als dann allsand
Mit einander in Griechenland.
Drumb, Pacollet, wünsch ich dir glück.
Schau! brauch all renck vnd lose stück,
5 Daß dein anschlag balt geh von stat!
Es sol dir wol reichen zu gnad!

Sie gehn alle ab. Kompt Frigius, der König in India, mit
Lysimacho vnd Antio, seinen Rähten, vnd sagt:

Weil jetzt hie ist Meß vnd Jarmarck,
10 So bstell man vns die Wach gar starck,
Dieweil sehr vil Volcks kommt hieher.,
Daß menniglich beschützet wer
Vnd sich kein übels hie zutrag!
Secht! secht! wem sehn die Leut so nach?
15 Lauff balt vnd erfahr, was es sey
Vnd bringt die vrsacher hie bey,
Daß wir wissen, was sey geschehen!

Sie lauffen ab. [294ᶜ] Der König sagt:

Wir wollens dennoch gern sehen.
20 Was bedeut das zulauffen groß?

Lysimachus vnd Antius lauffen wider ein. Lysimachus sagt:

Ein König auff eim Hültzen Roß
Sampt einer gar schönen Jungfrauen
Sein nider gfallen auff die Auen
25 Zu allernechsten vor dem Thor,
Haben gmacht ein solchen Rumor,
Daß halt ein aufflauff worden wer.

Frigius sagt:

Habt jhr jhn dann nicht bracht hieher,
30 Wie wir euch vor haben befohlen?
Wo nit, so thut jhn alsbalt holen,
Auff daß wir wissen, wer er sey.

Antius sagt:

Ietzt kommen sie gleich alle zwey.
35 Nicht weiß ich, wer sie wol sein mügen

Vnd wo er thet die Jungfrau kriegen.

Trumphart geht ein mit Eclaramunda, will sie drucken vnd sagt:
Ach du hertzallerliebste mein!

Eclaramunda schlegt jhn an Halß vnd sagt:
5 Du grober Pengel, was soll das sein?
Sichst mich an für ein loses Weib?

Frigius, der König, sagt:
Ach liebes Weib, zu friden bleib!
Komm her vnd klag vns deine not!
10 So helff wir dir; glaub vns bey Gott
Machomet vnd all seinen gsellen!
Guts Rahts wir dir verhelffen wöllen.

Eclaramunda fellt dem König zu Fuß vnd sagt:
Großmechtiger König Hochgeborn,
15 Ich hab bey Machomet geschworen,
Daß ich von jetzt vber ein Jar
Wöll keinen Mann nemen fürwar.
So hat mir doch König Trumphart
Nachgestellt also lang vnd hart,
20 Biß das er mein durch Zauberlist
So weit gewaltig worden ist,
Daß ich mit jhm alher must Reiten.
Ietzt wolt er sich gar vnbescheiden
Mit Küssen halten gegen mir
25 Wider all zucht vnd Ehrn gebür.
[294ᵈ]   Da hab ich meine Ehr gerett.

Frigius sagt:
Sag, wer dir dJungfrau geben thet
Vnd wo du mit jhr kommest her!

30   Trumphart sagt:
Zu Ehrn ich der Jungfrau beger,
Die ist König Ferragi Schwester,
Die hab ich auffgesetzet gester
Vor der Statt Aquitania
35 Vnd kommen in OberIndia.

Frigius, der König, sagt:

Wo hastus wöllen führen hin?

Trumphart sagt:

Nach hauß ich willens gwesen bin.
5 So ist aber mein ZauberRoß
Durch mich auß einem Irrthumb groß
Nicht recht, wie es soll sein, zugricht,
Dann wo ich bin, das weiß ich nicht.
Ich bitt eur Lieb, die laß vns fort.

10   Frigius sagt:

Du bist gleich an eim rechten ort.
Weist, wastu meim Bruder hast than? ·
Ietzt ich dirs wider gelten kan.
Ir Diener, balt schlagt jhn zu todt!

15 Eclaramunda fellt zu Fuß vnd sagt:

Ach schonet mein! ich bitt durch Gott.

Der König hebt sie auff, die Diener aber erschlagen Trumphart.

Frigius, der König, sagt:

Habt jhr noch nie gehabt ein Mann?

20   Eclaramunda sagt:

Nein.

Frigius sagt:

Weil wir dann jetzt kein Gemahl han,
So solt jhr vnser Gemahl sein.
25 Ja Ehr vnd Gut setz wir euch ein,
Hoffen, jhr wehrts vns nicht abschlagen.

Eclaramunda sagt:

Eur Majestat thet ich vor sagen,
Daß ich bett ein geliebt gethan,
30 In eim Jar zu nemen kein Man.
Dieselbig glüb ich halten muß.
Eur Majestat hab kein verdruß,
Daß ichs derhalb nicht kan gewehrn!

Frigius sagt:

Ey ein Jar wartn wir auff euch gern.

Kompt rein! man soll im Frauenzimmer
Euch auff das köstlichst halten jmmer,
Biß so lang dieses Jahr vergehe
5 Vnd wir euch nemen zu der Ehe.

Sie gehen ab. Pacollet geht ein in schönen Weiberkleidern
vnd sagt:

Ietzt will ich in das Läger gahn
Wol zu dem Zauberer Adroman
10 Vnd will jhn in dem Weiberkleid
Bringen zu Vnmenschlicher Gäylheit.
Auch alle, die mich nur ansehen,
Solln nicht wissen, wie jhn ist geschehen
Vor lieb, die sie tragen zu mir.
15 Dardurch will ich erfahren schir,
Wo doch der Bößwicht Adroman
Mein Zauberpferdt hab hingethan
Vnd wo sey die schön Eclaramund,
Oder er soll darob gehn zu grund.

Er geht auff die seyten. Kompt Adroman vnd sagt:

Fürwar ich bin bekümmert hart,
Dieweil doch der König Trumphart
Das Zauberpferdt nicht recht hat gricht,
Dann ich hab gsehen in eim Gsicht,
25 Daß er sey in Indiam kommen,
Da hab man jhm die Jungfrau gnommen,
Die wöll der König für seinen Leib
Ihm selbst nemen zu einem Weib,
Das Roß sey in dem Frauenzimmer.
30 Aber Trumphart der lebet nimmer,
Sonder alsbaldt worden enthaupt.
Nun warumb hat er mir nit glaubt,
Daß man das Pferdt falsch richten künd?

Er sicht sich vmb vnd sagt:

35 Potz Valtin, secht, wenn ich hie find
Im Läger! ey wie ein schönes Weib!

Bey der ich heüt mein Zeit vertreib.
Ich sih sie an für ein Bulthirn.

Er geht zu jhr vnd sagt:

Jungkfrau, bitt, last euch mit mir fürn
5 Zu allernechst da in mein Zellt!

Pacollet in Weiberkleidern sagt:

Ich bin weit gangen über Feldt
Vnd kommen in das Läger rein.
Wenn jhr ein züchtiger Wirth wolt sein
[295ᵇ] 10 Vnd mir heüt geben ein Nachtläger,
Wolt ichs zu danck annemen weger,
Dann ich hab mich gleich gangen müdt.

Adroman gibt jhr die Hand, will sie drucken, sie wert sich vnd sagt:

15 Was macht jhr da? Herr Gott behüt!
Ihr sollt mir wol nichts guts zutrauen,
Mich ansehen für ein Bulfrauen!
Ey nein, ich bin noch ein Jungkfrau.

Adroman setzt sich zu jhr nider vnd sagt:

20 Mein Lieb, als guts ich euch zutrau.
Ich glaub, jhr traut euch selber nit.

Pacollet sagt:

Ey ruht ein weil vnd seyt zu fried!
Ich muß schlaffen: zu guter nacht!

25 ### Adroman sagt:

So weckt mich auff, wenn jhr erwacht!
So schwatz ich dann wider mit euch.

Pacollet steht auff vnd sagt:

Ietzt ist der Schalck entschlaffen gleich.
30 Ich will dir deines bulens vertreiben,
Daß ich vor dir wol kan bleiben,
So must du sterben durch dein Schwert,
Dessen ich zwar offt hab begert.
Nun will ich auch gehen vnvermelt

> Inn deß König Ferragi Zellt
> Vnd jhn so schlaffent nemen gfangen
> Vnd dardurch gute beüt erlangen.

Er sticht jhn todt, haut jhm den Kopff ab vnd geht mit dem
schwert ab. Er schläifft jhn ab. Kommen Hertzog Savarij
mit Vrso, Fessonna vnd Bellisant. Savarij sagt:

> Billich trauren wir den Verlust,
> Der euch allen ist wol bewust,
> Wie Eclaramunt ist verlorn.
> 10 Doch hat Pacollet hart geschworn,
> Er wöll seinen Verrähter zwingen
> Vnd Ferrago, den König, bringen.
> Wenn das gscheh, so wers als noch gut.

> **Vrsus sicht sich vmb vnd sagt:**
> 15 Fürwar ich bin gantz wol gemuht, .
> · Das alls, was Pacollet fengt an,
> Thut jhm glücklich von statten gahn.

[295ᶜ]   Der liebe Gott verleyh sein Gnad,
> Daß der böß Feind komm von der Stadt!
> 20 So wolt wir zunechst allesandt
> Vns auffmachen nach Griechenlandt,
> Dem Keiser sein Gemahl heimführn.
> Villeicht wird vns das Glück beschirn
> Noch einsmals ein fröliche stund,
> 25 Daß sich auch find Eclaramundt.

In dem geht Pacollet inn Weiberkleidern ein, bringt Ferrago,
den König, gleich schlaffent an einem strick gefürt vnd deß
Adromans Kopff an eim schwerdt, legt den nider vnd sagt:

> Allhie ist meines Feindes Haupt,
> 30 Den ich seins Lebens hab beraubt
> Zu einer wolverdienten Straff.
> Auch bring ich gfangen auß dem Schlaff
> Den grossen König Ferragum.
> Mit dem werdt jhr handeln darumb,

*

11 O Vertähter.

Daß sein Kriegsvolck zeicht von der Stadt.

Savarij sagt:

Hör, König, wilt du dir schaffen raht,
So must verlaugnen den Glauben dein
5 Vnd hinfort auch ein Christman sein,
Vns Frid schweren dein Leben lang,
Auch zahlen allen den Auffgang,
Den vns hat kostet diser Krieg,
Vnd darzu auch verschreiben dich
10 Bey Königlicher Treü vnd Ehr,
Wider vns zu thun nimmermehr
Weder durch dich noch ander Leut,
Inn kein weiß, weg, in Ewigkeit.
Was du nun thun wilt, das sag an!

15 ### Ferragus sagt:

Mein Glauben ich nicht verlaugnen kan,
Will lieber sterben, wie ein Hund.
Das sag ich für allen jetzund.
Das ander will ich alles erfüllen.

20 ### Vrsus sagt:

Man wirdts nicht machen nach deinem willn.
Wilt ein Christ wern, so zeigs baldt an!
Wo nicht, so ists befohlen schon,
Daß man dir soll den Kopff abschlagen.

25 ### Ferragus sagt:

Ich sag, wie ich vorhin thet sagen,
Den ChristenGlauben nimb ich nicht an,
Sonst will ich thun alls, was ich kan.
[295ᵈ] Ja ich will auch viel lieber sterben.

30 ### Savarij, der Hertzog, sagt:

Weil man nichts bey dir kan erwerben,
Nachrichter, führ den König nab!
Schlag jhm den Kopff im Gfängknuß ab!

Der Nachrichter fürt jn gebunden ab. Savarij, der Hertzog,
35 ### sagt:

Secht, wie das Volck laufft auß dem Läger!
Darumb ist vns von nöten weger,
Daß wir sie schlagen auß dem Land.
Darnach so wöllen wir allsandt
5 Hin zu dem Keiser Alexander
Vnd wider theydigen zu einander
Bellisandt zu jhr Majestatt.

Bellisant weint vor freüden vnd sagt:
Ach daß nun Gott verlih die Gnad,
10 Daß ich es sollt mit Freüd erleben,
Daß mir mein Gmahl würd widergeben
Vnd meine Vnschult käm an Tag.
So wolt ich fort haben kein klag,
Sonder Gott in seim Himmel droben
15 Ewig rühmen, preisen vnd loben,
Der mir geholffen hett zu rhu.

Vrsus sagt:
Gott wird euch bald helffen darzu.
Liebe Frau Mutter, habt gedult!
20 Die gantz Welt weiß schon eür vnschult.
Gott geb auch, daß mein Bruder fromm
Sein lieben Gmabl wider bekomm
Inn Ehrn, wie sie ist weg gschiden.

Pacollet sagt:
25 Ihr lieben Herrn, gebt euch zu friden!
Es wird noch alles besser dann gut.
Darumb seyt keck vnd wol gemuht!
Ich weiß mir schon ein guten Raht,
Daß ich euch allen helff in dStatt
30 Vnd euch widerfahr gar kein Schad.

Abgang jhr aller.

ACTUS TERTIUS.

Valentin vnd der grün Ritter gehn ein. Valentin sagt:
Der Hunger in der Stadt nimbt zu.
35 Die Burgerschafft lest vns kein ruh,

[296]   Daß wir jhn zessen schaffen solln.
         Darumb wir hinauß fallen wölln,
         Ob wir villeicht drauß auff dem Land
         Köndten erkauffen Proviant
    5 Oder mit gwalt in die Statt bringen.
         Sonst werden vns die Burger zwingen,
         Daß wir die Statt müssen auffgeben.

Der Grün Ritter sagt:

         Ich will daran wagen mein Leben
    10 Vnd mit euch fallen für die Stadt,
         Ob wir bekommen ein Vorraht.
         Sonderlich weil ich hab vernommen,
         Es soll eür Bruder vnd Mutter kommen
         Mit einem zimblichen Kriegsheer,
    15 Hab wir des vrsach desto mehr.

Sie gehn ab.   Kompt ein Mercatenter, der schreyt vnd sagt:
         Hoscha, hoscha, jhr Kriegsleit, wist!
         Ein Notturfft Brodt vorhanden ist,
         Gebachen, auff dreyhundert Karn.
    20 Wer deß bedarff, der thu nicht harn,
         Sonder kauff, weil zu kauffen ist!
         Darnach jhr euch zu richten wist!

Valentin vnd der grün Ritter gehn ein.   Valentin sagt:
         Hör, Mercatenter, ich hört drauß,
    25 Daß du hast Brodt geruffen auß
         Biß inn drey hundert Karn vol,
         Die will ich dir bezahlen wol,
         Wenn du mirs fürst in die Statt.

Mercatenter sagt:

    30 Wenn mirs bezahlen eür Genad,
         Gib ichs der so lieb, als eim andern.

Valentin sagt:

         So laß vns baldt von binnen wandern,
         Ehe der Feind vnser innen werd!
    35 Wir stünden sonst in grosser gfert.

Der Mercatenter laufft ab. Inn dem lauffen Bevian vnd noch
ander gerüste Türcken mit ein. Bevian sagt:

Ihr lieben Kriegsleut, baldt greiffet an!
Die rechten gsellen wir hie han,.
5 Den wir so lang seindt nachgangen.
Schlagt sie Todt oder nembt sie gfangen!

[296ᵇ] Sie schlagen auff sie, nemen sie alle beede gefangen
vnd führen sie ab. Bevian sagt weiter:

Die Bößwicht sollen jetzo büssen,
10 Daß sie den Soldan hencken lissen.
Die will ich grosse noth anlegen,
Darzu sie mich theten bewegen.

Abgang jhr aller. Kompt Pacollet vnd sagt:

Inn der Statt so hat mich mein Geist
15 Warhafft bericht vnd vnterweist,
Daß Valentin vnd der Grün Ritter
Ligen im schweren Gefängknuß bitter
Vnd sollen morgen beyd das Leben
Dem Türcken zur Buß gar auffgeben.
20 Demselben will ich kommen für,
Da soll mein Kunst nicht fehlen mir.
Vnd weil auff den Morgigen Tag
Hertzog Savari kompt hernach
Mit einem grausamen Kriegsheer,
25 So darff die Sach keines Rahtschlags mehr,
Als daß man drinn fall auß der Statt.
Weil man das Volck zum besten hat,
Daß man die Feind greiff hinden an,
Kan jhr keiner kommen davon.
30 Damit mach ich deß Kriegs ein end,
Dem Soldan, der mich wol kennt,
Hab auch sein Gmüth vnd Hertz verkehrt,
Daß er mich für ein andern hört
Vnd setzt ein grossen Glauben inn mich,
35 Dardurch die Ritter erlöß ich.
Ietzund will ich gehn zu jhm ein,
Will jhm ein Nasen drehen fein.

Abgang.   Bevian geht ein mit zweyen Trabanten, die führn
Valentin vnd den grün Ritter gebunden, binden jhnen auch
die Füß vnd werffen sie für den Soldan.   Bevian sagt:

> Ihr Bößwicht, den Tag müst jhr sterben.
> 5 Kein Mensch soll euch kein Gnad erwerben
> Mit einem gar schröcklichen Todt.

Pacollet fellt jhme zu Fuß vnd sagt:

> O Soldan, Machomet eür Gott

[296^c]   Laß eür Gnad lang mit Freüden leben!
> 10 An eür Gnad hat mir befelch geben
> Mein Herr, der König Giegar,
> Der bringt mit jhm ein grosse Schar
> Roß vnd Mann, die er gsamblet hat,
> Will euch helffen gwinnen die Statt.
> 15 Doch ist an euch sein fleissig bitt,
> Weil er so vil Pferdt bringt mit,
> Daß man hinfort nicht hat genug,
> Die zum Feldtbau ziehen im Pflug,
> Müssen die Menschen wie die Pferd
> 20 Zihen, daß das Land bauet werd,
> Dazu sollt jhr all gfangen Leüt,
> Die zugethan der Christenheit,
> Im schicken hinein alsobaldt.

Bevian sagt:

> 25 Wann dann die Sach hat die Gestalt,
> Daß vnser Bruder vns helffen will,
> Wöll wir der Gfangen Christen vil
> Ihm schicken, in dem Pflug zu gehen.
> Darzu seindt auch gut diese zwen.
> 30 Mein Freund, kompt mit ins Zellt herein!
> Ein lieber Gast sollt jhr vns sein
> Von vnsers lieben Bruders wegen,
> Dann an euch ist vns vil gelegen,
> Als wir euch jetzt wollen anzeigen.

35   Pacollet sagt:

> Ich bin eür Gnaden gar Leibeygen

> Vnd will thun alls, was mich die heist,
> Weil man eür Gnad weyt lobt ynd preist.

Er führt Pacollet ab, die Trabanten gehn ab, lassen den Valentin vnd grün Ritter ligen. Valentin sagt:

> 5 O Jammer über angst vnd noth!
> So nahent war vns nie der Todt,
> Als er vns jetzt ist vor der Thür.

Der grün Ritter sagt:

> Vor dem Todt wenig grauset mir,
> 10 Weil Pacollet herkommen ist,
> Der wird durch seine Kunst vnd List
> Dem Soldan einen Possen reissen,
> Vns ledig auß dem Läger weissen.
> Was gelts? jhr werdt bald wunder hörn,
> 15 Wie er den Soldan würd bethörn.
> Er ist der gröst Künstler auff Erd.

Valentin sagt:

> Seiner hab ich alsbaldt begert,
> Da wir gefangen worden sein.
> 20 Schau! dort kompt er gleich wider rein.

[296ᵈ]   Pacollet geht ein, löst sie auff vnd sagt:

> Nun steht halt auff vnd geht mit mir!
> Keinen Menschen dörfft fürchten jhr.
> Es schläfft alls, dann ich thu machen,
> 25 Daß keins im Läger kan erwachen.
> Dort vor deß Soldans Zellt gar groß
> Da werdet jhr finden zwey Roß,
> Die reyt bald in die Stadt hinein
> Vnd heists darinnen als auff sein
> 30 Vnd grimmig fallen in die Feind!
> Savari, der Hertzog, lage heint
> Mit seinem gantzen grossen Heer
> Zu allernechst dort an dem Meer.
> Der würd die Feind binden anfallen,
> 35 Daß nichts über bleibt von jhn allen,
> Damit die Statt werd ledig heut

Vnd jhr desto baß werd erfreüdt.

Geht eilend. vnd bsinnt euch nicht laug,

Daß man der Sach mach ein anfang!

Valentin vnd der grün Ritter lauffen eilend ab, Pacollet hernach. Kompt Bevian mit seinen gerüsten Türcken vnd sagt:

Der Leckersbub hat mich betrogen,

Ist mit den Gfangnen davon zogen.

Auch hab ich gschlaffen heüt die Nacht,

Daß ich gar kein mal bin erwacht.

10 Ich weiß nicht, was es wol bedeüt.

Es ziehen hinder vns her Leüt.

Ich hoff, es soll mein Bruder sein.

So nimb ich die Stadt mit Sturm ein.

Versecht euch! der Feind auß der Stadt

15 Fornen in Hauffen griffen hat.

Blast Lärmen vnd schlagt die Heerdrummen!

Der Feind ist vns gar nahent kommen.

Keiser Alexander mit König Pipin, Valentin, der grün Ritter,
felt herauß, schlagen mit den Türcken, so fallen Hertzog Savari vnd Vrsus, die Feind hinden an vnd erschlagen die
Türcken alle. Valentin vnd Vrsus fallen einander vmb die
Hälß. Valentin sagt:

Sey mir Willkomm, o Bruder mein!

Komm baldt vnd such den Vatter dein,

[297] 25 Den gwaltigen Keiser im Griechenland!

Vrsus sagt:

O ja, mach mich mit jhm bekandt!

Valentin führt jhn zu dem Keiser Alexandro vnd sagt:

Allergnedigster Keiser, dieser Mann

30 Ist gleich so wol, als ich, eur Sohn.

Alexander, der Keiser, fellt jhm vmb den Halß vnd sagt:

Ach Hertzenlieber Sohne mein,

Wir haben an der Mutter dein

Vnd auch an dir gar übel than.

35 Bitt, wollst vns nichts in Vngut han.

Wir warn der Warheit nit bericht.
Secht! dorten kompt von Angesicht
Blandemann, etirer Mutter Gfert,
Vnd Gwittar, der im streitt gar hert
5 Den falschen Bischoff überwand,
Dardurch vns ist worden bekannt
Eurer Mutter grosse Vnschult.
Drumb wend auff vns kein Vngedult!
Wir wolten, es wer nie geschehen.

Plandeman vnd Gwittar, der Kauffman, gehn ein.   Vrsus empfengt sie vnd sagt:

Ach jhr mein allerliebste Fretind,
Gott sey danck, der vns alle hetint
So gnedig hat zusammen bracht!
15 Dann hetit noch auch auff dise Nacht
Wir mein Gemahl vnd Frau mutter
Mit vns allen vnd meim Bruder
Sich mit jhr Majestatt . erfreyen.

Pipin, der König, sagt:

20 Gott laß vns das mit lieb gedeyen,
Der deß Türckischen Feindes Bracht
Auff einmahl hat zu nichten gmacht!
Der geb vns Glück vnd heyl darzu,
Daß ich wider gsundt sehen thu
25 Die allerliebsten Schwester mein!
Secht! dort geht sie gsundt zu vns rein.

Bellisandt geht mit Fessonna vnd dem Pacollet ein vnd sagt:

Hertzliebe Tochter, seyt getröst!
Gott hat vns auß vil noth erlöst.
30 Dort steht der liebste Gemahl mein,
Wird euch ein Gnediger Schwähr sein,

[297ᵇ]   Weil er etirn Gemahl hat erkennt
Vnd sich sein Vngnad von mir gewendt.

Als sie der Keiser Alexander sicht, laufft er zu jhr, fellt jhr
35   zu Fuß vnd sagt:

Hertzliebster Gmahl, durch Gott ich bitt,

Wolt mirs für übel haben nit,
Was ich euch übels hab gethan!
Der Bischoff ist gestraffet schon
Vnd eür Vnschult kommen an Tag.

Bellisant fellt auch auff die knye vnd sagt:
Vor Freüd ich nicht mehr reden mag,
Dann das mir ist groß vnrecht gschehen.

Pipinus, der König, fellt jhr vmb den Halß vnd sagt:
Weil ich dich, Schwester, thu wider sehen,
10 So ist mein Hertz mit Freüd erfüllt.

Alexander, der Keiser, sagt:
Ach du allerkeuschtes Weibsbildt,
Wie vnrecht hab wir euch gethan!
Mein Leid ich nicht außsprechen kan,
15 Das ich hab wegen eür erlitten
Vnd dise zweintzig Jahr erstritten.
Nun kan ich wol mercken dabey,
Daß auch eür Creutz nicht klein gwest sey.
Drumb bitt ich euch vmb Hult vnd Gnad.

20 Bellisandt sagt:
O Keyserliche Majestatt,
Was ich glitten, reüt mich nicht sehr.
Weil ich nur erhalt Treü vnd Ehr
Vnd Eür Majestatt wider sich,
25 So ist niemand fröer, als ich.
Vnd seyt ich thet eür Hult erwerben,
Will ich nun desto lieber sterben.
Wenn Gott will, so bin ich bereyt.

Alexander, der Keiser, sagt:
30 Ach Hertzenfreüd über all freüd!
Ach Gott, wenn wir es sagen solten,
Wir jetzt nit gern sterben wolten.
Weil wir euch wider sehen gsundt,
Freuen wir vns auß Hertzengrund,
35 So wol auch vnser Söhn allbeed,

Zu der Fessonna sagt er:

Vnd wie man vns anzeigen thet,
Seyt jhr vnser Tochter vnd Schnur.
Wist wir euch allen zu dienen nur,
[297ᶜ] 5 So wolt wir je gantz willig sein.

Zum Hertzog Savarij sagt er:

Auch ist vnsere Freüd nicht klein,
Daß jhr, Herr Schweher, mit starcker Hand
Vns habet gethan den Beystand
10 Wider den starcken TürckenHund.
Das verdien wir zu aller stundt,
Wo es vns müglich ist zu than.

Savarij sagt:

Eür Majestatt ich nicht dienen kan,
15 Was aber in meim vermögen wer,
So wer mir gar kein Arbeit schwer.
Das soll mir jhr Majestatt trauen.

Bellisant sagt zu Gwittar, dem Kauffmann:

Ach daß ich soll mit Augen schauen
20 Euch, meiner Frauenehr ein retter,
Auch Blandeman, meinen Gutthäter,
Des frey ich mich von Hertzengrund.

Sie gibt jhn beeden die Hand. Alexander sagt:

Es ist gnug davon gredt jetzund.
25 Kein grösser Freüd wir wünschen theten,
Wenn wir auch Eclaramunta hetten,
Ein Verlobte vnsers Valentin.

Pacollet sagt:

Der König Trumphart fürt sie hin
30 Durch hilff deß Zauberers Adroman,
Der mir auch mein Pferdt bracht davon.
Dem hab'ich nacher den Kopff abgschlagen.
Iedoch so weiß ich nicht zu sagen,
Wo jetzo sey Eclaramund.

35 Valentin sagt:

Verfluchet sey der Tag vnd stund,
Darinnen ich Armer geborn,
Wenn Eclaramund ist verlorn!
Ich glaub, daß alls Vnglück allein
5 Zweintzig Jahr lang sey gwesen mein
Vnd werde noch je lenger je mehr.

Pacollet sagt:

Ey schweigt! bekümmert euch nicht sehr!
Ich hoff, ich wöll können so vil,
10 Daß ich wider bekommen will
Mein Pferdt vnd auch eür Liebste schaut.

Valentin sagt:

Euch hab ich allzeit guts zutraut.
[297^d] Was jhr nicht schafft mit eürer Kunst,
15 Das ist vergebens vnd vmbsonst,
Als ich es hab vernommen schon.

Alexander, der Keiser, sagt:

Ihr Herrn, die Procession
Geht vns entgegen auß der Statt,
20 Dieweil man drinn vernommen hat,
Daß wir den Feind haben geschlagen
Vnd sich durch das Glück hat zutragen,
Daß wir vnd vnser Gemahl schon
Einander haben troffen an.
25 Darnach wir lang haben getracht,
Sich die gantze Statt frölich macht.
Darumb kompt all mit vns herein!
Last vns erstlich Gott danckbar sein,
Inn der Kirchen beten vnd singen,
30 Vnd wenn wir Gott sein Lob verbringen,
So wöllen wir mit Freüden groß
Allsampt auff das Keyserlich Schloß
Vnd auff dem Keyserlichen Saal
Essen ein Keyserlichs Nachtmal
35 Vnd ander kurtzweil dabey treiben.
Morgen wöllen wir ein

Daß all vnser Fürsten vnd Herrn
Inn vnsern Landen weit vnd ferrn
Zu vns kommen, sich mit vns freyen,
Weil vns Gott ließ mit Gnad gedeyen,
5 Daß wir wider zsamm kommen seyen.

.Abgang jhr aller.

ACTUS QUARTUS.

Kompt Pipinus, der König, mit Vrso vnd Fessonna, seinem
Gemahl. Pipinus, der König, sagt:

10 Weil wir das Glück erlebet han,
Daß der Keiser hat gnommen an
Dein Mutter widerumb zu Gnad
Vnd auch der Türck ist vor der Statt
Mit all seim Volck worden erschlagen,
15 So wöllen wir Gott lob drumb sagen
Vnd vnsern weg nemen zu Hauß,
Dann wir sein lang gewesen auß.
Darzu wolst du vns Vrlaub geben.
Gott laß euch beede lang gsundt leben!

20　　　　Vrsus sagt:

Großmächtiger König, es ist mein bitt,
Ihr wolt vns lassen ziehen mit,
Mich lassen eüren Diener sein.

　　　　Pipinus, der König, sagt:

25 Vrsus, du vnd der Gmahle dein

[298]　　Seind vns gar lieb in Zucht vnd Ehrn.
Vnd thust du vnsers Diensts begern,
So wöll wir mit vns nemen euch
Vnd du solst neben mir zugleich
30 Regirn die Königliche Kron,
Solst auch vnser Kammerampt han,
Zu warten auff vnsern eigenen Leib.
So lang dirs gfellt, du bey vns bleib
Sampt deiner Gemahl hochgeborn!
35 Nie haben wir dich gern verlorn.

Sie gehn alle ab. Kompt Offerus vnd Heinrich, Florian vnd

Gwerner. Offerus sagt:

Ihr Brüder vnd Vettern, ich hab vernommen,
Es werd' jetzt mit dem König kommen
Vnser Vrsus, die alte Bernhaut,
5 Dem ist ein Hertzogin vertraut,
Dieselb bringt er auch mit jhm her.
Auch hör ich, daß er werden wer
Der oberst Diener zu Pariß.

Heinrich sagt:

10 Ey Bruder, ist das aber gwiß?
Was will der König thuu mit jhm?
Die Zeitung ich vngern vernimm,
Dann ich wolt vil liber, daß er
Vor eim Jahr gehengt worden wer,
15 Als er wider herkommen soll.

Gwerner sagt:

Ihr lieben Herrn, gehabt euch wol!
Seinthalb hats mit vns gar kein noth.
Wir wollen jhn bald thun vom Brodt,
20 Bey dem König machen verhast,
Daß er disen so frembden Gast
Noch selbst vmbbringen lassen soll.

Florian sagt:

Ein guten Raht weiß ich euch wol.
25 Inns Königs Kammer wölln wir vns stehln
Vnd ein groß Messer drein verheln,
Dasselbig stecken in das Betth,
Sagen, wie daß der Vrsus hett
Willens ghabt, jhn zu erstechen.
30 Dasselbig wird der König rechen
Vnd jhm abreissen seinen Halß.
Drumb kompt rein! drinn sag ich euch alls.
Es stehn vil Leut hie, hören zu.
Daß es niemand anzeigen thu!

Abgang.   [298ᵇ] Valentin geht mit Pacollet allein ein vnd sagt:
Ach weh, hertzlieber Pacollet!

Wenn ich Eclaramunda bett
Vnd du wider dein Zauberroß,
So bstünden wir in Ehrn groß.
Aber so seind wir arme Leut.

5   **Pacollet sagt:**

Wir müssens nemen, wies vns Gott geit.
Doch laß ich mir mit nichten grausen.
Ich will mit euch vmbzihen drausen,
Biß daß ich euren Gemahl fromm
10 So wol auch mein guts Roß bekomm
Ungeacht deß Adromans Todt.

      Valentin sagt:

Mein Pacollet, das verley Gott!
Hilffst du mir mit der Kunste dein
15 Wider zu der Geliebsten mein,
So gib ich dir ein reichen Lohn.
Du sollst gefallens haben dran.

Abgang.   Kompt König Pipinus mit seinen Rähten, Milan von Angler vnd Valentin, dem alten, setzt sich vnd sagt:

20 Vns seind fürkommen seltzam mehr.
Wo die sach also gschaffen wer,
Wolten wir ein strengs Vrtheil fellen,
Auff daß ander dergleichen Gsellen
Ein ernstlich warnung nemen von.
25 Dann solt vns Vrsus dises than,
Dem wir so gar vil Guts zutraut,
So wer er entwicht in der Haut
Vnd hett groß Straff verdienet wol.

      Milan von Angler sagt:

30 Hierüber man jhn hören soll.
Man merckt auß der Antwort gar bald,
Wie es mit der sach hab ein gstallt,
Ob er sey schuldig oder nit.

      Valentin, der Alt, sagt:

35 Eur Königlich Majestatt ich bitt,

Wöll den Beklagten nur nit eylen, •
Dann es begibt sich offt bißweilen,
Daß man vmb Argwohn vnd verdacht
Ein Vnschuldigen verdächtig macht,
5 Der jhm nichts übels nam in sinn.
Derhalben ich der meinung bin,
Daß man vor einnäm guten bricht.

Pipinus sagt:

Wir haben jhms selbst zutraut nicht,
10 Aber Gwerner vnd auch Florian
Vnd darzu vnser Söhn all zween,
Die vns diß haben zu Ohren tragen,
Werden, glaub wir, kein ligen sagen,
Mit blossen Worten vns verthörn.
15 Doch soll man jhn gleichwol verhörn.
Geht! heist sie all kommen herfür!
So verhören wirs vnd auch jhr.

Valentin, der Alt, geht ab, bringt Vrsum. König Pipinus sagt weiter:

20 Vrsus, wir haben dir vertraut,
Auß Hertzensgrund steiff auff dich baut,
Als werst du gwesen vnser Sohn.
So zeigen vns die Herrn an,
Wie du vns stellest nach dem Leben.
25 Darauff magst du dein Antwort geben,
Daß wir vns darnach richten mögen.

Vrsus sagt:

Sollt eür Majestatt ich leydts zufügen?
Vil eher ich mir wünschen wolt,
30 Daß ich deß Todtes sterben sollt.
Gott weiß, daß jhr hie seyt betrogen.
Wer das übel auff mich hat glogen,
Der thut mir groß gwalt vnd vnrecht.

Gwerner sagt:

35 Wie wenn einer das Messer brächt,
Welches steckt in deß Königs Betth?

Darmit wollst du haben getödt
Den König, wenn dir bett wölln glingen
Vnd hests mögen zuwegen bringen,
Vnd thet dich damit überzeügen.

5   **Vrsus sagt:**

Ach Gwerner, thu der sachen schweigen!
Meinst dann, ich sey ein solcher Mann,
Daß ich mein Händ soll legen an
An meiner lieben Mutter Bruder?
10 Wenn du gleich nimbst falsch Zeügn zuder,
So gschicht mir doch gwalt vnd vnrecht.

      Florian sagt:

Daß jhr alle die Warheit secht,
So schick Königlich Majestatt
15 Mit dem Gwerner ein auß dem Raht
Vnd laß in dem Betth suchen drinnen,
So wird man noch das Messer finnen,
[298ᵈ]   Daß er in das Betth hat gesteckt.

      Pipinus sagt:

20 Die sach vns schier zu zweiffel bewegt,
Daß wir der sachen müssen glauben,
Du habst vns wollen das Leben rauben.
Drumb geht baldt inn die Kammer nein!
Findt jhr das Messer, so tragts herein!

Valentin, der Alt, vnd Gwerner gehn ab, kommen bald wider
vnd bringen ein langs messer. Valentin sagt:

Großmächtiger König, in dem Betth vnden
Hab wir das Messer stecken gfunden.
Nicht weiß ich, wers hat nein gethan.

30   **Vrsus sagt:**

Das Messer ich nie gsehen han,
Des will ich schweren ein Eydt zu Gott.
Vnd ich wolt lieber sterben todt,
Als meim Herr König ein Leydt than.

35   **Pipinus ist zornig vnd sagt:**

Ey solts vns nicht zu Hertzen gan,
Daß der, dem wir so vil vertraut,
Soll sein ein Lecker in der Haut
Vnd soll vns stellen nach Leib vnd Leben?
5 Was gelts? wir wölln den Lohn dir geben.
Du solts fürhin thun keinem mehr.

Vrsus sagt:

Großmächtiger König, bey Treü vnd ehr,
Die klag kompt nur durch falsche List.
10 Weil dann bißher bräuchlich gwest ist,
Daß ein übel anklagter Mann
Sein Vnschult mit Kampff bewehrn kan,
So bitt ich jetzt, eür Majestatt
Vergönn mir auch das Recht vnd Gnad,
15 Daß ich mög mit jhn beyden kämpffen.
Thu ich sie überwinden vnd dämpffen,
So ists ein Zeichen der Vnschult.
Drumb hab eür Majestatt gedult
Meinthalb vnd straff den überwunden!
20 Werd ich aber vnrecht befunden,
So werden sie mir obgesiegen.

Pipinus, der König, sagt:

Wir hoffen, das werd sich schon fügen.
Der künfftig Tag sey gsetzet an
25 Auff Morgen frü für jedermann!
[299] Darauß soll sich baldt finden schlecht,
Wer recht ist oder vngerecht.

Sie gehen alle ab. Kommen Offerus vnd Heinrich. Offerus sagt:

Nun auff! heüt so ist der KampffTag,
30 Derwegen ich warlich Sorg trag,
Vrsus überwind sie alle beyd
Vnd wir kommen in Hertzenleydt;
Dann solt Vrsus jhr einen erschlagen,
Daß er müst die Warheit sagen
35 Vor dem König vnd dem Hofgsind,
Vnser Sach warlich übel stünd.

Darumb raht, was wir darbey than!

Heinrich sagt:

Da wöll wir bey der Schrancken stahn,
Vnd wenn wir die Sach also finden,
5 Daß Vrsus ein möcht überwinden,
So wöllen wir jhm springen zu,
Als ob vns der vnbill weh thu,
Vnd ein Rapier durch jhn stechen:
So kan er die Gschicht nicht außsprechen,
10 Wie sich dieselbig hab zutragen.

Offerus sagt:

Ein guten Raht thust du mir sagen.
Was du hast gsagt, dasselb soll sein!
Da kommen gleich die Kämpffer rein.

Kompt König Pipinus mit seinem Hofgesindt, dem Vrso, Gwerner vnd Florian. Der König sagt:

Nun wöllen wir erfahrn gern,
Wie die beede Parthey bewehrn
Ihr Anklag vnd jhre außred.
20 Derhalb dapffer zusammen geht!
Kämpfft also, daß man merck dabey,
Welcher Theil grecht vnd schuldig sey!

Sie schlagen zusammen. Vrsus treibt sie beede lang vmb; endlich fellt Florian; sie ruhen ein wenig. Der König sagt:

25 Vrsus hat schon halb überwunden.

Vrsus sagt:

Mein Vnschult soll werden gefunden.

Sie schlagen wider zusammen; endlich wirfft Gwerner das schwert hin, fellt auff die Knie vnd sagt:

[299ᵇ]   30 O Ritter, schon mir nur mein Leben!
Ich will es alles an Tag geben,
Wie sich mein übel hab zutragen.

Offerus laufft zu, zuckt das Rapier, haut jn zu boden vnd sagt:

Darffst du von redlichen Leuten sagen

Solch böß Laster vnd übelthat
Vnd machen, daß jhre Majestatt
Ihren liebsten Diener verdacht?
Billich wirst du darumb vmbgebracht.

5   Pipinus sagt zu Vrso:
Dein Vnschult hab wir gern vernommen.

Vnd zum Offero:
Doch sollst du nicht zu hilff sein kommen
Vnd den Gwerner haben erschlagen,
10 Sonder jhn vor alls lassen sagen,
Daß wir hetten gwust, wie jhm wer.

Offerus sagt:
Großmächtiger König, es fiel mir schwer,
Daß Gwerner, der Verrähter arck,
15 Hat behart also lang vnd starck,
Daß ich mich nicht erhalten kundt.

Pipinus sagt:
So komm zu der Mahlzeit jetzund!
Da wöllen wir von diesen dingen,
20 Was nötig ist, wider fürbringen.

Abgang jhr aller. Kompt Flavus, der König zu Antiochia,
    mit Friedlieb vnd Tribano. Der König sagt:
Ihr lieben Getreuen, weil jhr all wist,
Daß vnser ernstlichs verbott ist,
25 Daß da kein Christ in vnser Statt,
Der nicht ein special Gleyd hat,
Dürff allhie ligen über nacht,
Vnd wer diß vnser Gebott veracht,
Sein Leib vnd Leben hab verlorn,
30 Weil wir dann seind berichtet worn,
Daß zwen Christen herkommen sein
Vnd bey dem Friedlieb kehret ein,
So geht balt hin vnd bringt sie her!
Das ist vnser ernstlichs begehr.

Friedlieb geht ab, bringt Valentin vnd I   Flavus, der

König, sagt:
[299ᶜ]   Ihr alle beyd, sagt! seyt jhr Christen?

Valentin sagt:
Ja, wir seindts.

5   _   **Flavus sagt:**
So thut euch zum sterben rüsten!
Darfür hilfft weder hilff noch raht,
Weil jhr dörfft brechen das Mandat,
Das wir vorlengsten publicirt.

10   **Valentin sagt:**
Der weg hat vns hieher gefürt.
Wir seindt frembt vnd haben nicht gwist,
Was dißhalben der brauch hie ist.
Derhalb bitt wir vmb Hult vnd Gnad.

15   **Tribanus sagt:**
Großmächtiger König, es wer mein Raht,
Weil vns der Trach vil Leut verderbt,
Die seinthalben werden gesterbt,
So leg man auff den ChristenHunden,
20 Daß sie allbeyd inn wenig stunden
Entweder den wilden Trachen erschlagen
Oder sich lassen von jhm weg tragen.
Derselb hat jetzt zwen Tag nichts gessen
Vnd ist mit grossem Hunger bsessen:
25 So frist er sie allbeid hinweck.

Flavus, der König, sagt:
Ihr Christen, wann jhr seyt so keck,
Daß jhr beed erschlagt einen Wurm,
Einen sehr erschrecklichen Furm,
30 Der sich nicht weit helt von der Statt,
So soll euch widerfahren Gnad
Vnd wollen euch alls guts beweisen.
Wird aber der Wurm euch zerreissen,
So soll eür Straff geschwunden sein.

35   **Valentin sagt:**

Eh ich will lassen das Leben mein,
Ehe will ich mit dem Wurm kämpffen.
Villeicht so möchten wir jhn dempfen,
Vns erlösen auß aller noth.

5   **Flavus, der König, sagt:**
Wenn dir die sterck verleyt dein Gott,
Daß du den Wurm überwindest
Vnd dich wider zu vns her findest,
So wöllen wir vns tauffen lahn,
10 Den ChristenGlauben nemen an
Mit allem vnserm Hofgesindt.

Pacollet sagt:
Mein Gferdt den Trachen überwind.
Das weiß ich vnd wolt wetten drauff.
15 Aber Herr König, auff eür Tauff
[299ᵈ]   Kan ich noch keinen Glauben geben.

Flavus sagt:
Geht hin! so war vnd als wir leben,
So war wölln wir euch halten das,
20 Was euch von vns versprochen was.

Sie gehn alle ab. Rosimunda, die Königin, geht ein mit Vi-
      dela, der Jungkfrauen, vnd sagt:
Videla, thu mir baldt verjehen!
Hast du den ChristenRitter gsehen,
25 Der vnserm König thet zusagen,
Wie er wolt vnsern Trachn erschlagen,
Dargegen jhm der König verhieß,
Er wollt sich lassen tauffen gwiß
Mit allem seinem Hofgesindt?

30   **Videla sagt:**
Zwen frembdter Mann hie gwesen sind;
Der ein war gar klein von Person,
Der ein Aber ein grosser Mann,
Jung, schön vnd auch gantz Grad von Leib.

35   **Rosimunda sagt:**

Ach weh, ach weh mir armen Weib!
Wie bin ich in meins Hertzens Grund
Gegen jhm also hart verwundt!
Kan ich nicht seine Gnad erwerben,
5 So muß vor Hertzenleyd ich sterben.
Darumb bitt ich, hab auff jhn acht!
Wenn er wider gehn Hof wird bracht,
So schaff jhn zu mir in mein Zimmer!
Wo ich es kan verdienen immer
10 Vmb dich, so will ichs gern than.
Doch wollst du niemand sagen davon!
Er soll dir Speck in dKuchen tragen.

Videla sagt:

Ach was soll ich von dem Ding sagen?
15 Eür Gnad die wissen es vor wol,
Daß ich weiß, was ich sagen soll.

Abgang. Kompt Valentin vnd Pacollet. Valentin sagt:
Allhie erwarten wir den Wurm.

20 Pacollet sagt:

Er kompt inn eim schröcklichen furm,
Sicht grausam, wilt vnd vngeheür
Vnd speyt auß seinem Rachen Feür.
[300] Drumb secht euch für! jhr habt groß Zeit.
25 Gott geb, daß jhr gewind den Streitt!

Der Wurm kompt, schlegt sich lang mit Valentin; endlich
stirbt er. Pacollet sagt:
Gott hab wir wol drumb danck zu sagen,
Daß wir den Wurm haben erschlagen.
30 Nun wöll wir nemen ein warzeichen
Vnd solchs alles dem König reichen.

Sie nemen die Zung vnd etliche Zän vnd gehn mit ab. Kompt
Flavus, der König, mit Friedlieb vnd Tribano. Der König
setzt sich vnd sagt:
35 Allhie wart wir der beeden Christen,
Ob sie jhr Leben werden fristen

Vor dem Feüer außspeyenten Trachen.
Solten sie sigen in den Sachen,
So müsten wir vns tauffen lahn.

Tribanus sagt:

5 Wenn dann jhr Gott vermag vnd kan
Daß sie den Trachen bringen vmb,
So dancken wir jhm billich drumb.
Weil sonst kein Gott noch Machomet
Vns wider jhn kein hilff nie thet,
10 So nemb wir jhren Glauben an.

Friedlieb sagt:

Er hat das Wunder noch nit than.
Last vor sehen, was sie außrichten!
Der Tauff halb fürcht ich mich mit nichten.

Valentin geht ein mit Pacollet, der tregt die Zungen vnd etliche zän vom Trachen, neigt sich vnd Valentin sagt:

Großmächtiger König, mein Gott vnd Herr,
Der hoch sitzt ob all Götter ferr,
Der hat mir thun seinen beystand,
20 Daß ich mit diser meiner Hand
Den wilden Wurm hab erschlagen.
Halt mich nun an eur Zusagen.
Vnd diser Ding zu eim Warzeichen
Thu ich euch hie sein Zungen reichen
25 Vnd auch etlich deß Trachen Zän.

Flavus, der König, sagt:

Wenn wir todt finden ligen den,
So wöllen wir vns tauffen lahn,
[300ᵇ] Wie wir dir das verheissen han.

Abgang. Kompt Rosimunda vnd Videla. Rosimunda sagt:
Ich bin heüt dise Nacht schier gstorben.
Hast du mir vmb den Ritter gworben,
Wie ich dir nächten befohlen hab?

Videla sagt:

35 Der Ritter mir zur Antwort gab,

Er wolt alsbaldt kommen hernach.

Rosimunda sagt:

So geh! raum du auff in dem Gmach!
Ich will balt drinnen bey dir sein.

5 **Videla geht ab. Rosimunda sagt:**

O komm, du allerliebster mein!
Erquick mein hart bekümmerts Hertz!
Niemand, dann du, wend mir mein schmertz.
O Venus, still der lieben Flamm!
10 Hilff vns beeden mit Freuden zsamm,
Daß ich widerumb werd erquickt!

Valentin geht ein vnd sagt:

Frau Königin, habt jhr nach mir gschickt,
So bin ich hie, euch anzuhörn.

15 ### Rosimunda sagt:

Ach wie soll ich mein Sach ankehrn,
Daß ich recht fürbrächt meine Wort!
An euch kan ich nicht leben fort,
Dann eůr Vernunfft vnd groß Mannheit
20 Vbertrifft alle Männer weit,
Die auff gantzem Erdboden leben.
Drumb hab ich mich euch gar ergeben,
Daß jhr mit mir thut, was jhr wöllt.

Valentin sagt:

25 Ach gnedigste Königin, jhr sollt
Bedencken, daß es nicht sein kan.
Ihr habt vor ein Gemahl vnd Mann,
Daß ich euch nicht zu theil kan wern,
Dann kein Weib ich nie thet begern,
30 Dann die ich Ehelich kan bekommen.

Rosimunda sagt:

Ach Hertzenlieb, ich bitt euch drumben,
Last mich nicht so gar trostloß sterben!

Valentin sagt:

[300ᶜ]   Gnedige Frau, last von dem werben!
           Dann wenn ich euch schon nicht Feind bin,
           Ist mirs doch nie kommen in Sinn,
           Mich vmb ein Weib zu nemen an,
     5   Die ich mit Ehrn nicht haben kan.
           Habt doch gedult! gebt euch zu ruh!
           Erwartet, biß Gott schaffen thu,
           Daß etwan euer Gemahl stirbt!
           Alsdann euch ein anderer wirbt.
    10   Ietziger Zeit kan es nicht sein.
           Ich bitt, verschont eür vnd auch mein!

           Er geht ab. Rosimunda sagt:
           Ach Gott, mein werben ist vmbsonst.
           Nun weiß ich je kein andere Kunst,
    15   Daß der König nicht lenger leb,
           Als daß ich jhm mit Gifft vergeb.
           Nun bin ich darzu schon gerüst.
           Scharffer Gifft drinn in eim Kasten ist,
           Das will ich rüren in ein Wein
    20   Vnd setzen in die Kammer mein;
           Vnd wenn der König geht zu Bett,
           Ob er villeicht, wie er offt thet,
           Noch wolt ein kleinen schlafftrunck than,
           So müst er gwiß sterben davon.
    25   So kriget ich den jungen Mann.

                    Abgang.
                ACTUS QUINTUS.

Brandiffer, der König, geht ein, tregt ein Brieff vnd geht Lu-
    polt, der Bott, mit jm. Brandiffer sagt:
    30   Den Brieff gen Antiochia trag!
           Daselbst dem König, meim Eyden, sag,
           Ich hab dich geschicket zu jhm nider.
           Soll mir mein Tochter schicken wider,
           Weil er schändlich verlaugnen thet
    35   Vnser Götter vnd Machomet,
           Hatt sich zum Christen lassen tauffen;

Dann ich wöll mit einem Kriegshauffen
Ihm gwaltig fallen in sein Land,
Ihn vmbbringen mit meiner Hand,
Wo er mein Tochter nicht schicket mir.

5   **Lupolt, der Bott, sagt:**
Die Reiß will ich stracks nemen für   •
Vnd meine Bottschafft richten auß.

    Brandiffer, der König, sagt:
Vnd schick dich balt wider zu Hauß,

[300ᵈ] 10 Daß ich mich darnach richten kan!

    Lupolt sagt:
Großmächtiger König, das will ich than.

    Sie gehn ab. Kompt Valentin vnd sagt:
Ach wie kan doch ein gäiles Weib
15 So feind sein jhrer Seel vnd Leib,
Daß sie den leyhet zu Sünd vnd Schand
Vnd thut sich schämen vor niemand
Vnd bringt sich selbst vmb Ehr vnd Leben!
Ietzt hat man mir das Briefflein geben,
20 Darauß versteh ich, die Königin
Hab jhr dörffen nemen in Sinn,
Ihrn Herrn vnd Gmahl zu vergeben.
Doch hat es sich geschickt so eben,
Daß es der König ist innen worn
25 Vnd hat der Königin den Todt geschworn.
So hat sie doch entschuldigt sich
Vnd das übel gelegt auff mich,
Da ich doch bin vnschuldig dran.
Ach Gott! was soll ich jetzund than?
30 Bleib ich hie, so komm ich vmbs Leben.
Thu ich dann einen weiten geben,
So meint Königlich Majestatt,
Ich sey schuldig an diser That,
Da mir doch warlich vnrecht gschicht.
35 Mag doch ich zu schanden machen nicht
Die Königin, die es hat gethan.

Ich will mich halt machen davon
Mit Pacollet, meim Gferdten, gschwind,
Sehen, wo ich mein Liebste find.

Er geht ab. Kompt Flavus, der König in Antiochia, mit
Friedlieb vnd Tribano. Der König sagt zornig:
Friedlieb, bring deine Gäst mir her,
Daß ein Vrtheil gefellet wer
Vber den falschen Valentin!

Friedlieb sagt:

10 Großmächtiger König, er ist schon hin
Heüt frü, so bald gieng auff das thor.

Flavus sagt:

So last jhm nachsträiffen darvor!
Vnd wer jhn bringt, soll von mir han
15 Tausent Cronen zu einem Lohn.

Die beede Räht gehn ab. [301] Kompt Lupolt, der Bott, vnd
sagt:
Großmächtiger König, es schickt mich her
Eür Schwähr, der König Brandifer,
20 Sagt, jhr sollt jhm eür Gemahl schicken,
Begert, euch gar vnterzudrücken,
Daß jhr ein Christenmann seyt worn.

Flavus sagt:

Wie? thut dann das meim Schwähr so zorn?
25 Sprich, ich habs mit bedacht gethan!
Der Christen Gott wol helffen kan
All, die jhm glauben vnd vertrauen.
Auff sein Götzen ist nicht zu bauen,
Dann sie seind nur Silber vnd Stein.
30 Auch kan ich jhm die Gemahl mein
Ietzt nicht schicken, wie er will han.

Kommen Friedlieb vnd Tribanus. Tribanus sagt:
Der Ritter ist auff vnd davon
Heüt lengst weg über Meer gefahrn.
35 Allenthalb wir jhm nachfragen wahrn,

Aber er fuhr hoch auff dem Meer.

Flavus sagt:

Das kränckt mich in meim Hertzen sehr.
Kompt rein! so wöllen wir rahtschlagen,
5 Was der Bott soll seinem König sagen.

Abgang. Kompt Frigius, der König in India, geht ein vnd sagt:

Nun ists schon lenger, dann ein Jahr,
Daß zu vns her geführet war
Das Königlich Fräulein Eclaramund.
10 Die lassen wir bringen jetzund,
Daß wir sie nemen zu der Eh.
Man sagt, sie hab einen Kopffweh.
Das ist vns warlich für sie leid.
Doch gwart wir hie von jhr ein bscheid.

Lysimachus, der Raht, geht mit Eclaramunda ein, die fürt ein
Cammerjungkfrau. Lysimachus sagt:

Großmächtiger König, der Jungkfrauen
Ist in dem Kopff nicht recht, auff trauen,
Daß ich jhr nicht möcht warten gern.
20 Sie thut, als woll sie thöricht wern.
Doch bring ich sie zu euch herein.

Frigius beid jr die Hand vnd sagt:

Ach du hertzallerliebste mein!
[301ᵇ] Nach dir hett wir lang groß verlangen.
25 Komm her, auff daß wir dich empfangen!

Eclaramunda stelt sich, als sey sie nit gescheid. So er jhr
die hand hin reckt, schlegt sie jme auff die hand vnd sagt:

Pack dich hinweg, du Hurenmann!
Meinst du, ich werd mich drucken lahn,
30 Als wie ein vnzüchtige Frau?

Frigius sagt:

Ach Jungkfraw, vns nichts böß zutraw!
Wir hegern dein inn Ehrn vnd zucht.

Eclaramunda sagt:

Ja du bist gar ein schöne Frucht.

Aber ich kan dein wol gerahten,

Mag dich weder gsotten noch braten.

5 Du hast mich meinem Bruder gstoln.

Was gilts, er werd mich wider holn,

Dir legen sanct Veltins heůlen an?

Frigius sagt:

Ey, Junckfrau, das hab ich nicht than.

10 Es hats than der König Trumphart,

Der hie von mir gerichtet ward.

Besinnt euch recht! ich bin der Mann,

Der euch ledig gholffen davon

Vnd der euch haben will zu ehrn.

15 **Eclaramunda sagt:**

Ich thu aber dein nicht begern.

Darumb so laß mich nur zu frid!

Ich mag dich bey mein ehren nit,

Will wol bekommen ein schönen Mann.

20 **Frigius sagt:**

Ey, ey, wer hat dem Menschen than?

Nun ists jmmer vnd ewig schad,

Ir vernunfft sie gar verloren hat.

Drumb schicket auß inn alle Stätt,

25 Daß man jhr einen Artzt außgeht,

Der jhr widerumb hilfft zu recht!

Vnd wer vns denn die Bottschafft brächt,

Dem wölln wir geben reichen Lohn.

Last jhr nur niemand leid nit than!

Der König geht mit Lysimacho ab. Eclaramunda sagt zu der Kammerjungkfrau:

Geht jhr nur fort! ich komm hernach.

Die Kammerjungfrau geht auch ab. [301ᶜ] Eclaramunda sagt:

Ach wehe deß Jammers vnd der klag!

*

25 außgehen = aufsuchen. Fastnachtsp. 537. Grimms wörterb. 1, 872.

Wo bleibt mein liebster Valentin,
Der gleichwol nicht weiß, wo ich bin,
Daß er mich erlöst auß der Gfahr?
Dem König sagt ich von eim Jahr,
5 In welchem ich verschworen hett,
Daß ich mir kein Mann nemen thet,
Dacht, in der Zeit möcht helffen Gott,
Daß ich thet kommen auß der Noth
Wider zu dem Geliebsten mein.
10 So hats doch noch nicht können sein
Vnd ist das Jahr nun gangen hin.
Ach wo ist doch mein Valentin?
Nun so hab ich mich meiner Ehrn
Nicht anders wissen zu erwehrn,
15 Als mit diser Närrischen weiß.
Ich habs aber gethan mit fleiß,
Daß ich mein Valentin bekomm,
Den edlen Ritter Treü vnd fromm.

Sie geht ab.   Kompt Valentin vnd Pacollet.   Valentin sagt:
20 Nun sein wir gar lang zogen rumben
Vnd auch her inn India kommen
Vnd haben gar vil Land durchzogen.
Doch hat vns die hoffnung betrogen,
Daß wir an keinem ort nicht können
25 Mein liebst Eclaramunda finnen.
Das macht mich traurig über all maß.
Ach daß mir einer saget das,
Wie ich die Liebsten könd bekummen!
Alls, was ich hab, das gib ich drummen.
30 Vnser Wirth weiß gar nichts von jhr.

Pacollet sagt:
Gnediger Herr, schweigt vnd folget mir!
Ich hoff zu Gott, wir finden sie
An andern Orten, ist sie nicht hie.
35 Doch wollen wir besser nachfragen.

Deß Königs Frigij in India sein Ehrnholt geht ein vnd sagt:
Man thut gar seltzam Zeitung sagen,

Ayrer.   95

Wie Lucar, der König von Eclart,
Auff vnsern König erzürnet hart,
Weil er sein Vatter hab erschlagen.
Deß will er jhm keins wegs vertragen,
5 Sonder jm das Land nemen ein,
Rechen Trümphart, den Vatter sein.
Es wird dem Land vil Vnglücks geben,
Daß einer lieber nicht solt leben,

[301ᵈ]   Als diser Gfehrligkeit erwarten.

10   **Pacollet geht zu jm vnd sagt:**

Mein Herr, mir fragen nach einer Zarten
Jungkfrauen, eines Königs Kind.
Mein sagt vns, ob man sie nicht find!
Sie ist vns fälschlich gstolen worn.

15   **Ehrnholt sagt:**

Der Gschicht kam mir keine zu Ohrn,
Weiß euch auch nichts davon zu sagen.

Valentin sagt:

Mein Freund, ich muß euch noch eins fragen.
20 Von wem habt jhr geredt jetzundt?
Macht mir auch dise Zeitung kund,
Die euch so hart anglegen ward!

Ehrnholt sagt:

Lucar, der König zu Eclart,
25 Hat die schön Rosimunda gnommen.
Die wird mit Brandifer hinkommen
Vnd Hochzeit haben dise Nacht,
Weil Brandifer hat vmbgebracht
Sein Eydem, jhren vorigen Herrn.
30 Auch geht ein solche sag von Ferrn,
Daß Lucar vil Kriegsleut nem an,
Wöll vnserm König ein einfall than,
Weil er jhm s Vat schlug,
Trump , Kö vnd klug,
35 Vnd wöll e

So wöll wir jhn vmb Dienst ansprechen,
Lucar, den König, ob nicht der
Etwan eins Krigsmann dörfftig wer,
Daß er mir ein Dienst geben soll.

5   Ehrnholt sagt:
Bey jhm werd, jhr Dienst kriegen wol.

Sie gehn alle ab. Kompt Alexander, der Keiser auß Griechenland, mit dem grün Ritter vnd etlichen Trabanten. Alexander, der Keyser, sagt:

10 Creophe ist ein schöne Statt,
Die Brandifer belägert hat,
Ein grosser Schutz der Christenheit.
Nun sicht man da jnn breyt vnnd weyt
Vmb die Statt nichts, als Feldter vnd wisen,
15 Weinberg vnd schöne Bächlein fliessen,
Vil Gärten, Höltzer vnd grün Auen,
Daß einer dran sein lust kan schauen.
[302]   Auch ist die Statt gar wol staffirt,
Mit Speiß vnd Tranck proviantirt,
20 Daß man jhr nichts abgwinnen kan.

          Der Grün Ritter sagt:
Die Statt kan wol widerstand than;
Doch wolt ich, wir weren zu Hauß,
Weil der Türck ligt zu nechst da drauß
25 Vnd wir in Gfehrligkeit hie stehn.

Brandifer laufft mit zwen gerüsten Türcken ein vnd sagt:
Gebt euch gefangen alle zwen,
Dieweil jhr gwiß Kunthschaffter seyt!
Bald bind sie vnd fürt sie allbeid
30 Heim in vnser star   Schloß!
Da hats ein Gfän nuß weit vnd groß
Inner der Bruck vnter dem Thor,
Ligt manch starcker Rigel darvor.
          de Christenhund
             stund,
                              95*

Dann darinnen sie bleiben müssen,
Biß daß sie jhr Leben beschliessen.

Man führt sie alle ab vnd geht der König auch mit ab. Kompt
Philemon, ein Burger von Creophe, vnd sagt:

5 Ach was soll ich von vnfall jehen!
Wir haben müssen hörn vnd sehen,
Das vns bracht grossen schmertzen bitter,
Daß der Keiser vnd Grün Ritter
Vom Ferrago sein gfangen worn,
10 Der jhm hat hoch vnd theür geschworn,
Zu werffen in die Gfängknuß ein,
Darinn sie ewig sollen sein.
Deß steht die gantze Statt in traurn
Vnd thut die Keiserin sehr taurn,
15 Denn sie auß dem Ellend kommen
Vnd wider zu gnaden angnommen.
Die wird in grossem Hertzleid stahn.
Der soll ich dises zeigen an,
Daß sie nach Hilff schick inn Franckreich.
20 Darzu so binn ich staffirt gleich,
Zu reysen hie in Griechenland,
Damit die Keiserin Bellisant
Sich saum mit jhrer Hülff nicht lang.
Dardurch kompt die Statt auß dem drang.

Abgang. [302ᵇ] Bellisant, die Keiserin, geht mit Plandeman,
Melisso, dem Cantzler, vnd Rudolpho, dem Raht, ein, setzt
sich vnd sagt:

Ihr lieben Getrewen, nach dem jhr wist,
Daß der Keiser verreiset ist
30 Gen Creophe, in die vöst Statt,
Von der man mir gesaget hat,
Daß sie vom König Brandifer
Sey belägert gar hart vnd schwer,
Deßhalben ich grosse sorg trag,
35 Hab auch in meinem Hertzen plag
Ob einem bösen Traum vnd Gsicht,
Daß vnserm Herrn doch nichts geschicht

Vnd dem Grün Ritter, seinem Gferten.

Melissus sagt:

Sie seind in einer wolversperten,
Darzu mit Maurn verwahrten Statt,
5 Die hoch Thürn vnd tieffe Gräben hat,
Die auch mit vorraht ist versehen,
Daß jhn so leicht nichts mag geschehen,
Sie geben sich dann selbst inn Gfahr.

Rudolphus sagt:

10 Gnedigste Frau, es ist wol wahr,
Wie jetzt der Cantzler hat geredt,
Daß solche wol verwarte Stätt
Können dem Feind widerstand than.
Iedoch auch Gott verhängen kan,
15 Daß durch deß Feindes geschwindigkeit
Sich offt ein solchs vnglück begeit,
Darauff kein Mensch hett können dencken.
Doch wöll sich eür Gnad nit bekräncken!
Vnser Keiser ist ein Kriegsfürst,
20 Inn sturm vnd streiten wol gedürst,
Nichts wenger der Grün Ritter auch.
Die wissen wol den Kriegsgebrauch.
Die werden sich ja wohl fürsehen,
Daß jhnen gar nichts mög geschehen.
25 Darzu geht sie der Krieg nichts an.

Plandeman sagt:

Ihr Herrn redt wol all recht davon.
Doch ist das Vnglück mancherley
Vnd ich glaub das, daß jetzt nicht sey
30 Ein Mensch, der alles außrechen kan.
Mich dunckt, es hab eins klopffet an.
Nicht weiß ich, wer es wol mag sein.

Bellisant sagt:

Sey wer es wöll, so lasts herein,
35 Weil wir jetzund sitzen zu Raht!
So geht all ding dest eh von Statt.

[302ᶜ] Philemon, der Burger von Creophe, geht ein vnd sagt:

Hochgeborne Frau Keiserin,
Von Creophe ich hergsendet bin
Vnd schickt mich die Burgerschafft her,
5 Euch zu verkündten böse mehr;
Dann vor wenig Tagen vergangen
Hat König Brandifer gefangen
Die Keiserliche Majestatt,
Vnd wen dieselb bey jhr hat,
10 Zwischen dem Läger vnd dem Thor,
Als sie spacireten darvor.
Nun bett man jhn Hilff than gar gern,
Wenn die Feind nicht so starck gwest wern,
Vnd man bett die Thor öffnen mögen,
15 So wer man jhn kommen entgegen.
So hat mans aber nicht dörffen than.

Bellisand, die Keiserin, sagt:

Ach weh, ach Gott! was fang ich an?
Ist denn deß Vnglücks noch kein End?
20 Ach Gott! hilff mir auß dem Ellend,
Dieweil ich doch mein Lebentag
Nichts ghabt hab, als weh, angst vnd klag.
Ich hab gehofft, es soll mir Gott
Nach meiner lang außgstandner Noth
25 Auch einsmals geben ruh vnd Frid,
So ist deß Vnglücks kein end nit,
Bin erst her zu dem Keiser kommen
Vnd verlier jhn schon widerumben.
Ach helffet mir! das bitt ich euch.

30 Melissus sagt:

Wir wöllen schicken in Franckreich
Zu eűrm Herrn Bruder, König Pipin,
Vnd auff das fleissigst bitten jhn,
Daß er vnd auch Vrsus, eűr Sohn,
35 Sich deß Keisers wöll nemen an
Vnd jhn widerumb ledig machen.
Er wird gwiß bald thun zu den Sachen,

Wenn er seine Gfängknuß erfehrt.

Bellisand sagt:

˙Bösere mähr hab ich nie erhört,
Als ich erfahren muß jetzundt.
5 Vns ist gestolen Eclaramund.
Valentin ziecht inn dem Land rumb,
Kan sie nicht kriegen widerumb.
So wiß wir auch nicht, wies jhm geht,
So wol auch dem Zwerg Pacollet.
10 Vnd wenn der jetzo wer zu Hauß,
Der köndt fürwar mehr richten auß,

[302ᵈ]   Als sonst ein gantzes Kriegesheer.
Nun werd ich frölich nimmermehr,
Dann˙meines Jammers ist zu viel.
15 Iedoch ich euch auch folgen will,
Mein Bruder vmb Hilff ruffen an.
Ich weiß: was er kan, wird er than.
Gott geb, daß es nur wol ersprieß!
Ich muß sonst sterben, ist schon gewiß,
20 Ob disem grossen Hertzenleid.
Gott wöll durch sein Barmhertzigkeit
Mich auß demselben mit Gnaden setzen,
Mich meins Vnglücks wider ergötzen,
Daß ich doch bey dem Gemahl mein
25 Die noch übrigen Zeite klein
Mög ruhig vnd Frölich sein!

Abgang jhr aller.

ACTUS SEXTUS.

Waldwitt, ein Türckischer Mann, geht ein vnd sagt:
30 Secht, wie sich die Histori krumb
Zeicht wie in einem Zirckel rumb!
Dann der Keiser vnd Grün Ritter
Inn jhrer Gfängknuß herb vnd bitter
Müssen ligen gefangen gleich,
35 Biß daß der König von Franckreich
Vnd ander Gfangen kommen zu jhn

Vnd biß der Ritter Valentin
Sie all erlöß auß der Gefängknuß.
Darumb so auß Gottes verhängknuß
Eim hie auff Erd steht vnglück zu,
5 Er darinn nicht verzagen thu!
Denn all Menschen inn der Welt sind
Gleich wie ein·Schiff, welches der Wind
Inn Wällen auff dem Meer vmbtreibt,
Weil so gar nichtßen bstendig bleibt.
10 Ein Mensch, wenn der will frölich sein,
Vngfehr fellt jhm ein trauren drein.
All vnser Ruh, Fried vnd auch Freüd
Besteht nur dort inn Ewigkeit.
Das Glückradt ist simbel vnd rund,
15 Stürtzt den baldt, der vor oben stund.
Allhie muß man sich nach der decken
Richten, legen, biegen vnd strecken,
Vnd wenn mans alles hat gethan,
So muß man dann auff vnd davon,
20 Vnd wo man meint glücklich zu sein,
Schlegt das Vnglück vnd Hagel drein,
Dann wenn der Mensch lang vil erdicht,
So kompt Gott, der seins gfallens richt,

[303] Dann er kennt der Menschen rahtschlagen,
25 Thut nichts nach jhrem Willen fragen,
Vnd gehts jhm schon ein zeit lang nauß,
Im Augenblick ist das Glück auß.
Wenn man sich dann nicht also helt,
Wie es Gott will vnd jhm gefellt,
30 So macht man übel Erger mit.
Drumb soll kein Mensch verzagen nit,
Wann jhm schon will das Glück nit wol.
Auff das Ewig er sehen soll,
Weil allhie kein blei   ʟtatt.
35 Im Himmel es alls ᴠ ʜt.

3 O D. sie auß.

Die Personen in das Spiel:

1. Ehrnholt.
2. Ferragus, der König in Portugal.
3. Waltwitt, sein Verrähter.
4. Alexander, der König inn Constantinopel.
5. Melissus, der Cantzler.
6. Rudolphus, der Raht.
7. Pipinus, der König in Franckreich.
8. Valentin, der alt,
9. Milan von Angler, zwen Räht.
10. Heinrich,
11. Offerus, des Königs 2 Söhn.
12. Bellisandt, die Keiserin.
13. Berta, deß Königs Pipinij Weib.
14. Eglandina, sein Tochter.
15. Eclaramunda, deß Valentins Jungkfrau.
16. Valentin, der groß Ritter.
17. Vrsus, sein Bruder.
18. Fessonna, sein Gemahl.
19. Pacollet, der ZaubererZwerg.
20. Plandeman, der alt Griegisch Hofman.
21. Soldan, der Türckisch Keiser.
22. Peviam, sein Feldoberster.
23. Solatius, sein Sohn.
24. Trumphart, ein König zu Eclart.
25. Adroman, sein Zauberer.
[303ᵇ] 26. Frigius, der König in India.
27. Lysimachus,
28. Antius, zwen seiner Diener.
29. Mercator.
30. Savarij, der Hertzog zu Aquitania.
31. Gwerner,
32. Florian, jrer Schwester Sön.
33. Flavus, der König zu Antiochia.
34. Tribanus, der Wirth.
35. Friedlieh, der Raht.
36. Rosimunda, die Königin.
37. Vitela, die Jungkfrau.

38. Brandifer, der König zu Amleuer.
39. Lupolt, der Bott.
40. Philemon, ein Burger zu Creophe.

(19)

TRAGEDI, VIERDTER VND LETZTER THEIL, VON VALENTINO VND VESO, WIE ES JHNEN ENDLICH ERGANGEN, auß der Beschreibung Wilhelmi Zilij von Beern inn Vchtlandt, hat 8 Actus vnd 40 Personen.

Pacollet, der Zwerg, geht ein vnd sagt:

LIeben Leut, seyt still! das ist mein bitt.
Vnd lach bey Leib mein keiner nit!
Der König Brandifer, der Narr,
10 Gibt Rosimunda dem König Lucar,
Sein Tochter, König Flavij Weib,
Die hat kein Adern in jhrem Leib,
Die den König Lucar lieb hett.
O dörfft sie, wer weiß, was sie thet?
15 Wenns aber Fürst Valentin wer,
O der wer jhr vil lieber, als er.
Sie hat jhn vormals gsprochen an,
Daß sie jhn gern gehabt zum Mann;
[303ᶜ]   Aber die schön Eclaramundt
20 Die liebet er von hertzengrund
Vnd bett auch mit jhr Hochzeit gern,
So kan sie nit erfraget wern.
König Lucar hat Valentin schon
Zu einem Diener gnommen an.
25 Dem werden wir jetzt zihen zu.
Hör, hör, wer also schreyen thu
Inn diser wilden Büchenklingen!

Videlia, die Jungkfrau, laufft rauß vnd schreyt laut. Violator
laufft jhr nach.

Doch werden wir euch schicken nauß,
Daß jhr vns richt ein Bottschafft auß
Bey dem König in India,
Der vns Hochmuht bewiß allda.
5 An dem wir solchs wollen rechen.
Zu dem sollt jhr also sprechen,
Wie daß König Lucar haben wöll,
Daß er sich Persönlich her stell
Auff vnsern Saal vnd sich Purgir,
10 Mit ordenlichem Recht außführ,
Warumb er vnsern Vatter erschlagen,
Dieweil soll ers Halßeysen tragen,
Auff daß man jhn kenn desto baß,
Vnd wo er sich verwäigert das,
15 So wöllen wir mit starcker Hand
Ihm also bald falln in sein Land,
Dasselb verbrennen vnd verhörn
Vnd all sein vöste Stätt verstörn
Vnd alles Volck darinn erschlagen,
20 Vnd was er euch thut wider sagen,
Das wolt vns allsdann zeigen an.

[304ᶜ]   **Valentin sagt:**
Großmächtiger König, ich wills thun,
So bald es mir ist müglich jmmer.

25   **Lucar sagt zu der Königin:**
Hertzlieb, nembt mit ins Frauenzimmer
Die frembt Jungkfrau, daß man erfahr,
Wie der Marschalt mit jhr gebar!
Ietzt gehn wir zu den Rähten nein,
30 Vnd wollen gar bald bey euch sein!

**Lucar, der König, get ... Valentin
nach.** Rosimund:

Ach, Edl
Von her
35 Daß u
er

O helfft! der will mich nothzwingen
Vnd hat mir die vergangen Nacht.
Mein frommen Vetter auch vmbbracht
Vnd mich mit Gwalt gefürt daher,
5 Daß ich von jhm geschendet wer.
Ich kan mich sein erwehren nit.

Pacollet sagt:

Halt, halt! ich will baldt machen Fridt.
O komm, gnediger Valentin!

10   Valentin laufft ein vnd sagt:

Was will man mein? allda ich bin.

Violator jagt Videliam auff der Brucken vmb. Valentin laufft
auff jhn, schlegt jhn zu boden vnd sagt:
Du bist kein Ehrnwehrter Mann.
15 Was hat dir dise Jungkfrau than,
Daß du sie hie so jagest vmb?

Violator steht auff vnd sagt:

Thu gemach, biß ich auch zu Wehr komm!
Doch sag ich dir nicht, was es sey.
20 Wolt mich ehe wehren deiner drey.

Sie schlagen zusammen, biß Violator bleibt. Valentin sagt zu
der Jungkfrau:
Jungkfrau, zeigt mir die Warheit an!
Was habt jhr mit dem Mann zu than,
25 Daß er euch also hie vmbtrieb?

Videlia sagt:

Gnediger Herr, der Ehrendieb
Hat mir erschlagen mein lieben Vatter,
Der jhm kein Vrsach gab zum Hader,
[303ᵈ] 30 Sonder jhn geherbergt die Nacht
Vnd mich mit gwalt hieher gebracht,
Der meinung, mich mit gwalt zu zwingen.
Da kompt jhr gleich zu disen Dingen
Vnd habt bey Ehrn mich erhalten.

Hanns vnd Heinrich, zwen Trabanten, lauffen ein mit ge-
zuckten Wehrn. Hanns sagt:

> Ey das muß dein alls Vnglück walten!
> Hast du vnsern Herrn erschlagen?
> 5 Mit gleicher Laugen wöll wir dir zwagen.

Valentin vnd Pacollet jagen sie beede ab. Valentin sagt:

> Kompt mit vns rein, liebe Jungkfrau!
> Sie werden klagen gar genau,
> Als ob wir jhn vnrecht gethan.
> 10 So helfft jhr dwarheit zeigen an!

Sie gehen alle ab. Kompt Rosimunda allein vnd sagt kleglich:

> O Venus, Jupiter vnd all Götter!
> Daß Flavus worden ist ein Spötter
> Vnd ChristenGlauben gnommen an,
> 15 Daran hat er nicht vnrecht than,
> Weil Valentin, der edle Fürst,
> Vmbbracht den Trachen so gedürst,
> Der das gantz Land verderben thet.
> Ach daß ich disen Fürsten het,
> 20 Den mein Hertz hat so offt begert!
> Doch habt jhr mir jetzund beschert
> Zwar durch meins Vatters Tyranney
> Ein Mann, dem ich soll wohnen bey,
> Dem ich von Hertzengrund feind bin,
> 25 Erschrick, wenn ich soll sehen jhn.
> Bey jhm ich die Zeit meiner Tag
> Weder Freüd noch muth haben mag.
> Wolt lieber sterben, als bey jhm leben.
> Nun mein Vatter hat mir jhn geben
> 30 Vnd mich genött wider mein Lust,
> Daß ich jhn wol behalten müst.
> Aber euch ich zu verstehen gib,
> Was guts schaff ein genötte Lieb.
> Wird derhalb der König nicht sterben,
> 35 Will ich ein Bulen mir erwerben,
> Wo ich den kan bekommen sust.

Mein König gibt mir kein Freud noch Lust.

Sie sicht sich vmb, helt das Tüchlein fürs Maul vnd sagt:

[304]   O Maul, halt inn vnd stillen schweig!
Ich seh dort kommen den König gleich.

Kompt König Lucar mit Enormano vnd Faularto, seinen
Räthen, sicht die Königin, geht hin, gibt jr die hand vnd sagt:

Hertzliebster Gmahl, wie so allein?
Warumb kompt jr nicht zu vns rein
Zu der Königlichen Mahlzeit?

10   Rosimunda sagt:

Ich hab nit gehabt gelegenheit
Vnd bin bald nach gehaltnem Mahl
Rab gangen auff eür Lieben Saal,
Ob dieselben bedörfften mein.

15   Lucar, der König, sagt:

Was kompt da für ein Geschrey herein?

Hanns vnd Heinrich, die zween Trabanten, kommen mit Valentin, Videlia, der Jungkfrau, vnd Pacollet. Heinrich, der
Trabant, sagt:

20 Ja, ja, du hasts dennoch gethan.

Valentin sagt:

Was ich hab than, das magstu klagen.
Ich will dir drauff gut Antwort sagen,
Denn ich frag nicht nach dem Geschrey.

25   Lucar, der König, sagt:

Nun sagt vns bald, was doch das sey,
Daß jhr mit dem Geschrey allzumal
Also rein laufft auff vnsern Saal,
Als wenn jhr werd inn eim Bierhauß!

30   Hanns, der Trabant, sagt:

Großmächtiger König, in dem Walt drauß
Hat diser den Marschalt erschlagen.

Lucar, der König, sagt:

Wenn das war wer, was dise sagen,
So hetten wir kein gfallen dran.

Valentin sagt:

Großmächtiger König, ja, ich habs than.
5 Der Marschalt wolt die Jungkfrau zwingen,
Da kam ich vngfer zu den dingen,
Vnd als sie mich vmb hilff schry an,
Da hab ich jhr gleich hilff gethan.
Davon soll sie selbst Zeugnuß geben.

[304ᵇ]   10   Lucar, der König, sagt:

Hast dus than, so kosts dir dein Leben.
Du hast jhn gar nicht sollen schlagen,
Sonder vns die Beschwerung ansagen.
Von vns er schon gestrafft worden wer.

15   Videlia sagt:

Wo wer aber blieben mein Ehr?
Darzu wolt der Marschalt nicht hörn,
Sonder sich noch deß Ritters wehrn,
Daß er ein Ernst fürnemen müssn.

20   Lucar, der König, sagt:

Nun schweig! du solst es theüer gnug gniessen
Vnd das nicht vmbsonst haben than.

Rosimunda geht hinzu, lacht Valentin an vnd sagt:

Großmächtiger König, last jhn gahn!
25 Diser Fürst ist groß Ehren wehrt,
Er ist der keckst Mann auff der Erd.
Vor Antiochia, der Statt,
Er ein Trachen erschlagen hat
Vnd ist auch ein Fürst auß Franckreich.
30 Auff Erden ist nicht seines gleich.
Drmb welcher disen Fürsten thet,
Mir selbst solchs übel gethan hett.
Ich bitt, eür Lieb geb sich zu Fried.

Lucar, der König, sagt:

35 Kompt her! kein Leid das gschicht euch nit.

Doch werden wir euch schicken auß,
Daß Jhr vns richt ein Bottschafft auß
Hey dem König in India,
Der vns Hochmaht bewiß allda.
An dem wir solchs wollen rechen.
Zu dem sollt jhr also sprechen,
Wie daß König Lacar haben wöll,
Daß er sich Persönlich her stell
Auff vnsern Saal vnd sich Purgir,
Mit ordentlichem Recht außführ,
Warumb er vnsern Vatter erschlagen,
Darumb soll er ein Halßeysen tragen,
auff daß man jhn kenn desto baß,
vnd wo er sich verwäigert das,
So wöllen wir mit starcker Hand
Jm also bald falln in sein Land,
Dasselb verbrennen vnd verhörn
Vnd all sein vöste Stätt verstörn
Vnd alles Volck darinn erschlagen,
Vnd was er euch thut wider sagen,
Das wolt vns allsdann zeigen an.

[304ᶜ]   **Valentin sagt:**
Großmächtiger König, ich wills than,
So bald es mir ist müglich jmmer.

     Lacar sagt zu der Königin:
Hertzlieb, nembt mit ins Frauenzimmer
Die frembde Jungkfrau, daß man erfahr,
Wie der Marschalt mit jhr gebar!
Jetzt gehn wir zu den Rähten nein
Vnd wollen gar bald bey euch sein!

*Lacar, der König, gehet mit sein Rähten ab vnd Valentin hin-
weg. Rosamunda, die Königin, winckt jm vnd sagt:*
Ach edler frommer Meister, bey mir hinn!
Vor hertzen mir erschrecken bin,
Hatt jhr die Kunst nebt genommen an.
Der König ist ein frischer Mann,

Der euch darumb hat gschicket auß,
Daß jhr nicht wider kompt herauß,
Dann alle Botten, die vor sein
Zu dem König geschicket nein,
5 Hat er all lassen würgen vnd tödten.
Doch will ich euch auß disen nöhten
Helffen durch meinen klugen Raht.
Wist! daß mich derselb König lieb hat,
Het mich gern Ehelich bekommen
10 Vnd ich hett jhn vil lieber gnommen,
Als meinen Herrn, den Wendenschimpff,
Der kan weder Hofweiß noch glimpff,
Ist freundlich, gleich wie ein Hackstock,
Vnd stinckt, als wie ein alter Bock.
15 Aber mein Vatter zwange mich,
Daß den Lumpen must nemen ich.
Doch trag ich zu jhm grosse lieb.
Allhie ich euch das Ringlein gib,
Das er mir schenckt von seiner Hand.
20 Darumb, wenn jhr kompt in sein Land,
Sagt jhm von mir ein freundlichen gruß!
Vnd auff daß er euch glauben muß,
So last jhn sehen meinen Ring!
Sagt jhm, wo sich schickten die ding,
25 Daß mein Herr zih wider zu Feldt,
So schaff ich mir ein gelbes Zelt,
Darinnen er mich finden soll.
So kan er mich weg führen wol
Vnd sich ergötzen wol seins Muhts.
30 An meim Herrn ist doch nicht vil guts
Vnd ich wolt, liebster Herre mein,
Daß jhr selbst sollt mein Gemahl sein,
[304ᵈ]   Wie jhr wist, daß ich euch ansprach.
Weils aber nicht sein kan noch mag,
35 So bin ich euch doch noch nicht feind.

Sie gibt jm den Ring. Valentin sagt:
Eür Gnad hat mir vergolten heint

Alles, so ich jhr gutes than.
Wo ichs auch fort verdienen kan,
So bin ich gantz willig bereit.

Rosimunda fellt jm vmb den Halß vnd sagt:

5 Zicht hin vnd daß euch Gott beleyt!
Ich muß ghen, ehe der König komm,
Im Frauenzimmer mich sehen vmb.

**Sie geht mit der Jungkfrau ab, gibt aber zuvor dem Valentin
die hand. Valentin sagt zu Pacollet:**

10 Nun wollen wir ans mehr hinauß,
Dem König sein Bottschafft richten auß.
Allein ist an dich mein begehr,
Weil wir darumb seind kommen her,
Eclaramunda zu erfahrn,
15 Daß du wolst keinen fleiß nicht sparn,
Zu erforschen die Liebsten mein,
Der ich lang müssen beraubet sein;
Vnd wenn ich allein die bekumm,
Gib ich alls, was ich hab, darumb
20 Vnd will auch nicht vergessen dein.

Pacollet sagt:

Eür Liebste vnd das Rößlein mein
Wer mir lieber, denn alles Gelt;
Vnd sollt ich mit euch die gantz Welt
25 Durchreisen, reyten vnd außfahrn,
Will ich darbey kein müh nicht sparn,
Daß wir sie wider zu wegen bringen.
Drumb seit keck! ich hoff, in den dingen
Soll vns noch beden wol gelingen.

30 **Abgang.**

ACTUS PRIMUS.

Kompt Jahn Clam, der Bott auß Griechenland, vnd sagt:

Ietzt komm ich wider gloffen gleich
Vom König Pipino auß Franckreich,
35 Der wird den König Brandifern

Lernen, daß er den König, mein Herrn,

Vnd den Grün Ritter muß ledig geben.

Vnd wo es jhm nit kost das Leben,

So kosts jhm doch sein Haab vnd Gut.

Oßwalt, der Schiffknecht, geht ein vnd sagt:

Ein Schiff jetzund abfahren thut

Von hinnen biß in Griechenland.

Ob eůr einer kennet jemand,

Der diser Orten fahren wolt,

10 Der kan fahren vmb gleichen Solt.

Allein er zeig sich zeitlich an!

Jahn Clam geht hinzu, winckt jm vnd sagt:

Hört, hört! was seyt jhr für ein Mann?

Was thut jhr vnd wo wolt jhr hin?

15 **Oßwalt sagt:**

Meins Handwercks ich ein Schiffer bin

Vnd will fahren in Griechenland.

Jahn Clam sagt:

Ist dir nicht Valentin bekannt?

20 Fůrwar ein exellend Person,

Deß Keisers zu Constantinopel Sohn,

Ist fast ein Kärls inn meiner größ,

Ein starcker Kriegsfůrst keck vnd bőß.

Hat mit jhm den klein Pacollet,

25 Der mit der schwartzen kunst vmbgeht.

Ach, die Kärls möcht ich wissen gern.

Oßwalt sagt:

Wie wenn es die zwen gwesen wern,

Die Gester bey vns abstigen da,

30 Wolten hin in groß India,

Dem König bringen ein Absag?

Der kein sichst du dein Lebentag,

Dann der König lest sie vmbbringen.

*

17 O woll. ? wollt.

Jahn Clam sagt:

Ja wol! sie lassen sich nicht zwingén.
Valentin ist ein solcher Mann,
Der allein hundert vmbbringen kan,
5 So kan der ander in Lüfften fligen.

Oßwalt sagt:

Du loser Hudler, was sagst für Lügen?
Wenn du dergleich lügen thust sagen,
Will ich dirs Ruder an Schädel schlagen,
10 Du sollst nicht wissen, wo du bist.

Jahn Clam sagt:

Wie? wenns aber nicht erlogen ist
[305ᵇ] Vnd ich schlag dir den Spiese mein,
So starck ich bin, vmb die Lend dein,
15 Daß du mich, Meister Johan Clam,
So vnbscheiden darfst reden an
Vnd lügstraffen vmb die Warheit?

Oßwalt zeicht den Hut ab vnd sagt:

Mein Meister Jahn, sagt, wer jhr seyt!
20 Mich dunckt nicht, daß jhr seyt der Mann,
Darfür jhr euch thut geben an,
Weil jhr so dapffer lügen kündt.

Dieling, der ander Schiffknecht, geht ein vnd sagt:

Ietzt haben wir gar guten Wind,
25 Daß man nach vortheil fahren kan.
Drumb hab wir nicht daher zu stahn.
Hast du nicht Leut, die sitzen ein,
So komm! so fahrn wir nur allein.
Es ist zeit, daß wir vom Land stossen.

30 ### Jahn Clam sagt:

Wolt jhr mich dann nicht mit euch lassen
Fahren biß gen Constantinopel?
Eür Lohn soll euch werden wol doppel.

*

19 O sagt.

Sagt nur, was ich euch geben soll!

Dieling sagt:

Deß Lohns vergleichen wir vns wol.

Doch wilt du mit, so sitz baldt ein!

5 Man geht nicht vmb mit dir allein,

Man hat noch vil ins Schiff zu tragen.

Oßwalt sagt:

Der Kärl kan wol Lügen sagen.

Der muß vnser Kurtzweiler sein.

10 Wilt du drauff mit, so geh herein!

Abgang jhr aller. Kompt Hospes, der Wirth, vnd sagt:

Ich vnd mein Eltern haben fürwar

Mein Schenckstatt ob die Achtzig Jahr.

Iedoch ich all mein Tag nicht west,

15 Daß es bett geben so wenig Gäst.

Vor Jahrn gabs gar vil Kauffleut,

Die reisten auß Teutschlanden weit,

Furchten nicht deß Meers wildes rauschen,

Allerley Specerey zu dauschen

20 Vnd zu führen in Teutsches Land.

Ietzundt kompt hieher gar niemand.

Sagen, die Strassen sein vnsauber,

Es geb viel Dieb, Mörder vnd Rauber,

[305ᶜ] Die auff der Straß acht auff sie geben,

25 Auch nem das Meer jhr vilen das Leben.

Derhalben bstellen sie jhn Leut,

Die wissen die Gelegenheit,

Richten jhr Sach mit schreiben auß,

Bringen jhr Wahren nein vnd nauß

30 Inn den Stätten durch Niderlag,

Daß ich gar grossen schaden trag.

Vnser König ist auch ein Tyrann,

Nicht gnug Aufflag erdencken kan,

Wie er nur die Leüt breß vnd zweng

35 Vnd vil Gelts auff sein Kammer breng.

Doch darff ich schier nichts darvon sagen.

Schau da! wen thut der Wind hertragen?

Ein kleinen vnd ein grossen Mann.
Ich will gehn vnd sie reden an.

Kompt Valentin vnd Pacollet. Valentin sagt:

Mein lieber Wirth, sagt! was bedeuts,
daß auff jener Kirch steht ein Creütz?
Hat es dann auch hie ChristenLeüt?

Hompos sagt:

Ich . . . . es hie auch geyt.
S. Thomas Kirch ist die genennt,
. . . . Menschen send.
. . . . der König thun erlauben,
. . . . an Christum mögen glauben.
Ich . . . . sie am Galgen hiengen
Vnd . . . . plerren, heulen vnd singen,
. . . . bey Nacht vnd Tag!
. . . . nicht schlaffen mag.
. . . . ihr Herrn, bitt, zeigt mir an!
Wolt ihr . . . . ein guten Wirth han,
. . . . vnd sihet bey mir ein!

Pacollet sagt:

Wann du ein frommer Wirth wilt sein
Vnd wenn wir dich was vertrauts fragen,
Das du vns das wilt willig sagen,
So woll wir bey dir kehren ein
Vnd wollen auch fromm Läute sein.
. . . . bey mir, ob dir nicht bewist,
Was vor ein Jahr herkommen ist
Von vns schöne fromme Jungkfrau!

Hompos sagt:

Ich will aufbrechen fleissig gnau,
Ob ich sie möcht villeicht erfragen.
Itzt weiß ich davon nichts zu sagen.
Ich komm von Hof nicht gern vil,
Doch ich euch wol erfahren will.

. . . . [. . .] Friglus, König in India, geht mit

Lysimacho vnd Amilio, seinen Rähten, ein, setzt sich vnd sagt:

Wir seind ja zu Vnglück geborn,
Dann vns ist verkunthschafft worn,
Wie Rosimunda, die schön vnd zart,
5 Verheyrat sey jetzt zu Eclart
Lucar, dem heßlichen vnd vngschaffen.
Schad ists, daß er sie soll beschlaffen,
Der wir so lang groß lieb getragen.
Die hat vns Brandifer abgschlagen.
10 Das soll nicht bleiben vngerochen,
Vnd sollt wir droh werden erstochen.
Lucars Vatter, König Trumphart,
Von vns hie auch erschlagen ward
Von wegen der schön Eclaramund.
15 Die ist der Sinn beraubt jetzund.
Wenn die wider zu recht wer kommen,
So hett wir sie zum Gmahl genommen,
Weil sie vom hohen Stamm geborn.
Ihr Herrn, secht bald zu den Thorn,
20 Ob villeicht Leut darvor thun sein,
Die zu vns wöllen! so last sie rein!

Valentin geht mit Pacollet ein, neigen sich vor dem König.

Valentin sagt:

Großmächtiger König, vns schicket her
25 Lucar, der König, mit dem beger,
Daß sich eür Majestatt für jhn stellen,
Sich deß Todtschlags purgirn sölln,
Den sie am König Trumphart than.
Die Zeit sollt jhr auch tragen an
30 An eürem Halß selbst ein Halßeysen,
Euch Vrtheil vnd Recht lassen weissen,
Das euch allda würde ergehen.
Vnd wo jhr dem wolt widerstehen,
Will euch der König mit Mord vnd Brand
35 Hefftig angreiffen Leut vnd Land
Vnd jm das alles machen zu eygen.

Frigius sagt:

Er wird sich so böß nicht erzeigen,
Wie in vns jetzt hast zeiget an,
Vnd jhr sollt kriegen eüren Lohn,
Daß jhr mir habt die Bottschafft bracht.

           5   **Valentin sagt:**

Eür Majestatt wünscht vil guter Nacht
Rosimunda, die Königin,
Von der ich vnterrichtet bin,

[306]   Eür Majestatt jhr noht zu klagen,
10 Die nie gemeint bey jhren Tagen,
Daß sie des Lucars Weib soll wern,
Thet Hertzlich eür zur Ehe begern.
Daß aber solches nicht sein kan,
Da ist jhr Vatter schuldig dran.
15 Sie aber will der Gstalt nicht leben,
Sonder thut sich euch gar ergeben
Mit Seel, mit Leben, Ehr vnd Gut
Vnd Eür Majestatt bitten thut,
Wollt die Sach dahin stellen an,
20 Daß der Krieg möcht ein fortgang han,
So wolt sie auch mit in das Feldt,
Da solt jhr sie auß jhrem Zellt
Gfängklich herführen in die Statt,
Ihr beweisen eür Huld vnd Gnad,
25 So wölt sie ewig eüer sein.
Vnd daß jhr glaubt der Werbung mein,
Hat sie mir disen Ring zugstellt,
Den jhr mit Gnaden nemen wöllt,
Biß sie jhn selber von euch hol.

Frigius, der König, nimbt den Ring vnd sagt:

Ja, dise Bottschafft gfiel vns wol,
Dann wir müssen gestehn vnd sagen,
Daß wir bey allen vnsern Tagen
Kein Weibsbildt lieber ghabt, als sie,
35 Vnd wolte Gott, sie wer schon hie!
Vnd weil es hat die Glegenheit,
Ihr vns bed willkommen Gäst seyt,

Vnd soll euch eür absag nicht schaden,
Sonder kommen zu allen Gnaden.
Was aber Lucar sey zu sagen,
Davon wollen wir drinn Rathschlagen.
5 Drumb kompt mit vns zur Taffel rein!
Ihr sollt vns liebe Gäste sein.

Frigius gibt jhm die Hand vnd gehn alle ab. Valentin geht
allein ein vnd sagt:

Die Reyß mich gar nicht retten thet,
10 Wenn ich Eclaramunda hett.
Der hab ich nachgfragt in dem Land,
Von jhr aber weiß gar niemand.
Ach wie lang hab ich sie verlorn!
Zu Unglück so bin ich geborn
15 Vnd muß auch in dem Vnglück sterben.
Kan ich die Keüschen nicht erwerben,
O villeicht ist sie langst schon todt.
Das muß erbarmen vnser Gott
[306ᵇ] Vnd ewig solls jhm sein geklagt.
20 Wiewol ich vor hart bin geplagt,
Wolt ich doch gern mehr gfahr außstehn,
Wenns nur meiner Lieben wol thet gehn
Vnd daß ich sie zu suchen west.
So soll mir sein kein Schloß zu vöst,
25 Kein Berg soll mir auch sein zu hoch,
Ich wolt mich dran versuchen doch,
Ob ichs davon erlösen künd.
Nun will ich mich fort machen gschwind,
Dem König mein Pottschafft zeigen an,
30 Mich auch auffs ehst machen davon,
So lang in der Welt zihen rumb,
Biß ich mein Hertzlieb überkumb.

Abgang. Lucar, der König, geht ein mit Enormans vnd Faulartin, auch Rosimunda vnd Videlia, die führt der König bey
35 der hand, setzt sich vnd sagt:

Nun ist Valentin gwiß erhangen,
Wie es auch andern ist ergangen,

Die vns haben absag außgricht.
Auff den dörffen wir warten nicht,
Dann er kan gwiß nicht wider kommen.
Drumb was wir haben fürgenommen,
5 Das müssen wir in das Werck richten.
Hierumb so saumet euch mit nichten
Vnd macht euch fertig zu dem Zug!
Wir haben vns verwahret gnug,
So würd vns auch niemand versprechen,
10 Ob wir schon vnsern Vatter Rechen.
Viertzehen König vnd Fürsten gut
Die setzen zu mir Leib vnd Blut.
Darumb so rüst euch alle zu,
Daß man fort reyß auff Morgen fru!
15 Es kompt vns doch kein Antwort nit.

Rosimunda sagt:

Ach Herr Gemahl, last mich auch mit,
Daß ich bey euch sey vnd könn sehen
Daß euch nicht thu ein übel gschehen,
20 Dann hinder euch kan ich nicht bleiben.

Lucar, der König, sagt:

Ey wir werden nicht kurtzweil treiben,
Darbey die Weiber gern send.

Enormans sagt:

25 Man steckt da nicht in Busen die Händ,
Sonder es gilt da schlagen vnd stürmen.
Heßlich wir an einander fürmen,
[306ᶜ]   Daß wir uns nicht mehr recht erkennen.
Durch das gantz Land werden wir brennen.
30 Als, was wir kriegen, das wöll wir plündern.
Da ist weder an Weibern noch Kindern
Kein schonens oder acht zu haben.

Faulartin sagt:

Wir müssen vns verschantzen
35 Gruben machen vnd Zel
Das Stro vnd Holtz v

Stehts wachen vnd gar wenig zehrn
Vnd, wenns noth thut, der Feind vns wehrn,
Daß ich raht, die Köngin bleib hie.
O wenn ichs so gut hett, als sie,
5 So wolt ich gern bleiben zu Hauß.

Lucar, der König, sagt:

Mein Gmahl, wolt jhr je mit hinauß,
(Dieweil auch hab verstanden ich,
Etlich Fürsten wollen nemen mit sich
10 Ihre Gmahl) wolt jr nun auch mit,
So wöllen wirs euch wern nit.
Wird euch aber Elend zu Augen schlagen,
So thuts vns nur darnach nit klagen!
Wir werden doch sonst spotten eür.

15 **Valentin geht ein, neigt sich vnd sagt:**

Ich hab gewagt die Abentheür
Vnd ist mir warlich gar hart gangen,
Daß mich der König nit hat gfangen.
Was er aber für Antwort geben,
20 Könnt jhr inn dem Brieff lesen eben.

Er gibt dem König den Brieff, der list jhn vnd sagt:

Nun ist es zeit, von hinn zu rucken.
Der König meint, man soll sich schmucken
Vor seinem gwalt vnd Tyranney.
25 Billich sollt er bedencken dabey,
Daß er der Gwaltigst allein nicht sey.

Sie gehen alle ab.

ACTUS SECUNDUS.

Kommt der König Pipinus in Franckreich mit Vrso vnd Va-
30 lentin, dem Alten, gerüst vnd sagt:

Nun ligen wir vor Langelor
Vnd schon offt gescharmützelt darvor.
Die Türcken wehren sich hart drinn.
Iedoch ich gar nicht willens bin,
[306ᵈ] 35 Daß ich darfür wöll ziehen ab,

Biß ich die Statt gewonnen hab.
Drumb seyt keck! habt ein guten Muth!
Wir streiten vmb das Christlich Blut
Vnd haben keinen bösen Krieg.
5 Hilfft Gott, daß wir erlangen sieg,
Solt jhr bekommen ein gute Beüdt.

Valentin, der alt, sagt:

Wir wollen sein redlich Kriegsleut,
Vns auch brauchen, wie sichs gebürt,
10 Weil eür Majestatt vns selber führt,
Die Feind mit starcker Macht angreiffen,
Mit schwerdt vnd spiessen zu tantz pfeiffen,
Daß sie der Schimpff gereüen soll.

Pipinus sagt:

15 Die Statt steckt gar der Türcken vol,
Aber der Vorraht ist gar schlecht.
Es klagt vns gester der gfangen Knecht,
Die Thor vnd Paß haben wir verlegt.
Deß seind die Feind gar hart erschreckt.
20 Wird jhn der König kein Hülff than,
So ist die Statt gewonnen schon.
Nun kompt mit mir rein ins Gezellt!
Soll euch mehr davon werden gmelt.

Abgang. Kompt Bruandt vnd sagt:

25 Der König zeucht nach Kriegen auß
Vnd hat jhr vor genug zu hauß.
Die Statt hie ist belägert hart.
Ehe vnd wann ichs recht innen ward,
Seind mir alle Päß worn verlegt.
30 Das gantz Land wird durchs Volck bedeckt,
Daß mans gleichsam nicht sehen kan.
Dem König ich geschrieben han,
Er solt mir balt Hülff schicken zu.
Derselben ich gewarten thu,
35 So bleibt der Bott so gar lang auß.
Ich glaub, der König mach Gespött drauß.

Schickt er mir nit bald hilff mit raht,
So kan ich nicht erhalten die Statt.
Doch will ich than, so viel ich kan.

Man klopfft.

5 Will sehen, wer jetzt klopffet an.

Jahn Clam geht ein, tregt ein Brieff, sicht gar saur, raumpfft
die Nasen vnd sagt:
Mein Herr, seid jhr der Statthalter,
Deß Königs Brandifers Verwalter?

[307] 10 Eürn Botten hat man gfangen.

Bruandt sagt:

Wo ist er dann?

Jahn Clam sagt:

Er? auffgehangen.
15 Auch hat man jhn verstricket wol,
Daß er nicht wider kommen soll;
Aber den Brieff kriegt ich darneben.

Bruandt list den Brieff.

Wer hat dir dann den Brieff gegeben?

20 ### Jahn Clam sagt:

Ich glaub, es habs der Hencker than,
Der Eürn Botten hat bunden an.
Der hieß mich den Brieff nemen mit.

Bruandt sagt:

25 Hast du jhn auffgebrochen nit?
Der Brieff ist nicht recht zu gewesen.

Jahn Clam sagt:

Ey kan ich doch weder schreiben noch lesen:
Was soll ich dann ein Brieff auffbrechen?

30 ### Bruandt sagt:

Ich wolt dir die Augen lassen außstechen,
Wenn es von dir wer geschehen.

14 ? Er ist aufghangen.   29 O dann am B.

Jahn Clam sagt:

Augen außstechen? wie wolt ich darnach sehen?
Nein, ich muß meine Augen selber han.
Gebt mir ein Trinckgelt! last mich gan!
5 Ich will euch keine Brieff mehr tragen.

Bruand zeicht von Leder vnd sagt:

Wenn ich dich soll von mir weg jagen
Vnd den Ernst kehrn herauß,
So jag ich dich an Galgen nauß.

Jahn schreyt vnd laufft ab, der Bruandt schüttelt den kopff
vnd geht auch ab. Kompt Frigius, der König in India, mit
Rosimunda, drucket sie vnd sagt:

Hertzlieb, jhr wist, wie es vns ist ergangen,
Da ich euch thet das erst mal fangen,
15 Daß wir beede verzaubert worn,
Den weg zur Statt hatten verlorn
Vnd kommen in ein solches Moß,
Daß vns geduncket breyt vnd groß,
[307ᵇ] Vnd daß wir dardurch gar nicht kunden
20 Vnd wurden vom Feind überwunden,
Daß ich euch jnnen lassen must.
Kein hülff noch trost mir selber wust.
Da haben vns die Götter ergötzt,
Desselben Vnfals wider ersetzt.
25 Nun seyt vnd bleibt jhr ewig mein.

Rosimunda sagt:

Ich hab lengst eür Lieb sollen sein.
So hat mein Vatter das erwehrt,
Dardurch mir all mein Freüd verkehrt,
30 Daß er mich dem Saurzapffen gab.
Ich hab lang gedicht, biß ich hab
So vil erlangt vnd practicirt,
Biß mich Lucar mit jhm herfürt.
O wenn wir nur hie können bleiben,
35 Von eür Lieb soll er mich nicht treiben.
Eür Lieb ist mir vil lieber, als er,

Ja, wenn schon seiner ein dutzet wer
Vnd er wer noch zwölff mal so reich.

Frigius sagt:

Also thu ich auch lieben euch.
₅ Kompt rein! jhr seyt versorget wol.
Sorg nicht, daß euch der Lucar hol.
Er muß mich euch mit gewalt wol lassen
Vnd soll noch drob sein Kopff zerstossen.

Sie geben die Händ aneinander vnd gehn ab. Kommen Lucar,
der König von Eclart, mit Brandifer, dem König. Lucar sagt
traurig vnd zornig:

Ach mich verdreüst nunmehr zu leben.
Eür Lieb hat mir jhr Tochter geben.
Das allerschönst Königlich Weib
₁₅ Hab ich geliebt für meinen Leib,
Die hat der König in India
Mir gwaltsamlich geraubt allda,
Vngeacht daß ichs jhm hab
Schon ein mal lassen jagen ab,
₂₀ Daß ich nicht anders ermessen kan,
Dann sie habs als selbst grichtet an.
Doch muß ich sein beraubet jhr.

Brandifer, der König, sagt:

Dasselb bringt ein groß trauren mir.
₂₅ Gleichwol seyt jhr auch schuldig dran.
Was hat sie hie im Läger zu than?
Ihr selbst betrachtet haben solt,
Weil sie vor hett den König holt
[307ᶜ]   Vnd hett jhn lieber, als euch, gnommen,
₃₀ Solt jhrs nicht haben lassen herkommen;
Dann ein Weib vnd ein Essigkrug
Seind allein in eim Hauß genug,
Dann sie gehörn in das Hauß.
Vnnot ist, sie zu führen auß.
₃₅ Ein Essigkrug zerbricht gar baldt
Vnd Weiber glüstet manigfalt.

Doch schlaget alles trauren wegk!
Seid frisch auff, getrost, küen vnd keck!
Wir wollen sie wol widerumben
Auff deß Königs Händen bekommen.
5 Nemmt euch der Sach so hart nit an!

Lucar sagt:

Ja, was sol ich darnach mit jhr than?
Ich hab wahre Kuntschafft vnd bscheid,
Das sie beysammen liegen alle beid
10 Vnd das sie von jhm Schwanger sey.

Brandifer sagt:

Ich hörs nicht gern, auff mein Treu,
Dann mein Kindt ist in warheit mir
Von hertzen wol so lieb, als jhr,
15 Vnd wolts als gern sehen gut.
So bringet mir auch groß vnmuth,
Das ich nicht kan bleiben bey euch,
Weil König Pipin auß Franckreich
Mir Angolar belägert hat,
20 Mein allerbeste vnd schönste Statt.
Muß sorgen, sie werd mir eingenommen.
Darumb muß ich zu hilff jhr kommen
Wol mit einhundert tausendt Mann.

Lucar sagt:

25 Herr Schwäher, wolt jhr auch davon,
So müst ich sterben vnd verzagen.
Ich will ein guten Raht euch sagen.
Ich meint, jhr hett Valentin Gsandt
Mit eurn Vättern Murgulandt
30 Vnd sie lassen den hauffen führn,
Dann wann sie beede den streit verliern,
So ist er auch verlohrn schon,
Wenn jhr den Krieg selbst wolt verstahn.
Drumb schont eur selbst vnd bleibet hie!

35 ### Brandifer sagt:

33 O verstehn.

Weil jhr so hart mich bittet je,
So wil ich mich von euch nicht wenden,
Sonder sie zwen zu Obersten senden
Mit einmal hundert tausendt Mann.
5 Kompt vnd last jhn das zeigen an!
So ziehen sie morgen davon.

Abgang jhr aller. [307ᵈ] Kompt Valentin mit Pacollet, ist
zornig vnd sagt:

Ach was wunders steht mir noch zu?
10 Ich weiß vor leid nicht, was ich thu.
Ich sol für Brandifer den Heyden
Wider mein Vätter König Pippin streiten,
Der mir gar vil guts hat gethan.
Sol ich denn bey den Türcken stahn
15 Vnd sol das Christenblut vergiessen,
Das thut mich im Hertzen verdriessen.
Schlag ich es dann dem König ab,
Mein leben ich verlorn hab.
Ich weiß kein end meins hertzenleidts.
20 Ach wehe deß so gar bösen bscheidts!
Mein lieber Herr Vatter ist verlorn,
Eclaramunda wegk gefürt worn.
So send wir hie als wie die gfangen,
Wissen kein freyheit zu erlangen.
25 Murgulandt sol auch ziehen mit.
Drumb, O Pacollet, spar dich nit
Vnd thu das best mit deiner Kunst!
Wo nicht, send wir verloren sunst.

Pacollet sagt:

30 Gnediger Herr, seit guter ding!
Durch mein Kunst ich zu wegen bring,
Der Murguland sol wern erschlagen,
Das er eur Gnad nicht kan eintragen
Bey seinem König Brandifer.
35 Auch sol vmbkommen all sein Heer,
Das jhrs nicht wist, gantz vnversehen.
Aber eur Gnad sol nichtsen gschehen.

Drumb kompt nur vnd gebt euch zu ruh!
All sach ich schon anordnen thu.

Abgang. Kommen Brandifer vnnd Lucar, die zwen König,
mit Enormans vnd Faularti, zweyen Räthen, gerüst. Brandi-
5   fer sagt:

Ihr lieben Herren vnd Kriegsleut,
Groß Ehr wollen wir einlegen heüt,
Dann wir habens so weit gebracht,
Das vns der König wil lieffern ein schlacht,
10 Die sol jetzund alsbald angehen.
Drumb thut zsam in ein ordnung stehen,
Auff das wir Lob vnd Ehr erlangen!
Vnd köndten wir den König fangen,
In vnser hand vnd gewalt bringen,
15 So wolt wir jhn dahin wol zwingen,
[308]   Das er vns geb die Königin wider.

Lucar sagt:

Ein Kriegsmennisch hertz faß ein jeder
Vnd dringt all auff den König ein!
20 Wenn wir nur den bekommen allein,
So hett wir schon gefochten wol.
Eines harten Todts er sterben sol,
Das Schwer wir jhm bey vnser Kron.

Enorman sagt:

25 Gnedigste Herrn, wir wollens thon,
Vns wehren wie tapffer Kriegsleut.
Nun wehret euch! denn es ist zeit.
O Lermen! der Feind greifft vns an.
Drumb wehr sich bald ein jedermann!

Frigius, der König in India, laufft mit etlichen gerüsten Personen ein, jagen lang aneinander vmb; endtlichen fleucht deß
Königs in India Heer, die beede König folgen jhnen nach,
endtlich bringen sie Frigium, den König in India, gefangen
                    geführt. Brandifer sagt:
35 Du Ehrnvergessener bößwicht,

Das Vnglück hast dir selbst zugricht.
Baldt sag! wo ist die Tochter mein?

Frigius, der König, schweigt. Lucar sagt:

Meines Vatters Todt sol dein Todt sein.
5 Vnd weil du hast mein Gmahl gefangen,
Solstu kein erlösung erlangen,
Biß ich dein gantz Landt einbekumm
Vnd krieg mein Gemahl widerumb.
Auch sol nicht bleiben vngerochen,
10 Das du die Ehe mit jhr hast brochen.
Was hastu mit meim Gmahl zu than?

Frigius schweigt still. Brandifer sagt:

Weil der Lecker nicht reden kan,
So wollen wir jhn lernen Pfeiffen.
15 Ir Kriegsleut, thut jhn kecklich angreiffen!
Verbind jhm starck sein Angesicht,
Das er hinfort kan gsehen nicht,
Vnd legt jhm Ketten an Händ vnd Füeß,
Biß er sein Laster vnd vbel büeß!
[308ᵇ] 20 Verwart jhn gar wol im Gezelt!
Deß Buben sol nicht werden gefehlt.

**Die Kriegsleut führn jhn ab vnd gehn alle mit ab. Kompt
der König Pipinus mit Vrso vnd, dem Alten Valentin. Pipinus sagt:**

25 Ir lieben getreuen, die Statt ist Vest
Vnd verwahret auffs allerbest,
Ob wir sie wol belegert han,
Das jhr gar nichts zukommen kan.
Doch muß sie wol versehen sein,
30 Weil sie vns nicht wollen lassen ein.
Ich meint, wir hetten sie lengst bekommen.

Vrsus sagt:

Großmächtiger König, man hat vernommen,
Das jhn ein starcke hülff komm zu,
35 Die jhm Brandifer schicken thu.

Biß in einhundert tausent Man
Solln jhm wider vns beystandt than.
Deß hab wir vns wol fürzuschauen.

Valentin, der Alt, sagt:

5 Ja man will auch sagen, auff trauen,
Daß der streitbar Fürst Valentin
Daß gantz Kriegsvolck sol führen hin
Sampt einem Türcken Murgulandt,
Haben sich glegert vor die Statt.

10 ### Pipinus sagt:

Ey wer euch dises gsaget hat,
Das Valentin sol Hauptman sein,
Dem geben wir glauben gar klein.
Er ist ein Christ, zu gut darzu,
15 Daß er wider die Christen thu,
Vnd weil wir sein Blutsfreundt auch sindt;
Dann er ist meiner Schwester Kindt.
Wie wolt er zu dem Dienst sein kommen?

Valentin sagt:

20 Dasselb hab ich noch nicht vernommen.
Villeicht kan mans erfahren noch.

Vrsus sagt:

Was kleinen Männleins seh ich doch?
Mich dunckt, es sey der Pacollet,
25 Der dort her zum Läger geht.
Ist ers, so ists gewiß vnd bedeũt,
Das Valentin auch ist nicht weit.

Sie sehen alle nach jhm vmb. [308ᶜ] Pacollet geht ein vnd sagt:

Großmächtiger König, jhr wist vorhin,
30 Daß ich der Zwerg Pacollet bin
Vnd steh Herr Valentinen bey.
Ich gelob euch hie bey der Treũ,
Daß ich in allen guten komb her
Vnd eur Majestat gar nicht gefehr.
35 Lucar, der König, hat vor langen

Den Valentin gnommen gefangen,
Den er alsbaldt getödet hett.
Die Königin jhn erbitten thet.
Den hat er in Indiam gsendt,
5 Gmeind, er soll da nemen sein endt,
Von dem König sein worden ghangen.
Doch ist jhm sein Poß nicht fortgangen.
So hat sein Schweher Brandifer
In mit Murgulandt gschickt hieher,
10 Daß sie sollen die Christen erschlagen.
So thu ich euch hiemit zusagen,
Daß ich mit zauberischen sachen
Das gantze Heer wil schlaffert machen,
So köndt jhr gar wol fallen drein,
15 Darinn erschlagen groß vnd klein
Vnd sonderlich den Murgulandt,
Dessen Zelt ist zur rechten Handt.
Doch solt jhr Valentin nichts than.

Pipinus, der König, sagt:
20 Pacollet, zeig die warheit an,
Das alle sach so sey beschaffen!
Vnd du wilt machen, das entschlaffen
Alle, die in dem Läger sein,
Das brecht vns ein wolgfallen fein
25 Vnd wir wolten dir das vergelten.

Pipin gibt jhm die Handt. Pacollet sagt:
Die sach ist, wie ich thet vermelten.
Darumb kompt, so baldt alß jhr wölt!
All sach sol alßbaldt sein bestelt.

Pacollet neigt sich vnd geht eylendt ab. Pipinus, der König,
sagt:
Vrsus, ist auch dem Männle zu trauen?
Vnd ob auch was wer drauff zu bauen,
Sein Raht der wer sonst Edel vnd vest.

35   Vrsus sagt:
Großmächtiger König, auff das best;

Dann er hat lust am Türckenblut
Vnd ist den Christen treu vnd gut.
Drumb wöll wir vns nicht lang bedencken,
Den Feinden ein Pancket zu schencken.

[308ᵈ] Sie gehn eylendt ab vnd wird innwendig ein groß
mächtiges geschrey vnd geschlag, so kompt Valentin mit Pacollet gerüst herauß. Valentin sagt:

Mein Pacollet, wie wol das ich
Geren sich der Christen obsieg,
10 So ist mir doch allein darumb,
Wie ich wider vom König kumb.
Er ist ein Mann voll vngedult
Vnd wird mir geben alle schult;
Zumal wenn wist der Brandifer,
15 Das König Pipinus mein Vetter wer,
So müst ich böse nachredt hörn.

Pacollet sagt:

Ey, Gnediger Herr, jhr köndt wol schwern
Vnd darzu mit warheit verjehen,
20 Das jhr den König nicht habt gsehen
Vnd das dem Volck im Läger allen
Sey ein solch Gottesstraff eingfallen,
Das es sich gar nicht wehren können,
Das auch kein Mensch hab flihen können
25 Ohn euch, so sey es hart zugangen,
Daß man euch nicht erschlagn noch gfangen.
Doch wöll wir vnterlassen nit,
Murgulands Todten Leib nemen mit,
Außweydnen vnd wol Palsamirn
30 Vnd mit vns in India führn.
Da mag jhn lassen der König begraben.

Valentin sagt:

Ein guts Werck wir verrichtet haben,
Das wir so vil Heyden vmbbracht
35 Durch dein Kunst, die du hast erdacht.

Sie gehn ab. Kompt König Pipinus mit Vrsu, dem Alten

Valentin vnd wen er mehr haben kan.   Pipinus sagt:

> Diß Läger haben wir zerstört,
> All vnser Feindt dariu ermördt,
> Wie Pacollet berichtet hat.
> 5 Nun wöll wir auch gewinnen die Statt,
> Dann die darinnen haben vernommen,
> Wie jhr helffer all seind vmbkommen.
> Darob habens empfangen schrecken,
> In grosser forcht vnd sorgen stecken.
> 10 Darumb so greiffet dapffer an,
> Biß wir die Statt gewonnen han!

[309] Sie heben an zu stürmen.   Die in der Statt wehren sich hart, biß endtlich die Christen die Statt erobern vnnd ersteigen, vnd wird inwendig ein groses mordtgeschrey; auch jagt man etliche hinauß auff die Brucken, erschlegt sie vnd Pipinus sagt:

> Nun haben wir die Statt auch innen.
> Wen jhr nun lebend find darinnen,
> Die schlagt zu todt als wie die Hundt!
> 20 Reut auß der Türcken glauben zgrundt!
> Die lästern vnsern ChristenGott.
> Kompt baldt vnd schlagt sie all zu todt!

Sie lauffen alle ab.   Kommt Brandifer mit Lucar vnd gehet jnen ein Diener Faulartus nach.   Brandifer sagt:

> 25 Weil wir den König von India
> Bey vns gefangen halten da
> Vnd warten, wenn man auffgeb die Statt,
> Vnser sach kein traurn mehr hat,
> Dann als nach vnserm willen geht.
> 30 Ich wolt, das ich ein Spilbret hett,
> Wolt ich ein Lortsch spilen mit euch.

Lucar sagt:

> Ja wol, es gilt mir alles gleich.
> Geht vnd bringt vns ein Spilbret rein,
> 35 Das wir ein wenig lustig sein!

Faulartus sagt:

Gnedigster König, das will ich than,
Das Spilbret bringen von stundt an.

Er geht ab, bringt ein Bretspil; sie setzen sich nider vnd
5   **Spielen. Brandifer sagt:**

Den Lortsch den gwindt jhr mir noch ab.

Lucar sagt:

Das macht, das ich das best Spiel hab.

Zu Faularto sagt der König Lucar:

10 Mich dunckt, es sein Leut vor dem Zelt.
Will man herein, vns das vermelt,
Das man vns nicht find ob dem Spiel!

Faulartus geht ab, kompt wider vnd sagt:

Zu eur Königlichen Majestat wil
[309ᵇ] 15 Valentin eylendt gwiß fürwar
Vnd hat bey sich ein Todenbahr.
Wer darin ligt, das weiß ich nicht.

Brandifer sagt:

Von hertzen mir mein hertz erbricht.
20 Mich andet, die sach steh nicht wol.
Sagt, das er baldt rein kommen sol!

Valentin geht gerüst ein; jhrer etlich tragen auff einer baar
in einem Sarg den Murguland in seiner Kriegsrüstung todt
    ein. Brandifer sagt:
25 Valentin, baldt sag! was bedeut?
Wer ist, der auff der Baar leit?

Valentin sagt:

Großmächtiger König, Murgulandt
Vnd vnser Kriegsvolck alles sandt
30 Ist im Läger auff einmahl erschlagen.

Brandifer stöst das Bretspiel über den hauffen vnd sagt:

Ach weh, weh jammer! wem sol ichs klagen?
Ach du schendlich Treuloser Man!

Fürwar, du bist gwiß schultig dran.
Wie ists zugangen? vns balt bericht!

Valentin sagt:

Herr König, ich bin dran schultig nicht.
5 Ein Schlaf ist kommen in das Heer,
Daß niemandt kundt thun gegenwehr.
Kein Mensch kundt auß dem schlaf erwachen.
Drumb hett der Feindt dest besser machen.
Hat als erschlagen, was dein ist gewesen.
10 Niemandt, denn ich, hat mögen gnesen.
Auch ist vmbkommen Murgulandt.

Brandifer wirfft den Zepter weg vnd sagt:

Ach weh deß jammers! ach weh der schandt!
Ach solt der liebste Vatter mein
15 In dem Krieg auch vmbkommen sein
Von den losen Hunden, den Christen,
Die als erpracticirn mit listen?
Nun schwer ich bey meiner rechten Handt,
Das der Keiser auß Griechenlandt,
20 Den ich gefangen hilt auff meim Schloß,
Sol sterben in marter hart vnd groß.
Auch sol der abgefalln Grün Ritter
Erleiden einen Todt gar bitter
[309ᶜ] Vnd sol jhm davor niemandt sein.

25 ### Jahn Clam, der Pott, geht ein vnd sagt:

Ir Herrn, gehe ich recht da rein,
Wo ist der König Brandifer?

Brandifer sagt:

Was wiltu sein? wo lauffstu her?
30 Was hast für Brieff? das zeig vns an!

Jahn Clam sagt:

Ja, die Brieff, die ich bey mir han,
Für wahr sein vnglück vnd vnraht,
Dann Angelor eur beste Statt
35 Hat der groß König in Franckreich

Mit stürmen abgewonnen euch
Vnd als vmbbracht, was thet drinn leben.

Brandifer sagt:

Wie haben sie die Statt auffgeben
5 Vnd hat sie der Frantzoß bekommen?

Jahn Clam sagt:

Nein, er hats mit gwalt eingenommen.
Sie haben jhms nicht zu geben begert.

Brandifer sagt:

10 Wie köndt ich höher sein beschwert?
Besser wer mir, ich wer schon todt,
Als zu gedulten die schand vnd spot.
Du bist mir gar ein böser Pot.

Abgang jhr aller.

15   ACTUS TERTIUS.

Kompt Valentin vnd Pacollet. Valentin sagt:
Nun hab ich aber kein rast noch ruh,
Biß ich mein Vatter bekommen thu,
Deßgleichen auch den Grünen Ritter.
20 Die liegen in herber Gfängnuß bitter.
Iedoch wolt ich auch sehen gern,
Das der gfangen König möcht ledig wern,
Denn Rosimunda tauret mich.
Auch so wolt gern sehen ich,
25 Das der böß König Brandifer
An seine Statt gefangen wehr
Vnd köm in Königs Frigij gwalt.

Pacollet sagt:

Das als wil ich verrichten balt.
30 Verziecht ein weng! ich wil hinein,
Ins Läger sie beed bringen rein
[309ᵈ]   Vnd sol doch keiner wissn, wie er
Von mir sey gebracht worden her,
So seltzam wil ichs jhn verdrehen.

35   Valentin sagt:

So geh vnd laß dein Kunst mich sehen!

Pacollet geht eylendt ab, Kompt baldt wider, bringt Frigium,
den König in India, mit verbundnen augen vnd sagt:

König, hab mirs für übel nicht!
5 Ich will dir aufflösen dein gesicht,
Das dir so gar hart war verbunden.

Frigius sagt:

Ach Herr, hab ich gnad bey dir funden,
Weil du mein Fessel mir aufflöst?
10 Hast mir zugsprochen vnd mich tröst.
So bitt ich dich, mich zu Hauß führ
Vnd gib dich zu erkennen mir,
Das ich dein guts dir widerkehret!

Pacollet bindt jhm die augen auff vnd sagt:
15 Machomet, den du hast geehret
Für deinen Gott, derselb bin ich,
Wil nicht allein heimführen dich,
Sonder auch geben in dein Hendt
Brandifer, der dich hat gesendt,
20 An dem du dich mögst rechen wol.

Frigius sagt:

Nun so bin ich der freuden vol
Vnd wil dich allzeit loben vnd ehrn,
Ob ich die wolthat kündt widerkehrn.
25 Ach ich bitt dich, bring mich heint spat
Zu meiner glübten in die Statt!

Pacollet geht ab. Frigius sagt zu Valentin:
Ach wolversuchter Ritter, ich bitt,
Seit jhr der Valentinus nit,
30 Der mir Rosimunda zeiget?
Euch sol wider guts werden erzeiget,
Wenn ich komm widerumb zu Hauß.
Potz, dort kompt auch Brandifer rauß.

Pacollet führt den Brandifer ein vnd sagt:
35 Brandifer, da empfang die Leut!

ihr eure Herren werden Essen heut
Auf seinem Königlichen Saal.

Kennidier gibt Frigio die Hand vnd sagt:
Der mir Willkum zu tausent mal!
Dein guter Freundt will ich sein.
Wie komm ich aber da herein?
Ich kenn euch doch nicht recht noch wol,
Bin als wer ich thöricht vnd vol.
Doch wo jhr hinkompt, folg ich nach
Zu meinem grösten leidt vnd klag.

Sie gehn alle ab. Kompt Rosimunda allein vnd sagt traurig:
Wie wunderseltzam ist das Glück!
Wie steckt es voller neidt vnd Dück!
Wie bedecken die Wolcken noch
Der lieben Sonnen schein so hoch!
Der Mensch, der heut in Wollust lebt,
Wie ein Adler in Lüfften schwebt,
Der ligt morgen gar baldt zu grundt.
Die Glückskugel die ist gar rundt
Vnd ist nicht wol darauff zu bleiben.
Ach wer wolt das Vnglück als schreiben,
Das mir allein ist gstanden zu?
Potz, wenn ich jetzt recht sehen thu,
So steht mein Herr König am Thor.
Auch steht der Valentin dayor
Mit Pacollet, dem Zwerglein klein.
Auch ist bey jhm der Vatter mein.
Ich weiß nicht, wie ichs sol verstehn.
Will jhm ein wenig entgegen gehn.

Sie geht auff der Brucken hin vnd wider, So kommen Pacol-
let vnd Valentin mit Frigio vnd Brandifer, zweyen Königen.
Valentin sagt:
Gnedigste Fraw, mein zu gedencken,
Wil ich euch disen König schencken.
Den andern wil ich euch geben,
Nach eurm willen mit jhm zu leben.

Derselbig sol euer gefangener sein.

Rosimunda empfecht den König von India vnd sagt:

Ach hertzenliebster Herre mein,
Wer hat eur Lieb ledig gemacht?

5 **Der König sagt:**

Valentin hat es zwegen bracht
Vnd sein Diener, der Pacollet.

Rosimunda sagt zu jhrem Vatter:

[310ᵇ] Herr Vatter, sagt, wie das zugeht,
10 Das jhr in India kompt gfangen!

Brandifer sagt:

Deinthalben ist das als zugangen.
Drumb schau, wie ich jetzt ledig wer!

Frigius sagt:

15 Dasselbig geschicht nimmermehr.
Fro bin ich, das ich dich bekahm.
Nun wöll wir alle beede sam
Reden von der sach vnd geschicht,
Warumb jhr mir wolt geben nicht
20 Rosimunda, eur Tochter klar,
Vnd gabt sie dem leichtfertigen Lucar,
Vnd warumb jhr in disem Krieg
So starck seit zogen wider mich,
Weil sichs so hat zutragen eben,
25 Das euch mir Machomet hat gegeben.
Ir Herrn, kompt allsamen rein!
So reden wir, da wir allein sein.

Sie gehn alle ab. Lucar gehet ein mit Enormans vnnd Faulartin, seinen Rähten, gerüst, ist zornig vnd sagt:

30 Ir lieben getreuen, wir haben vernommen,
Es sollen gefangen weg sein kommen
Brandifer, mein Schwehr, alda
Mit dem König von India,
So fleissig haben die drauff geschaut,

Denen wir haben die Wach vertraut.
Darumb so thut vns wol beduncken,
Sie haben sich vol Weins getruncken
Vnd für das Wachen ein weil geschlaffen.
5 Darfür wöll wir sie ernstlich straffen,
Durchs Läger schleiffen mit etlichen Rossen
Vnd jhn Arm vnd Bein lassen abstossen,
Daß sie eins harten Todts vmbkommen.

Enormans sagt:

10 So stürben sie vnschuldig drummen,
Dann ich halt, das die sachen sey
Warlich zugangen mit Zauberey
Oder Machomet, vnser Gott,
Hab vns mehr dann halb gschlagen todt,
15 Weil vns der Schlaf nam also ein,
Das wir kunden sehen jhr kein.
Ja es kundt keiner kein Waffen zucken.

Faulartus sagt:

Der Schlaf thet dise nacht mich drucken,
20 Das ich selbst nicht west, wie mir wahr.
Man hett mich wol ertödet gar,
[310ᶜ]   Ich hett doch nicht gwust, wers hett thon.

Lucar sagt:

Der sach wöll wir nachdencken schon.
25 Sein dise beede König verlohrn,
So sey ein teurer Eydt geschworn,
Das all die, so dran schultig sein,
Sollen erleiden schmeliche pein.

Sie gehn alle ab. Kommen Offerus vnd Heinrich, deß Königs
30 Pipini zwen HurnSöhn. Offerus sagt:

Hör zu, mein Bruder Heinrich!
Ich glaub, es werd dich gleich wie mich
Nicht wenig beschweren vnd verdriessen,
Daß wir also veracht sein müssen
35 Von vnserm Vatter, König Pipin.
Der zeucht ins heilig Landt dahin

Mit zwölff Regenten auß Franckreich,
Der dörfft mir sagen ohn allen scheuch,
Das ich vnd du wir beede sandt
Von jhm Erbten keins schuchs breit Landt,
5 Weil er vns erzeugt ausser der Ehe.
Ach wie· thut mir die redt so wehe!
Vngeacht er mir schon befohl,
Das ich Anglor Regiren sol,
Biß er widerumb komm zu Hauß,
10 Wolt er vnder vns theilen auß
Diß Landt vnd wolt vns das verehrn.
Darumb thu ich bey Ehren schwern,
Das ich so lang ablasse nicht,
Biß das ich jhn hab hingericht
15 Vnd mich gnugsam an jhm gerochen.

Heinrich sagt:

Hat das der König zu dir gesprochen,
Will vns, seine Söhn, nicht baß bedencken,
So thut es mir mein Hertz hart krencken,
20 Das ich nicht vnterlassen kan,
Ihm auch mit ernst zu widerstahn.
Doch weiß ich nicht weiß oder weg,
Dardurch er vns noch vnterleg.
Er ist vns zstarck vnd hochgeschorn.

25   ### Offerus sagt:

Weil Brandifer jetzt hat verlorn
Die gewaltig Statt Angelor,
Da wir lang seind glegen davor,
So wollen wirs Brandifer klagen,
30 Welcher durch Califf ist vertragen
Mit dem König von India
Vnd dem König Lucar allda,
[310ᵈ]   Das mit den seinen König Pipin
Ist ins heilig Landt zogen hin
35 Vnd vns die Statt Anglor befohln,
Das die zwen König verwarten solln
Den Pipin vnd jhn nemen gfangen.

Durch dise weg will ich erlangen
Sein Tochter Gallissa, die schön.

Heinrich sagt:

Ja das kan vns zu ruck nicht gehn.
5 Nun komm! ich steh dir treulich bey
Wider des Königs Tyranney.

Sie gehn ab. Kommen Valentin vnd Pacollet. Valentin sagt:

Dieweil wir mit verlangen groß
Sein kommen für das Veste Schloß,
10 Drinn mein Herr Vatter gfangen leit,
So bitt ich, versaumt nur kein zeit,
Damit wir kommen in das Schloß!

Pacollet sagt:

Die Vestung ist gwaltig vnd groß,
15 Sie hat hoch Maurn vnd starcke Thor
Vnd liegen zwen Löwen darvor.
Die Gräben voller Wasser sein.
Nichts; dann ein Vogel, kan fliegen drein
Vnd hilfft mich nicht mein Zauberkunst.
20 Darumb ist alle müh vmbsunst.
Ietzt will ich meinen Geist beschwern,
Von dem will ich sehen vnd hörn,
Wie vns sey ein Kunst zu erfinnen,
Das wir in das Schloß kommen können.

*Pacollet macht einen Creiß mit seinem stab mit vil caractern;
30 springt herauß ein Teuffel mit namen Satanas vnd sagt:*

Mein Pacollet, laß doch dein pannen
Vnd mach dich vom Schloß bald von dannen!
Dann auff gantzer Welt ist kein Man,
30 Der diß Schloß einbekommen kan,
Es wolts dann Bellissanas geben.
Wiltu vor dem bhalten dein leben,
So nimm dein weg eylendt von hinnen.
Es ist Offerus jetzt auch drinnen,
35 Der wolt zum Gmahl die Jungfrau kriegen.
Der muß ewig gefangen liegen

Bey dem Keiser auß Griechenlandt
Vnd einem, der Grün Ritter gnandt.
Drumb mustu erwarten der zeit,
Biß das Glück anders schickt vnd geit,
[311]   5 Das der Keiser wider ledig werd.
Sonst hilfft kein mittel auff gantzer Erd.
Darnach hast dich zu richten gewiß.

Satanas springt wider in sein loch.   Pacollet sagt:
Gnediger Herr, jetzt habt jhr diß
10 Selber gehört von meinem Geist,
Der mich nichts vnrechts lehrt noch heist,
Das wir allhie nichts richten auß.

Valentin sagt:
So wollen wir Rahtschlagen drauß
15 Mit meinem Herrn Vetter Pipin.
Drumb laß vns zu jhm ziehen hin,
Damit den Keiser wir erlösen
Vnd den Grün Ritter von den bösen!
Wenn alsdann Gott auch geb sein Gnad,
20 Daß ich west, wo jhrn auffhalt hat
Eclaramunda, die liebste mein,
Wer ich erlöst von aller pein.

Abgang.   Kompt König Pipin, Milon von Angler, Vrsus vnd
der Alt Valentin.   Pipinus sagt:
25 Nun sein wir in dem heiligen Landt.
Doch sol niemand werden bekandt,
Daß ich sey König in Franckreich.
Wil mich stellen, als Dien ich euch,
Weil die Heyden im Land Regirn,
30 Wider die ich groß Krieg thet führn,
Hab ich mich zu fürchten vor jhn,
Zumal weil ich wol bekandt bin,
Das ich sey ein kurtze Person.
So sag bey leib keiner davon,
35 Das ich der König selber sey!

Vrsus sagt:

Ayrer.

Ach der König sey ˙sorgen frey!
Wir halten vns nach dem bescheidt.
Dazu so haben wir gut gleidt,
Das man vns hie nicht mag vexirn.

5   **Milon von Angler sagt:**
Ach die Leut, so das Land Regirn,
Können ein Hader vom zaun brechen,
Wenn sie sich wollen an Christen rechen,
Sagen, man hab brochen das Gleidt,
10 Vnd halten weder Brieff noch Eydt.
Habt Jhr denn auch vergessen schon,
Wie offt sie vns vergweltigt han
[311ᵇ]   Vnd alles gnommen, was wir hetten,
Droheten, vns zu würgen vnd tödten.
15 Diß heilig Landt ist wol zu sehen,
Drinn deß Menschen erlösung gschehen.
Iedoch muß es gschehen mit gfahr.

      Der alt Valentin sagt zu Milon:
Gnediger Fürst, ja das ist wahr.
20 Grosses ding wurd in disem Landt
Den heiligen Bilgern bekandt.
Allein die gefahr die ist gar groß.
Der können wir nicht werden loß,
Dann das man zusam setz verschwiegen.
25 Wir müssen sonst baldt vnter liegen.
Nun kompt zum Patriarchen rein,
   Dessen Gäst hie die Pilger sein!
Der ist ein from Gottsförchtiger Man.
Er wird vns schützen, so lang er kan.

Sie gehn ab. Kommen Brandifer, Lucar vnd Frigius, drey
König, mit etlichen Dienern gerüst. **Brandifer sagt:**
Weil wir denn nunmehr sein vertragen
Vnd vns thet Offerus ansagen,
Das Pipin, König in Franckreich,
35 Vnd sein zwölff Regenten zugleich
Ins heilig Land herzogen sendt,

So stehn sie nun in vnser Hendt.
Weil der König in diser Statt
Vns zů fangen vergönnet hat
Vnd sie vns in vnser Hendt geben,
5 So nemen wir jhn allen das leben,
Wie ich Offerus hab gethan,
Der wolte die Galissa han.
Der liegt in meinem starcken Schloß
Gefangen in weheklagen groß
10 Bey dem Grün Ritter vnd Alexander.
Müssen all sterben mit einander.
Nichts bessers sol zum theil jhn wern.

Lucar sagt:
Disen König hett ich auch gern.
15 Ich hab jhm lang getrachtet nach,
Weil er mir hat gemacht groß klag,
Vil glaubensgnossen mir vmbbracht.

Frigius sagt:
Ey wie lang hab ich jhm nachtracht,
20 Biß das ich jhn allhie erfuhr!
Brecht ich jhn in mein klupen nur,
So müst er siegen oder sterben.
Kein Mensch sol jhm kein gnad erwerben.

[311ᶜ] In dem geht Pipinus mit den seinen ein. Brandifer fellt
25   sie an vnd sagt:

Ihr Christen, heut gebt euch gefangen!
Kein Mensch sol euch kein gnad erlangen.
Ietzt müst jhr zalen alte schult.

Milon von Angler sagt:
30 Wir haben Königlichs Gleit vnd intult.
Drumb last vns drinnen Passirn!

Lucar sagt:
Gefangen wolln wir euch wegführen

*

22 O singen.   24 O dem.

Vnd rechen ewer gwaltsame that,
Die Jhr vor Angelor, der Statt,
An vnsern Vnderthanen begangen.

Frigius sagt:

5 Wolt Jhr euch nicht geben gefangen
Vnd flucks mit vns von hinnen fahrn,
So wöll wir euch der streich nicht sparn,
Sonder die haut nach vortel pern.

Vrsus sagt:

10 Wir seind vergleit, dörffen vns nicht wehrn.
Wolt Jhr aber das gleit vns brechen,
So wurds gar hoch der König rechen,
Deß Brieff vnd Siegel haben wir.

Sie zucken alle vom Leder, reissen Vrso den Brieff auß der
15 Hand. Brandifer sagt:

Du Bößwicht, gib den Brieff von dir
Vnd geh mit fort, wie Ich dir sag,
Ehedann Ich dir den Kopff zerschlag
Vnd nötig dich, daß du must gehn!

20 Vrsus sagt zu den zuschorn:

Vnd wern nur allein wir zwen,
Hie wolt Ich dirs wol selber thun.

Frigius sagt:

Jr Herren, gebt mir den kleinen Man
25 An diser Haut für meinen theil!
Mit dem Ich in Indiam eyl,
Hette an seln Kleidern merck Ich froy,
Iren ... er ..... in mein Kuchen ..y.
Mit dem andern machts, wie Jhr selbst wölt!

Frigius ge... nach dem König Ppin. Brandifer sagt:

Wenn euch ...... das .. wol gefellt,
So .... halt vnd führt Jhn hin!
Wer .. .. zwin.
... . Jhm ......

Das werdens mit der Zeit erfahrn.
Drumb bindt sie all zsam, wie die Hundt!
So wöll wir baldt abfahrn jetzundt,
Dieweil jetzt ist gut Wetter eben.

5   **Pipinus sagt:**

Ach wehe! nun kost es mir mein Leben.
Was hab ich von der grossen that,
Das ich gwan Angelor, die Statt,
Vnd erschlug so vil Türcken drin,
10 Weil ich jetzt selbst gefangen bin?
Nun gsegn dich Gott, Weltliche Ehr!
Ietzt werd ich sehen nimmermehr
Berta, den liebsten Gemahl mein.
Ach wehe deß Jammers vnd der Pein!
15 Ach wenn mich nur nit kennet der,
Das ich der König selber wehr!
Will gar gern ein Kuchenbub sein,
Das ich erhalt das Leben mein.
Villeicht erledigt mich das glück.

20   **Frigius sagt:**

Halts maul vnd dich zum Wandern schick!
Dein Parlirn kan ich nicht verstehn.
Darumb thu nur deines wegs fortgehn!
Andermal ist auch reden gut.
25 Ir Herrn, seit alle wolgemut
Vnd mir zum Schieff nachfolgen thut!

Sie führen die Gefangen mit grossem frolocken ab, aber die
   Gefangen seind gar kleines lauts. Abgang jhr aller.

ACTUS QUARTUS.

Kompt Valentin, der Ritter, mit Pacollet, seinen Dienern, gerüst vnd sagt:

Die Statt hab wir nun lang verwalten
Vnd verhofflich wol Hauß gehalten.
Iedoch hab ich verhoffet wol,
35 Das der König langst kommen sol.
Doch weil auff einer langen Reiß

Einer wol seinen außzug weiß

Vnd nicht weiß, wenn er kommen kan,

So müssen wir lenger das beste than.

Insonderheit bin ich bericht,

5 Wie Brandifer ein Heer zuricht

Vnd bring auch König Lucar mit.

Da darff wir kein fleiß sparn nit,

[312]　　Wie wir dise Statt defendirn.

Pacollet sagt:

10 Alles, was mir wil thun gebürn,

Das thu ich gantz willig vnd gern,

Vnd wenn sie gleich herkommen wern,

So wil ich jhn wol kommen bey

Mit meiner Kunst vnd Zauberey,

15 Wil auch dran wagen Leib vnd Leben.

Aber noch eins das mercket eben!

Wenn ich etwa mit todt gieng ab,

Im Busen ich ein Tafel hab

Vnd ander Kunst: die nemmt von mir!

20 Die könnt hernach auch brauchen jhr.

Sonst ich sie keinem Menschen gün.

Valentin sagt:

Darumb ich euch gar danckbar bin.

Kompt rein! so wöll wir den Kriegsleuten

25 Disen neuen zug auch andeuten,

Damit sie sich starck rüsten zu,

Das man den Feinden abbruch thu.

Sie gehn alle ab. Kompt Rosimunda, die Königin, allein, geht
vmb vnd sagt:

30 Den Göttern hab ich danck zu sagen,

Weil der Krieg ist dahin vertragen,

Das ich bin getheilt von Lucar,

Welcher zuvor mein Gemahl wahr,

Vnd bin Frigio zugesprochen.

35 Es ist mir jetzt ein gantze Wochen

Nicht so lang, als zuvor ein Tag.

Nach Lucar ich kein wörtlein frag.
O mein jetziger König vnd Herr
Ist mir hundertmal lieber, als er.
Der ist gereist nach Abentheur,
5 Das mir zwar kompt gar übel zu steur.
Dann ich hab jhn lieber zu Hauß,
Als das er so weit Reiset auß.

Sie horcht.

Potz! ich hör Posaunen vnd Drummen.
10 Ich hoff, der König sol schon kommen.
Ach solt das war werden vnd geschehen,
Wolt ich auff Erd nichts liebers sehen.

Der König Frigius auß India geht ein mit Lysimacho vnd
Amilio, seinen Räthen, vnd dem König Pipino, sehr übel ge-
kleidt. Die Königin fellt jhm vmb den Halß vnd sagt:

[312ᵇ]   Hertzlieber Gemahl, seit mir willkomm!
Gar gern seh ich euch widerumb.
Ach wie ist es so vbel gethan,
Wenn ein Weib lebet ohn ein Mann!
20 Ach wie offt hab ich an euch gedacht!

Sie sicht den Pipin vnd sagt wider:
Was habt jhr hie mit euch gebracht
Für ein so kleine MannsPerson?

Frigius sagt:
25 Zur außbeüt bracht ich jhn davon,
Da wir den König auß Franckreich
Fiengen sampt seinen Fürsten gleich.
Den will ich brauchen in der Kuchen.

Pipinus neigt sich vnd sagt:
30 Eur Majestat thu mich versuchen!
Ich will mich halten also wol,
Das es eur Gnaden gfallen sol,
Dann ich lang gewesen bin ein Koch,
Allzeit das Lob erlanget noch.
35 Villeicht ichs auch hie kriegen sol.

Rosimunda sagt:

Fürwar das Männlein gfellt mir wol,
Das er sein wort fürbringt so gut.
Drumb, wenn er sich recht halten thut,
5 Kan jhn eur Lieb hie gar wol halten.

Frigius sagt:

Ey freylich will ich jhn behalten,
Aber jetzt kompt mit rein ins Gmach,
Das ich euch ander sach fürtrag,
10 Die sich auff der Reiß haben verloffen!
Davon wir vil guts haben zu boffen;
Dann König Lucar vnd Brandiferr
Ziehen ins Vngerlandt gar ferr,
Angelor, die Statt, wider zu gewinnen,
15 Villeicht jhrn Mann daselbst auch finnen.

Sie gehn alle ab. Kompt Valentin vnd Pacollet. Valentin sagt:

Die Statt zwen König belägert han.

Pacollet sagt:

Ey sie werden balt ziben davon.
20 Drumb kompt mit mir ins leger gangen!
Wir wollen den König Lucar fangen
Vnd die Feind bringen in die flucht.

Valentin sagt:

Alls, was jhr kündt, dasselb versucht!
[312ᶜ] 25 Dann weil vnser König außbleibt,
Mich der verzug zu zweiffeln treibt,
Ob er selbst noch möcht sein bey Leben.
Doch wöll wir die Statt nicht auffgeben,
Sonder halten, so lang wir können.
30 Der Feind wird sie sobald nicht gwinnen.

Abgang. König Pipinus geht ein wie ein Koch, tregt ein ver-
deckte Schüssel, vnd so mans haben kan, soll hinden ein
Pfabenschwantz auß der Schüssel gehn vnd verdeckt; der sagt:

Die Köch vnd das gantz Hofgesindt
35 Ich gar hefftig wider mich find,

Dann sie send gantz drutzig vermessen,
Verderben mir die Speiß vnd Essen,
Die ich soll für den König tragen.
Im Zorn hab ich ein erschlagen,
5 Das ist mir noch wol gangen nauß.
Der König liebt mich überauß,
Thut mir mehr als jhn allen vertrauen.
Einer thörichten Jungkfrauen
Soll ich jetzt bringen das Gericht,
10 Dann was der König isset nicht
An seiner Taffel, das schickt er jhr.

Er geht zum Abgang vnd schreyt:
Edle Jungkfrau, baldt kompt herfür!
Empfangt die Königliche Speiß!

Eclaramunda sihet herauß, hat sich vnter dem Gesicht sehr
zerkratzt; das kan man also mit Farben oder Pflastern machen. Pipinus sagt weiter:
Vnd saget Gott drumb lob vnd preiß
Vnd seinem Sohn, Herrn Jesu Christ!

20 *Eclaramunda nimpt die Speiß vnd sagt:*
Ach mein Koch, wenn ich wer vergwist,
Daß jhr werd ein recht ChristenMann,
Hett ich euch vil zu zeigen an,
Dann sonst darff ich niemand vertrauen.

Pipinus, der König, in gestalt eines Kochs sagt:
Ach schad ists für die Jungkfrauen,
Daß sie jhrer Sinn ist beraubt.

Zu jhr sagt er:
Zart edle Jungkfrau, mir gelaubt!
[312ᵈ] 30 Ich bin ein Christ vnd auß Franckreich.

Eclaramunda sagt:
Ach Herr, durch Gott so bitt ich euch,
Ob jhr den König Pipinum kennt
Vnd sein Vetter, Valentin gnennt.
35 Ein kühner Ritter, Tugent vol.

Pipinus sagt:

Ach edle Jungkfrau, ich kenn jhn wol,
Kenn auch sein Bruder, den Vrsum,
Vnd jhrer beder Vatter frumm,
5 Den Keiser von Constantinopel.
Auch so ist mir bekandt wol doppel
Ihr Mutter, die keüsch Bellisand.

Eclaramunda sagt:

Ach seind euch dise Leut bekandt,
10 So wist, daß ich deß Valentin
Liebste, Eclaramunda, bin.
Dem stahl mich der listig Trumphart,
Hilt mich allhie im Gfängknuß hart.
Letzlich gewan mich der König lieb,
15 Vnd daß ich vor jhm ledig blieb
Vnd meine Ehr behalten thet,
Braucht ich mich gar thörichter Red,
Zerkratzt meinen Leib vnd Gsicht,
Daß er meiner begeret nicht,
20 Dann ich will keinen andern Mann,
Als mein lieben Valentin, han.
Ach wist jhrs, wie ich dann verstehe,
So saget mir bald, wie jhms gehe!
Das verschult ich, wo ich es kan.

25 ### Pipinus weynt vnd sagt:

Ach Gott, ach Gott! was soll ich than?
Dann wist, ich bin König Pipin.
Meiner Schwester Sohn ist Valentin.
Bellisand ist die Schwester mein.
30 Gfängklich bin ich kommen herein.
Iedoch ich mich von Hertzen frey,
Daß man hie nicht weiß, wer ich sey.
Ach wie kommen wir hie zusammen!
Valentin vnd sein Zwerg mit Namen
35 Die suchen euch in gantzer Welt.
Doch ist jhm blieben vnvermelt,
Ob jhr todt oder lebendig seyt.

Eclaramunda sagt kläglich vnd doch frölich:

Gott sey globt vnd gebenedeyt!
Ich bitt, seyt doch dahin bedacht,
Daß wir hie werden ledig gmacht!

[313] 5 Das verdien ich all mein lebtag
Mit Leib vnd Gut, was ich vermag.
Ietzt aber geht eurs wegs von mir,
Das nicht verkundtschafft werden wir,
Wenn wir zu lang stünden beysammen!

10   Pipinus sagt:

Es bleib dabey in Gottes Namen!
Ich will der sach nachdencken baß,
Das vns der König ledig laß.

Eclaramunda giebt jhm die Handt, macht das Fenster zu vnd
Pipinus geht mit verwunderung ab. Valentin vnd Pacollet
gehen mit Lucar, dem König, ein; den führen zwen Trabanten mit verbunden augen, setzen jhn in ein Stul. Lucar sagt:

Ich wist gern, wie mir wer geschehen.
Ir führt mich, last mich doch gesehen,
20 Auff daß ich wiß, wo ich komb hin!
Wol merck ich, daß ich gfangen bin.
Weß gefangener aber sol ich sein?

Sie binden jhm die Augen auff. Valentin sagt:

Du must jetzt sein der gefangen mein
25 Vnd erwarten ohn beschwerd,
Was dir von mir auffgelegt werd,
Weil du bist ein Türckischer Hundt.

Lucar sagt:

O ich hab schon gehört jetzundt,
30 Das ich durch dises Zwergs vntreü
Also schlaffent verzaubert sey.
Deß muß er sterben von mein Henden
Vnd sol jhn alles Vnglück schenden.

Er zuckt den Dolchen, ersticht den Pacollet; der fellt vnd sagt:

35 O Herr, besucht den Busen mein,

Dieweil es muß gestorben sein!

Valentin greifft jm in Busen, thut etliche Zauberbücher herauß vnd sagt:

Der Zwerg ist todt; drumb, jhr Trabanten,
5 Last den König nemen zu banden!
Deß Zwergen todt er büessen sol,
Das es jhm nicht wird gfallen wol.

Sie führen jhn ab. [313ᵇ] Tragen darnach den Zwerg ab.
Valentin sagt:

10 Ach wie reut mich dieser teur Man,
Der mir zwar hat vil guts gethan!
Weil ich gar nichts bring von jhm sunst,
So hab ich doch sein Zauberkunst.
Villeicht schaff ich mir damit nutz.
15 Es kompt ein Pott: was der bringt guts?

Die Trabanten gehen ein, bringen Jahn Clam, der tregt ein
Brieff, neigt sich vnd sagt:

Hört! seyt jhr der Herr Valentin?
Von Brandifer ich geschicket bin,
20 Der hat den Keiser Alexander,
Pipin vnd Vrsum, auch vil ander;
Der wil euch gebn, welcher euch gfellt;
Dargegen jhr loß geben sölt
Lucar, den König, seinen Eiden.

25 Valentin liest den Brieff vnd sagt:

Hör, Pott! sag dein verfluchten Heyden,
Wiewol der Keiser ist mein Vatter,
Doch hab ich kein grössern wolthater,
Als Pipin, den König in Franckreich;
30 Wenn er mir den herschicket gleich
Frisch vnd gesundt, das er thut leben,
Wil ich jhm Lucar wider geben
Vnd das sol gschehen in sechs tagen.

Jahn sagt:

35 Nun ich wils baldt meim König sagen.

Sie gehn bederseits ab. Kompt Pipinus, der König auß Franck-
    reich, allein vnd sagt:

    Mein Herr König von India
    Liebt sein schöne Rosimunda,
5 Daß er bey jhr bleibt hie zu Hauß,
    Hat doch in dem Krieg gschicket auß
    Seinen Marschalt wider die Christen.
    Allhie thu ich mich gar wol fristen,
    Dann ich hab bie gar groß vertrauen.
10 Eclaramunda, die Jungkfrauen,
    Vnd mich selbst wil ich von den bösen
    Türcken, ob Gott will, baldt erlösen;
    Doch muß ich mein Vordel ersehen,
    Dann es muß wolbedechtlich gschehen.

Pipinus geht ab. [313ᶜ] Kompt Brandifer mit Milon von Ang-
    lor vnd zweyen Trabanten. Brandifer sagt:

    Auß Franckreich du, König Pipin,
    Magst deines wegs wol ziehen hin
    Mit den Trabanten, jedoch so ferr,
20 Das auch König Lucar ledig wer:
    So bleiben die Schwerd in der scheid.
    Sonst würd jhrs nicht gut haben beid.
    Ziecht hin vnd bringt gut Pottschafft mir!
    Deß Königs Lucars wart ich schier.

Die Trabanten gehn mit dem Hertzog von Milon ab. Lysimachus, der Marschalt auß India, geht ein, neiget sich gegen
    dem König Brandifer vnd sagt:

    Großmechtiger König, ich hab betracht,
    Weil die vergleichung ist gemacht,
30 Das der kün Ritter Valentin
    Sol folgen lassn gegen Pipin
    Vnsern Herr König, den Lucar,
    Hab wir vns fürzusehen zwar,
    Weil dardurch ist gemacht kein Fried.
35 Dem Feindt dem ist zu trauen nit.

10 O der.

Er ist sehr liestig, starck vnd geschwindt.

Brandifer sagt:

Er sol an vns haben kein Kindt.
Was jhm gelust, das mag er than.
5 Vnser Leut wagen wir auch dran.

Abgang. Kompt Valentin vnd tregt die Bücher vnd Tafel, die er Pacollet auß dem Busen genommen, vnd sagt:

Ich hab die Tafel vnd Buch durchlesen,
Welche ist Pacollets gewesen,
10 Darin ich ein Kunst gfunden han,
Das sich all schlösser müssen aufftban,
Auch das ein gantz Heer muß entschlaffen,
Das ichs schlag ohn all wehr vnd Waffen,
Vnd wie ich kan mein gestalt verlirn.
15 Ich will auch etlich stück probirn.
Eins theils die sein probirt vorhin.
Villeicht gehts mir nicht ab ohn gwin.

Valentin macht ein Creiß vnd vil caracteres darein vnd liest im Buch. Als dann gehen im Creiß etliche Ra[313ᵈ]ckelen ab, wird ein groß gepolter vnd gutzet Satanas vnten herführ vnd sagt:

Ey hör doch nur auff deines lesens!
Was ist von nöten so vil wesens?
Als, was du finds in dem Buch gschrieben
25 Vnd wie es Pacollet hat trieben,
Das solstu können, so wol als er.
Vnd wenn ein gantz Schloß eysern wer,
So wolt ich das zu stücken sprengen,
Auch helffen all dein Feind bezwengen.

Der Teuffel verschwindt wider. So klopfft man hefftig an, kompt Hertzog Milon mit zweyen Trabanten, Hanß vnd Heinrich. Hanß sagt:

Großmechtiger Heldt Valentin,
Allhie bringen wir König Pipin
35 Euch in eur Hand, daß jhr darneben

Vns solt den König Lucar geben.
Wo nicht, führ wir jhn wider wegk.

Valentin sicht jhn an vnd sagt:
Ir lieben Kriegsleut, seit frisch vnd keck!
5 Was ich eurem König verhieß,
Das will ich halten steht vnd gwieß.
Sagt! sol das König Pipin sein?

Heinrich sagt:
Wie anders? wir haben sonst kein.
10 Ir kennt jhn ja besser, als wir.

Er winckt dem Hertzog, der gehet zu jm vnd Hertzog Milon
sagt:
Strenger Heldt, das solt wissen jhr,
Da man den König Pipin fieng,
15 Er wie ein Kuchenknecht hergieng.
Den führt der König in India davon
Vnd ich bett Königliche Kleider an.
Darumb die Feindt schlossen daher,
Wie das ich der König selber wer.
20 Darumb nemet mich für jhn an!
Dann ich euch vnterweissen kan,
Wie wir eurn Vatter bekommen
Vnd auch Brandifer gfangen gnommen,
Den Grün Ritter vnd ander mehr.

25 Valentin sagt:
Dieweil ich dann jetzt weiß nun mehr,
Wo mein Vatter ist kommen hin
Vnd auch mein Vätter, König Pipin,
Vnd ander Fürsten vnd bekandten
30 Vnd euch ledig gebracht zu handen,
[314] Wil ich den Lucar ledig geben.

Er gibt dem Milon die Handt vnd geht zu den Trabanten vnd
sagt:
Ir Kriegsleut solt mich mercken eben.
35 Den König hab ich angenommen.

Darfür solt jhr Lucar bekommen.
Darumb so kompt mit mir herein!
Er sol von mir gantz ledig sein
Von aller gfahr, Gefengnuß vnd bein.

κ   Sie gehn alle ab.

ACTUS QUINTUS.

Kommen Valentin vnd Hertzog Milon mit etlichen stummen
Personen gerüst ein. Valentin sagt:
Weil wir nun Lucar ledig geben,
10 Müssen wir berahten darneben,
Wie wir König Pipin bekömen.

Milon sagt:

Wenn wir könnten gefangen nemen
Auß India deß Königs Marschalt,
15 Meint ich, wir wolten kriegen balt
An seiner statt König Pipin,
Weil der König vermeint vorhin,
Der König Pipin sey ein Koch,
Den Marschalt aber helt er hoch,
20 So wolt wir jhn dargegen nemen.

Valentin sagt:

Ach wenn wir den König bekömen,
So stünd all sach besser, als nie.
Drumb last vns nicht lang warten hie,
25 Sonder dem Feind fallen ins Läger!
Mein Kunst kan mir nicht fehlen weger,
Die ich von Pacollet bekommen,
Das der Marschalt werd gfangen gnommen.
Drumb, jhr Kriegsleut, stelt euch zu wehr!
30 Heut wöll wir gwinnen gut vnd Ehr.

Sie lauffen hefftig ab. Ob man will, kan man eine Schlacht
haben vnnd den Marschalt Lysimachus fangen. Wo man aber
keine Schlacht haben wil, führ man jhn ein. Valentin sagt:
Hör, Marschalt, wiltu retten dein Leben,
35 So muß dein König ledig geben

An seim Hof ein gefangene Person,
Sonst kombst mit deim leben nicht darvon.

[314ᵇ]   Ir Kriegsleut, balt führt jhn ein!
Werfft jhn in tieffsten Thurn ein!

Sie gehn alle ab. König Pipinus geht allein ein wie ein Koch vnd sagt:

Ach ich hab böse meer vernommen.
Ein Pottschafft ist dem König kommen,
Die man warhafftig glauben söll,
10 Wie das Artus, der König, wöll
Einnemen mein gantz Königreich
Vnd mein Gemahl haben zugleich
Vnd mich gar auß dem Land vertreiben.
Ach Gott! sol ich dann allhie bleiben,
15 So komm ich gewiß vmb Leůt vnd Landt.
Mach ich denn mein Namen bekandt,
So kost es mir gwiß Leib vnd Leben.
Nun ich muß mich darein ergeben,
Muß eines lassen, das ander thon.
20 Ach lieber Gott, hilff mir davon!
Mein Gemahl Berta ist mir lieb.
Mein Reich ich auch niemandt begib,
So lang vnd biß ich gstorben sey.
Ach dort kompt der König herbey.
25 Vor jhm ich hart erschrocken bin.

Er will abgehn. Kompt Frigius, der König, vnd sagt:

Hör du, mein Koch! wo wiltu hin?
Vnd was hastu alhie gemacht?

Pipinus sagt:

30 Großmechtiger König, ich hab nachdacht,
Was man zu der nachtmalzeit sol
Eur Majestat guts kochen wol,
Auff das man mit der tracht bestehe.

Frigius sagt:

35 Baldt du hin in die Kuchen gehe
Vnd wart, was du zu schaffen bast!

Ich hab heut meine Räht zu Gast.

Sie gehn ab. Kompt Jahn Clam mit seim Spieß vnd sagt:

Der Teuffel, wer soll ein Pott sein!
Im Landt schickt man mich auß vnd ein
5 Von einem König zu dem andern,
Da muß ich mit weng Gelts durchwandern
Vnd dabey wagen Leib vnd Leben,
Dann sie mir lauter loß Brieff geben,
[314ᶜ]   Die tragen kein guts Pottenbrot.
10 Ich bin halt nur ein VnglücksPot,
Villeicht auff einen heller geborn.
So ists gewiß wahr vnd verlorn,
Das ich zu keinem Thaler kom.
Hie seh ich mich nach dem König vmb,
15 Dann ich bring jhm ein Pottschaft her,
Die jhm vil lieber besser wer.

Frigius geht mit zweyen Trabanten ein, sicht den Potten vnd
sagt:

Was schaffstu hie? sag vns, Männlein!

Jahn Clam sicht den König vber die seiten an, neigt sich
vnd sagt:

Ja was? hört! sol ich ein Männlein sein?
Bin ich nicht ein Exellent Person?
Ich bin kein Männlein, sondern ein Man;
25 Aber ein Hundt, fürwar, ein Männlein ist.

Frigius sagt:

Was schad das? sag du, von wann du bist
Vnd was du hast albie zu than!

Jahn Clam sagt:

30 Ja ich wils euch baldt zeigen an.
Eur Marschalt der ist halt gefangen,
Der kan kein ledigung erlangen,
Ir gebt denn darfür euren Koch.

Frigius sagt:

35 Er ist mir lieb, aber jedoch
Ist mehr gelegen an dem Marschalt.

Den Koch solstu bekommen balt,
Wenn ich mein Diener hab dargegen.

Jahn Clam gibt jhm ein Brieff vnd sagt:
Ich kan euch Siegl vnd Brieff aufflegen.
5 Gebt jhr mir nicht den Koch balt mit,
So kriegt jhr eurn Marschalt nicht.
Drumb raht ich, jhr wolt mir jhn geben.

Frigius, der König, sagt:
Das ich jhm nur errett sein Leben,
10 So sol der Koch dein eygen sein.
Geht, jhr Trabanten! heist jhn herein!
Ein Trabant geht ab, bringt König Pipin. Frigius sagt:
Sich! da hast jhn; nim jhn nur hin!

Jahn Clam sagt:
15 Der ist vil kleiner, als ich bin.
[314ᵈ]   Doch kan er besser, als ich, Kochen.

Frigius sagt:
Hör, Koch, man hat mich angesprochen,
Ich solt dich lassen ziehen hin
20 Gen Angelor zum Valentin,
Der vnsern Marschalt hat gefangen.
Der sol deinthalben freyheit erlangen.
Derhalb wolst vns geloben an,
Wird man den Marschalt nicht loß lahn,
25 Dastu wolst wider kommen her.

König Pipin neigt sich, globt an vnd sagt:
Ich wil thun nach eur Gnad heger.

Sie gehn alle ab. Kompt Eclaramunda vnd sagt kläglich:
Ach all mein trost ist mir benommen,
30 Weil König Pipin ist hinweg kommen.
Der war mein einicher trost vnd frewd.
Ietzt steh ich wider im vorigen leid.
Doch verhoff ich, vnd das noch Er
Mein Gefengnuß offenbaren wer

Meim hertzenliebsten Valentin,
Der gar kein wort weiß, wo ich bin.
Erfehrt ers, so bin ich vergwist,
Das er so keck vnd küen wol ist,
5 Das er mich mit sich von hinn bring,
Dann Gott sind müglich alle dieng.
Ach Herr, wie solt mir baß geschehen,
Als wenn ich jhn solt wider sehen?
Es ist als gar wol droschen ab,
10 Das ich fürwahr kein zweiffel hab,
Es komm meim allerliebsten für.
Man möcht villeicht nachschleichen mir.
So dörfft ich werden beim König verrahten.
Deß köm ich in groß gfahr vnd schaden.

Sie geht traurig ab. Kompt Valentin mit Hertzog Milon. Valentin sagt:

Ach das vnser Pott wider kem,
Das ich nur gwiß von jhm vernemb,
Ob wir köndten den König kriegen!
20 Schwer ists, so lang gefangen liegen.
Bekehm ich jhn, alsdann wolt ich
Vmb mein Herrn Vatter annemen mich
Vnd brauchen alle Renck vnd Kunst
Vnd was zum Ernst gehöret sunst,
[315] 25 Damit ich jhn auch machet frey.

Milon sagt:

Dort macht sich vnser Pott herbey
Vnd bringt mit jhm den König her.

Valentin sagt:

30 Ach das es Gott wöll, das war wer!
Ja er ists: nun bin ich so fro,
Das wir zusammen kommen also.

Jahn geht ein mit dem König Pipin in gestalt eines Kochs,
zeicht sein Hut ab vnd sagt:

35 Ir Herrn, da bring ich den Koch

Vnd steh in guter hoffnung noch,
Ir werd mir ein guts Trinckgelt geben.

Valentin fellt jhm vmb den Halß, küst jhn vnd sagt:

Fro bin ich, das ich find im Leben
5 Eur Königliche Majestat.

Pipinus, der König, sagt:

Weils dann Gott also gefüget hat,
So bin ich meins theils wol zu friden,
Was ich vmb Gottes willen hab glieden.
10 Iedoch erfreut sich jetzt mein hertz
Vnd ist mir hinweg aller schmertz,
Das ich dich wider sehen sol.
O Valentin, ich wolt dir wol
Von Eclaramunda ein Liedlein singen,
15 Das wird schön in dein Ohrn klingen,
Dann ich weiß gar wol, wo sie ist.

Valentin schlegt die Hendt zusammen vnd sagt:

Das danck ich dir, Herr Jesu Christ!
Ach, Herr Vätter, ich bitt durch Gott,
20 Lebt sie noch oder ist sie todt?
Kan ichs bekommen oder nit?
Sagt mir! zum höchsten ich drumb bitt.

Pipinus sagt:

Ach sie ist, wo ich gwesen bin.

25   **Valentin sagt:**

So zieh ich eylend zu jhr hin
Vnd versuch alles, was ich kan,
Das ich mein hertzLieb bring davon,
Die ist mir lieber, denn alles gut.
30 Zumal weil eur Lieb leben thut,
So sein wir alle freuden vol.

Pipinus sagt:

Vmb mich aber stehts nicht gar wol,
[315ᵇ]   Dann ich hab ghört in India,

Das der König in Britania
Mir hefftig stell nach meinem Reich
Vnd meiner Gemahl auch der gleich;
Dem muß ich stillen sein hochmuth.

5   Valentin sagt:

Ach Gott, die Zeitung ist nicht gut.
Stehts kommen Vnglück zu der Freüden.
Kompt rein, das man eur Lieb thut Kleiden!
So redn wir weiter von den sachen,
10 Wie wir eins vnd das ander machen.

Sie gehn alle ab. Valentin vnd Milon gehn ein. Valentin sagt:

Weil König Pipinus verreist ist
Vnd jhr mein groß anliegens wist,
So hab ich gfunden disen raht,
15 Das ich euch befehl dise Statt,
Wie auch der König hat gethan.
Vnd ich wil auch alsbaldt davon.
Weil ich weiß meiner Liebsten leben,
Wil ich mich für ein Arzt außgeben
20 Vnd jhr zu helffen mich obligirn
Vnd will sie heimlich davon führn.
Alsdann wöll wir mit Mannheit groß
Auch zihen für deß Brandifers Schloß
Vnd sehen, wie wir das gewinnen,
25 Mein Vatter ledig machen können
Sampt meinem Bruder vnd Grünen Ritter,
Die liegen in Gefengnuß bitter
Bey den zwölff Fürsten auß Franckreich.

            Milon sagt:

30 Leib, Ehr vnd Gut wag ich mit euch.
Deß trauet mir bey meiner Ehr!
Gott helff euch nur halt wider her!

Abgang. Kompt Berta, die Königin in Franckreich, vnd sagt:

Ach wie ist mein betrübtes Hertz
35 Gequelt mit so vil angst vnd schmertz
Vmb meinen Gemahl, Herr Pipin!

Kein Mensch weiß, wo er kommet hin.

Er wolt ziehen ins heilig Landt.

Ich glaub, er vnd sein Leut alsandt

Sein in dem tieffen Meer vmbkommen.

5 So hab ich noch mehr Creutz vernommen,

Daß sich König Artus nicht schemb,

Zu begern, das ich jhn nemb,

[315ᶜ]　Weil ich noch nicht weiß, wie es stehe

Vnd wies meim lieben Gemahl gehe.

10 Kein wunder wers, das ich vergieng,

Dann es krenckt mich noch anders dieng,

Nemlich deß Königs vneheliche Söhn,

Die auch auff der Schalckheit vmbgehn,

Mein Son Carl vom Reich zu treiben,

15 Das ich vor leidt kaum weiß zu bleiben.

Doch hoff ich vnd vertrau Gott mehr,

Das mein Herr baldt werd kommen her.

Abgang.　Frigius, der König in India, geht ein vnd sagt:

Nun wart ich, wenn mein Marschalt kumb

20 Auß seiner Gfengknuß widerumb,

Weil ich den Koch hab ledig gelassen.

Ich hab der Sach nachdacht dermassen,

Das er ein guter Koch muß sein,

Weil er gleicht wird dem Marschalt mein.

25 Wiewol sein Kochen hat mir gefallen,

Weil er hier war vor andern allen.

Mein Marschalt ist mir lieber doch,

Vnd wehr er vil ein besserer Koch.

Schau! da kompt er gleich gangen rein.

30　　　**Zum Marschalt sagt er:**

Wir trugen vmb euch grosse pein.

Ach sagt vns! wie seit jhr vmbgangen,

Das euch der Feind hat so gefangen?

Für euch trugen wir grosse klag.

35　　　**Lysimachus sagt:**

Ach das dieng tregt sich zu all tag.

Wer der sterckst ist alzeit im Krieg,

Der kan gar baldt erlangen Sieg.
Doch sey den Göttern danck vnd ehr,
Das ich nun bin nicht gfangen mehr!

Hospes, der Wirth, geht ein, schreit auß vnd sagt:

5 Ihr Herrn, höret neue mär!
Ein guter Artzt ist kommen her,
Der kan überauß vil kranckheit heiln,
Den Vnsinnigen witz mittheilen.
Derhalb wer sein nicht grathen kündt,
10 Ihn alhie auff der Windmühl findt.

Der König sicht sich vmb vnd sagt zu dem Wirth:

Was schreyest hie für Artzney auß?

Hospes neigt sich vnd sagt:

Großmechtiger König, in meim Wirthshauß
[315ᵈ]   15 Liegt ein Kunstreicher Artzt, der kan
Klug machen thörichte Person
Vnd sonst heilen vil Kranckheit mehr.

Frigius, der König, sagt:

So geh vnd schaff jhn zu vns her!

20 **Hospes geht ab. Der König sagt:**

Ein Jungfrau halten wir gefangen.
Kan sie von jhm gesund erlangen,
So wöll wir jhm gar tapffer lohnen,
Vnd solt es kosten zwey tausent Cronen.

**Valentin geht in gestalt eines Artztes ein, neigt sich gegen
dem König vnd sagt:**

Gnedigster König, nach der beger
Erschein ich ghorsamlich hieher.
Was begert Königlich Majestat?

30 **Frigius, der König, sagt:**

Eur Wirth vns vor anzeiget hat,
Wie jhr köndt heilen so vil gebrechen.
In sonderheit so thet er sprechen,
Wie das jhr auch bethörte Leüt

Köndt wider machen klug vnd gescheidt.
Wenn wir euch dann dörfften vertrauen,
So wist, wir haben ein Jungfrauen,
Die ist von hohem Standt geborn
5 Vnd jhrer Sinn beraubet worn.
Wenn jhr derselben helffen kůndt,
Groß Gelt vnd Gut jhr bey vns gwindt.
Darumb hab wir euch fordern lahn.

Valentin sagt:

10 Großmechtiger König, die Kunst ich kan,
Das ich die tolle sucht vertreib,
Es hab sie ein Mann oder Weib.
Iedoch muß ich einig allein
Bey der Person vber nacht sein.
15 Allein muß bey mir sein mein Knecht.
So kan ich helffen der Kranckheit recht.
Vnd wann ich der nicht helffen kan,
Wil ich verlohrn habn mein lohn
Vnd alle kosten, mühe vnd arbeit.

20 Frigius gibt jhm die Handt vnd sagt:
Ein lieber Meister jhr vns seit.
Mit der Person macht, wie jhr sölt,
Vnd braucht jhr, was euch wolgefellt!
Allein bringt jhr sie zum verstandt,
25 So habt jhr vnser Treu zu pfandt,
[316]　Wir wolln euch tapffer lohnen drummen.

Zum Marschalt sagt er:

Herr Marschalt, thut mit reiner kommen!
So reden wir weiters davon,
30 Wie es euch auff der Reiß thet gan.

Abgang. Kompt Berta, die Königin auß Franckreich, vnd sagt:
Dem ewigen Gott sey preyß vnd ruhm!
Mein Gemahl hab ich widerumb.
Ach wenn jhm Gott den Segen geit,
35 Das er oblieget in dem streit
Vnd treibt den König Artum ab,

Ich kein klag auff der Welt mehr hab.

Ich hoff, baldt Zeitung zu erfahrn.

Gott wöll jhn vor vnglück bewahrn!

König Pipin geht wider in Königlichen kleidern ein mit etlichen gerüsten, die tragen ein Haupt in der Handt. Der König gibt der Königin die Handt vnd sagt:

Hertzlieber Gemahl, seit guter dieng!

Vnsers. gwesenen Feindes Haupt ich bring.

Das ließ ich jhm alsbaldt abschlagen,

10 Thet all sein Volck zu ruck weg jagen.

Auch hab ich in dem Kriegsheer vnden

Etlich abgfallen Grafen funden,

Die er hat auff sein seiten gworben,

Die haben gmeint, ich sey schon gstorben.

15 Als sie mich aber erfuhrn im Leben,

Haben sie mir jhn vbergeben,

Vermeint, mir einen dienst zu than.

Dieselben ich all vertrieben han

Vnd hab jhn gnommen Leut vnd Land,

20 Das ich rechen die schmach vnd schand,

Die sie mir theten durch den abfahl.

Berta sagt:

Gott sey Lob in seim höchsten Saal,

Der alle dieng wol hat geschafft

25 Vnd den vngerechten König gestrafft.

Nun bitt ich euch, mein Gmahl vnd Herr,

Wolt forthin nicht mehr Reisen ferr!

Ir habt eur tag wol zugebracht,

Wenn jhr euch nun gleich gut tag macht

30 Vnd bleibt in eurem Königreich.

Pipinus sagt:

Es kan nicht als zugehn so gleich.

[316ᵇ]   Wir Menschen müssn auff Erden leben,

Wie vns Gott thut glegenheit geben.

35 Zu mahl in solchen Regimenten

Thut sich stetigs das glücksradt wenden.

Vnraht schlegt auff all seiten ein,
Wenn man schon gern zu ruh wil sein.
Ruh hat der Mensch gern von Natur,
Wenn er die köndt erhalten nur.
5 Darumb kombt rein, auff das wir leben
Nach glegenheit, die vns Gott wird geben.

Sie gehn alle ab. Kompt Valentin in gestalt eins Artztes vnd
führt Eclaramunda an der Handt. Valentin sagt:
Ach hertzLieb, wie find ich euch hie?
10 Kein Mensch kundt mir noch sagen nie,
Wo jhr gefangen ward hinkommen.
Ich bin in dem Landt zogen rummen
Vnd euch gesucht an manchem ort,
Kundt von euch erfahren kein Wort.
15 Insonderheit thet ich hie auch fragen,
Aber kein Mensch kundt mir das sagen,
Als mein Vätter, der König Pipin.

Eclaramunda fellt jhm vmb den Halß vnd sagt:
Ach hertzliebster Gmahl Valentin,
20 Heimlich ich hie ward auffgehalten.
Der König wolt mich zum Gemahl bhalten.
Da stellt ich mich aller geber,
Als ob ich nicht bey Sinnen wer,
Zerkratzet mich vnd jederman,
25 Nam mich auch grosser kranckheit an,
Das ich nicht wurd zu schanden gmacht,
Hab allein an euch, mein hertzlieb, dacht.
Kein Mann hat mich gesehen nie,
So lang als ich bin gwesen hie,
30 Als der König vnd König Pipin.
Vnd als derselb wart gescheiden hin,
Hett ich mich alles trosts verwegen.
So hat doch Gott durch seinen Segen
Euch widerumb zu mir gebracht
35 Vnd jhr habt mich schon gsundt gemacht.
Doch müssen wir ein liest erfinnen,
Wie wir möchten kommen von hinnen,

Das wir nicht kommen in grösser beschwerdt.

Valentin sagt:

In eurm Gemach seh ich das Pferdt,
Das Trumphart stahl dem Pacollet,
5 Darauff er euch herführen thet.

[316^e]   Dasselbig Pferdt das ist vns gut.

Eclaramunda sagt:

Ach ich bitt euch, dasselb nicht thut!
Wir möchten auch drauff werden gfangen.

10   Valentin sagt:

Trumphart ist nicht recht mit vmbgangen;
Ich kan das Pferdtlein besser richten.
Darumb so förchtet euch mit nichten!
Ich weiß den sachen zu thun gar recht,
15 Das ich vnd jhr, so wol mein Knecht,
Morgen sein in vnserer gewarsam.
Kompt! last vns fahrn in Gottes Nam,
In dessen ehr ich auch vmbkam.

Sie gehn ab.

20   ACTUS SEXTUS.

Kompt König Lucar mit einem außgezogenen Schwerdt, schir-
met vmb sich vnd sagt:

Ach du verfluchter betrogner Man!
Ach das ich dich solt treffen an,
25 So stieß ich das Rapier in dich,
So offt auß dir kundt bringen ich,
Weil ich dir thet so wol vertrauen,
Vnd du entführst mir die Jungfrauen,
Die ich liebet wie meinen Leib
30 Oder wie Rosimunda, mein Weib.
Ach hett sie jhr vernunfft bekommen,
Ich hett sie lengst zum Gmahl genommen.
Ietzund ist all mein freud dahin.
Alles trosts ich beraubet bin.
35 Deß sollen entgelten alle Christen.

Wo ich jhn kan schaden mit listen,
Da will ich keinen fleiß nicht sparen,
Weil mir der schimpff ist widerfahren.

Abgang. Kompt Brandifer, der König, gerüst, mit seinen
5 Leüten, die er haben kan, vnd sagt:
Ietzt wöll wir für Angelor die Statt,
Die vns Pipin abgewonnen hat,
Sie Belägern mit eim grossen Heer.
Fünffzehen König bey Treü vnd Ehr
10 Haben zu mir Gehult vnd geschworn.
Ein znsammkunfft ist benennet worn
Albie nur zwo meil von Angelor,
Da wollen wir verlägern die Thor,
Das jhn komb kein Profiant zu,
15 Damit man sie außhungern thu;
[316ᵈ]   Dann mit stürmen ist es vmb sunst.
Ich weiß der sachen rechte kunst,
Der ich je lenger je mehr nach denck
Vnd Valentin auff dHochzeit schenck.

Er geht ab. Kompt Valentin mit Hertzog Milon vnd sagt:
Die Hochzeit ist Gottlob verricht.
Nun kan ich aber ruhen nicht,
Biß ich mein Vatter vnd Vrsum
Sampt dem Grün Ritter vberkum,
25 Auch die zwölff Fürsten aus Franckreich,
Heinrich vnd Offerum dergleich,
Ob sie mir wol vil übels thon.
Darumb, mein Hertzog von Milon,
Last euch die zeit mit gutem raht
30 Befohln sein Anglor die Stat,
Auff das sich reiß kein Vnglück ein!

Milon sagt:

Eur Lieben wird von nöten sein,
Das sie sich thu wol sehen für.
35 Deß Schlosses sterck die wisset jhr:
So wist jhr, wie ich euch thet sagen,

Ihm jhr selbst zwen wild Löwen erschlagen.
Dein Thorwart vnd das Hofgesindt
Ihr mit Zauberay bethören köndt.
Honat ist von wegen der stercke groß

5 Vnmöglich zu gwinnen das Schloß.
Was mich betrifft, wil ichs als than,
Was ich nach Leibs vermögen kan,
Wil auch kein fleiß noch arbeit sparn.

Valentin gibt jhm die Handt vnd sagt:
10 Das thut! vnd Gott wöll euch bewahrn!
Der helff, das ich außricht die Dieng
Vnd die Gefangen ledig bring.

Abgang jhr aller. Propositus, der Vogt, auff dem starcken
Schloß, geht ein, mit Gallissia, der schönen Jungfrauen; die
15 setzt sich vnd sagt:
Herr Haußvogt, was thun die Gefangen?
Thut sie nicht schir nach Lufft verlangen,
Weil wir sie hie verwachet hon,
Das sie bscheint weder Sonn noch Mon?
20 Kein böser Lufft thut sie anwehen.
Ir keiner kan den andern sehen.

[317] Doch dunckt mich schir zu vil der sachen.
Was solln sie in der Gfängnuß machen?
Ich meint, man solt sie lassen auß.

25 Propositus sagt:
O Gnedigs Fräulein, da wirdt nichts drauß.
Seit der König hat Angelor verlorn,
Hat ers bey seiner Cron verschworn,
Das sie solln sitzen bey seim Leben
30 Oder solln jhm die Statt widergeben.
Der keines wird nicht leichtlich gschehen.
Die sach wird sich noch lang vmbdrehen,
Biß zu endt kommen dise sachen.

  Gallissia sagt:
35 Was wil er aber mit mir machen?
Wil ich auch aber hie versitzen

Vnd jhm sein Gfangene beschützen?
Ich hab der sachen schir verdruß.

Propositus sagt:

Eur Gnad sich so lang dulten muß,
5 Biß etwa kompt der König her.

Gallissia sagt:

Die sach die fellt mir eben schwer.
Ich bin lang gnug gsessen gefangen:
Sol ich nicht erledigung erlangen?
10 Werd ich mich dessen müssn beschwern
Oder thun, das ich thet nie gern?

Vigilator, der Thorwertel, klopfft an. Propositus macht auff.
Vigilator geht ein vnd sagt:

Gnedigstes Fräulein, ein Kauffman
15 Ist an deß Meers Port kommen an,
Der hat die schönsten war (gelaubt!)
Vnd treget ein Cron auff seinem Haupt.
Dieselbig war will er verzollen
Vnd hat mir auch dabey befohlen,
20 Ob eur Gnad etwas kauffen wolt,
Ir nab gehn vnd das besehen solt.
Darnach so wist jhr euch zurichten.

Gallissia sagt:

Ir solt gehn vnd das Schiff besichten.
25 Ist etwas drinn, das für mich ist,
Ihr mir solchs anzuzeigen wist.

Sie gehn ab. Kompt Valentin mit etlichen Knechten gerüst,
vnd sagt:

Albie warten wir, wenn der Voigt kem,
30 Das er den Zol von vns einnemb,
[317ᵇ]   Das wir jhn alsbald wollen erschlagen.

Propositus, der Voigt, geht in lauter Türckischen Kleidern,
bewehrt vnd sagt:

Mein Kauffmann, bald thu mir ansagen!

Wo komstu her mit deiner Wahr?

       Valentin sagt:
Auß Galitia ich jetzo fahr;
Da hab ich kaufft Tapezerey
5 Von schönen Farben mancherley.
Auch hab ich Perlein vnd Edelgestein
Allerley, die nur können sein.
Kompt rein ins Schieff vnd kaufft mir ab!
Allerley schöne Wahr ich hab.

Der Voigt wend sich, der Valentin schlegt jhn zu boden vnd
die andern auch alle seine Knecht, zihn jre Mänteen ab vnd
legen sie an vnd werffen die Leib ins Wasser. Valentin sagt:
Nun behaltet dise Kleider an,
Das man euch nicht erkennen kan,
15 Sondern mein, das jhr Türcken seit!
Es wird vns kosten noch vil streit.

   Vigilator geht ein, sicht sich vmb vnd sagt:
Wo bleibt der Haußvogt also lang?
Ich muß sehen, was er anfang,
20 Vnd will suchen gelegenheit,
Ob ich auch beköm ein Peüd.

    Valentin schlegt auff jhn vnd sagt:
Hör, Thorwart, bald schwer mir ein Eyd,
Dastu dein Löwen alle beyd
25 Wolst binden, das sie vns nichts than!
Vnd wilt vns sicher lassen gahn
Mit dir wol in das Schloß hinein,
Oder du must erschlagen sein.
Anders kan dirs dißmal nicht wern.

30   Vigilator sagt:
Es stirbt kein Mensch auff Erden gern.
Kan ich errettn das Leben mein,
So geht mit mir ohn gfahr herein.

Er gibt Valentin die Hand vnd führet sie ab; man blöst ein
35 Horn, Gallissia geht ein vnd sagt:

[317ᶜ]   Ach weh! ach was bedeut das Horn?
             Ich merck, wir seind verrahten worn.
             Das Schloß hat man vns einbekommen.
             Nun werd ich villeicht gfangen gnommen.
          5 Ach Machomet, hilff mir auß not!

Valentin fellt mit seinem gesind ein, neigt sich vnd sagt:
             Gnedigs Fräulein, bey meinem Gott
             Sol euch von mir kein leidt geschehen.

             Sie fellt jhm zu Fuß vnd sagt:
         10 Ach Gnediger Herr, last mich nicht schmehen!
             Ich beger sonst durchauß nicht mehr,
             Als das jhr mir schont meiner Ehr
             Vnd thut mir nichts an meinem Leben.

             Valentin sagt:
         15 So thut mir alsbaldt ledig geben
             Alle Gefangene, die allhie liegen!

             Gallissia sagt:
             So geht mit mir! jhr solt sie kriegen.

Sie gehn ab. Valentin kompt bald wider mit seinen Knechten, bringt Alexander den Keiser bey der Handt; dem folgt
Vrsus, der Grün Ritter, Heinrich vnd Offerus nach. Alexan-
             der sicht jhn an vnd sagt:
             Vor freuden ich schier erblindet bin.
             Ach histu mein Sohn Valentin?
         25 Ey hastu noch an vns gedacht?
             Groß ding hastu zu wegen bracht.
             Gott vergelt dirs in jenem Leben!

             Er fellt jhm vmb den Halß. Vrsus sagt:
             Ach, wer hat dir das Schloß auffgeben?
         30 Oder wie bistu kommen rein?

             Der Grün Ritter sagt:
             Ach Herr, wie köndt ich fröer sein,
             Als das sich endet mein gefengknuß!

             Valentin sagt:

Diß Schloß man nun besetzen muß,
Dann ich schwer, daß es Brandifer
Bekommet sein tag nimmermehr.
Vnd du, Vrsus, wisse hiebey,
⁵ Das dein Fessona gestorben sey!
Weil du bist hie gefangen glegen,
So gib ich dir von jhrentwegen

[317ᵈ] Die schön Gallissia darfür,
Damit vnd das Schloß bleibe dir.
¹⁰ Vnd weil nun ist vnser Herr Vatter,
Vnser erhalter vnd wolthater,
Nun mehr ein alter matter Mann,
Er bey dir hie außruhen kan,
So wol auch der Grün Ritter darzu.
¹⁵ Den magst auch bey dir bhalten du,
Auch Offerum vnd den Heinrich.

Heinrich sagt:

Die Besatzung dient nicht für mich.
Ich will meim Vatter beystandt leisten.

²⁰ ### Vrsus sagt:

Du rühmst dich groß beystandts am meisten
Vnd bist doch an dem wenigsten nutz.
Du vnd dein Bruder schafft nichts guts.
Darumb ziecht eurs wegs nur baldt hin
²⁵ Sampt dem Frantzösischen Fürsten drinn!
Vnser seind genug, wenn drey hie bleiben.

Gallissia geht ein vnd sagt:

Ir Herrn, wie sol ich euch beschreiben,
Das ich euch all recht nennen kan?
³⁰ Ich weis nicht eur Condition.
Drumb so habt mirs für übel nicht!
Das essen ist schon angericht.
Drumb wollet euch zur Tafel setzen
Vnd alles eurs vnmuths ergötzen!
³⁵ Nemmt für gut, was das Hauß vermag!

Valentin sagt:

Gnedigs Fräulein, ich hab ein frag.
Möcht jhr nicht eine Christin wern?
Dann ich geb euch mein Bruder gern,
Deß grossen Griegischen Keisers Sohn.

5   **Gallissia sagt:**
Alls, was jhr mich heist, wil ich thon,
Auff das ich nur bey Ehrn bleib.

        Er gibt sie Vrso vnd sagt:
So gib ich dir zu einem Weib
10 Dises Königlich Fräuelein.
Vnd kompt drauff zu der Malzeit rein!
So red wir weiter von den sachen,
Das wir alsbalden hochzeit machen.

Abgang jhr aller. Kommen Heinrich vnd Offerus. Heinrich
15   **sagt:**
Sie haltn Hochzeit, so lang sie wöllen,
Vnd thun all dieng auffs best bestellen!
[318]   So wollen wir alsbalt zu Hauß.

        Offerus sagt:
20 Ja ich wer gern lengst gwesen rauß.
Ietzt wöll wir ziehen gen Pariß hin,
Vnserm Vatter, dem König Pipin,
Sampt seiner Gmahl nemen das Leben.

        Heinrich sagt:
25 Ja wir wollen jhm mit Gifft vergeben
Vnd Carl, jhren Sohn, verjagen,
Das er die Cron nicht sol aufftragen,
Sonder wir wollen König sein
Vnd mit gwalt vns selbst dringen drein.

Abgang. Milon von Angler geht ein vnd sagt:
Nun ist die Statt in grosser gefahr.
Ich habs Valentin geschrieben zwar,
Er sol vns zu hilff kommen her.
Nicht lang wird sich besinnen der,
35 Dann ich mercks, er ist vnderwegen.

100 *

Vn seiner hülff ist mir vil gelegen.

Aingang. Kumpt Brandifer mit Lucar vnd etlichen gerüst
vnd sagt:

Nun haben wir ein Pact gemacht.

5 Auff vbermorgen geschicht die Schlacht,

Die Statt zu gewinnen oder verlirn.

Dann wöll wir aneinander schmirn.

Die Hund sollen gantz köpff von tragen.

Lucar sagt:

10 Ja wohl, Herr Schwehr! doch hör ich sagen,

Das der Keiser auß Griegenlandt

Vnd einer, der Grün Ritter gnandt,

Auch Vrsus vnd zwölff Fürsten gleich

Deß Königs Pipin auß Franckreich,

15 Die eur Lieb so hart hielten gfangen,

Die sollen heut allher gelangen,

Mit grossem Volck vns widerstohn.

Auch hab Vrsus, des Keisers Sohn,

Eur Tochter die Gallissia

20 Bekommen zu einer Gmahl da.

Der wohnt jetzt in dem starcken Schloß.

Brandifer sagt:

Verfluchet sey die Vntrew groß!

Wie muß doch disus sein zugangen,

25 Das ledig worden die Gefangen!

Nun laß ich warhafftig nicht ab,

Biß ich die Statt gewonnen hab,

[318ᵇ] Erwürg mein Tochter vnd allesandt,

Die jhr mir gesandt innn gesandt.

30 Drumb, jur Kriegsleut, habt gute acht,

Das jhr euch best grund in der Schlacht,

Vnd stelt euch tapffer zu der Wehr!

Lucar sagt:

Ach Herr Schwehr, sehet da! zwey Heer

35 Greiffen vns an zwey orten an.

Nun wehr sich, wer sich wehren kan!

Valentin vnd Hertzog Milon fallen auff der einen seiten rauß, schlagen in die Türcken. Alexander, der Keiser, Vrsus, der Grün Ritter, kommen auff der andern seiten, schlagen alle in die Türcken. Die Türcken fliehen, Valentin erschlegt sein
5   Vatter. Vrsus sagt:

Ach Valentin, was sol das sein?
Du hast erschlagen den Vatter dein.

Sie reissen jm den Sturmhut ab. Vrsus sagt:
Ja fürwahr, er ist schon todt.

Valentin fellt auff jhn, küst jhn vnd sagt:

Ach lieber Vatter, erbarms Gott!
Der weis, ich hab nicht anders gmeint,
Dann das du wehrest vnser Feindt.
Ach verflucht sey der tag vnd stundt,
15 Darinn ich dich also verwundt!
Nun erfreut mich nichts mehr auff Erdt.
Ach Bruder, stoß in mich dein Schwerdt,
Daß ich mich nur nicht selbst vmbbring!

Vrsus sagt:

20 Was machst? es sind gschehen die ding
Vnwissent vnd gar nicht mit willen.
Drumb kanstu wol dein gwissen stillen,
Weil duß nicht hast fürsetzlich than.

Milon von Angler sagt:

25 Der sach man nicht baß rahten kan,
Dann man trag jhr Majestat ab,
Das man sie gar ehrlich begrab,
Vnd weil die Feindt in dflucht sein gschlagen,
Das man jhn ernstlich thu nachjagen
30 Vnd erleg sie biß auff das Haupt.

Valentin sagt:

Nun bin ich aller freud beraubt.
[318ᶜ]   Ach führt mich nein! ich kan nicht gehn,
Trau mir auch keinen Mann zu bstehn.
35 Wer jagen kan, der jag halt nach!

Ich werd nicht frölich mein lebtag.

Sie tragen den Keiser ab vnd führn den Valentin auch ab. Kompt
Brandifer vnd Lucar, die zwen König. Brandifer sagt:

> Weh deß verlusts ob allem schaden!
> 5 Sol ich der besten Stadt gerahten,
> Die ich hab in mein gantzen Landt?
> Vnd ist denn das nicht auch ein schandt,
> Das ich mein Vestes Schloß verlorn?
> Gallissia, die hochgeborn,
> 10 Hat gnummen Christen glauben an
> Vnd mein Feindt gnommen zu eim Man.
> O Machomet, du schwacher Gott,
> Dir gebürt nichts, als schand vnd spot.
> Der Christen Gott vil stercker ist.

15　　　　　**Lucar sagt:**

> Sie stecken voller arger list.
> Ir spitzfindigkeit bringt zu wegen,
> Das wir jhnen sein vnderlegen.
> Was wir suchen, gwind ein Krebsgang.
> 20 Was wöll wir vns dann kümmern lang?
> Weil wir nichts können richten auß,
> So zieh ein jeder heim zu Hanß!

Sie gehn gar traurig ab. Kommen Offerus vnd Heinrich, der sagt:

> Nun hat König Pipin auffgeben
> 25 Mit seiner Gmahl jhr zeitlichs leben
> Vnd Millon darf sich vnderstahn,
> Carlen auffzusetzen die Cron.
> Den haben wir auß dem Land trieben.
> Das Königreich ist vns geblieben,
> 30 Bißher zu haben vnterhanden.

　　　　　Offerus sagt:

> Wir haben grosse gfahr außgstanden,
> Biß die sach gwan disen fortgang.
> Gott geb, das es noch bstehe lang!

Abgang. Kompt Bellisandt, die Keiserin von Constantinopel, die sagt kläglich:

. Ach lieber Gott, ich hab vernommen,
Mein lieber Gmahl sey vmbkommen.

[318ᵈ]   Nun kan ich je mit warheit sagen,
5 Das ich bey all meinen lebtagen
Nicht so vil glücks vnd freud ghabt han,
Als ein Peürin bey jhrem Man.
Ach wer wolt mit sein Händen schreiben,
Wie mich das vnglück thet vmbtreiben,
10 Wie offt ich gwest in todes gfahr?
Hab jetzt verlorn mein Gemahl gar,
Der lang vmbzog im Land so weidt,
Hat außgestanden vil Krieg vnd streit
Vnd grosse ding zu wegen bracht.
15 Deß hat der todt ein endt gemacht.
Doch erfreut mich das widerumben,
Das beede meine Söhn herkommen,
Zu besitzen das Griegisch Reich.
Hört! jetzt thut man auffblasen gleich.
20 Es werden gwiß meine Söhn sein,
Der zukunfft benimbt mir vil bein.

Valentin vnd Vrsus gehn ein mit Eclaramunda vnd Gallissia,
auch etlichen Knechten. Valentin gibt seiner Mutter die Handt
vnd sagt:

25 Ach großmechtigste Keiserin,
Eur armer Son der Valentin
Bin vber all der armest Man.
Kein freud ich nimmer haben kan,
Weil mein Herr Vatter ist gestorben,
30 Nach dem ich so lang gsucht vnd gworben,
Biß das ich jhn erlöset han.

Bellisand sagt:

Ach lieber Gott, was sol ich than?
Ich die elendest aller Frauen
35 Hab nicht gmeind, euer ein mehr zuschauen.
Weils dann Gott also schaffen thut,

So nimm ich mit mein Söhnen vergut
Vnd raum euch ein das Regiment.

Vrsus sagt:

Frau Mutter, weiln aber vnser zwen send
5 Vnd Valentin ist Elter, als ich,
Will ich deß Reichs verzeihen mich
Vnd meines Bruders Diener sein.

Valentin sagt:

Ach schweig, du lieber Bruder mein!
10 Keines Keiserthumbs bin ich nicht wert,
Hab auch dessen noch nie begert,
Weniger mein Leben darin zu bschliessen.
Ich wil gen Rom vnd mein Sünd büsen,

[319]
Die ich mein lebtag hab gethan.

15 ### Bellisand sagt:

So gieng mein sorg auffs neu erst an.
Ich will, das jhr beyd solt Regirn,
Das Regiment fein einig führn.
Weil jhr mit mir beyd ward vertrieben
20 Vnd seit sampt mir noch vberblieben,
So behalt beed das Regiment!

Valentin sagt:

Deßhalb wir schon verglichen sendt.
Aber doch so zieh ich gen Rom,
25 Auff das ich dem Babst lobesan
Beicht meine Sünd vnd büse ab
Alles, was ich begangen hab.
Dieweil kanstu wol halten Hauß.

Eclaramunda sagt:

30 Ach Gott, es kan nicht anders sein.
Er gibt jhr ein stück von eim Ring.
HertzLieb, da nembt den halben Ring!
Wer euch den andern halben bring,
Dem glaubt vnd keinem andern sunst
35 Vnd behalt mich in euer Gunst!

Eur hertzLieb wil ich bleiben vnd sterben.

Vrsus sagt:

Frau Keiserin, ich thet erwerben
Mir zu einem Gemahl rein
5 Dieses Königlich Fräuelein.
Die solt jhr auch haben empfangen.

Bellisandt gibt jhr die Handt vnd sagt:

Was vbel hastu da begangen?
Dein treue Fessona lebet noch.

10   ### Vrsus sagt:

Ach weh! was jammers hör ich doch?
Valentin sagt, sie wer gestorben.
Sonst bett ich nicht vmb sie geworben.
Iedoch weil ich sie gnommen han
15 Vnd sie ist von mir Schwanger schon,
So kan ichs nicht von mir vertreiben,
Sonder sie sol auch alhie bleiben,
Doch heimlich, das kein böse Ehe
Zwischen jhnen beeden entsteh.
[319ᵇ] 20 Also bhalt ich sie beede sander
Vnd lieb eine gleich wie die ander,
Biß Gott ein anders mittel gibt.

Gallissia sagt:

Ach Herr Gemahl, wanns euch geliebt,
25 Das jhr behalt eur vorigs Weib,
Ich gern jhre Dienerin bleib,
Dann ich darff nicht wider zu Hauß.

Valentin sagt:

Als übels kompt durch mich auß.
30 Kein vnglücklicher Mensch kan leben.

Vrsus sagt:

Bruder, thu dich zu friden geben!
Laß vns dißmal kommen zu ruh!
Morgen sprich ich dir wider zu.
35 Was dir alsdann gefellt, das thu!

Abgang jhr aller.

ACTUS SEPTIMUS.

Kommen Bellisandt vnd Eclaramunda. Bellisandt sagt:

Nun Valentin der zeucht dahin.

5 Seiner herkunfft hab wir klein gewin.

Gester hetten wir ein freudentag,

Heůt haben wir jammer vnd klag.

Nichts bstendigs ist auff diser Welt.

Vnd hat ein Mensch schon alles Gelt,

10 Kan er doch nicht kauffen von Gott

Das Glück vnd ein Kunst für den Todt.

Die Fessona ist auch gestorben.

Gallissia die hat erworben

Meinen Sohn, den Keiser Vrsum,

15 Der Regirt wol, ist schlecht vnd frum.

Das macht, er hat sehr vil gelitten.

Für jhn wöll wir Gott alle bitten,

Das er lang leb vnd auch Regier.

Eclaramunda sagt:

20 Ach niemandt gschicht vbler, dann mir.

Lang bin ich vou meines Herrn wegen

Im Land vmbgschleifft vnd gfangen glegen.

Nach jhm hab ich gweindt vnd geschrihen.

So thet er alle Land durchziehen

25 Vnd vermeint, mich ledig zu machen.

Das fehlet vns in allen sachen,

Biß das glück wider zu vns kehrt.

Ietzund so mich Gott hat erhört,

Das ich jhm bin worden zu theil,

30 So kompt mir erst das gröst vnheil,

[319ᶜ] Das er begeht disen Todtschlag.

Darob er kompt in solche klag,

Das jhm thut das Leben verdriesen.

Wil sieben Jahr im elendt bůesen.

Die trau ich mir nicht außzuleben.

35 **Bellisandt, die Keiserin, sagt:**

Ach schweigt vnd thut euch zu ruh geben!
Habt jhr doch gute tag bey mir.
Drumb setzt euch die sach nicht schwer für!
Wenn er sein Missethat thut Beichten,
5 So kan jhm Gott sein Hertz erleüchten,
Das jhm vergeht aller schwermuth,
Sich wider zu euch kehren thut,
Wie ich dann das selbst wünsch von hertzen.

Eclaramunda sagt:

10 Frau Keiserin, groß pein vnd schmertzen
Hab ich mein tag im hertzen tragen.
Ich kans eur Lieb nicht halbtheil sagen
Vnd werden der je lenger je mehr.
Doch trag ichs, biß mich Gott erhör.

Abgang. Vrsus geht gekrönt ein, wie ein Keiser, mit seiner Gallissia, führt sie bey der Handt vnd sagt:

Ach wie schwer ist, ein Regent sein!
All tag fallen vil vnglück ein.
Ich hab gemeint, die grossen Herrn
20 Hetten all dieng nach jhrm begern
Vnd es stündt jhn kein Vnglück zu.
So ists lauter gfahr vnd vnruh
Vnd wird jhn auch die Nahrung saur,
Sterben gleich so wol als ein Paur.
25 War ists, das ein jeglicher tag
Selbst mit sich bring sein eygene plag.
Ja freylich, da man wol nicht denckt hin!
Vnd wenn ich schon der Keiser bin,
Bin ich doch all stundt in todes gfar.
30 Mir ists, als hett man mich beim haar,
Vnd besorg stets, ich thu vnrecht.

Gallissia sagt:

Gott hat das arm Menschliche Gschlecht
In vil Creutz vnd Vnglück gesetzt,
35 Weil es hat sein Gebott verletzt.
Das müssen mit gedult wir tragen.

Was würd Eclaramunda sagen?˙˙

Eclaramunda geht ein vnd balt nach jhr Hugo, der König in
    Beheim, mit etlichen Trabanten. Eclaramunda sagt:

[319ᵈ]   Durchleuchtigster Keiser, ein hohe Person
     5 Hat mich begert zu reden an.
    Das hab ich nicht verstatten wöllen,
    Dann er thu sich für eur· Lieb stellen.

Vrsus, der Keiser, steht auff, gibt jhm die Handt. Hugo, der
    König auß Beheim, neigt sich vnd sagt:

    10 Großmechtiger Keiser in Griechenlandt,
    Der König in Beheim, Hugo genandt,
    Bin ich vnd bitt eur Majestat,
    Sie wöll mir erzeigen die gnad,
    Mein notturfft wegen Eclaramund
    15 Derselben fürzutragen jetzund
    Vnd mich dann meiner bitt gewern.

          Vrsus sagt:
    So ferrs sein kan, so thun wirs gern.
    Eur Lieb zeig vns jhr werbung an!

    20   **Hugo sagt:**
    Nachdem wir jetzt kein Gemahl han
    Vnd wir haben glaubhafft vernommen,
    Valentin werd nicht wider kommen,
    Deucht vns, es wer nicht vnbequem, ·
    25 Das sie vns zu eim Gemahl nemb;
    Dann eur Lieb ist nicht vnbekandt,
    Wie Reich wir sein an Leüt vnd Landt.
    Ein vnd viertzig Königliche Stätt
    Ein vnd sechtzig der Herrschafft hett,
    30 Mehr noch drey hundert vnd acht Marck,
    Zwey hundert acht vnd fünfftzig Schloß starck
    Ohn die Schlösser, darauff wir Hausen.
    Auch haben wir auff dem Landt drausen
    Der Dörffer drey hundert Sechtzig drey
    35 Vnd ein grosse Summ gelts dabey,
    Das wir sie wol könden versehen,

Wenn zwischen vns solt ein Heyrat gschehen.
Darauff begehr ich ein bescheidt.

Vrsus sagt:

Es ist gleich wol neulicher zeit
5 Von meinem Bruder ein Potschafft kommen,
Darauß wir klärlich haben vernommen,
Daß er noch frisch vnd gsundt thu leben.
Der möcht sich wider allher begeben
Vnd jhr selbst Ehelich wohnen bey.
10 Eur Lieb frag sie, was sie gesinnt sey!
Alsdann können wir vns erklern.

Eclaramunda sagt:

Ich bedanck mich der grossen Ehrn,
Dann ich nimb kein Gemahl fürwahr,
15 Biß ich erwart hab sieben Jar.
[320] Wenn ich aber die thue erleben,
Wil ich eur Lieb ein antwort geben.
Inmittelst ich ein Witfrau bleib.

Sie weindt vnd geht ab. Hugo sagt:

20 Das ist ein Cron von einem Weib.
Weil sie dann je nicht freyen wil,
Wöllen wirs nicht betrüben vil,
Wollen auch alle Weiber außschlagen,
Ein Reiß zum heiligen Landt wagen.
25 Dardurch vergeht vns alle brunst.

Vrsus sagt:

Wir sein deß auch entschlossen sunst,
Ein Reiß zum heiligen Land zu than.
Wir müssen aber zuvor an
30 Gen Angelor zu dem Grün Ritter,
Der außstandt manchen Kampf so bitter.
Derselbig will auch ziehen mitt.

Hugo sagt:

Nembt vns zum Gefertn! ist vnser bitt.
35 Wir wöllen euch sein ohne schaden,

Hoffent, die Reiß sol vns gerahten.

Abgang. Valentin geht an einem Stecken ein, armutselig zerrissen, bettelt vnd sagt:

Ietzt bin ich zu Constantinopel.

5 Doch ist mein Sünd grösser, denn dopel,

Vnd mehr, denn ich abbüsen kan,

Die ich an meinem Vatter than.

In der buß wil ich enden mein leben,

Mich keinem Menschen zu kennen geben.

10 Bey Hof wil ich suchen mein speiß,

Stetts beten mit andacht vnd fleiß.

Hab ich mehr essens, als ich mag,

Ich das ander Armen zutrag,

Dann ich fast drey tag in der Wochen.

15 Villeicht hab ich mein Schlaf auch brochen

Vnd vberauß groß armut glieden.

Doch ist mein Hertz noch nit zufriden.

Der Teufel speyet mir täglich ein,

Wie zu groß sey die Sünde mein

20 Vnd ich könn sie nicht büsen ab.

Ob ich nun wol grob gsündigt hab,

So hab ichs doch vnwissent than.

Potz! dort thut mein Frau Mutter gahn

Mit meiner Eclaramunda

25 Vnd der schönen Gallissia,

Die wil ich vmb ein Almus bitten,

Wil sie ein wenig verwartn daniden.

[320ᵇ] Er geht auf ein seyten. Bellisandt, die Keiserin, geht
ein, führt auff einer jeden seyten ein Schnur in der Handt,
setzt sich. Die Schnür neigen sich. Bellisandt sagt:

Ir lieben Töchter, es ist mein bitt,

Ir wolts im argen vermercken nit,

Das ich mich vor euch hie setz nieder.

Mir thun so gar wehe meine Glieder.

35 Das macht, das ich lang gelebt hab.

Dem alter geht all tag nur ab.

So hab ich so vil leidts empfangen,

Ich solt drob sein lengst vndergangen,
Vnd machen mir meine Söhn albeid
Mit euch noch mehrers hertzenleidt.

(Valentin Weint.)

5 Dann wir haben noch nie vernommen,
Wo doch Valentin sey hin kommen.
So wissen wir auch nicht, wo der
Keiser die Reiß hinkommen wer.
Ich hett deß Reisens schier genug.

10 Eclaramunda sagt:

Es wird kaum gar verricht ein Zug,
So muß man nemen ein andern für.
Doch schwebt das gröst vnglück ob mir,
Daß muß ich wie bißher fort tragen.

15 Gallissia sagt:

Vor forcht möcht mir mein hertz verzagen.
Ach mir hat in mein Jungen tagen
Mein Vatter vil Heyrat abgschlagen
Vnd ich habs müssen lassen gschehen,
20 Biß mich Gott selber hat versehen
Mit meinem Herrn, den ich hoch liebt.
Deßhalb mich dest herter betrübt,
Das er bey mir kein ruh soll han,
Ist mit dem König zogen davon.
25 Das ich zwar nicht hab gern gsehen.

Valentin sagt zu den Leüten:

Was gelts? es wird jhm ein vnglück gschehen.
Ich mercks an disem König frey.
Er geht vmb mit Verrätherey.
30 Ach das ich jhn nur warnen kündt!
Dann das vnglück das kompt geschwindt.

Valentin geht zu seiner Mutter vnd den Frauen, neigt sich
vnd sagt:

Ach gebt einem armen krancken Man,
35 Der sein Brot je nicht gwinnen kan,

[320°]   Eur heiligs Almusen durch Gott!

Sie geben jhm, er geht wegk. Bellisandt sagt:
     Der Mann sicht, sam sey er halb todt.
     Hört, Freundt! wo habt jhr eur nachtläger?

5   Valentin sagt:
     Gnedigste Frau, ich weiß nicht weger.
     Mein Lägerstatt gemeiniglich ist
     Vor den Roßstellen auf dem Mist.
     Thu auch offt auff der Gassen liegen.

10   Bellisand sagt:
     Vor der Kuchen hat es ein Stiegen,
     Darein will ich dir ein Beth schaffen:
     So kanstu dennoch trucken schlaffen
     Vnd kanst daselbst wol sicher liegen,
15 Ie etwas aus der Kuchen kriegen,
     Damit du folgent hinbringst dein leben.

          Valentin neigt sich vnd sagt:
     Gott wirdts hundertmal wider geben
     Vnd ich wil in meinem Gebet
20 Das zu erbitten anhalten steht.

          Er geht ab. Bellisand sagt:
     Diser Mann duncket mich fürwahr
     Ein frommer Mann sein gantz vnd gar,
     Bey dem das Almuß anglegt sey.
25 Der sol für vns bitten all drey
     Vnd auch für eur abwesent Herrn,
     Das sie wider kommen von ferrn,
     Doch nicht, das wir nicht Beten solten.

          Eclaramunda sagt:
30 Ich hoff zu Gott, es werd vergolten
     Alles, was man thu disen Armen.
     Er thut mich in meim Hertzn erbarmen
     Vnd hab jhn doch mein Tag nie gesehen.
     Ich weiß nicht, wie mir ist geschehen,
35 Das sich mein Hertz so zu jhm neigt.

Gallissia sagt:

Im sol als guts werden erzeigt,
Weil er so fleissig Beten thut,
Dann Almusen geben ist sehr gut.
5 So haben zu Beten vrsach wir
Nicht nur jetzt, sonder für vnd für.

Bellisand steht auff, führt sie alle beede mit grosser Reverentz
ab. Valentin geht ein vnd sagt mit auffgehobenen Händen:
[320ᵈ]   Ach Gott, dir sey Lob, Preiß vnd Ehr!
10 Nun begehr ich auf Erd nichts mehr,
Als das ich vnder dem obdach lieg.
Ach lieber Herr, ich bitte dich,
Du wolst meinen Bruder Vrsum
Beschützen, das er halt zu vns kumm
15 Mit seinen Gferten von der Reiß,
Darfür ich dich stehts Lob vnd Preiß.

Ein verborgen Stimm sagt:

Valentin! hör, Valentin!

Er zeucht den Hut ab vnd sagt die Stimm weiter:
20 Balt geh du zu der Keiserin
Vnd auch zu deiner Gemahl schon
Vnd zeig jhnen mit worten an,
Valentin komb in dreyen tagen
Vnd thu solches vnverholen sagen,
25 Das es hört Hugo, der verrähter,
Der Ehrvergessen vbelthäter.
Vnd das man dich nicht können kan,
So lege Bilgramskleider an!
Die hat ein Bilgram vor dem Thor.

30   Valentin sagt:

So will ich mich anlegen darvor
Vnd alsdann dise Potschafft werben,
Sie alle warnen vor verderben.

Abgang. Kompt König Hugo mit Rebato, dem König von
35   Suria, vnd sagt:

Ayrer.   101

Herr König, wist, das eure Feindt
Kommen in eure Hände heundt,
Als der Griegisch Keiser Vrsus,
Welcher den Heyden zu verdruß
5 Den Grün Ritter zum König Krönt,
Damit die Heyden spott vnd hönt,
Weil er jhm Angelor hat eingnommen,
Auch das veste Schloß einbekommen
Vnd noch wol dreissig vester Städt,
10 Brandifer, den König, getödt,
Sowol dem König Lucar gleich,
Den König von India Reich.
Wenn jhr sie nun lust habt zu fangen,
So kündt jhr sie leichtlich erlangen,
15 Dann morgen ziehen sie allhie für.

Rebato sagt:

Erkriegen dise Herrn wir,
So müssen sie mir lassen das Leben
Oder dise Leut wider geben.
[321]   20 Kompt rein, das wir auffbieten lassen,
In zu verlegen alle strassen!

**Sie gehn alle ab. Kompt Hugo mit Galero, seinem Diener
vnd verräther, vnd sagt:**

Galero, mach dich auff geschwind!
25 Reit auff der Post, als wie der Wind!
Es ist mir der Poß wol angangen,
Vrsus vnd sein Gfert worden Gfangen
Von dem König in Surie.
Vnd das mein fürschlag mir fort gehe
30 Mit der Heyrat in Griechenlandt,
So sag, Vrsus hab dich gesandt,
Vnd laß sie all wissen dabey,
Das Valentin gestorben sey
Vnd weit drinn vber Meer begraben!

35 ### Gallero sagt:

Herr König, ich muß ein schreiben haben,

Dann sonst wurden sie mir nicht glauben
Vnd sich mit worten lassen tauben.
Wer mit liegen nutz schaffen will,
Der muß haben gedancken vil,
5 Daß er der Warheit abbruch thu.

Hugo sagt:

Ein schreiben gib ich dir darzu
Vnd Sigels mit deß Vrsi Ring,
Den ich leichtlich zu wegen bring
10 Durch den stockmeister in dem Schloß.

Gallero sagt:

Kein Bubenstuck ist mir zu groß,
Das ich nicht verricht vmb das Gelt.
Ich bin ein Gsell in dise Welt.
15 Meins gleichen Man nicht allzeit findt.
Ich kehr den Mantel nach dem Wind.

Sie gehn ab. Kommt Rebato, der König in Surie, mit Trabanten, die führen Vrsum vnd den Grün Ritter. Rebato sagt
zornig zu Vrso:
20 Von wann histu vnd wie genandt?

Vrsus sagt:

Ich bin der Keiser aus Griechenlandt
Vnd heiß Vrsus mit meim Namen,
Geborn von Keiserlichem Stammen.
25 So ist der König zu Angelor.

Rebato:

Dasselb Landt war der Heyden vor
[321ᵇ] Vnd jhr hahts jhn mit gwalt genommen.
Auß meiner Handt solt jhr nicht kommen,
30 Ir habt dann das Landt widergeben,
Oder jhr müst lassen eur leben.
Drumb erwölt euch eins, was jhr wölt!

Vrsus sagt:

Daß der Mensch das leben erhelt,

So thut er alles, was er kan.
Diß Königreich wagen wir dran,
Darmit wir nur bey leben bleiben.
Doch thut vns zu der Rachgier treiben
5 Hugo, der vns verrahten hat.
Wo jhr vns derhalb thut die gnad,
Das wir vns dörffen an Hugo rechen,
So wöll wir euch hiemit versprechen,
Zu Raumen Angelor, das Reich.

10   **Rebato sagt:**
Dasselb wil ich erlauben euch.
Doch sol das gschehen zu Angelor.
Da wöll wir jhn hin bscheiden vor,
Dann hie köndt jhr zu jhm nicht kommen.
15 Er hat sein weg von binnen gnommen,
Zeucht villeicht wol auff Griechenlandt.

        Der Grün Ritter sagt:
Sein trigerey ist vns bekandt,
Darumb wöll wir jhn finden schon.

20   **Rebato sagt:**
Kompt! thut in die Cantzley rein gahn!
So reden wir weiters von den dingen
Vnd lassen als auffs Papier bringen.

**Sie gehn ab. Bellisandt, die Keiserin, geht mit Eclaramunda
vnd Gallissia ein, führn einander bey der Handt. Bellisandt
sagt:**
Ir lieben Töchter, jhr seit Witfrauen,
Thut starck auff vnsern Gott vertrauen,
Der wird eur beder Gemahl schier
30 Widerumb herbringen, auff das jhr
Euch mit jhnen setzet zu ruh!

**Man klopfft an. Eclaramunda laufft vnd macht auff. Gallero
geht ein vnd sagt:**
Ein Brieff den hat mir gestellet zu
35 Vrsus, der Keiser in Griechenlandt,

Den ich in Welschen Landen fandt.

[321c]   Bellisand liest den Brieff vnd sagt kläglich:
Ach Gott, ist deß Vnglücks kein endt?
Ach bistu denn in dem Elendt
5 Gestorben, mein hertzlieber Sohn?
So balt ich dich Geboren hon,
So bistu in das Elendt kommen
Vnd hast darinn dein end genommen.
Das klag ich Gott von Himmel sehr.

10   Eclaramunda sagt kläglich:
Nun werd ich frölich nimmermehr.
Ich merck, das mein Gemahl ist todt.
Ach hilff mir, du mein treuer Gott!

Sie fellt vmb vnd wirdt anmächtig, sie lauffen beede zu, wol-
len sie erquicken. So kompt König Hugo, neigt sich vnd
sagt zu Eclaramunda:
Gnedigste Frau Keiserin,
Neulich ich alhie gwesen bin
Vnd hab vmb eure Lieb gefreyt.
20 So warffen sie es so gar weit,
Das sie kein Mann nicht nehmen eher,
Biß jhr Gemahl gestorben wehr.
Weil ich dann weiß, das er ist gstorben
Vnd hab ich vor vmb eur Lieb gworben,
25 So bitt ich euch: last mich eur sein!

        Eclaramunda sagt:
Ir macht mir noch grösser mein pein,
Das jhr nur meins Gmahls todt fro seit.
O wegk mit solchen Freyern weit!
30 Ziecht hin! ich niemb mir keinen Man.

        Man klopfft. Bellisand sagt:
Schau halt, wer jetzund klopffet an!

Gallero thut auff. Kompt Valentin in gestallt eines Walbruders vnd sagt:

Gott sey mit euch allen gemein!
Valentin, der Gnedigst Herre mein,
Mit dem ich gwesen bin zu Rom
Vnd erst vor wenig tagen herkom,
5 Der lest euch grüssen zu tausent mal.
Der wird hie sein auff disem Saal
Auffs allerlengst in dreyen tagen.

Bellisand sagt:

Mein Bruder, die zwen Männer sagen,
10 Wie das Valentin gstorben sey.

[321ᵈ]   **Valentin sagt:**

Nein warhafftig, bey meiner treü,
So wahr ich leb, so wahr lebt er.

Bellisand sagt zornig:

15 Was bringt jhr dann für liegen her?
Ir müst lose vnredliche Leüt sein,
Die jhr vns führt in not vnd pein.

Hugo geht mit Gallero schimpflich ab. Eclaramunda sagt:

Ach mein Bruder, bin ich vergwist,
20 Das Herr Valentin lebendig ist
Vnd das noch ist bey leben er?

Valentin sagt:

Ja, vnd ich seh Gott nimmermehr,
Wann Valentin nicht leben thut.

25   **Eclaramunda sagt:**

So hab jhn Gott in seiner Hut!
Mein Walbruder, komm rein mit mir!
Dann ich muß gleich wol glauben dir,
Weil die Bößwicht lauffen davon,
30 Die böse Pottschafft herbracht han.

Sie gehn alle ab. Kompt Hugo vnd Gallero. Hugo sagt:

Ach wie sein wir in Griechenlanden
Mit vnser Pottschafft so übl bstanden!
Ach weh! wir zwen armen Verrähter

Rissen auß wie das Schäffenleder.
Nun wollen wir auff Angelor,
Da sein wir ein grösserer Herr, als vor.
Mag leicht, das ich ein Weib bekumb.
5 Iedoch lohn ich dir reichlich drumb
Vmb das, was du bey mir hast thon.

Gallero sagt:

O ich dacht, es gilt Henckens schon.
Der Teuffel schafft, das der Bilgram
10 So eben zu vnser Werbung kam,
Der hat vns verderbt vnser Freyen.
Ich wolt, ich solt jhn wol abbleihen.

Sie gehn ab. Valentin geht ein in voriger Bettlerskleidung,
tregt ein Brieff vnd den halben Ring vnd sagt:
15 Ach ich bin je von hertzen schwach,
Das ich nicht lang mehr leben mag.
Nun sein vergangen sieben Jar,
Das ich in der Penitentz war
[322]   Vnd etliche Jar thet hie liegen
20 Vnbekandt vnter diser Stiegen,
Von Menniglich vnbekandt blieben.
Drumb hab ich disen Brieff geschrieben
Vnd den halben Ring gleget drein,
Das, wenn ich endt das leben mein,
25 Das man dennoch wiß, wer ich sey.
Ich bin gar Kranck, bey meiner treü.

Er legt sich neben dem Eingang nieder. Vrsus geht mit dem
Grün Ritter ein vnd sagt:
Dem Verrähter Hugo haben wir
30 Seinen lohn wol geben schier.
Weil wir dann kommen sein zu Hauß,
So wöll wir lassen fordern rauß
Mein Mutter vnd den Gemahl mein.
Ach wie so fro werden die sein,
35 Wenn sie vns gesundt wider sehen!

Der Grün Ritter sagt:

Gnedigster Herr, das wirdt geschehen.

Sie klopffen an; es schreit einer drinnen:
Wer ist drauß, der so klopffet an?

Vrsus sagt:

5 Die Keiserin laß rauß zu mir gahn,
Dann ich hab was zu reden mit jhr!

Die Stimm sagt:

Seit jhr der Keiser Valentin?
Oder wer seit jhr? das ichs weiß,
10 Ehe ich die Keiserin zu euch heiß,
Auff daß ich nicht komb in vngnad.

Vrsus sagt:

Zeig jhrs nur an vnd geh von stadt!

Alsbaldt kommen Bellisandt, Eclaramunda vnd Gallissia. Bel-
15 lisand empfengt den Vrsum vnd sagt:
Deiner zukunfft ich gar fro bin.
Wo lestu aber mein Valentin?
Hastu von jhm noch nichts erfahrn?

Vrsus sagt:

20 Ey schweigt! Gott wird jhn schon bewahrn,
Wo er im Elendt ziecht herumb.

Gallissia sagt:

Seyt mir zu tausent mal wilkumb,
Hertzlieber Gmahl, von diser Reiß!

[322ᵇ]   25   #### Eclaramunda sagt:

Ach weh! mir wird vor engsten heiß!
Bin ich dann das elendest Weib,
Die nicht weiß, wo jhr Gemahl bleib?
Nun sein schon siben Jar herumben
30 Vnd ich weiß nicht, wo er ist hinkommen.
Ach mein Herr Gott, schaff jhn doch her,
Das ich auch einmal frölich wer!

Jahn Clam klopfft an; man macht auff, er geht ein, tregt ein

Brieff vnd sagt:

Hört mich, jhr Herrn vnd jhr Frauen!

Fürwahr, ich darff der sach nicht trauen.

Der Bettler, der liegt dort vnden,

5 Der ist todt; bey jhm hab ich funden

Disen Brieff, der wird euch zustehn.

Er gibt jhn Eclaramunda, die bricht den Brieff auff, find den
Ring drinn, schlegt die Händt zusamm, thut kläglich vnd sagt:

Ach weh! helfft mir! ich muß vergehn.

10 Ach secht! der arme Bettelman,

Dem wir zwar haben guts gethan,

Iedoch nicht gnug, als jhm gebürt,

Durch diß schreiben erkennet würd,

Der ist mein liebster Valentin.

15 Darbey ich auch berichtet bin,

Das er vns in Walbruders kleidt

Gar neülich hat verkündt groß freüd,

Wie das er noch bey leben wer

Vnd komb in dreyen tagen her.

20 Ach Gott! er ist es selbst gewesen.

Wers nicht glaubt, mag den Brieff wol lesen.

Sie würfft den Brieff hin, geht zu dem toden, reist jhn herfür,
küst jhn vnd sagt:

Ach Gott! fürwahr, das ist mein Gmahl.

25 Ach war denn dein hertz vest wie Stahl,

Dastu dich nicht gen mir thest nennen?

Ach muß ich dich todt lernen kennen,

Den ich lebendig nicht kennen kundt?

Nun hab ich kein fröliche stundt.

30 Mein Gemahl hat sich Büst zu todt.

So wil ich hinfort meinem Gott

Dienen in einem Kloster leben,

Wil all zeitliche lust begeben,

Weil ich hie nicht mehr zu jhm komb,

35 Das ich jhn dort seh widerumb.

O zeitlich Ehr, wie bist so klein

Vnd wie groß ist der Höllen pein!

Weil dann hie als glück ist verlohrn
Vnd ich bin zu hartsaal geborn,
So will ich als zeitlichs verachten
5 Vnd dort nach dem ewigen trachten.

Sie steht auff, geht zu jhrer Schwiger vnd sagt:

Gnedigste Frau, hie sehet jhr,
Keim Menschen gehts vbler, als mir.
Auff der Welt ist kein Glück vnd Heyl.
10 Drumb hab ich mir erwehlt mein theil,
In eim Kloster ein Nun zu sterben.

Bellisand sagt:

Vor hertzenleid möcht ich verderben,
Wenn ich zu erzehlen anfieng,
15 Wie es mir bey meim Herrn ergieng.
Seither der zeit ich bin vertrieben
Vnd wie ich bin in vnglück blieben,
Das wol kein wunder wehr fürwahr,
Das ich in Jammer verzweiffelt gar.
20 Aber ich muß es befehlen Gott.

Vrsus sagt:

Ach, ist mein Bruder Valentin todt,
So will ich, Grüner Ritter, euch
Befehlen mein gantz Landt vnd Reich,
25 Das jhr demselben wolt fürstahn,
So lang biß Elter wirdt mein Sohn.
Weil je das Weltlich Regiment
Nimbt so gar ein abscheülichs endt,
So wil ich ein Einsiedel wern,
30 Geniessen der Wurtzel auß der Ern
Vnd deß Wassers auß kühlen Brunnen,
Dann Vnglücks ist mir nie zerrunnen,
Weil ich hab glebt in diser Welt.

Gallissia sagt:

35 Gnedigster Keiser, jhr habt groß Gelt,
Ein Keiserthumb, auch Weib vnd Kindt

Vnd könd wol leben sanfft vnd lindt:
Warumb wolt jhr euch so wehe than?
Ohn eur Lieb ich nicht leben kan.
Ziecht jhr von mir, so stirb ich doch.
5 Ach bleibt doch hie! ich bitt euch hoch.
Verschont eur, eurs Sohns vnd auch mein!

Vrsus sagt:

Hertzlieber Gemahl, das kan nicht sein.
Was ich hab meinem Gott versprochen,
10 Das wil ich halten vnzerbrochen.
Doch wil ich mich vor mit euch letzen,
In freuden vns vor wol ergötzen
Vnd euch verschaffen Ehr vnd Gut,
Das jhr auffs best wol bleiben thut
[322ᵈ] 15 Vnd einige klag nicht solt haben.
Mein Bruder last ehrlich begraben,
Wie er deß wol ist würdig vnd wehrdt!
Auch nichts dann Ehr vnd ruhm begert,
Hat vil drumb gelitten auff dieser Erdt.

20 **Jahn Clam geht ein, weint vnd sagt:**
Fürwahr, ein traurige Tragedi,
Dergleich ich hab gesehen nie.
Der Keiser hat weg gelegt sein Kron
Vnd ist ins Elendt zogen davon;
25 Vnd wird er lang darin verharren,
So greint sich die Keiserin zu eim Narren.
Das scheiden kompt sie an so bitter.
Vnser Statthalter ist der Grün Ritter.
Aber bey Gott, er helt wol Hauß.
30 Man gibt Essen vnd Trincken nach der pauß.
Das macht, das er ein Vormundt ist,
Der nicht vmb sein Gelt saufft vnd frist.
Nich weiß ich, wie lang ers wirdt treiben,
Sonst köndt ich bey jhm gar wol bleiben.
35 Wer euch nun wolt von dem Anfang
Nach leng biß her zu dem außgang
Auß der Geschicht was nützlichs lehrn,

So thet jhr jhm doch nicht zuhörn,

Dann jhr hört kurtze Predig gern,

Wenn die Bratwürst dest lenger wern.

So bin ich auch ein solche Person,

5 Der die Schrifft nicht außlegen kan.

Aber eines kan ich dargegen,

Ein Ganß oder ein Seüsack zerlegen.

Weil ich nie bin zu Schul gewesen,

Kan nur Birn vnd Weintrauben lesen

10 Vnd etwa fangen ein guten Grillen.

Doch lacht jetzt nicht, vmb Gottes willen!

Die Tragedi ist zu kläglich.

Der Narrnboßn hört jhr täglich,

Die ein fantast dem andern macht.

15 Gott geb euch allen ein gute Nacht!

Die Personen in das Spiel:

1. Brandifer, der König zu Amlever.

2. Bruandt,

3. Murgulandt, zwen Räht.

4. Rosimunda, sein Tochter, die zuvor den König Flavum zu Antiochia gehabt.

5. Gallissia, sein ledige Tochter.

6. Valentinus, der Ritter.

7. Pacollet, der Zauberzwerg.

[323] 8. Lucar, der König zu Eclart.

9. Enormans,

10. Faulartus, zwen Räht.

11. Violator, der falsch Marschalt vnnd Mörder.

12. Videlia, ein Jungfrau.

13. Frigius, der König in India.

14. Lysimachus,

15. Amilius, zwen seine Räht.

16. Alexander, der Keiser zu Constantinopel.

17. Vrsus, sein Sohn.

18. Der Grün Ritter.

7 O zu erlegen.

19. Melissus,
20. Rudolphus, seine zwen Räht.
21. Bellisandt, die Keiserin.
22. Pipinus, der König in Franckreich.
23. Milon von Anglor,
24. Valentin, der alt, seine zwen Räht.
25. Offerus,
26. Heinrich, seine zwen vnehliche Sön.
27. Hans,
28. Heinrich, zwen Trabanten.
29. Jahn Clam, der Pott auß Griegenlandt.
30. Oßwaldt,
31. Diling, zwen Schieffknecht.
32. Sathanas, der Teuffel.
33. Hospes, der Wirth in India.
34. Eclaramunda.
35. Berta, die Königin auß Franckreich.
36. Propositus, der Voigt auff dem starcken Schloß.
37. Vigilator, der Thorwart daselbst.
38. Hugo, der König in Böheim.
39. Rebarto, der König in Suria.
40. Gallero, deß Hugens falscher Pott vnd Verrähter.

ENDE.

(20)

[323ᵇ] TRAGEDI, ERSTER THEIL, VON DER SCHÖNEN
MELUSINA VND. JHREM VERDERBEN VND VNTERGANG,

Mit 37 Personen vnd hat 6 Actus.

Der Ehrnholt geht ein vnd sagt:

IR außerwehlten ChristenLeüt,
Wie jhr allhie versamblet seit,
Zu sehen ein kläglich Tragedi,
Die wir haben zugricht alhie
10 Auß einer Frantzösischen Schrifft,
Die schön Melusina betrifft,
Die König Helmes Tochter was,
Die jhr Mutter auß Neidt vnd Haß
Verflucht zu einer Meerfrauen,
15 Daß sie all Sambstag must auff trauen
Vnder dem Nabel ein Schlang vnd Wurm
Sein mit eim sehr erschrecklichen furm,
Die im Waldt zu eim Grafen kam
Vnd jhn zu einem Gemahl nam,
20 Doch also, das er schweren solt,
Daß er sie alle Sambstag wolt
Allein lassen in jhrem Gmach
Vnd jhr mit nichten fragen nach.
Ob er nun wol den Eydt geschworn,
25 Ist er doch hernach bewegt worn
Von seinem Bruder, der jhn beredt,
Das er ein Löchlein porn thet
An jhrem Gmach wol durch die Thür,

Das er jhr glegenheit erführ.
Als er sie nun sah einen Wurm
Abwartz deß Leibs in Schlangenfurm
Vnd sich hernach begeben thet,
5 Das sein Sohn angezündet het
Ein Kloster, von der Gmahl gebauen
In der Ehr vnser lieben Frauen,
Darinnen auch ein Son verbran,
Der Graf darumb groß trauren gwan,
10 Sein Gemahl mit worten hart anfuhr,
Dardurch er sie alsbaldt verlur,
Das er sie fort sah nimmermehr.
Darob er ward betrübet sehr,
Daß er verließ sein Regiment
15 Vnd zog freywillig ins Elendt.
Wie sich diß alles hab zutragen,
Werden euch die Personen sagen,
[323c] Die nach mir kommen dretten rein.
Darumb thut still vnd ruig sein!
20 Das ist die höchste bitte mein.

Abgang. Palentina, Meliora vnd Melusina, die drey Königlichen Jungfrauen, gehn ein. Palentina sagt:

Ir Schwester vnd Königlichen Fräulein,
Wie kompts, das vnser Eltern sein,
25 Der König vnd die Königin,
So betrübt vnd trauriger Sin?
Haben sie doch gnug Landt vnd Leut
Vnd künden haben muth vnd freud,
So sehen sie einander an,
30 Als ob sie müsten Betteln gahn,
Da sie doch im Landt haben frid
Vnd mangelt jhn an vorraht nit
Auff der Kammer vnd auff dem Kasten.
Kuchen vnd Keller sind nach dem basten
35 Bestellt, wie es sich wil gebürn,
Vnd dennoch sie groß traurn führn.
Deß müß wir auch all drey entgelten.

Meliora sagt:

Ja der König lacht fürwahr gar selten.
Was man jhm sagt, so freut jhn nichtsen,
Sicht stets auß wie ein gespante Püchsen,
5 Oder samb hab er ein Kindt erbissen.
Fürwahr, ich möcht gar gern wissen,
Was jhm so hart anliegen thet.

Melusina sagt:

Ir lieben Schwestern, mich versteht!
10 Wenn man mir wolte schencken gleich
Nordwegen, das gantz Königreich,
Das ich solt mit eim solchen Alten
Saurzapffeten König Haußhalten,
Fürwahr so möcht ich jhn nicht nemen,
15 Zuhörn seinem grisen vnd gremen,
Dann ich hett doch an jhm kein freüdt,
Er machet mir zu lang die zeit,
Vnd wolt (glaubt mir!) vil lieber sehen
Ihn auffbahren vnd einnehen,
20 Als ich jhn lebendt sehen solt.

Palentina sagt:

Ir lieben Schwestern, wist! ich wolt,
Das vnser Vatter stürb noch heint.
Fürwahr ich bin jhm eben feindt,
25 Dann wie mich die sach sihet an,
So hat er der Mutter was than,
Das sie Ehrnthalben nichts darff sagen.

[323ᵈ]   ### Meliora sagt:

Ey wenn er sie gleich hett gar gschlagen,
30 So wolt ich doch nicht glauben gern,
Vnd das sie alle beyde wehrn
Darumb so traurig also lang.
Ein solcher zorn nimbt kurtzen außgang;
Aber dise lang traurigkeit

14 ich fehlt O.   20 O jhm.

Hat schon gewehrt so lange zeit,
Daß ich deren kein anfang denck
Vnd mich offtmals darumb bekrenck,
Der ich doch bin ein KönigsKindt.
5 Ander KönigsTöchter frölich sindt,
So sein wir stehts in hertzenleidt.

Melusina sagt:

So schwer ich hie bey meinem Eydt,
Wenn ich erfahr vnd innen werd,
10 Das der König sein Gemahl beschwerd,
Vnser liebste Frau Mutter schon,
So wil ichs nicht vngrochen lohn
Vnd wil jhn bringen in angst vnd not.
Gott geb, was das Vierde Gebot
15 Von der Kinder gehorsam lehrt!
Mein hertz gen jhm ist gar verkehrt,
Dann vnser Mutter, die Königin,
Ist guter vnd frölicher Sin
Vnd wehr vns Schwestern wolgeneigt,
20 Das vns würd freud vnd guts erzeigt.
So darf sies doch durchauß nicht than.
Still, still! dort thut gleich einher gahn
Der König vnd der Gemahl sein,
Das sie meinen, sie sein allein.
25 So wölln wir vns in dise ecken
Heimlich verbergen vnd verstecken
Vnd hörn, was sie wern sagen,
Vnd dann weiter davon Rahtschlagen.

Sie gehn auff ein Seiten. Helmes, der König, geht ein mit
30   Persina, der Königin, vnd sagt:

Hertzlieber Gemahl, zeigt vns an!
Wil euch der zorn nicht vergahn,
Darob wir nun lang tragen leidt?

Persina sagt:

35 Ich zürn nicht, aber der Eydt,
Den jhr mir so teur habt geschworn

Vnd doch an mir seyt brüchig worn,
Das kümmert mich im hertzen sehr.
Ir schwurd, das jhr mich nimmermehr
In keinem Kindbeth wolt besuchen,
5 Thet euch verschwern vnd verfluchen

[324]   Bey hoher Peen, wie jhr wol wist.
Von euch das nicht gehalten ist.
Damit habt jhr vns alln zu schaden
Gottes vngnad hart auffgeladen,
10 Die wir warlich nicht mögen ertragen.

Helmes, der König, sagt:

Ach, Königin, was thut jhr vns plagen?
War ists, das wir geschworen han.
War ists, das wir vnrecht gethan,
15 Das wir solchen Eydt haben brochen
Vnd euch besucht in den Sechs wochen.
Auch ist es gwieß vnd endlich war,
Das wir nun bey füntzehen Jar,
Seit Melusina ist Geborn,
20 Seind nimmermehr recht frölich worn,
So offt vnd wir daran gedencken.
Soll wir vns aber darumb hencken
Oder gar in verzweifflung fallen?

Persina sagt:

25 Nein, denn das wird Gott nicht wolgfallen.
Iedoch weiß ich auß meiner Kunst,
Das wir wol wehren blieben sonst
Vil hundert Jar in gutem Standt,
Die wir also zu spot vnd schandt
30 In kurtzen Jarn wern müssen
Vnd disen gschwornen Eydt mit büsen.
Deß reüen mich die Töchter mein,
Die an dem Dieng vnschultig sein
Vnd müssen doch droh vntergahn.

35   Helmes sagt:

So wissen wir jhm nicht zu thau.
Wir wolten gern sein verschieden

Vnd den Bittern Todt erlieden,
Ehe wir geschworn haben den Eydt.
Es ist vns je ein treulichs leidt.
Iedoch weil mans nicht wenden kan,
5 So wöll vns Gott allen beystahn!

**Die drey Töchter fallen mit vngestümm auff den Vatter, fangen
jn vnd Melusina sagt:**

Herr Vatter, baldt geht euch vns gfangen!
Kein gnad habt jhr hie zu erlangen.
10 Weil jhr vns bracht in solche noth,
So müst jhr mit vns kommen in spot.
Das schwer ich euch bey meiner Ehr.
An das Liecht kompt jhr nimmermehr.

Persina sagt:

15 Ey, jhr Töchter, was fangt jhr an?
Ich bitt euch, last den König gahn!
[324ᵇ]   Er ist eur Vatter, den jhr solt
In Ehrn halten vnd haben holt,
Vnd wil euch keines wegs gehürn,
20 Das jhr jhn thut gefangen führn,
Wenn er schon than bett wider euch.
Ir bringt vns all vmbs Königreich.
Ich bitt durch Gott, verschonet sein!

Meliora sagt:

25 Fürwahr, es kan nicht anders sein.
Keine KönigsKinder sein auff Erd,
Die höher, als wir, sind beschwerd,
Von vnsern eygenen Eltern doch.
Vnd man solt euch hochhalten noch?
30 Darumb, liebste Frau Mutter mein,
Ich bitt, legt euch nur nicht darein!
Ir wist nicht, was wir haben zu thau.

Palentina sagt:

Frau Mutter, nembt euch der sach nicht an!
35 Ir werd für war sonst auch drein gmischt.

Melusina sagt:

Fro sein wir, das wir jhn erwischt.
Mein Eydt ich jhm baß halten will,
Das ich mein fürnemen erfüll.
Nun helfft mir jhn baldt führen ab!
5 Ein ordt ich jhm erwöhlet hab,
Darin er sein Leben bring zu.

Helmes, der König, sagt:

Ach, jhr Töchter, last mich mit ruh,
So lieb euch sey eurs Vatters huldt!
10 Dann ich hab nichts vmb euch verschuldt.
So habt jhr kein macht vber mich.

Melusina sagt:

Es wird noch als fein schicken sich.

Die drey Töchter ziehen jhn mit gewalt fort vnd gehn mit
15　　jhm ab. Die Königin sagt:

Ey, jhr Töchter, was sol das sein?
Last mir zu fried den Herrn mein!

Sie laufft hinnach, kompt baldt wider vnd sagt:

Wer hat seltzamer Mäer vernommen?
20 Ich weiß nicht, wo sie hin sein kommen
Mit dem hertzlieben Gemahl mein.
Ach wehe deß jammers! ach wehe der pein,
Sie sind der sach gwiß innen worn,
Das der König falsch hat geschworn,
25 Dardurch Gottes zorn auffgeladen
Vnd vns all bracht in solchen schaden,
[324ᶜ]　　Den wir bey vns vnd den Kindskinden
Nimmermehr können überwinden.
Vnd solten sie jhm schaden than,
30 So will ich hie geschworen han,
Daß ich durch meine Zauberey
Sie wil verfluchen alle drey
Vnd meinen Herrn an jhn rechen.
Das thu ich jhn damit versprechen.

Sie geht ab. Palentina, Meliora, Melusina, die drey Schwetern, gehn ein vnd bringen mit jnen den Riesen Grimholten.

Palentina sagt:

Nun hör, du gwaltiger Rieß Grimholt!
Von vns du alhie wissen solt,
5 Weil wir alhie beschlossen han
Vnsern Vatter im Berg Abelon,
Darinnen er muß ewig bleiben,
Sein zeit vnd weil darin vertreiben,
So solstu dessen hüeter sein,
10 Das kein Mensch komb zu jhm hinein,
Er sey dann vnser Blutesfreundt.
Darfür wöll wir dir geben heundt
Die gegendt mit Renden vnd Gült.
Die brauch deins gfallens, wie du wilt,
15 Für deine Arbeit, die du hast!
Vnd so du im Berg ledig last
Vnsern Vatter vngeheur,
So wollen wir durch Abentheur
Dir die allergröst marter than,
20 Die keins Menschen zung reden kan.
Darauff thu vns dein meinung sagen!

Meliora sagt:

Mit Schwerdes scherff mustu verjagen
Alle, die vnsern Vatter wöllen
25 Wider bringen auß diser Hölen.
Thustu das, so hastu groß gut.

Grimholt, der Rieß, sagt:

Ich versetz euch mein Leib vnd Blut,
So wol mein Ritterliche Handt
30 Mit sampt der Seel zu einem pfandt,
Das ich wil all mein lebenstag
Eurm befelch steht kommen nach.
Dargegen nimb ich für mein müh
Dise Landschafft zu eigen hie.
35 Vnd das diser Bundt stehts sol bleiben,
So wollen wirs fleissig beschreiben
Vnd ich wil nicht von hinnen werben,

Biß so lang thut der König sterben,
[324ᵈ] Wenn jhr damit zufrieden seit.

. Melusina sagt:
So schwer vns hie ein teurn Eydt,
5 Dastu vns diß alS halten wolst,
Von binnen auch nicht kommen solst,
Biß vnser Vatter sey gestorben
Elend in disem Berg verdorben.

Der Rieß globt jhn an. Melusina sagt:
10 So komb rein! so wöll wirs beschreiben.
Dargegen sol das Landt dir bleiben.
Das magstu deines gefallens bschutzen,
Mit Frön vnd Dienst brauchen vnd nutzen
Nach aller deiner glegenheit,
15 Biß das von disem Leben scheidt
Vnser Vatter vnd werd gerochen
Der Eydt, den er an vns hat gebrochen.

Sie gehn alle ab. Persina, die Königin, geht allein ein, hat
versilberten stab vnd sagt kläglich:
20 Ach jammer, not, wehe, angst vnd leidt!
Nun hatt ich vil Jar wenig freüdt,
Aber jetzt geht mein leidt erst an,
Das mir meine drey Töchter han
Mein Herrn gar geführet hin.
25 Dessen ich nun beraubet bin
Vnd weiß nicht, wo er ist hinkommen.
Nun seh ich jhn nicht widerumben,
Dieweilen die drey Töchter mein
Auff jhn so hart erzürnet sein.
30 Sie haben jhn gwiß hingericht.
Drumb muß mir mein geist geben bericht,
Den ich vor auch offt brauchet hab.
Ich weiß, das er mirs nicht schlegt ab.

Sie macht ein Kreiß mit etlichen Caractern vnd sagt:
35 O Agoras, Hellischer geist,
Der du verborgens Dieng vil weist,

Ich beschwer dich bey Belial,
Weil du mir warsagest allmal,
Dastu jetzt nicht lenger verziegst,
Sonder zu disem loch rauß kriegst
5 Vnd kombst zu mir her in den Kreiß
Vnd alles thust, was ich dich heiß.

Agoras, der Teufel, kreucht herfür in den Kreiß, zittert vnd sagt:

[325]   Kan ich aber vor dir nicht bleiben?
10 Du thust mich armen Geist vmbtreiben,
Als ob ich sonst nichts bett zu than
Vnd sey dir geben zu eim Man.
Wenn du wilt, muß ich dir auffhupffen.
Du wirst mich noch brüen vnd zupffen
15 Vnd gar fressen in deinen rachen.
Du wirst mirs schir zu gar vil machen,
Das ich es nimmer leiden kan.

Persina schlegt jhn mit dem stab auff die Achsel vnd sagt:

O halt das Maul vnd zeig mir an,
20 Wo die Gottlosen Töchter mein
Mit meim Herrn hinkommen sein,
Vnd bring mir jhn balt wider her!

Agoras sagt:

O dein begern ist mir zu schwer.
25 Dein Herr ist im Berg Abelon,
Darauß ich jhn nicht bringen kan;
Denn Gott hat verbengt vber jhn,
Daß ich seiner nicht mächtig bin.
Auch so sichstu jhn nimmermehr,
30 Dieweil er lebt, ich dir jetzt schwer.
Wenn er aber dort ist verschieden,
So wirstu jhn sehen daniden.
Als dann magstu jhn wol begraben
In einem schönen Sarg erhaben.
35 Zum Berg darff ich mich nicht wagen.
So vil kan ich dir von jhm sagen.

Persina schlegt jhn vnd sagt:

So kan ich mein Herrn nimmer sehen?

Agoras sagt:

Nein, es ist schon vmb jhn geschehen.
5 Er ist hart in den Berg beschlossen,
Denn deine Töchter hat verdrossen,
Das er dir schwur ein falschen Eydt.

Persina sagt zornig:

Das stoß sie an das hertzenleidt!
10 Nun sollen die drey Töchter mein
Verfluchet vnd verbannet sein!
Die Jüngst vnd schönst, die du wol weist
Vnd die schön Melusina heist,
Die verfluch ich zu einem Wurm,
15 Schrecklich in einer Schlangen furm
Vom Nabel an biß auff die Füß,
Vnd daß sie alle Sambstag müß
Solcher gestalt in Wasser baden.
Vnd sie sol nicht kommen zu gnaden,
20 Biß daß ein Wolgeborner kömb
Vnd sie zu einem Gemahl nemb,
[325ᵇ]   Bey dem sie leben könn mit ruh,
Das ers jhr nicht fürwerffen thu,
Biß sie natürlichs todes sterh,
25 Dardurch ein jebes End erwerb.
Wo sie aber bekomb kein Man,
So sol sie verflucht vmbher gahn
Im Waldt Calumbria an der Sonnen
Vnd kühln sich in dem Durstbrunnen.
30 Biß hin wol an den Jüngsten tag
Sol werden jhr hertzleid vnd klag.

Agoras sagt:

Ey wie ein hefftigs Weib bistu,
Das du deim Kind schaffst die vnruh!
35 Ich bett die straff nicht können erdencken.

Persina schlegt nach jhm vnd sagt:

Du darffst dich das nicht lassen krencken.
Halts Maul vnd niemb Melusina!
Führ sie in Walt Calumbria!
Setz sie verflucht zu dem durstBrunnen,
5 Wie ich dir hab gesagt jetzunnen!

Agoras sagt:

Ey schlag mich nicht! ich wils sonst than,
Wie ichs von dir gehöret han.

Persona sagt:

10 Die Meliora vngeheur
Sey verflucht als ein Abentheur
Auff einem Berg in einem Schloß.
In Armenia, dem Königreich groß,
Da sol sie eines Sperbers warten.
15 Vnd wer sich begeb zu der zarten,
Der bey jhr drey gantz tag vnd nacht
Züchtig gefast bett vnd gewacht,
Demselben sol sie alles gwehrn,
Was er wird an sie thun begern.
20 Doch vmb sie darff er bitten nicht,
Er hett sonst gar nichts außgericht
Mit aller müh vnd Arbeit sein.
Wo aber köm ein Ritter nein,
Der sich vnterstündt diser dingen,
25 Vermeint groß Gut hinauß zu bringen
Vnd köndt nicht wachen die drey tag,
Der sol mit grosser noth vnd klag
Biß am Jüngsten tag im Schloß bleiben,
Mit jhr sein zeit in klag vertreiben.
30 Vnd du nimb Meliora gschwindt!
Sie in das Schloß gefangen bindt!

Agoras sagt:

Ey du quelst mich vber die maß.
Vnd wie kanstu mich martern baß,
[325ᶜ] 35 Das ich sol in Calumbria,
Darnach auch in Armenia?
Liegt beidts vil hundert Meil von binnen

Du wirst mich noch bringen von Sinnen.
Ich weiß dir nicht alles zu thon.

Persina schlegt jhn vnd sagt:
Du must auch fahren in Aragon
5 Auff ein hohen Berg, den du weist
Vnd der Rodiser Berge heist.
Wenn dus nicht weist, so mustu fragen,
Mein Eltste Tochter darauff tragen
Sampt meines Herrn Schatz groß vnd schwer.

10   **Agoras, der Teuffel, sagt:**
Ich wolt, das er schon droben wer.
Was sol der Schatz auff dem Berg thon?

Persina sagt:
Palentina, mein Tochter schon,
15 Die solst du führn an das ordt,
Daß sie des Schatzes warte dort,
Biß etwa komb ein Ritter hin,
Der jhn vnd das gelobt Land gwinn.
Vnd ich mit mein Töchtern all dreyen
20 Wil mich all Weltlicher freud verzeihen,
Mich geben an ein heimlich ordt,
Das kein Mensch sol erfahren fort,
Wo ich mich halt meines lebens zeit.
Das schafft als meins Herrn thorheit.
25 Vnd dardurch wirdt ernstlich gerochen
Der Eydt, den er an mir hat brochen.
Doch wil ich jhm ein schönen Sarck
Machen von Merbelsteinen starck,
Der sol auff Gulten füssen stehn.
30 So mein Herr wird mit todt abgehn,
Sol man jhn begraben darein.
Darauff da sol gehieben sein
Vnser beyder abconterfect,
In Stein gehauen vnd gebeckt
35 Vnd ein Tafel, darauff geschrieben,
Wer jhn hat in den Berg getrieben
Vnd wie es als zugangen sey.

Nun nimb meine Töchter alle drey!
Verschaff sie, wie dir ist befohlen!

Agoras sagt:
Ja ich will sie all drey baldt holn.
5 Laß du mich nur auß disem Kreiß!
Dein Kunst macht mir gar angst vnd heiß.

Sie macht ein strich durch den Kreiß. Der Teuffel springt
herauß vnd sie sagt kläglich:
[325ᵈ] Ach jammer, not vnd hertzenleidt!
10 Wie vergeht Weltlich Ehr vnd freüdt!
Ach wenn ich gedenck, was wir warn,
Ich vnd mein Herr, vor zwantzig Jarn,
So wehr kein wunder, das mein hertz
Mir zerspreng vor jammer vnd schmertz,
15 Das mir zu solchem vbel ist kommen.
Ach wie ein schrecklichs endt hat gnommen
Mein Königliche Würdt vnd Macht,
Mein grosser Reichthumb, schmuck vnd pracht,
Mein gewaltigs herkommen vnd Standt,
20 Meins Herrn Diener, Leüt vnd Landt,
Mein grosse Freündschafft, Ehr vnd ruhm.
Vmb alles auff den tag ich kumb.
Also vergeht zeitliche Ehr.
Nun sicht mich kein Mensch nimmermehr.
25 Gott gesegn euch alle, wo jhr seyt!
Gott gesegn mir alle wollustbarkeit!
Gott gesegn mein Herrn vnd Gemahl!
Gott gesegn euch, Berg vnd tieffe thal!
Gott gesegn Wasser, Erd vnd Lufft!
30 Gott gesegn all Thier in jhrer grufft!
Gott gesegn euch, klein Waltvögelein!
Gott gesegn geschmuck vnd Edelgstein!
Gott gesegn euch beede, Sonn vnd Mond!
Gott gesegn euch all, die jhr hie wohnt
35 Vnd wie jhr möcht genennet sein!

*

16 O Auch.

Ihr seyt Jung, alt, groß oder klein,
Hohes, mittels vnd niders Standts!
Ich wil außschliessen gar niemandts,
Sonder all Segnen mit eim wort,
5 Dann ich fahr dahin an ein ort,
Das jhr mich nimmer sehet fort.

Abgang.

ACTUS PRIMUS.

Emerich, der Graf von Petiors, geht ein mit Reicharten, dem
10   Jäger, vnd sagt:

Reichhart, wir haben dise Wochen
Sehr vil Wilbreths lassen verkochen
Vnd weil ich meinen Jartag ghalten,
Auch so hab ich von meinem Alten
15 Vätter, dem Grafen im Forst, bekommen
Reinmundt, sein jungen Sohn, den frommen,
Das mich bey disem guten mut
Kein Kost noch auffgang reuhen thut,
Vnd wir können auch widerumben
20 Gar baldt Wilbrets gnug vberkommen,
Die Speißkammer wider zu spicken,
Besonders wenn vns thut gelücken;
[326] Dan wir haben groß lust darzu.
Darumb so wolst mir sagen thu,
25 Weil jetzt die Wiltsau ist sehr feist,
Ob du villeicht ein gezirck weist,
Das wir thun möchten ein Schweinhatz.

Reichhart sagt:

Gnediger Herr, im langen Platz
30 Bey Calumbria in dem Walt
Hab ich von schrecklicher gestalt
Ein grossen hauffen Schwein gesehen.
Auch thet ich dem gesper nachspehen,
Da befund ich ein weiden Kreiß,
35 Den ich wol zu vmbziehen weiß.
Da wird es gwieß gebn vil Seü.

Emerich sagt:

Das hör ich gern, bey meiner dreü.
Dort kumbt auch her der Graf Reinmundt,
Von dem ich dir gesagt jtzundt,
5 Den mir mein Vätter geben thet,
Weil er vor hin vil Kinder het
Vnd deß guts nicht so vil, als ich.
Mit dem wil ich hereden mich,
Ob er auch lust hab zu dem Jagen.

Reinmundt, der jung Graf, geht wolgezirt ein. Emerich sagt:

Hör, Reinmundt, vnd thu mir balt sagen!
Hastu auch lust zu Jagen vnd hetzen,
Nach Jägers lust mit zu ergötzen?
Vnd bist auch deß Jagens bricht?

15 Reinmundt sagt:

Eur Gnaden sollen fragen nicht,
Sondern schaffen mir vnd gebieten.
Deß Jagens thet ich mich wol Nieden
Daheim bey dem Herr Vatter mein.
20 Solt ich dann eur Gnad Diener sein
Vnd nicht alles thun, was man mich hieß?
Des wolt ich mich schemen gewieß.
Ich dien eur Gnad als meinem Herrn,
Zu verrichten all sein begern.

25 Emerich, der alt Graf, sagt:

Nun, mein Vätter, deß hab groß danck!
Du solsts genissen mein leben lang,
Wenn du dich heltest wie bißher.
Keins wechssels ich gar nicht beger.
30 Vnd soltestu also verfahrn
Vnd Gott vns beid lang gesund sparn,
Du solt wol sehen, was ich thet.
Weil ich dann lust zu Jagen het,
[326ᵇ] So zeig du jeger zu den stunden
35 Mit den zeichen vnd mit den Hunden
Sampt dem Hofgesind vnd fahrt hinauß!

Bestell vnd ordne alles drauß!
So will ich vnd der Vätter mein
Morgen mit Früsten bey dir sein.

Emerich, der Graf, geht mit Reinmunten ab. Reichhardt, der
5   **Jäger, sagt:**
Ich hab fürwahr ein frommen Herrn
Vnd wolt mir keins andern hegern.
Er ist ein Rechter Jägersfreund.
Manch Herrn solch karch Narn seind,
10 Die wolten gern hetzen vnd Jagen,
Sie mögen aber nichts darauf wagen,
Halten nicht gern Jäger vnd Hund,
Zehln jhn jhr fressen in den Mund.
Ja die. Weiber thun sie davon weissen,
15 Das Jagen ein vnnöttigs ding heissen,
Welches der Kosten nicht außdrag.
Nach solchen Herrn ich nichts frag.
Nein, mein Herrn den will ich behalten.
Den Graffen, ein guten frommen Alten
20 Herrn, den laß mir Gott lang leben!
Sich! dort kommt der Hundtsjung gleich eben.

Adolff geht ein vnd Reichhart, der Jäger, sagt:
Adolff, geht balt ins Hundshauß!
Wir müssen auf die Schweinhatz nauß
25 Vnd alle sach richtig bestellen.
Der Graf vnd das Hofgesind wöllen
Morgen mit Früsten hinauß Reiten.
Darumb so thu nicht lenger beiten
Vnd heiß auch nauß den Jägersknecht!

30   **Adolff sagt:**
Jäger, ich wils außrichten recht.
Aber hört eins! ich muß euch fragen:
Wird man Schwein oder Hirschen jagen?
Vnd kommen wir zum essen wider?

Reichhart zeicht jhn beim kopff herumb vnd sagt:
Du grober Bengl, balt buck dich nider

Vnd laß dir das Weidmesser schlagen!
Hastu ein jäger hörn sagen,
Das man auch die Schwein jagen thu?

Er buckt nieder; der Jäger ziecht das Weidmesser auß vnd
gibt jm drey streich mit auffs geseß vnd sagt:
Nun jetzo so hör du mir zu!

[326ᵇ]
Wenn du wilt ein JägersJung sein,
So sprich: ein Sau! sag nicht: wilts Schwein!
So thut auch kein Jäger nit sagen,
10 Das man ein wiltes Schwein thu Jagen,
Sonder man sagt, man thu es hetzen.

Adolff sagt:

Ich werd mich bsinnen an der letzen
Vnd wieder in die Kuchen schrauben.
15 Da kan ich Vögel, Hüner vnd Tauben,
Hasen vnd Wilbret mit henden. fangen,
Im Kuchenkalter leichtlich erlangen
Vnd darff auch nicht wartten der Hundt,
Aufs maul acht haben alle stund.
20 Wie wolt ich bey euch gseß gnug nemen?

Reichhard sagt:

Du darffst dich der zucht gar nicht schemen.
Man hat es wol eim andern than,
Der nicht Weidmennisch reden kan.
25 Es ist wol geschehen einem Grafen
Vnd du wolst dich nicht lassen straffen?
Drum geh vnd schweig von diesen sachen!
Komst wieder, ich will dirs besser machen.

Sie gehn alle ab. Kombt Agoras, der Teufel, vnd sagt:
30 Ey wie ist das ein TeufelsWeib!
Sie hat erbeinigt meinen leib
Mit jhr verbannung vnd auch schlagen,
Das ichs nicht alles kan ersagen.
Deßhalb steh ich in grosem zweifel,
35 Ob in der Höll ein ermerer Teufel,
Der, wie ich, so hart peinigt sey.

Nun hab ich jhr Töchter all drey
Sambt auch des Alten Königs Schatz
Getragen in deß Waltes Platz
In die Auen zu dem Durstbrunnen.
5 Da nemen sie vrlaub jetzunnen.
Vnd wenn sie haben gletzet sich,
Niemb ich die andern zwo auff mich,
Vnd setz die Meliora da
Auff den Berg in Armenia
10 Vnd laß sie dort jhrs Sperbers warten.
Aber Palentina die zarten
Führ ich ins Königreich Arragon
Sampt dem Schatz, den ich bey mir hon
Vnd jhr Vatter verlassen hat.
15 Es geht aber langsam von Statt.

Er geht ab. Kommen Reichhardt vnnd Adolff. Reichhart
stöst an das Horn (ob ers kan) vnd sagt:

[326ᵈ]   Ich hab gestossen an das Horn,
Weil wir den Grafen haben verlorn.
20 Aber ich verstehe kein warzeichen,
Das jhn das gethön thu erreichen.
Darumb du auch dein heil versuch
Vnd schrey ein lustigen Weidspruch
Auff das aller leütst in dem Walt!
25 Wenn ers erhört, so kombt er halt,
Weil wir etliche Seu gefangen,
Wie wol der Bach ist uns entgangen.

Adolff steht vnd schreyt auff Jägerlich folgenden Weidspruch:
Wol auff, jhr Herrn vnd jhr Frauen,
30 Last vns denn Edeln Hirschen bschauen!
Wol auff, jhr Herrn vnd guten geselln,
Die mit mir heut gen Hof ein wölln!

Reichhart schreyt ferners:
O Sag mir, Edler Weidman,
35 Was hat der Hirsch heut zu Felt than?

Adolff, der Jung, schreyt:

O Jäger, zu Felt, zu Felt
Hat der Edel Hirsch heut Weit zelt.

Reichhart schreyt:

O sag mir, Weidman, Weidman!
5 Wie vil hat der Hirsch heut widergäng than?

Adolff schreyt:

Sechs oder sieben, Sechs oder sieben
Hat der Edel Hirsch wiedergeng triben.

Reichhart sagt:

10 So sag mir, Weidman, Weidman!
Wo hastu denn den Edlen Hirschen gelahn?

Adolff schreyt:

Ich hab jhn an ein schmellein bunden.
Wils wol, so hab ich jhn halt funden.

15 Reichhart lost ein weil vnd sagt:

Wenn ein Weidman wer in dem Walt,
So hett er vns geantwort balt
Mit seinem Edlen Jägershorn,
Das wir sein weren innen worn.
20 So lest sich aber niemand hörn.
Deß möcht mich Armen wol bethörn.
Weil vnser Herr eim wilden Schwein
Vnd Graf Reinmunt, der Vätter sein,
Hefftig vnd eillend nachgeritten
25 Vnd von vns kommen sein daniden,
So müß wir sie in dem Walt suchen.
Ir Gnad wirdt vns sonst schelten vnd fluchen.
[327] Darumb geh du vnd der Jägersknecht!
Gebet den Hunden jhr Weidtrecht
30 Vnd traget die gefangen Seü zu haufen!
So wil ich in den Walt nein lauffen,
Sehen, ob ich die Grafen find
Vnd wo sie von vns kommen sind.

Sie lauffen alle beed ab. Graf Emerich vnd Graf Reinmunt

gehn ein, tragen zwen spieß. Emerich sagt:

Weil wir dem Bachen nach gerent,
Seind wir vnd die Jäger zertrent
Vnd im Walt von einander kommen
5 Vnd haben kein warzeichen vernommen,
Wo wir vns sollen zu jhn lenden,
Zu der lincken oder rechten wenden.
So vberfelt vns auch die nacht
Vnd wird finster mit gantzer macht.
10 Auch so seind die Sonn vnd Mon
An dem Himel auffgangen schon,
Daß ich gerne wist, wo wir wern.

Er sicht gen Himel vnd sagt:

Schau, schau! dort jener funckert Stern,
15 Den ich erst ersihe jetzund,
Bedeut, das noch in diser stund
Einer sein Herrn werd vmbbringen
Vnd noch kommen zu grossen dingen,
Dergleich zuvor nie ist geschehen.

20   Reinmunt sagt:

Gnediger Herr, so wöll wir vns fürsehen.
Wer weiß, wem nun die Prophecey
Dises Sterns wol gemeinet sey?
Darumb bleib ich nun stehts bey euch,
25 Kein tritt ich von eur gnaden weich,
Vnd solt mirs kosten leib vnd leben.
Hört, hört! was thut sich hie begeben?
Ein groses Schwein reist durch den Walt,
Dem wöllen wir nacheillen balt,
30 Das wir jhm geben einen fang.
Alhie ist nicht zu beiden lang.

Sie lauffen ab. Adolff, des Jägers jung, geht ein vnd sagt:

Sechs Schwein seind heut gefangen worn,
Dargegen aber zwen Grafen verlorn.

*

2 Vgl. über das geschlecht des worts bache Grimms d. wörterb. 1. 1061.

Die Schwein geben vns lust vnd freüd,
Der Graf bringt vns traurn vnd leit,
Weil wir jhn in dem Walte hirinnen
Mögen weder hörn noch finnen.
[327ᵇ]　　5 Bring wir den Grafen mit vns nicht,
Vns bey der Gräfin vbels gschicht,
Weil sie so hoch liebt jhren Herrn.
Ich hab jhn im Walt gsucht gar fern,
Aber als suchen ist vmsonst,
10 Es bring vns gnad oder vngunst.

Er geht ab. Reinmundt, der jung Graf, geht ein mit einem
　　　blutigen Spieß vnd sagt kläglich:

Ach wehe, das ich geboren bin!
Wo soll vor hertzenleid ich hin?
15 Nun muß ich glauben ohn allen zweifel,
Das hauet Schwein sey gewest der Teufel,
Dann was der Graf vor thet weissagen,
Das hat sich jetzt an jhm zutragen;
Dann da er dem Schwein ein fang gab,
20 Ich auch nach jhm gestochen hab
Vnd leider gefehlet deß Schwein
Vnd getroffen den Vätter mein,
Das er dort todt blieb auff dem Platz.
Ach wehe meines allerliebsten Schatz!
25 Wie hat mich doch der EhrnReich
So lieb gehabt sein kindern gleich
Vnd mir gethan so gar vil guts!
Ach wehe meines leidts vnd vnmuths!
Der allervnseligst ich bin.
30 Wo soll ich auß? wo soll ich hin?
Nun darff ichs der Gräfin nicht sagen,
Was sich mit mir hat zugetragen.
Ach wie werd ich in meinem gewiessen
So hart genaget vnd gebiessen!
35 Wolt Gott, das einer zu mir köm
Vnd mir mein Traurigs leben nemb!
Dann ich werd frölich nimmermehr.

Ach wie taurt mich der Graf so sehr!

Er laufft in forcht vnd schrecken eylendt ab. Kommen Palentina, Meliora vnd Melusina. Palentina gibt der Melusina die Hand vnd sagt:

5 Nun gesegn dich Gott, du Schwester mein,
Die weil es mus geschieden sein!
Ob wir nun wol seind Königskind,
Iedoch kein Ermer Leut nie sind
Auff Erden gewesen, als wir drey.
10 Gott stehe dir in der Wiltnus bey,
Das du darauß halt werst erlöst!

Melusina sagt:
Ich weiß, Gott ist der allergröst,
[327ᶜ]   Der wirt mich wol erlösen noch.
15 Aber doch Kümmer ich mich hoch
Vmb euch, die kein erlösung han.

Meliora gibt jhr die hend vnd sagt:
Liebe schwester, wie soll wir jhm than?
Gott hat vns auffgelegt die straff,
20 Die vns durch vnser Mutter traff.
Die wöll wir tragen mit gedult,
Gedencken, wir habens verschult
An vnserm Vatter, dem gar alten,
Den wir haben gefangen ghalten.
25 Besser ists, hie leiden auff Ern,
Als dort ewig verdammet wern,
Die weils je nicht kan anders sein.

Palentina gibt jhn beden die hend vnd sagt:
Ich hab mich schon ergeben drein,
30 Will auch gedultig alles leiden,
Ohn alles traurn von euch scheiden,
Verhöfflich, Gott wert vns erhörn
Vnd dort setzen noch wol zu Ehrn.
Schau! was kombt für ein Jüngling her?
35 Ich bett nicht gemeint, das ein Mensch wer
In der Wiltnus zu treffen an.

Last vns ein wenig beseitz gahn!

Sie gehn auff ein seiten. Reinmunt, der Graf, geht ein vnd
sagt kläglich:

Ach jammer! wehe! angst, klag vnd not!
5 Ach wie taurt mich so hart der todt
Deß allerliebsten Vättern mein!
Wolt Gott, das ich selbst todt solt sein
Vnd er sein Leben haben behalten!
Nun muß mein alles vnglück walten.
10 Ach was soll ich armseliger Man
Nun ferners machn vnd fangen an?

Melusina sicht jhn lieblich an vnd sagt:
Ach wenn ich wer ein Jüngeling
Vom Adel vnd für Jungkfrauen gieng,
15 So wolt ich jhn thun Reverentz.

Er geht fort, thut nicht, samb er sie sehe. Melusina niembt
jhn beim Rock vnd sagt:
Edler Jüngling, wo auß so Eilentz?
Ach wie solt ichs von euch verstehn,
20 Das jhr für vns thut vber gehn
[327ᵈ] Vnd gönt vns nicht eur Angesicht,
Thut vns auch kein Reverentz nicht?
Sagt vns! wie hab wir das verschult?

Reinmundt zeicht ab vnd sagt:
25 Ich bit, habt des kein vngedult!
Fürwahr, ich hab eur Gnad nicht gsehen.
Mir ist das gröst vnglück geschehen,
Dergleich keim Menschen in vil Jarn
Ist gschehen oder widerfahrn.
30 Den Grafen von Petiors hab
Ich hingerichtet zu dem grab.
Als ich stach nach eim wilten Schwein,
Loff er mir in den Spieß hinein,
Das er alsbalt todt ist geblieben,
35 Der mich wie seinen Sohn thet lieben.
Deß bin ich betrübt in den todt.

Melusina sagt:

Wenn du mir schwerst ein Eyd zu Gott,
Das du mich Ehelich behalten wolst,
Ein guten weg du finden solst
5 Auß meinem Raht, den ich dir gib,
Dann ich hab dich in Ehren lieb;
Vnd wenn dein will ist, wie der mein,
So mustu mein Gemahl sein.
Deß solstu kommen zu grosm stand,
10 Zu Gutt, zu Ehr, zu Leüt vnd Land,
Das du daran solst sein zu friden.

Reinmunt sagt:

Ewig bleib ich von euch vngschieden
Vnd alles, was jhr nur wolt han,
15 Will ich nach eurem willen than,
Doch das jhr mir sagt, wer jhr seid
Vnd wie ich in meim hertzenleid
Mich wegen des todschlags halten soll.

Melusina sagt:

20 Mein hertzigs Lieb, gehabt euch woll!
Thut ohn all sorg ziehen zu hauß
Vnd sagt, der Graf sey im Walt drauß
Von euch kommen in dem nachjagen!
Thut von seinem todt nichtsen sagen!
25 Seines todts wird man sonst wol innen
Von den Jägern, die jhn noch finnen,
Wenn sie jhm im Walt Reuten nach.
Mein Namen ich euch gern sag,
Der Melusina ist genand.
30 Doch wer ich bin vnd von was Land,
Ich euch andermahl wissen laß.
Iedoch solt jhr auch wissen das,
[328]   Das ich hochs Standts her kommen bin.
Habt jhr nun zu mir lust vnd Sin
35 Vnd werdet folgen meim begern,
So könd jhr wol zum Herrn wern.
Folgt jhr mir nicht in einem stück,

So kombt auff euch solchs vngelück
Vnd auff das gantz Land nichts destminder,
Auff eur Nachkommen vnd kinder,
Daß ichs nicht als gnug sagen kan.

5   Reinmunt sagt:

So sagt mir! was muß ich dan than?
Kan ich es thun, so sey es wahr!
Ich will euch folgen gantz vnd gar,
Ob ichs anders verbringen mag.

10   Melusina sagt:

So merckt, das jhr an dem Sambstag
Mir nachlast, zu thun, was ich wöll,
Das doch nicht vnerbar sein söll,
Vnd wollet mir mit nicht nach fragen,
15 Was ich verrich an den Sambstagen
Biß in die nacht; als dann will ich
Euch wieder beywohnen Ehrlich,
Euch bringen glück, wolfahrt vnd Segen.

Reinmunt schwert vnd sagt:

20 Das soll euch sein erlaubt alwegen.
Vnd wo ich was thu wieder euch,
Gott mit seiner Gnad von mir weich!
Vnd warumb solt ich das nicht than,
Wenn ich euch zu eim Gemahl han
25 Die gantz Wochen biß zum Sambstag?
Ich eurer wol entrahten mag.
Darauff so glob ich euch mein treü.

Melusina sagt:

In Ehrn ich mich hertzlich freü.
30 Nun wöllen wir beschliessen auch,
Wenn wir nach Christlichem gebrauch
Wollen vnser Hochzeit han.

Reinmunt sagt:

So balts eur Lieb geschicken kan.
35 Sagt jhr nur, wo die selb soll wern!

Melusina sagt:

HertzLieb, jhr werts euch nicht beschwern,
Die Hochzeit an dem ort zu halten.
Da wollen wir all kurtzweil walten,
5 Dann ich will die herrligsten Zelt
Hierumb auffschlagen in dem Felt
Vnd mit vorraht also versehen,
Dergleich vormals nie ist geschehen.
[328ᵇ]   Vnd jhr dörfft gar kein zweiffel han
10 Vnd euch auch gar nichts kern dran,
Wie ich die Gäst hie will Tractirn.
Auch solt jhr mit euch herauß führn
Deß Grafen Weib vnd seine Söhn
Vnd das gantz Frauenzimmer schön.
15 Vnd wenn ich jhn nicht beweiß Ehr,
Dergleich sie sahen nimmermehr,
So hab ich Leib vnd Seel verlorn.
Das ist so vil, als hett ich gschworn.
Doch fellet mir auch noch eins ein.
20 Wenn jhr kombt zu dem Grafen nein,
So bittet jhn von hertzen eben,
Das er euch so vil Landts wöll geben,
So vil wie in dem Walt vnd Wiesen
Ihr möchtet in ein Hirschhaut bschliessen,
25 Welches er euch balt würd zusagen.
Vnd ein Mann würd Hirschhäut feil tragen,
Demselben kaufft die grösten ab!
So ich als dann die Hirschhaut hab,
So schneid ich schmale Riemlein drauß
30 Vnd spann sie auff das weidest auß,
Empfang darein ein grossen kreiß.
Darein ich dann zu bauen weiß
Ein schönen flecken vnd ein Vesten,
Die zugericht sey nach dem besten.
35 Darinnen wöll wir halten Hauß.

Reinmunt sagt:

Ich wils als fleissig richten auß,

Das in zwölff tagen werd die Hochzeit.
Hertzlieb, meim Gott befolhn seit!
Zu rechter zeit komm ich herwider.
Ich bin lang auß gewesen sieder.

Reinmunt druckt die Melusina vnd geht ab. Melusina sagt
zu jren Schwestern:
Nun secht, was Gottes güt vermag,
Der euch auch all erlösen mag
Von vnser bösen Mutter fluch.

10   Meliora sagt:
Es ist davon geredet genug.
Nun wöllen wir scheiden von hin.

Agoras, der Teufel, geht ein vnd sagt:
Auff euch ich lang bereidet bin,
15 Das ich euch beide lieffern solt
An die ort, wie eur Mutter wolt.

Sie schnurren alle mit einander ab. [328ᶜ] Reichhardt, der
Jäger, vnd Adolff, sein Junger, tragen den Grafen Emerich
todt ein, setzen jhn nieder. Reichhardt sagt:
20 Ach ist das nicht ein grosse klag,
Das vnser Gnediger Herr lag
Zunechst da vnden bey dem Schwein
Hart gestochen durch die seiten sein,
Das er als halt ist blieben todt?
25 Ach wehe! ach Gott der grossen noht!
Was wirt die Gräfin darzu sagen?

Adolff sagt:
Meister, wir wollen jhn vor nein tragen,
Darnach mehr reden von den sachen.
30 Der Graf hat wol gestochn den Bachen.
Wer aber jhn muß haben gestochen,
Das erret keiner die gantz wochen.
Ich wolt, das er schon daheim wer,
Er ist wol also marter schwer.

Graf Bertram mit Reinmunt geht ein vnd sagt:

Mein Reinmunt, sag! wo ist der Graf?

Reinmundt sagt:

Ein grossen Bachen er antraff,
Der schoß durch das gestreich vnd holtz
5 So geschwind wie ein fliegenter poltz.
Dem ist der Graf gefolget nach
So gschwind, das ichs nicht sagen mag,
Vnd ich hab jhn seid nicht gesehen.

Bertram sagt:

10 Ey wenn jhm nur nichts wer geschehen!
Ach wie solt die Frau Mutter than?

Reinmunt sagt:

Dasselbig ich nicht wissen kan.
Doch hoff ich, jhm sey nichts geschehen.
15 Dort thut deß Jägers gesind hernehen;
Die werden bringen gwisse mehr.

Bertram, der Graf, sagt:

Ach Gott, sie tragen jhn todt daher.

Reichhart vnd Adolff tragen jhn ein. Bertram, der jung Graf,
20   sagt:

Ihr Jäger, halt zeiget mir ahn!
Wer hat meinem Herrn Vatter than?

Reichhart sagt:

Dasselbig können wir nicht wissen,
25 Ob jhn ein wilts Thier hab zerrissen
[328ᵈ] Oder obs hat ein anderer than.
Ein grosse wunden thut er han
Hier neben in der seiten sein,
Es stöst jhm einer ein faust darein.
30 Im Walt in einer Klingen vnden
Habn wir jhn also todt gefunden
Bey einem grossen Wilten Schwein.
Albeide sie todt gwessen sein.
Wie aber jhr Gnad die Sau gefangen

Vnd es mit seinem todt ist gangen,
Da hab wir gar kein wissen von.

Bertram, der Graf, sagt:

Ach Gott, wie muß die sach zugan?
5 Ihr Jäger, tragt jhn halt hinein!
Ach du hertzliebster Vatter mein,
Solstu erst in dein alten tagen
So jämmerlich todt werden getragen
Vnd nemen so ein kläglichs Endt?

10   Reinmunt sagt:

Ach glück, wie hastu dich gewend?
Bist von mir gwichen also ferr,
Das der Graf, mein gnediger Herr,
Mein beschützer vnd wolthater,
15 Der mir lieb gwest ist, wie mein Vatter,
Hat so ein kläglich abschied gnommen!
Im Walt so vil wilt Seu sein kommen,
Denen wir haben nachgerent.
Also von einander kommen send.
20 Vnd bey dem Durstbrunnen selbst vnden
Hab ich drey schöner Jungfrauen funden,
Stattlich kleid vnd gar schön von leib,
Schönner hats geboren kein Weib,
Die haben mich zu Red gesetzt
25 Vnd mich die jüngst bewegt zuletzt,
Das ich sie hab zu der Ehe gnommen.

Bertram sagt:

Ey wie send sie in den Walt kommen?
Vnd wer sein sie von Stand vnd wesen?

30   Reinmunt sagt:

Sie sein alle drey Schwester gwesen
Vnd die allerjüngst sprach mich an,
Ob ich sie wolt zum Gemahl han,
So wolte sie mich kürtzlich bringen
35 Zu hohen Ehrn vnd grossen dingen.
Doch solt ich sie mit nichten fragen,

Ihr Eltern vnd gschlecht mir zu sagen,
Ob sie wol wer von hohem Stand,
Vnd ich solt jhr nur so vil Land
Zubringen, als vil sie jhr getraut
5 Zu beschliessen in ein Hirschhaut,
[329]   So wolt sie mich dann lassen schauen
Ir Schlösser, die sie selbst ließ bauen,
In zwölff tagen noch Hochzeit halten
Vnd mit mir aller freuden walten.
10 Auch solt ich vnterlassen nit,
Eur Gnaden auch selbst nemen mit
Sambt eur Gnedigen Frau Mutter,
Meine Freundschafft vnd meinen Bruder,
Vnd ich dörfft gar kein sorg verlirn,
15 Sie wolt die HochzeitGäst Tractirn,
Das sie es solten wunder han.
Weil ich also bey jhr thet stahn,
Ist alles Hofgsind von mir kommen.

      Bertram, der Graf, sagt:
20 Seltzamers hab ich nie vernommen.
Ach wehr nur das vnglück nicht geschehen,
Dein Eheglobte möcht ich wol sehen.
Noch lieber aber weste ich,
Wer doch zu jhr hett gfüret dich
25 Vnd wer sie auch von dem Gschlecht sey.
Vnd das du spürest meine treü,
So wil ich dir, mein zu gedencken,
Wo du wilt, so vil Landes schencken,
Als du beschlist in dein Hirschhaut.
30 Das verehre du deiner Braut!
Vnd wenn mich nicht hindert das leit,
So kom ich dir auff dein Hochzeit.
Kom rein, das man zur Leich bereit!
      Abgang.
35   ACTUS SECUNDUS.

Kommen Phila vnd Vbalt, die zwen Paurn in Nortwegen. Phila
sagt:

Mein Vbalt, hastu nicht vernommen,
Wo der König vnd Königin sein hinkommen?
Dann ich vil lieber sterben wolt,
Als das der grosse Rieß Grimholt
5 Vber mich noch lenger solt Regirn.

Vbalt sagt:

Ey der Teuffel thu jhn wegk führn!
Ich mein, er sey zum schinder worn,
Zicht vns die Haut schir vber dOhrn.
10 Sein weiß gfellt mir je lengr je winger.
Die Landtherrn sehen durch die Finger
Vnd verstatten jhm allen gewalt.

Phila sagt:

Das macht, das sie jhn fürchten halt.
15 Wer wolt doch ein wort zu jhm sprechen?
Er wil alshalt hauen vnd stechen,
[329ᵇ]   Köpffen vnd hencken, sieden vnd braten.
Wir sein mit jhm gar hart beladen.
Gott geb, das der König widerumb
20 Selbst her zu vns in das Reich kumb!
Dann wenn der grausam wüeterich
Wolt stetigs also halten sich,
So müst ich jhm fürwahr entlauffen,
Denn hinder jhm wil niemand kauffen.
25 Iederman fürcht jhn wie den Teufel.

Vbalt sagt:

Ich wolt, das jhn erstech der feüffel.
In mittels Könds nicht besser wern.
Er thut das gantze Land beschwern,
30 Daß es noch gar muß gehn zu grund.
O wer es vnserm König Kund!
Ich meind nicht, das ers von jhm thet leiden.

Phila sagt:

O weh dem Land auff allen seiten!
35 Der König ist fürwahr lengst gestorben
Vnd in frembten Landen verdorben,

Dann man höret nicht, das doch er
Oder die Königin wider zu vns beger.
Es ist als hin mit haut vnd har
Vnd sein vergangen schon vil jar.
5 Allein im Elend leben wir zwen.

Vbalt sagt:

Schau! dorten thut der Landherr hergehn,
Welchem das Königlich Regiment
Ist vndergeben in sein hend.
10 Dem wollen vnser leid wir klagen.
Laß hörn, was er darzu wird sagen!

Ludwig, der Landherr, geht ein vnd ·sagt (die Paurn dretn auff ein seiten):

Es ist ein wunder vber wunder,
15 Das nun in das fünfft jar jetzunder
Vnser Herr, der König Helmas,
Von seinen Töchtern verbannet was
In den grossen Berg Abelon.
Drauff die Königin ist zogen davon.
20 Wo sie aber seid ist hin kommen,
Dasselbig hab ich noch nie vernommen,
Mit jhren dreyen Töchtern schon.
Das Regiment sie geben hon
Mir in abwesen zu Regirn.
25 So thut grausam Tyrannisirn
Der großmechtige Rieß Grimholt,
Vnd wenn ich jhm einreden solt,
Wie es denn wer die Notturfft wol,
So schlüg er mir die haut selbst vol.
[329ᶜ] 30 Er ist wol so Wilt vnd vngeschlacht,
Den König im Berg er verwacht
Vnd verderbt dabey Landt vnd Leüt.
Vnd solts noch weren ein kleine zeit,
So ist es vmb das Land geschehen.
35 Schau! thu ich nicht zwenn Paurn sehen?

33 O solst noch werden.

Die wern auch gewieß von den diengen
Zu sagen wissen oder singen.

Vbalt geht mit Phila hinzu, neigt sich vnd sagt:
. Herr Statthalter, habt vns nichts frühel!
5 Weil vns der Rieß helt also vbel
Mit neuen Fronen alle tag
Vnd auffthut so vil jammer vnd plag,
Als ob wir sein leibeigen wern,
So thun wir vns dessen beschwern
10 Vnd bitten, solches abzuschaffen
Vnd jhn vmb sein mutwillen zu straffen,
Dann sonst·könd wir alhie nicht bleiben,
Die Fron vnd Arbeit lenger treiben.
Vnd wir sein nicht allein, die Klagen,
15 Die beschwerung nimmer können tragen,
Sonder es klagt das gantze Land.
Darumb thut vns eurn beystand!
Helft vns erhalten bey Heußlichen Ehrn!

Ludwig, der Statthalter, sagt:

20 Ir lieben Leüt, ich hülff euch gern,
So kan ich mir selbst helffen nicht.
Der Rieß ist Gottloß vnd entwicht,
Erhelt gar weder glauben noch trauen.
Derhalb so müst wir vns vmbschauen
25 Nach einem sterckern, als er ist,
Der sich gegen jhm mit waffen Rüst
Vnd thue jhn auß dem Land verjagen
Oder, wo ers kann, gar erschlagen.
Sonst ist gegen jhm all straff verlorn.

30 Phila sagt:

. . Ey so sey jhm ein Eyd geschworn,
Das ich mein leib will setzen dran
Vnd so weid ziehen, als ich kan,
Biß ich ein solchen Herrn find,
35 Der diesen Riesen vberwind
Vnd mich erhalt in seinem schutz,

         Dann der Tyrann ist gar nichts nutz.

Sie gehn alle ab. Kompt Reichhart, der Jäger, mit Adolff,
          seinem Jungen, vnd sagt:

        Mein Adolff, hör vnd gib mir bescheid!
      5 Wie gefelt dir Graf Reinmunts Hochzeit

[329ᵈ]   Albie in diesem wilten Walt
        Vnd auch sein Gemahl wolgestalt?
        Hastu vor auch dergleichen gesehen?

           Adolff sagt:

    10 Ich darff bey meiner warheit Jehen,
        Das ich bey mir nicht glauben kan,
        Das ein so schöne Weibsperson
        Im Himel oder auff Erden sey.
        Auch so muß ich gestehn dabey,
    15 Das wir in diesem wilten Walt
        Bey dem schönen Durstbrunnen kalt,
        In den Wiesen vnd grünen Auen
        Bey der Neuen Capel gebauen,
        In den Gezelten vnderscheiden
    20 Von allerley kurtzweil vnd freüden,
        Als Essen, Trincken vnd pancketirn,
        Rennen, Stechen vnd Turnirn,
        Fechten, wetlauffen vnd Ringen,
        Pfeiffen, Tantzen, springen vnd singen
    25 Vnd was man kurtzweil nennen kan,
        Ein guten vberfluß ghabt han.
        Ich wolt, das die Hochzeit für wa_{hr}
        Noch wehrn solt ein hundert Jaar
        Vnd ich solt solche zeit erleben.
    30 So wolt ich all mein Gut drumb geben.
        Es wer mir lieber, als Hetzen vnd Jagen.

          Reichhart sagt:

        Ja wenn ich solt die warheit sagen,
        So hab ich an keim KönigsHof,
    35 Dem ich von Jugent auff nach loff,
        Kein solche Herrligkeit gesehen.

Auch sag ich, wie du hast verjehen,
Das die Braut ein Göttlichs Bilt
Von Zier vnd Tugent ist gar milt,
Dann als ist durch jhr Hend selbst gangen.
5 Alle kurtzweil hat sie angfangen,
Den Herrn gehalten, wie den Knecht,
Vnd sie ist von Königlichem gschlecht,
Als ich es gewieß vernommen han.

Adolff sagt:

10 Ja sie hat ein herliche schalckheit than
Vnserm Grafen mit der Hirschhaut.
Wer hets bedacht vnd jhr zutraut?
Sie hats zu schmalen Riemen gschnitten,
So schmal, als die haut hat erlieden,
15 Vnd hats als lassen zammen Nehen,
Den schönsten ort jhr thun außspehen,
Mit den Riemen das Land vmbzogen,
Damit sie vnsern Herrn betrogen,
Weil es sich hat erstreckt so weit.

[330]　20　　　### Reichhart sagt:

Das dieng wenig zu schaffen geit
Vnserm Herrn; doch must er lachen,
Daß sie jhm thet den Possen machen.
Doch sag mir auch! testu nicht schauen,
25 Wie sie das schönste Schloß ließ bauen,
Lusinien nach jhr genennt?
Darnach ein schönes Schloß Favent
Vnd ein schönes Schloß Portennach
Vnd zu aller nächst an den Bach
30 Ein anders hauß, Mavent geheissen,
So schön, das sie wol sein zu preissen.
Auch so will sie Bauen noch mehr
Gott vnd seiner Mutter zu Ehr
Maliers, das Kloster so schon.
35 Vnnd wie lang wer zu sagen von
Dem, so vns mehr geschehen ist?
Die weil sich aber der Graff Rist

Vnd will gleich widerumb auff sein,
So komb vnd laß vns zu jm nein
Vnd laß vns fleissig warten auff!
Wolt Gott, man lied vns auch zur Kindtauff!

Abgang. Palentina, der Melusina Elteste Schwester, geht ein
vnd sagt:

Nun muß es Gott geklaget sein,
Das ich vnd die zwo Schwester mein
Schon lenger als vor zehen jahrn
10 So jemmerlich verfluchet warn.
Die gantz zeit bin ich gewesen schon
Auff diesem Berg in·Aragon
Vnd hab gehütt meines Vatters Schatz,
Den mir mein Mutter zu hon vnd dratz
15 Iren Geist ließ tragen daher.
Nun ist alhie zu wohnen schwer
Von wegen der Würme vnd Trachen,
Die sich altag herzu thun machen;
Vnd wie wol sie mir nichsen than,
20 So greiffen sie doch ander an,
Die mich hie gern erlösen wolten.
Schon manchem hats sein leben golten.
Schau! was kombt dort von fern rein?
Für wahr, es wird ein Ritter sein,
25 Der alhie suchet Abentheur.
Das kumbt jhm so vbel zu steur,
Das er mich selbst erbarmen thut.
Gott der nemb jhn in seine hut!

Artus, der Englendisch Ritter, geht gerüst ein vnd sagt:
30 Von Britania bin ich kommen.
In Engeland hab ich vernommen,
[330ᵇ]   Es solt auff Rottnische, dem Bergk,
Haben seltzame wunderwergk.
Deß Königs Tochter von Nordwegen
35 Soll hie der Abentheur thun pflegen
Vnd jhr Mutter hab sie verflucht,
Die aller Eltest Weibesfrucht.

104 *

Die selben ich erlösen will,
Es gstehe mich wenig oder vil.
Vnd solts mir auch kosten mein leben,
So will ichs als für sie dargeben.
5 Villeicht ich sie dardurch erwürb.
Schad wers, das sie alhie verdürb.

  Palentina geht herfür vnd sagt:
O Edler Ritter, thut euch wegk machen!
Ihr werd gefressen von dem Trachen,
10 Der dort vnden gleich rauff kombt zogen.

  Artus sagt:
Kein Abentheur hab ich nie geflogen,
So flieh ich auch den Trachen nicht.
Gott geb, was mir darumb geschicht!
15 Doch allerGnedigst Freũelein,
Sagt mir, wolt jhr mein eygen sein,
Wenn ich den Trachen vberwind?

  Er gibt jhr die Handt. Palentina sagt:
Wenn jhr mich ledig machen künd
20 Vnd erheben meines Vatters Schatz,
So behalt ich euch zu drutz vnd dratz
Meiner Mutter, die mich zu schand
Hieher hat verflucht vnd verband.
Aber ich förcht, es sey vmbsunst.

25   **Artus sagt:**
Ich verlaß mich auff sterck vnd Kunst.
Damit will ich den Trachen fellen.
Eur Gnad wöll sich auf tseiden stellen.
Dort kombt gleich der vngeheur Trach.
30 Secht, wie ich jhm machen will sein sach!

Die Jungkfrau laufft deß schmucks halben, das jhr dasselbig
von Feurwerck nicht verderbt werde, ab. Der Trach kommt
geloffen, speyt Feuer auß vnnd Artus schlegt sich lang mit
  jhme; letzlich erschlegt er jhn vnd sagt:
35 Dem Wurm hab ich sein sach gemacht,

Mit meiner Handt zum todt gebracht.

[330ᶜ]   Nun ist die Abentheur gewunnen.

Wo ist aber die Jungfrau jetzunnen,

Das sie mir auch weisset den Platz,

5 Wo liegen thet jhres Vatters Schatz,

Das ich denselben vberkem

Vnd sie mich dann zum Gemahl nemb?

Potz veltins angst! was kombt dort her

Für ein vnglaublich grosser Beer

10 Wol auß der grüfft des Bergs im Waldt?

Mit dem wil ich auch streitten baldt.

Der Beer laufft ein, schlegt sich lang mit dem Ritter; endtlich bleibt der Beer auff dem platz. Artus, der Ritter, sagt:

Nun hab ich auch gut ruh vor dir.

15 O Königlichs Fräulein, kompt zu mir

Vnd weist mir, was sol ich mehr thon,

Das ich euch vnd den Schatz bring davon!

Palentina geht ein vnd sagt:

O Strenger Ritter, bey meiner Ehr,

20 Ir tauret mich in dem hertzen sehr,

Das jhr waget die Abentheur;

Dann secht! in dem loch vnd gemeur

Da lieget noch ein grosser Wurm

Mit eim sehr erschrecklichen furm.

25 Sein Bauch ist groß wie ein Weinfaß,

Wird euch zu schaffen machen baß.

Wolt jhr mich vnd den Schatz gewinnen

Vnd mit euch weg bringen von hinnen,

So müst jhr auch den Wurm erschlagen.

30 O thut euch nicht zu jhm hin wagen!

Dann er ist so gwaltig fürwahr,

Das er euch frist mit haut vnd haar,

So balt er euch ansichtig wirdt.

Artus sagt:

35 Gnedigs Fräulein, zum loch mich führt,

Da sich auffhelt der grausam Wurm,

Das ich auch mit jhm lauff ein sturm!

Sie führt jhn zum loch. Palentina sägt:
Da drinnen liegt der Schatz (glaubt mir!)
Vnd darzu auch das Wilte Thier.
5 Darumb thut euch nur wol fürsehen!
Ir müst mich reuhen, solt euch was gschehen.

Artus geht zum loch, sicht hinein vnd sagt:
Wo bistu, vngeheuers Thier?
Bistu keck, so komb her zu mir!

[330^d] Er sicht in das loch, der Wurm nimmt jhn beim bein,
zeucht jhn ins loch. Palentina sagt:
O weh meins jammers, angst vnd not!
Der Edel Ritter ist schon todt.
O weh mir Armen aller Armen!
15 Will sich dann niemandt mein erbarmen
Vnd mir helffen auß der Gefengknuß,
Auß disem jammer vnd der zwengknuß,
Darein mich hat mein Mutter bracht?
Ach wie vngleich hat sie es gemacht
20 Mit mir vnd auch den Schwestern mein!
Melusina, die mehrfein,
Ist verheürat vor etlichen Jarn.
Von jhr vil Kindt geborn wahrn.
Ich aber bin alhie verlassen;
25 Denn kompt ein Ritter auff die Strassen,
So fressen jhn die Würm vnd Thier
Vnd ist gar nichts geholffen mir.
Vnd wo nicht Gott schickt wunder her,
So komb ich nimmer auß der gfehr;
30 Dann vil Ritter sind schon herkommen,
Haben sich der sachen vnternommen,
Sind aber von Würmen vmbbracht worn,
Das ich schetz all hoffnung verlorn.
Gott geb, das ichs selbst vberwindt!
35 Ohn Gott mir niemandt helffen kündt.

Abgang. Kompt Merlinus, der Zauberer, hat ein Astrolabium

vnd ein weissen versilberten stab vnd sagt:

    Merlinus ist mein Herr gewesen.

    Die schwartzen kunst höret ich lesen

    In Hispania zu Tarent,

5 Hab den gantzen Cursum volendt

    In zwantzig Jarn auff das best.

    All zukünfftige dieng ich west,

    Die sonst keiner erforschen kundt.

    Es ist noch nicht vier vnd zwantzig stundt,

10 Das Artus, der Ritter auß Engellandt,

    Ein Trachen vnd Beern vberwandt

    Hie auff dem Berg in Aragon.

    Aber da jhn das Thier traff an,

    Daß Helmi Schatz verhütten muß,

15 Must er außstehen schwere Buß

    Vnd verlirn sein Edles leben.

    Schau! wer thut sich dort her begeben?

    Ich will jhn gehn eylendt weissen ab.

[331]   Renner, der Reisig Knecht, geht ein vnd sagt:

20 Mein Herr diesen befelch mir gab,

    Das ich herunden warten solt.

    Die Jungkfrau er erlösen wolt.

    Nun ist heut schon der dritte tag,

    Das ich nichts von jhm hört noch sach.

25·Ach das ich nur ein Menschen find,

    Der mir doch davon sagen künd,

    Wo doch mein Herr hin sey kommen!

Merlinus geht zu jhm, er erschrickt. Merlinus sagt:

    Ich halt euch warlich für ein frommen,

30 Darumb wil ich dirs zeigen an.

    Er hat sein geist auff geben schon,

    Das mechtig Thier hat jhn verschlungen.

              Renner sagt:

    So Reut mich im hertzen deß Jungen

35 Ritters, der ist vil Ehrn werd,

    Als balt ein Ritter lebt auff Erdt.

Ach wie keck ward er, zu erlösen
Deß Königs Tochter von den bösen
Würmen vnd anderer Abentheur!
So hat jhn das Thier vngeheur
5 (Verstehe ich) selbst vmbbracht vnd gessen.
Darumb soll niemand sein vermessen,
Das er sich sachen vnderwind,
Die jhm nit zu verrichten sind!
Ach wie wird nun sein Vatter than?
10 Es wird jhn gwieß geandet han,
Weil er jhn nicht ziehen lassen wolt.

Merlinus sagt:

Die Eltern haben die Kinder holt;
Die Kinder aber, wenn sie groß wern,
15 Folgen sie den Eltern vngern.
Das ist der Ritter wol innen worn.
Als streitten ist deß orts verlorn;
Dann der Wurm vnd wiltes Thier
Freß auff einmahl vnser wol vier,
20 Denn sein bauch ist wie ein Weinfaß.
Darumb ziech du jetzt hin dein straß!
Den Ritter sihstu nicht fürfaß.

Abgang.

ACTUS TERTIUS.

Melusina vnd Reinmunt gehn mit einander ein. Melusina sagt:

[331ᵇ] Herr Gemahl, nun sagt mir auff trauen,
Ob es euch bißher hab gerauhen,
Das jhr mich habt zum Gemahl genommen!
Dann von mir habt jhr vberkommen
30 Vil schöuer Schlösser, Stätt vnd Flecken,
Die all vol Gelts vnd Guttes stecken.
Auch hab ich mit vil vnkost groß
Gebauet Roschella, das Schloß,
Auch zu Sonites die vest Brucken.
35 Mancher Fürst muß sich vor euch Bucken.
Auch send euch auß meinem Leib worn

Zehen fürtrefflich Söhn geborn,
Dern ist gewachsen der meiste theil.
Secht! alles dises glück vnd heil
Das gibt euch Gott durch mein Gebet,
5 Die weil jhr mich erhörn thet
Vnd nambt im Walt mich zu der Ehe.

Reinmunt sagt:

Hertzlieber Gemahl, mich versteh!
Ich bit, laß dichs verdriessen nicht
10 Vnd gib mir darauff dein bericht!
Du bist ein schönes vnd zartes Weib,
So bin ich Gott lob grad von Leib
Vnd haben volkömlich alle glider;
Doch so offt du eins Kindts kombst nieder,
15 So haben deine Kinder zeichen
Vnd thut keines den andern gleichen;
Denn Vriens zweyerley Augen hat;
Gyod am Leib wol nichts abgabt,
Doch hat er so ein rotes gsicht,
20 Das gibt ein schein, als wie ein liecht;
Gyodts Augen stehn jhm nit recht;
Anthoni ist sein gsicht geschmecht
Mit eim schendlichen Löwenfuß;
Reichhart nur ein aug haben muß,
25 Das jhm thut in der Stirn stahn;
Goffray hat ein grosen zahn
Zum maul rauß wie ein hauets Schwein;
Freymuth hat ein fleckn nit klein
Auff seiner Nasen ziemblich breit;
30 Auch macht mir Horribel vil leit,
Die weil derselb drey Augen hat
Vnd stehts mit bösen stucken vmbgaht;
Allein Dietrich vnd Reinmundt
Die sein ohn mengl frisch vnd gesundt.
35 Doch darff ich auff mein wahrheit jehen,
Das ich zuvor nie hab gesehen
So vil Kinder mit mangl vnd fehl.

Drumb wir die vrsach nicht verheel!

Melusina sagt:

Hertzlieber Gemahl, wer kan darfür,
Das Gott gibt solche Kinder mir?

5 Ich halt, er habs darumb gethan,
Das man sie dest baß kennen kan
Vnd von jhn sagen in allen Land,
Dann ich weiß, das sie alle sand
Wern noch zu grosen dingen kommen.
10 Allein bitt ich euch nochmals drummen,
Ihr wolt mir halten eurn Eyd,
Euch selbst nicht bringen in hertzenleid
Vnd eurn Kindern jhrn Segen nemen.

Reinmunt gibt jhr die Handt vnd sagt:

15 Hertzlieber Gemahl, ich wolt mich schemen,
Das ich mein Eyd nicht halten solt
Oder dich sonst beschweren wolt.
Du bist mein trost vnd auffenthalt.
Als, was ich dir versprach im Walt,
20 Das soll dir Ewig sein gehalten.
Der liebe Gott wöll deiner walten!

Sie drucken aneinander. Vriens vnd Gyod gehn ein. Vriens sagt:

Herr Vatter vnd Frau mutter, wist,
Das vnser beider fürsatz ist,
25 Dieweil wir gwachsen seind beidsand,
Vber Meer zu fahrn in Welschland,
Auff das wir darin etwas lehrn,
Was gehört zu Fürstlichen Ehrn;
Dann alhie wir nichts lernen mügen.
30 Vngewandert gsellen zu nichtsen tügen:
Darumb last vns die Land besehen!

Reinmunt sagt:

Ihr lieben Söhn; weil jhr thet jehen,
Das jhr zu lernen wolt ziehen auß
35 Vnd nicht bleiben bey vns zu Hauß,
So müssen wir erkennen dabey,

Das eur gemüth auffrichtig sey.

Darumb wir euch auß rüsten wöllen

, Mit Gelt vnd Volck, wie wir thun söllen,

Verhofflich, jhr werts wol anlegen.

5 So erbieten wir vns dargegen,

Vns gegen euch zu halten hinwider,

Das sich deß freuen soll ein jeder.

Hertzlieber Gemahl, sag du auch frey,

Ob dir das nicht zu wider sey!

10   **Melusina sagt:**

Nein, gar nicht. Gott geb euch sein Segen

Ietzo vnd forthin alle wegen,

Das jhr etwas guts richtet auß

[331ᵈ]   Vnd mit glück gsund herkombt zu Hauß!

Sie geben alle die hend aneinander vnd gehn alle ab. Amuratus, der Türckisch Keiser, Bajetza, Riffon, sein zwen Räht,
        gen ein. Amuratus sagt:

Ihr lieben Herrn vnd Kriegsleut,

Die weil jhr gnugsam bericht seit,

20 Wie Cypern, die Insel vnd gautzes Land,

Ist kommen in der Christen hand,

So zuvor vnser Eltern hetten,

Darumb so wird vns sein von nöten,

Das wir sie wider nemen ein,

25 Wie wir dann schon geschifft herein.

Dem König in Famagusta (wist!)

Ein absagbrieff zukommen ist.

Dem haben wir darinn geschriben,

Was vns alhero hab getriben.

30 Auch hab wir jhm gschriben darnach,

Das wir vnser Gezelt alltag

In dreyerley farb verendern wöllen,

Darinn jhm vnser gmüth fürstellen,

Das er sich darnach richten kan;

35 Dann so ein weises Zelt wir han

Vnd sie vns Stadt vnd Insel auffgeben,

So schenck wir jhn allen das leben

Vnd beweisen jhn vnser gnad;
Wenn aber vnser Zelt ist roht,
Dasselb als dan beweisen thut,
Das es jhn kost leben vnd blut
5 Vnd jhr keines soll kommen davon,
Es sey Jung, Alt, Weib oder Man;
Wenn aber vnser Zelt schwartz ist,
So send sie dabey wol gerüst,
Das wir das gantze Land verstörn
10 Mit Feur vnd Brand zu grund verhörn.
Deß hab wir jhn ein Eyd geschworn;
Dann wir selbst seind der Götlich zorn
Vnd ein straff der Gottlosen Welt.
Darumb thut, wie wir haben gemelt!
15 Verwechselt vnser Zelt altag,
Das sich die Christen richten nach!
Es wird dißmal nicht schertzens gelten.

Bajetza, der alt Raht, sagt demütig:

Wie eur Mayestat thet vermelten,
20 Also wöll wir als richten auß,
Den Christen auch zum scheu vnd grauß
Abbrennen die Flecken im Land,
Den Weibsperson anthun groß schand.
[332]   Die Kinder, die nicht können lauffen
25 Oder sonst nicht seind zu verkauffen,
Die wöll wir balt zu stücken hauen
Vnd auff die zeun stecken zu grauen.
Die jung Manschafft wöll wir mit hauffen
In die Türckey teur gnug verkauffen
30 Zu einer ewigen dienstbarkeit,
Auff das die gantze Christenheit
Könn spürn vnd mercken dabey,
Das Machomet der gröste sey
Vnd das sie drob ein schrecken han,
35 Den Saracenen zu widerstahn.
Weil eur Mayestat melt zuvorn,
Das sie selbst wern Gottes zorn,

So müssen sie fürchtn denselben.

Riffon, der ander Türckische Raht, sagt:
Großmächtiger Keiser, mit einem gelben
Segl auff einem grosen Schiff
5 Fehrt man dort auff dem Meere tieff.
Dieweil wir dann nicht wissen können,
Ob Christen oder Türcken seind darinnen
Vnd wo sie möchten steigen auß,
Auch vns entsteh kein vnglück drauß,
10 So Rathe ich, das wir balt söllen
Ordnug machen vnd vns drein stellen,
Ob man vns begert zu greiffen an,
Das wir weren gerüstet schon.

Amuratus, der Keiser, sagt:
15 So kombt! last im Läger vmbschlagen!
Auff das, so sich was wolt zutragen,
Das wir dennoch gerüstet wern,
Ihns machen, wie sie es begern.

**Sie gehn ab. Kombt Hermannus, der König in Cypern, Vitalis
vnd Ruffus, die zwen KriegsRäht. Der König setzt sich gerüst
vnd sagt:**
Der Türckisch Keiser Amurat
Vns ein AbsagBrieff geschicket hat,
Begert das KönigReich jetzund
25 Zu seim Keiserthumb Trabezund
Vnd gibet für, die Insel sey sein,
Endbeüt vns böse wort herein.
Wo wir jhm die Stadt nicht auffgeben
Vnd ein solchen Tag treffen eben,
30 Das er ein weises Zelt bewohn,
So soll kein Mensch kommen davon.
Sein Rotes Zelt vns zeigen thut,
Das wir alsambt in vnserm blut
[332ᵇ]   Sollen jämmerlich vmbbracht wern.
35 Das schwartz Zelt das soll vns bewehrn,
Das er mit Feurs not vnd Brandt

Verderben wöll beids Stad vnd Land.
Auch hat er vns den Paß verlegt,
Das wir durch hunger werden bewegt,
Ihn in dem Felt zu greiffen an.
5 Dieweil wir dann gesehen han
Auff dem Meer ein groß Schiff mit Leüt,
So haben wir großmechtig zeit,
Dem Feind mit vnserm Volck allen
Auffs sterckest in das Läger zu fallen,
10 Ob wir sie hie möchten abtreiben.
Solt die Stadt lang belägert bleiben,
So müssen wir doch hungers sterben,
Durchs Feur oder durchs Schwerd verderben
Doch gebt vns eurn Raht auch jhr!

15   **Vitalis sagt:**

Großmächtiger Herr, so Raht ich schir,
Das der außfall noch zu früe sey,
Weil ein Armata Schifft herbey.
Villeicht kombt ein hülff von den Christen.
20 Könt wir vns noch wol lenger fristen,
Biß wir vns mit jhn stercken theten,
Als dann wir sie zum besten hetten
Vnd Könten destmehr richten auß.

      Ruffus sagt:

25 So Raht ich, das man fall hinauß.
Besser ists, vor dem Feind gestorben,
Dann albie im hunger verdorben.
Kombt vns hülff, so hab wirs zum besten.
Wir können doch in diser Vesten
30 Vns nicht lenger vor hunger erhalten.
Der liebe Gott wöll vnser walten!

Sie gehn alle ab. Kombt Vriens vnd Gyott gerüst. Vriens sagt:

Bruder, weil vns ist worden kundt,
Das der Keyser von Trabezund
35 Der Türckisch Tyrann Amurat
Die Insel vnd Stätt belegert hat

Vnd der König in Cypern ist
Zu einem außfal schon gerüst,
Die Türcken auß der Insel zu treiben,
So laß vns hie verborgen bleiben
5 Nicht allein mit vnserm Hofgesind,
Sonder allen, die bey vns sind!
Vnd ob es sich zutragen wolt,
Das der Türck obgesiegen solt
Vnsern mitbrüdern, den armen Christen,
10 So dörfft wir vns nicht lenger vil Rüsten
[332ᶜ] Vnd künden jhn beholffen sein.

Gyott sagt:

Mir gefellt gar wol der fürschlag dein.
So bin ich auch bereit darzu,
15 Das ich, wie du gesagt hast, thu.
Komb her! dort zeicht der König rauß:
So sehen wir, was werde drauß!

Hermannus, der König, mit Vitalis vnd Ruffo kombt gerüst.
Vriens vnd Gyod stehn auff ein seiten. Der König sagt:
20 Dort ziechet von dem Läger rauff
Deß Feindes gar vnzehelich hauff.
Die seind vnsers außfals gewahr worn.
Drumm schlagt sie weidlich zwischen die Ohrn!

Der Türckisch hauff laufft ein, verwunden den Christen König
hart vnd ergreifft der Türckisch Keiser den Vitalis vnd sagt:
Du Christen hund, hie must auffgeben
Von meiner hand dein Edels leben.

Vriens laufft hinein, Reist jhn zuruck vnd sagt:
Thu gemach, du Tyrann vnd bluthund!
30 Von mir mustu sterben jetzund.

Sie schlagen alle ausserhalb deß Königs in Cypern hefftig
wider aneinander, Erwürgen den Türckischen Keiser vnd
Vriens sagt:
Weil nun der Keiser ist erschlagen,
35 So last vns den Feinden nachjagen
Vnd jhnen in das Läger fallen,

Das wir sie vmbbringen mit allen.

Sie lauffen alle nach. Ruffus führt den König Hermannus.

Der König sagt:

Ach führt mich in die Stadt hinein,
5 Das man mir bind die wunden mein!
Dann ich bin fast tödlich verwund.
Doch frett ich mich von hertzen grund
Der frembten Herrn, die vns kamen
Vnd sich vnser so hart annamen,
10 Den Türckischen Keiser haben erstochen
Vnd jhr gantze ordnung zerbrochen,
[332ᵈ] Das sie seind in die flucht geschlagen,
Thun jhnen jetzt hefftig nachjagen.
Nun will ich dißmahl gern sterben,
15 Wenn ich nur so vil kan erwerben,
Das man den Frembten Herrn lohn
Vmb das, so sie vns gutes gethon.

Vitalis führt jhn ab vnd sagt:

Ja, wern die Frembten Gäst nicht kommen,
20 Das Christen Heer hett schaden gnommen
Vnd wer alles sambt vnter glegen.
Gott wöll der Herrn mit guten pflegen!

Sie gehn alle ab. Hermina, deß Königs Tochter auß Cypern,
geht ein vnd sagt kläglich:

25 Ach Gott! wie soll mir armen gschehen?
Auff der Maurn hab ich gesehen,
Das mein Herr Vatter ist verwund.
Der tauret mich auß hertzen grund,
Dann ich hab weder Schwester noch Mutter,
30 Weder blutsfreund, auch keinen Bruder,
Der alhie wohnet in der Stadt
Vnd mir beystünd mit einem Raht.
Solt mein Vatter mit todt abgehn,
So thet das Königreich Erbloß stehn,
35 Die weil ich vnverheürat bin.
Ach Gott, mein Herr! wo soll ich hin,
Ich armer, betrübter, verlassener weiß?

Vor angst mir auß dringet der schweiß.
Ach dort bringt man den König her.
Wolt Gott, das er so gsund noch wer,
Das ich mit jhm könd reden doch!
5 Ich bin betrübet gar zu hoch.

**Vitalis vnd die Trabanten führn Hermannus, den König, ein,
der setzt sich vnd sagt:**

Ach liebe Tochter, was machstu hie?

Hermina sagt:

10 Grössers leid hab ich gehabt noch nie,
Als jetzt vmb euch, hertzliebster Vatter,
Mein trost, mein freüd vnd mein wolthater,
Dieweil jhr tödlich seit verwund
Von dem Türckischen bluthund.
15 Ach wehe mir armen Jungkfrauen!
Zu eur lieb stund all mein vertrauen,
Das stirbt mir jetzt mit eur Gnad hin,
Das ich die allerErmest bin
Vnd verlier mein Königlichen Stand.
20 Das Königreich kombt in frembte hand.
[333]   Das reühet mich vber all massen.

Hermannus, der König, sagt:

Man soll eilend her fordern lassen
Die beide Edle Ritter schon,
25 Die das best in der Schlacht gethon,
Das man jhn jhr wolthat vergelt.

Vitalis sagt:

Eur Mayestat hats vor auch gemelt.
So hat man sie auch gholet schon
30 Vnd sie thun gleich hereiner gohn
Auff diesen Königlichen Saal.

**Vriens vnd Gyott mit Ruffo gehn ein. Hermannus, der König,
reckt jhnen also Kranck die Hand hin vnd sagt:**

Seit vns willkumb zu tausend mal!
35 Ach es hett sich wol wöllen gebürn,

Wir solten vns zu euch lassen führn.
So seind wir aber so kranck vnd schwach,
Daß es auff dißmal nicht sein mag.
Wir dancken euch deren wolthat,
5 Die jhr dem Land vnd auch der Statt
Bewiesen habt in dieser Schlacht,
Den Keiser mit eigner hand vmbbracht,
Vnd bitten euch kein beschwer zu tragen,
Das jhr vns thut eurn Namen sagen
10 Vnd von wannen jhr Bürdig seid.

Vriens neigt sich vnd sagt:

Wir seind zwen Brüder alle beid.
Vriens bin ich genent worn
Vnd auß Lusinia geborn
15 Vnd Gyott heist der Bruder mein.

Hermannus sagt:

Des solt jhr vns dest lieber sein
Dann von dem geschlecht hab wir vernommen,
Vil König auß Franckreich sein herkommen.
20 Weil wir dann seind tödlich verwund
Vnd sterben müssen kurtzer stundt
Vnd wir zum Reich kein Erben han,
So geben wir euch Zepter vnd Kron,
Das Königreich, auch Leüt vnd Land
25 Bey lebendigem leib zu hand.
Vnd vnser Tochter Hermina
Der wolt gar eben pflegen da,
Wie wir vns deß zu euch versehen!
Vnd hoffen, jhr werts nicht verschmehen.

30 ### Vriens neigt sich vnd sagt:

[333ᵇ] O Königliche Mayestat,
Es ist gar zu vil der wolthat.
Ich bin der Ehrn auch nicht wehrt.
So hab ich der dieng keines begert.
35 Doch wenn mich will die Jungkfrau han,
So niembs zu grossem danck ich an.
Aber bey eurm leben zu Regirn,

Will mir in keinem weg gebürn,
Sonst will ich mich also verhalten,
Das weder von Jungen oder Alten
Kein klag vber mich solt erscheinen.
5 Königlichs Fräulein, wie thut jhrs meinen,
Das jhr mich so betrübt secht an?
Möcht jhr mich nicht zum Gemahl han?

Hermina sagt:

Ach strenger Ritter vnd Edler Herr,
10 Das soll von mir stehts bleiben ferr,
Das·ich eur Lieb verschweren solt.
Wenn es der König haben wolt,
So wolt ich mich deß gar nicht schemen
Vnd noch wol einen schlechtern nemen,
15 Ob man mirs schrieb schon für ein schand.
Die weil jhr dann seit both von Stand
Geborn, so folg ich gar gern.

Hermannus fordert sie beede zu sich, gibts zusammen vnd sagt:

Tochter, du hast dich nicht zu beschwern.
20 Gott hat euch beid. gefügt zusammen,
So habt einander in Gottes namen!
Mich aber führt nein in das Gemach!
Dann ich bin warlich hefftig schwach.
Hab sorg, ich leb heüt kaum den tag.

25 ### Abgang.

. ACTUS QUARTUS.

Kommen Phila vnd Vbalt, zween Paurn. Phila sagt:

Mein Vbalt, hast nicht hörn sagen,
Ein Ritter hab ein Riesen erschlagen?
30 Der war gar ein groser Volland
Vnd hat gewohnet in Garant.
Der hat eben das Land beschwert,
Wie vns Grimholt zu thun begert.
Wie wenn wirs auch dem Ritter klagten,
35 Wie der Rieß vns plaget? jhm sagten
Vnd beten jhn, das er her köm

Vnd dem Riesen sein leben nemb,
[333ᶜ]   Damit wir doch sein kämen ab?

Vbalt sagt:

Ja von jhm ich wol gehöret hab.
5 Man sagt, es sey ein weidlicher Man
Vnd gehe jhm auß seim maul ein zan
Eines fingers lang, wie einem Schwein.
Wo aber derselb Man mag sein,
Davon weiß ich dir nichts zu sagen.

10   ### Phila sagt:

Ey so muß man halt nach jhm fragen.
Zu Lusinien solt er sein.
Damit wir kommen von der pein,
So wöll wir wagen diesen gang.
15 Kein weg soll mir nit sein zu lang,
Biß ich den Ritter vberkumb,
Dann der Rieß bringt vns doch sonst vmb
Oder lest vns gfenglich setzen ein.
All vnser freundt gefangen sein
20 In dem grosen Berg Abelon.
Was stehn wir lang? balt laß vns gahn
Vnd suchen diesen kühnen Ritter!
Geh fort vnd niemb die Füeß auch mitter!

Abgang. **Mucius, der Königlich Raht auß Armenia, geht ein**
25   **vnd sagt:**

Nun ist es fast ein virtel jar,
Das ich daheim außschieffen war
Auß dem Königreich Armenia,
Deß Königs Tochter Floria
30 Einen Gemahl hie zu erwerben,
Weil der alt König thet absterben
Vnd kein Sohn verließ zu dem Reich.
Bin auß dem Schieff gestiegen gleich
Bey Famagusta, der Hauptstadt.
35 Der König einen Bruder hat,
Der ist von Königsstand geborn,

Den hat das Fräulein außerkorn,
Das er alda erlang die Kron.
Ich hoff ja, er werdts gern thon
Vnd vernünfftig mercken dabey,
5 Das jhm das glück beschaffen sey,
Dann wir wolten auch sonst wol drinnen
Einen tüeglichen Mann zum König finnen.
Dieweils aber also ist beschlossen,
So richt ich es auß vnverdrossen.

Abgang. Vriens geht gekrönt ein vnd mit jme Vitalis vnd Gyott vnd kompt Mucius hinden nach. [333ᵈ] Der König Vriens sagt:

Ihr lieben getreuen, weil jhr wist,
Das vns nechten fürkommen ist,
15 Es hab ein Herrn zu vns gesandt
Deß Königs Tochter auß Armenien Land,
So wöllen wir jhn hören an,
Was er hie bey vns hab zu than.

Mucius neigt sich, gibt dem König den CredentzBrief vnd sagt:

20 Großmächtiger König, Gott wöll euch geben
Guts Regiment vnd langes leben!
Mein Gnedigs Fräulein Floria,
Deß Königs Tochter auß Armenia,
Mit wissen der Königlichen Räht
25 Mich zu eur Gnad herschicken thet
Vnd gab mir disen CredentzBrief.
Der helt in sich diesen begriff:
Weil jhr Vatter thet neulich sterben,
Verließ zum Königreich kein Erben
30 Vnd man wolt doch das Regiment
Nit gern lassen in frembte bendt,
So hat die Landschafft das betracht,
Das auffs ehest würd zu wegen bracht
Ein Gmahl dem Königlichen Fräulein,
35 Das der solt vnser König sein.
Weil man denn auch erfahren hat,
Das eur Königliche Mayestat

Ein Bruder hab, Gyott genandt,
So hat man mich nach jhm gesandt,
Das' er mein Gnedigs Fräulein nemb
Vnd dardurch auch zum Königreich kemb.
5 So will ich darumb haben gebetten.

  Vriens niembt den Brief vnd sagt:
Wir bitten, thut von vns abtretten!
Auff das wir vns hie alle sander
Möchten bereden mit einander.
10 Wir wollen euch nicht lang auffhalten.

Mucius neigt sich vnd geht ab. Vriens liest den Brief vnd
    sagt weitter:
Gyott, weil das Glück dein thut walten,
So sag du vns dein meinung an!
15 Wolstu deß Königs Tochter han,
Wie du jetzt selbst hast angehört?

    Gyott sagt:
Ich bin gleich in mir selbst bethört.
Der Ehrn ich nicht würdig bin
20 Vnd zieh doch auch nicht gern hin.
Besorg, wenn sie mich thet ersehen,
So solt sie wol mein lieb verschmehen
[334] Vnd für mich einen andern nehmen,
Deß müst ich al mein tag mich schemen.
25 Wolt lieber todt, als lebendig, sein.

    Vriens sagt:
Ey Bruder, was felt dir hie ein?
Denckst nicht, wenns jhr nicht Ernst wer,
Man schickt so weit nicht nach dir her?
30 Armenia ist ein gewaltigs Land,
Das kan nicht stehn in Weibes hand,
Sonder will ein Regenten han,
Der es beschützen vnd schirmen kan
Vnd der da sey keck vnd wehrhafft,
35 Das alle gfahr werd abgeschafft.
Darumb so gib dich willig drein!
Meliora, die Pase dein,

Ist auch darinnen ein Abentheur,
Der möchstu wol kommen zu steur,
Wenn du werst König an dem ort.

　　　Gyott neigt sich vnd sagt:
5 Herr König, Eur Mayestat wort
Will ich folgen vnd gehorsam sein.

　　　Vriens sagt zu Vitalis:
So geht vnd heist den Gesanden rein!

Mucius geht ein.　Vriens, der König, sagt:
10 Wir haben eurn Brief gelesen,
Auch gehört, was eur Werbung ist gewesen,
Wie das das Fräulein Floria
Deß Königs Tochter in Armenia
Beger, das Königreich zu erhalten.
15 Weil sies aber nicht kan verwalten
Ohn einen Gemahl in die leng
Vnd dasselb nicht in schaden breng,
So thu die gantz Landschafft begern
Vnsers Bruders zu einem Herrn.
20 Darauff so hab wir vns bedacht,
Darzu auch vnsern Bruder bespracht;
Der niembt eur Werbung zu danck an
Vnd will mit euch Schieffen davon,

Er gibt dem Gesanden vnd seinem Bruder die Hand vnd sagt:
25 Darumb wünschen in diesem stück
Wir euch von Gott vil heil vnd glück
Vnd wöln vnserm Bruder guts than,
So vil wir können vnd er will han.
Drumb kombt mit vns rein auff den Saal!
30 Da wollen wir nottürfftiger wahl
Reden ferners von diesen diengen,
Verhofflich, vns soll wol gelingen.

Abgang. [334^b] Kommen Reinmunt vnd Melusina. Reinmunt

*

4 O Gyort.　24 O den G.　27 O vnsern.　32 O gelinen.

fü

rt sie bey der hand vnd sagt:

Hertzallerliebster Gemahl, schau!
Die Kirch vnser Frau Portenau
Vnd daß Kloster, Maliers genend,
5 Sind beide mit glück worn vollend,
Deß haben wir vns hoch zu freüen.
Nun wollen wirs auch lassen weyhen
Vnd begehn den Kirchweytag
Löblicher alter gwonheit nach.
10 Wenn es dir gfiel, was möcht es schaden,
Das ich mein Bruder thet herladen,
Das er auch mit vns freüet sich
Vnd sehe, wie ich verheürat mich
Zu dir, hertzallerliebstes Weib,
15 Vnd was für Kinder auß deinem leib
Mir seind in dem Ehestand geborn?

Melusina sagt:

Herr Gemahl, was jhr mir habt geschworn,
Das jhr mir an keinem Sambstag
20 Wolt sehen oder forschen nach,
Sonder mich lassen schaffen wolt,
Dasselbig jhr mir halten solt.
Wenn man nun will die Kirchen weyhen,
Mit ablaß vnd gnaden befreyen,
25 Das dann muß an eim Sontag gschehen,
Da hab ich gar vil zu versehen
Vnd gehörn etlich tag darzu,
Das man als recht zu richten thu,
Vnd ich wils auch also verrichten,
30 Das daran soll abgehn mit nichten.
Iedoch so ist mein höchste bitt,
An dem Samstag last mich zu frid!
Last euch meinthalb kein traurn sein!
Zu rechter zeit stell ich mich ein
35 Vnd will eurn Bruder vnd ander Gäst
Versehen wol auffs allerbest,
Das jhr eurn lust daran thut schauen.

Reinmunt sagt:

Hertzlieber Gemahl, thu mir vertrauen!
Was ich dir gschworen vnd gesagt zu,
Dasselbig ich als halten thu,
5 So wahr ich bin ein Graf geborn.
Ich bett je Ehr vnd Seel verlorn,
Wenn ich an dir meineydig wür.
Es ist eins draussen vor der Thür.
Ich will gehn sehen, wer es sey.

10   Er geht zur Thür vnd sagt:

Mein Freund, geht vnverzagt herbey
[334ᶜ]   Vnd sagt vns! was bringt jhr für Mär?

Gilg, der Pott, geht ein mit einem Brief vnd sagt:

Wolgeborner Graf, mich schicket her
15 In Cypern der König, eur Sohn,
Lest euch seinen gruß zeigen an
Vnd ich bitt eur Gnad darneben,
Die wollen mir gut dranckgelt geben,
Dann Vriens vnd Gyott, eure Kind,
20 Zwen mächtiger König worden sindt,
Wie jhr in dem Brief werdet finden.

Reinmunt liest den Brieff vnd sagt:

Vor freuden will mir schir geschwinden.
Ach hertzenlieber Gemahl, wist!
25 Vriens ein König worden ist
Drinn in Cypern, der Insel gut,
Gyott aber Regiren thut
Armenia, das Königreich.
Deß dancken wir Gott Ewigleich,
30 Dann ich bey allen meinen Jarn
Kein grösser freud nie hab erfahrn.
Des freü ich mich mein leben lang.

Melusina hebt die Hendt auff vnd sagt:

Dem Herrn sey Lob, Preiß vnd danck,
35 Der mir solch grose Ehr gegündt,

Das ich vnd darzu meine Kindt
Zu solchen Ehren sollen kommen!
Wist jhr? da jhr mich habt genommen,
Hab ich euch alles Propheceit.
5 Der allerglücklichst Mann jhr seit,
Wenn jhr mir Treülich haltet nur,
Was jhr mir thet für einen schwur.

Reinmunt sagt:

Mein Pott, komb rein auff vnsern Saal
10 Vnd iß mit vns das Mittagmahl
Vnd bericht vns baß aller sachen!
Dein willen wöll wir dir drumb machen.

Abgang. Kommt Freymunt, der Melusina Sohn, vnd sagt:

Mein Frau Mutter bemüt sich sehr,
15 Dann sie hat Gott zu Lob vnd Ehr
Vil Klöster vnd Kirchen gestifft,
Fleissig gelesen in der Schrifft.
Darmit so hat sie mich gebracht
Zu einer solichen andacht,
[334ᵈ] 20 Das ich mir stracks hab fürgenommen,
Ins Kloster Maliers zu kommen
Vnd darinnen ein Münch zu wehrn,
Gott vnd sein Heilige verehrn.
Dort kombt gleich mein Herr Vatter rein,
25 Dem zeig ich an den fürschlag mein.

Reinmunt geht ein mit Melusina. Freymunt geht zu jhnen,
neigt sich, beut jhnen die Hand vnd sagt:

Herr Vatter vnd Mutter, ich het ein bitt,
Wenn jhr mirs wolt versagen nit,
30 So wist, ich hab mir fürgenommen,
In Maliers ins Kloster zu kommen.
Darzu bitt ich eur hilff vnd raht,
Das mir Gott darzu geb sein gnad,
Das ich nachkomb der Regl mein.

35 Reinmundt sagt:

Ach lieber Sohn, was soll das sein?

Dein Brüder seind König vnd streng Ritter,
Vnd du wolst in dem Orden bitter
Dein leben bringen so vbel zu?
Darumb ich das nicht leiden thu,
5 Dann die Regel ist streng vnd scharff.
Kein Münch darauß nicht schreiden darff.
Darumb so wolt ich sehen gern,
Wenn du je woltest Geistlich wern,
Du würdest etwa ein Thumherr
10 Zu Paris oder Aras ferr
Oder in einem Kloster sunst,
Da du hast mehr verlaub vnd gunst,
Als in dem Kloster obgemelt.

Freymunt sagt:

15 Ich will verlassen die gantz Welt
Vnd will ins Kloster gar kurtzumb.
Herr Vatter, kümmert euch nicht drumb,
Wie ich die Regel halten soll!

Melusina sagt:

20 Mein Sohn, dein fürschlag gefelt mir wol.
Darumb ich dirs nicht wehrn thu.
Weil du solchen lust hast darzu,
So zeich hin! Gott gebe dir glück!
Wastu darfst, ich dir nach hin schick.

Er gibt jhnen die Hand vnd geht ab. Melusina sagt:

Die frembten Gäst kommen herbey
Morgen auff vnsere Kirchwey.
Al dieng darzu ist schon bereit.
Dieweil dann jetzo ist mein zeit,
[335] 30 Das ich disen tag scheiden muß,
So bitt ich: habt deß kein verdruß
Vnd last euch keine sorg anfechten!
Ich hab den Mäiden vnd den Knechten
Als auff das best bevolhen schon,
35 Was sie dieweil haben zu thon.
Zu rechter zeit ich wider kumb.

*Da solt jhr mir keck trauen drumb.

Reinmunt druckt sie vnd sagt:
Ach lieber Gemahl, ziehe nur hin!
Mit dir ich wol zu friden bin.

Melusina geht ab. Reinmunt geht herumb vnd sagt:
Bey meiner Gemahl hab ich glück
Mit meinen Kinden in allen stück,
Dann wie ich abermals vernommen,
Seind vber al maß wol ankommen
10 Auch Anthonius vnd Reinhart,
Diewell der erst bekommen wart
Von Lützelburg das Fräuelein.
Aber Reinhart, der Sohne mein,
Ist auch Königlich verheûrat worn,
15 Zu eim König in Beheim erkorn.
Goffray ist ein streitbar Man,
Dem niemand mit kampff mag vorstahn.
Die andern Söhn seind ausser Landts,
Begern zu werden hoches Standts.
20 Allein meinem Sohn Freymunt
Ich durchauß nicht erwehrn kundt,
Das er, wie ich, wer Weltlich blieben.
Doch weils jhm also hart thet lieben,
Hab ich es gleich geschehen lohn.
25 Potz schau! dort kombt mein Bruder schon,
Den ich hab auff die Kirchwey gladen.

Dietlieb, der Graf von Forst, geht ein vnd sagt:
Dir wünsch ich Gottes hult vnd gnaden,
Du allerliebster Bruder mein!
30 Dieweil du vnd der Gemahl dein
Eur Kloster vnd Kirchen wollet weyhen,
So thu ich mich deß hertzlich freûen
Vnd wünsch dir darzu glück vnd heil.
Auch so hab ich für meinen theil
35 Dir zu Ehren erscheinen wöllen.

Sie geben die Hend aneinander. Reinmunt sagt:

Du hast ja nicht auß bleiben söllen.
Dein zukunfft mich erfrewen thut.
Doch bitt ich: niemb mit vns vergut

[335ᵇ] Vnd kumb mit mir ins gemach herein!

⁵   Dietlieb sagt:
Sag mir! wo ist der Gemahl dein?
Ich wolt jhr gern sprechen zu.

             Reinmunt sagt:
Dasselbig du auff morgen thu!
10 Denn heüt so lest sie sich nicht sehen,
Wie ich dir dann offt thet verjehen,
Das ich jhr alweg am Sambstag
Nicht darff sehen vnd fragen nach,
Biß die Sonn vntergangen ist.

15   Dietlieb sagt:
Wie wol ein gwaltiger Graf du bist,
Deß gleich nicht lebt zu dieser zeit,
So bistu doch in dem nicht gscheid,
Das du jhr den mutwillen zusichst,
20 Ihr nicht nachlauscht oder zusprichst,
Wo sie vmbziehe den Samstag.
So wol keim weib ich trauen mag,
Wie jhn auch nicht zu trauen ist.
Sie stecken vol schalckheit vnd list.
25 Wer weiß, was sie am Sambstag thut?

             Reinmunt sagt:
Mein Bruder, schweig! sey wolgemut!
Ich hab Gott lob ein Ehrlichs Weib.
Für sie wolt ich setzen mein leib,
30 Das sie ist aller Ehrn frum.
Derhalb kümer ich mich nit drumb,
Wenn ich sie schon ein tag nicht sich.

             Dietlieb sagt:
O das wer gar kein Weib für mich.
35 Mein Bruder, hör, was ich dir sag!
Folg mir vnd schleich jhr heimlich nach

Für jhr gemach, darin sie ist,
Das du der sachen werst vergwist!.'
So siehe durch ein spalt hinein!
Vergebens spert sie sich nicht ein.
5 Es muß ein meinung haben mit jhr.

Reinmunt sagt:

So will ich gehen vnd durch die Thür
Mit meiner Wehr poren ein loch.
Vnd ob sie wol ist eissere doch,
10 Kan sie durchporn die Wehre mein.
Find ich sie auff gerechten sachen,
Bruder, so werd ich dein nicht lachen.

Reinmundt geht ab. Dietlieb sagt:

[335ᶜ]   Mein Bruder ist fürwahr ein Kind
15 Oder mit sehenten Augen blind,
Das er seim Weib so wol vertraut,
Ihr nicht baß auff die garn schaut.
Ein Weib ist listig wie ein Fuchs,
Durchtriben wie ein ghetzter Luchs.
20 Wenn ein Weib nur auff dErn sicht,
So hat sie schon ein liegen erdicht
Vnd thut damit den Man verblenden,
Im Rucken aber jhn schmehen vnd schenden,
Wie ich es selbst erfahrn han,
25 Das manche Frau ein frommen Man
Wie ein Narrn beim band vmbfürt
Vnd sich also stellet vnd zirt,
Als sey sie das Evangelium.
Ich güns jhm wol, find er sie frum.

Reinmundt geht mit gezogener wehr ein, Port damit bey den
Eingang ein löchlein, sicht dardurch, etlichmahl verwundert
er sich vnd sagt:

Ach Gott, mein Herr! was hab ich than?
Ietzund thu ich erst dencken dran,
35 Wie ich meim Gemahl hab geschworn,
Da ich mit jhr bin Ehelich worn,

Das ich jhr nicht nachforschen wolt.
Den Eyd ich ghalten haben solt.
Ach wehe, wehe! meines Bruders tück
Die bringen mich ins höchst vnglück.
5 Ja freylich hab ich gsehen schon,
Da ich vor nie gedacht daran,
Dann mein Weib ist vnden ein Wurm,
Vergleicht sich eins Meerwunders furm,
Hat einen langen Schlangenschwantz,
10 Der ist erschrecklich vnd greülich gantz,
Dessen thut sie groß scheuhen tragen
Vnd hat mirs niemals dörffen sagen,
Denn in der nacht verkert sie sich
Vnd ist ein rechter Mensch wie ich.
15 Nun will ich zu der sach still schweigen,
Mich gegen jhr gar nicht erzeygen,
Ob ich sie heut gesehen hett.
Vnd das sie auch nicht mercken thet,
Will ich das loch mit wachs vermachen
20 Vnd weiter nach dencken den sachen.

Er geht wider gegen seinen Bruder, hat die wehr wider ein-
gesteckt. Dietlieb sagt:
Mein Bruder kombt dort zornich rein
Wol von der schönen Frauen sein.
[335ᵈ] 25 Ich will jhm gehn entgegen nah,
Zu hörn, wie ers gfunden hab.

Er geht gegen jhm. Dietlieb sagt:
Mein Bruder, sag! hab ich gelogen?

Reinmunt sagt:
30 O du hast mich schendlich betrogen
Vnd gar vbel gethan an mir,
Das ich nicht bett zutrauet dir.
Balt droll dich von meim angesicht,
Du treüloser lecker vnd bößwicht!
35 Oder ich stoß das Rapier in dich.

Er zuckt das Rapier. Der Bruder Dietlieb laufft ab. Reinmunt sagt:

Ich solt baß habn besunnen mich
Vnd meinem schwern nach gedacht.
Ach Bruder, wie hastu mich bracht
5 In dieser eintzlichen halben stundt
Mit deinem falschen bösen mundt
In leid, das ich nicht kan außsprechen!
Weil ich thet mein Eyd zerbrechen,
So verlier ich deß Himmels theil,
10 Mein frommen Gemahl .nichts dest minder,
Vnd ich vnd alle meine Kinder
Werden zu schanden, schimpff vnd spott.
Ach erwürg mich, du grimmer todt!
Dann besser ist, sein geist auffgeben,
15 Denn also in anfechtung leben.
Nun es gehn jetzo auff die Stern.
Mein Gemahl wird schir kommen wern.
Da wil ich hörn, was sie sagt.
Ich bin sehr betrübt vnd verzagt.

Er setzt sich, legt den kopff in die hendt, sicht gar traurig.

Melusina geht ein vnd sagt:

Ach mein Gemahl hat in dem Gathen
Mich durch ein löchlein sehen baden
Auß seines Bruders vnterricht.
25 Das hett ich jhm zutrauet nicht,
Das er sein Eyd an mir hett brochen.
Nun bleibt es warlich nicht vngrochen,
Wenn er mir das verhalten solt,
Das ich nicht gern hören wolt.
30 Derhalb ich zu jhm nein gehn will.
Schweigt er, schweig ich auch dißmal still.

Melusina geht hinzu vnd sagt:

[336]   Hertzlieber Gemahl, grüß euch Gott!
Ach wehe deß jamers vnd der noht!
35 Was ist euch? ist euch die weil lanck?
Seit jhr zornig oder seit jhr Kranck?
Ich bitt: sagt mir! was fehlet euch?

Mit euch will ichs als tragen gleich,
Vnd solt ich eurnthalben sterben.
Wie habt jhr euch so thun entferben?

Reinmundt sagt:

5 Hertzlieber Gemahl, mich verstehe!
Ein grose hitz thut mir so wehe,
Die ist mich gleich erst kommen an.

Melusina sagt:

So kombt vnd thut mit mir rein gahn!
10 Da will ich euch mit guten stücken
Der Artzney wiederumb erquicken,
Das sichs balt soll zur besserung schicken.

Sie führn aneinander ab.

ACTUS QUINTUS.

Goffray mit dem zan geht gerüst ein hin vnd wieder vnd sagt:

Nun hab ich den Riesen Gedeon
Erschlagen vnd vom brodt gethon
Mit disem zweyschneidenten schwerdt,
Die weil er zu verderben begert
20 Das gantze Land biß gen Vavent.
Sein Land hab ich in meiner hend.
Also bin ich am Land so reich,
Auff das wenigst eim Fürsten gleich.
Iedoch will ich nicht lassen ab,
25 Biß ich auch ein Fürstenstand hab
Vnd ein Fürstlichen Gemahl schön.
Schau! was wollen die Baurn al zwen?
Sie sein von weiten Landen her.

Phila vnd Vbalt, die zwen Baurn, gehn ein. Goffray sagt:

30 Ihr Männer, was ist eur beger?

Phila vnd Vbalt fellt jhm zu fuß. Phila hebt die Hend auff
vnd sagt:

O Gnediger Herr, hört vnser bitt
Vnd thut vns die versagen nit!
35 Erschlagt vns den Riesen Grimholt!

Ihr ganze Land mit Silber vnd Golt
Wollen wir euch zu wegen bringen,
Dann der Rieß thut vns also zwingen,
Das wir all drauß müsen entlauffen.
5 Er thut vns fangen, schlagen vnd rauffen,
Er schetzt vns etlich biß auffs marck.
Zum Fronwerck ist er mächtig arck.
Wir müssen jhm Hasen vnd Wilbret fangen
Vnd ist so vbel mit vns vmbgangen,
10 Das wirs nach vnser einfalts gwissen
Euch nicht halbweg zu sagen wissen.
O holfft vns! bitt wir euch durch Gott,
Vnd schlagt vns den Riesen zu todt!

Goffray sagt:
15 Von wem seit jhr daher gesand?

Vbalt sagt:
Von der Landschafft auß Nordwegen Land
Vnd bitten euch gar fleissig drummen,
Das jhr vns balt zu hilff wolt kommen.
20 Der Rieß bringt vns sonst noch all vmb.

Goffray sagt:
Von stundt ich mit euch zu Schieff kumb
Vnd will mich deß Kampffs vnterstahn,
Soll ich mein leben setzen dran.

Lienhart, ein Bott von Lusinien, geht ein, hat ein Brieff vnd sagt:
Gnediger Herr, den Brieff gab mir
Eur Gnaden Vatter, den solt jhr
Lesen vnd wider antwort geben.
30 Auch ließ er euch sagen darneben,
Wie das eur Bruder Freymunt
Sein erste Meß werd singen jetzund
Zu Maliers im Kloster davorn,
Darinnen er ein Münch sey worn,
35 Vnd jhr solt die erst Meß besuchen.

Goffray sagt zornig:

Gott thue den bößwicht verfluchen
Vnd jhm sey hiemit ein Eyd gschworn!
Leib vnd Leben hat er verlorn
Vnd all die Münch im kloster drinnen
5 Sollen in wenig tagen verbrinnen
Oder ich will nicht Ehrn wehrt sein.
Das magstu sagen dem Vatter mein.

Lienhart, der Bott, geht ab. Goffray sagt zu den Bauern:
Ihr Baurn, jhr solt alle beid
10 Mir zusagen bey geschworen Eyd,
Das jhr von hin wolt weichen nicht,
Biß ich mein Bruder hab hingericht
[336ᶜ]   Vnd das Kloster in grundt verbrendt.

Vbalt sagt:
15 Das wöll wir thun; gebt nur halt endt!

Goffray geht ab. Vbalt sagt:
Ach Gott, das ist ein böser Man.
Mich reut, das wir jhn Redten an,
Weil er vns also thet anschnarrn,
20 Da er vns hie auff jhn hieß barrn,
Biß er das Kloster bett verbrendt,
Darinn bey hundert München sind.
Nun wolt ich gern sehen das Feür.

Phila sagt:
25 Das lachen solt dir werden Teür,
Wenn du dergleich dieng sehen wolst.
Vor schrecken du wol sterben solst.
Es ist ein greülich schreckliche that,
Die er dem Kloster drohet hat.
30 Komb mit mir rein in die Jarkuchen!
Laß vns die Semmel vnd Würst versuchen,
Weil wir kein Suppen haben gessen!
Mich deucht, ich sey mit hunger bsessen.

Abgang. Johannes, der Abt, mit Wolffran gehn in jhren kutten
35   **ein. Johannes sagt:**
Vnser Gottshauß Florirt ist fein.

Vnser Brüder ein gut anzahl sein,
Die den Gottsdienst helffen verrichten
Auch so geht vns drin ab mit nichten
An Gold, Zinsen, Zehend vnd Renden,
5 Die man vns herfürt von vil Enden.
Darauß laß ich vns preßen Bier.
Auch haben ein gute Notturfft wir
Von allerley Gedreit vnd Wein,
Ob wir gleich vnterworffen sein
10 Der Regel, die ist etwas scharff.
Iedoch ich was nachsehen darff
Den Brüdern, die sonst fleissig sind.

Wolffran sagt:

Vnd wenn ich wer ein Fürstenkindt,
15 Wie vnser Bruder Reinmundt,
So sag ichs eurn Gnaden rundt,
Das ich hie möcht kein Bruder sein.
Der Prior thut vns grosse pein
Mit frü auffstehn, Beten vnd Wachen,
20 Mit Mettensingen vnd andern sachen,
Die zu dem Gottesdienst gehörn,
Mit Messen vnd Predigen hörn,
Mit Studirn, darzu mit fasten.
Er lest vns weder ruhen noch rasten.
25 Hett ich gewust, was ich jetzo weiß,
So wahr ich bruder Wolffran heiß,
So wer ich warlich kein Münch nicht worn.
Weil ich aber profeß geschworn,
So muß ich halten meinen Eydt,
30 Es sey mir gleich lieb oder leidt.
Doch tregt mich das lieb trincklein hin,
Das mir dest leichter wird mein Sin
Vnd das ich hab zu thun dabey
Mit Weltlichen sachen in der Cantzeley,
35 Das ich die zeit dest ehr hinbring,
Denn zu Chor ich nicht gern sing.

Johannes, der Abbt, sagt:

Ach was klagt jhr, mein Herr Wolffran?
Da ich zuerst in Orden kam,
Da must ich mit andern novitzen
Auff der Erden in dem Convent sitzen,
5 Essen, was andern vberblieb.
Der Meister mich hart hielt vnd trib,
Das ich mit gwalt wol lernen must,
Wie wol ich darzu hett kein lust.
Gedacht, es damit durchzubringen,
10 Wenn ich nur den Coral kund singen.
Da wurd ich mächtig vbel gschlagen.
Ihr aber habt gar nit zu klagen.
Ihr künd in Keller vnd in Kuchen
All stund eur gute glegenheit suchen.
15 So Est an meiner Taffel jhr.
Man schreibt euch gar kein ordnung für.
Könd jhr vil Trinckn vnd schmeckt euch wol,
So könd jhr euch auch Trincken vol;
Ich aber dörfft dahin nicht schmecken.
20 Mit peütschen thet man mich auffwecken;
Ihr geht in dMetten, wens euch gefelt,
Vnd geht im Kloster, wo jhr hin wölt.
Das darff lang kein anderer than.
Schaut! wenn ich recht gesehen han,
25 So komb Goffrius, der böß Ritter.
Ich bin erschrocken, das ich zitter.
Er sicht, als wöll ers zünden an.

Goffray geht gerüst ein vnd sagt:
Ihr bößwicht, jhr seit schuldig dran,
30 Das sich mein Bruder ins Kloster begeben.
Das sol euch allen kosten das leben,
Ihr Ehrvergeßnen losen bößwicht!

Johannes, der Abbt, fellt jhm zu fuß vnd sagt:
Ich hab jhns vnterwiesen nicht.
[337] 35 Des kan ich bey Priesterlichen ehrn
Gegen Gott vnd euch ein Eyd schwern,
Das ers für sich selbst hat gethan.

Wolffran sagt:

Für mich ich auch wol schwern kan,
Das ich kein wort darumb gewist,
Biß das er selber kommen ist.
5 Darumb so stelt euren zorn ein!

Goffraus bind die Münch zusammen vnd sagt:

Balt kombt mit in das Kloster rein!
Da will ich euch all binden zamen,
All verbrennen ins Teufels namen
10 Vnd meinen Bruder auch darzu.
Das Kloster ich verhüegen thu,
Das nimmer kombt kein Münch darein,
Das jhr verführt den Bruder mein.

Abgang. Ob man nun ein Feurwerck, als ob das Kloster Brünne, deßgleichen ein zetter vnd jammergeschrey machen will, steht bey dem, der das Spil recht anrichten kan. Kommen Phila vnd Vbalt. Phila sagt:

O Vbalt, wie stehn wir in gefehr!
Ey wie ist mir mein hertz so schwer!
20 Der Ritter ist ein zornicher Man.
Das Kloster hat er zündet an,
Wie er denn hat in seinem zorn
Ein schweren Teüren Eyd geschworn.
Den rauch sach ich von ferr auffgehn
25 Vnd hat gewert gantzer tag zwen.
Es must sein ein schöns gebeü.

Vbalt sagt:

Ja freylich vnd es soll sein gar Neü
Vnd ist neülich gebauet worn.
30 O hat der Mann ein solchen zorn,
So müß wir vns wol sehn für,
Das er nit etwa mir oder dir
Auch thet, wie er den München thon.
O erschrick nicht! jetzt kombt er schon,
35 Auff den wir lang warten mit traurn.

Goffray geht gerüst ein vnd sagt:

So macht euch mit mir auff, jhr Paurn,

[337^b]   Vnd setzt euch mit mir in ein Schieff!

So fahr wir auff dem Meere tieff

Auffs nechst in Nordwegner Landt

5 Zum Riesen, der euch ist bekandt,

Dann ich hab jetzt sonst nichts zu thau.

Das Kloster ich verbrennet han

Mit allem, so darin ist gewesen.

Vor mir kein Mensch kat können genesen.

Er ziecht ein Brief rauß, gibt jhn dem Vbalt vnd sagt:

Da niemb den Brief vnd trag jhn dorten

Zu eim Potten an MeersPortten,

Das er meim Herrn Vatter verkündt,

Wie ich das Kloster bett anzündt!

Sie gehn alle ab. Meliora, die Jungkfrau, geht ein vnd sagt:

Nun ist es fünff vnd zwantzig Jahr,

Das ich hieher verfluchet wahr

Von Persina, der Mutter mein,

In hertzen leid vnd grosse Pein,

20 Den vil Helten auß frembten Landen

Die haben sich wol vnterstanden,

Zu dempffen hie die Abentheur,

Ist jhn doch kommen vbel zu steur,

Wie das gemehl auff dem Hof Saal

25 Bezeugt mit Wappen vnd Jarzal.

Wenn ich dieselben thu sehen an,

So thut es mir durchs hertz außgahn.

Ach wie hat doch die Mutter mein

Können so unbarmhertzig sein,

30 Das sie vns so hart hat verflucht,

Ihre selbst eigene leibesfrucht!

Ein Gemahl wolt ich nun langst han,

Wie auch Melusina hat schon

Wol zehen Söhn Ehelich bekommen,

35 Vnd wie ich glaublich hab vernommen,

So seind jhr etlich König worn,

Weil jhr jhr Gemahl hat geschworn,

Das sie ohn scheu all Samstag,

Wo sie hin begert, wandeln mag,

Dardurch verborgen bleibt all frist,

Das sie zur Schlangen verflucht ist

5 Ihr lebtag den Samstag zu sein.

Ich aber muß einig allein

Auff dem Berg mein zeit bringen zu,

Das ich Gott ewig klagen thu.

Sie weinet vnd geht ab. [337ᶜ] Kompt Reinmundt, der Graf, allein, schlegt die hend ob dem kopff zusammen, thut kläglich vnd spricht:

Ach verflucht sey der tag vnd stundt,

In der ich Melusina fundt,

Mein Gemahl bey dem Turstbrunnen!

15 Ietzund so hab ich schon gefunnen,

Was jhre Kinder hie auff Ern

Noch für vbels anrichten wern,

Weil Goffray vns hat geschendt,

Das Kloster Maliers verbrent,

20 Darein biß in Sechtzig Münch verspert

Vnd sein hertz dermassen verhert,

Daß er seines Bruders schonet nit,

Sonder jhn auch verbrennet mit,

Wie auch das Kloster alles sandt.

25 Das hab ich gesehen liegen im brandt.

Ach solt ich jhn ergreiffen jetz

In meines grimmen zornes hitz,

Kein Mensch solt jhm kein gnad erwerben.

Deß ergsten todts müst er mir sterben,

30 Den man auff Erd erdencken künd.

Ietzund ich in dem werck befind,

Das Melusina, der Gemahl mein,

Selbst muß der leidig Teufel sein,

Wie ich sie im Bad gesehen han.

35 Der Goffray hat ein grosen zan,

Die andern Söhn haben sonst zeichen,

Als ich vor nicht gesehen dergleichen,

Das ich bey mir nichts anders find,
Als das sie lauter Teufel sind.
Darumb so sey verflucht der tag,
Daran ich sie das erstmahl sach!
5 Ja verflucht vnd vermaledeit
Sey alle stundt, wachen vnd zeit,
Darinn ich jhr hab bey gewand!
Verfluchet sey mein rechte hand,
Die ich jhr zu der Ehe bot hin!
10 Auff Erd der traurigst Man ich bin.
Ach wolt Gott, das ich jetzt solt sterben
Vnd mit meim Sohn Freymunt verderben,
Der mir am liebsten ist gewesen
Für all mein Kinder außerlesen!

Er setzt sich nieder, thut gar kläglich. Melusina geht mit
Anna, der Seugammen, ein, trit zu jhm vnd sagt:

Ach aller liebster Gemahl mein,
Warumb thut jhr so traurig sein?
[337ᵈ]   Bekümert euch mit solchen diengen,
20 Die nimmer seind wider zu bringen.
Gott weiß, ich schwer euch einen Eyd,
Das mir ist das gröst hertzen leid,
Was Goffray hab im Kloster than,
Vnd das ich bin vnschuldig dran.
25 Weil ichs aber nicht bessern mag,
Was würd mich denn helffen mein klag?
Nichts, als das ich Gott erzürnnet mit.
Drumb, mein Herr Gemahl, thut es nit!
Macht eur klag vnd weinen bescheiden!
30 Dann wir wissen vor Türcken vnd Heiden,
Wenn wir schon hie werden geschieden,
Das wir im Himel kommen zu friden
Vnd ewig bey einander leben.
Gott kan ein andern Sohn vns geben,
35 So könn wir zu Ehr vnser Frauen
Das Kloster Gott lob wider bauen
Vnd noch wol in eim schönern furm.

Reinmunt sagt zornig:

Du verdambte Schlang vnd teufelsWurm,
Dein geschlecht thut nimmermehr kein gut,
Weil mir Goffray die schmach an thut
5 Vnd seinen Bruder darff verbrennen.

Melusina sagt:

Ach Herr, wie thut jhr mich jetzt nennen
Vor allen Menschen, die hie stehn?
O helfft mir! dann ich muß vergehn.

Melusina fellt auff die Benck in ein anmacht, die Amb laufft
zu, hellt sie. Anna, die Amb, sagt:

Ach Gnediger Herr, thut doch gemach!
Helfft mir! wie ist die Frau so schwach!

Die Anna wischt an jhr. Reinmunt geht auch hinzu, rüttelt
sie, vber ein weil sicht sie auff vnd sagt:

O Reinmundt, was hab ich gethan,
Das ich dich niemals lieb gewan,
Da ich beim Turstbrunnen im Walt
Verführt ward durch dein schöne gstalt?
20 Wehe mir, das ich dein kundschafft gwahn
Vnd mich umb dich hab gnommen an!
Ach wehe der klag vnd schweren buß,
Darinn ich forthin bleiben muß!
Ach deiner glüb, die du hast gschworn!
25 Nun bastu glück vnd heil verlorn,
Seid du mich hast im Bad gesehen.
Sonst wer das vbel gar nit gschehen.
[338] Ach das du hest geschwiegen jetzt!
In dem höchsten vnraht du sitzt
Vnd bringst mich jetzt in grose pein,
30 Das wir müssen gschieden sein
Biß hin wol an den Jüngsten tag.
Kein Mensch mich mehr gesehen mag.
Nun wird dir auch die Landschafft gnommen
Vnd niemmermehr in dein Händ kommen.
35 Deine Kinder vnd dein gantzes gschlecht
Werden niemmer sein einich recht

Vnd Horribel, dein junger Sohn,
Welcher thut drey Augen han,
Denselben mustu alsbalt töden,
Wiltu dich vor dem todt erretten.
5 Er wird dich sonst in armut bringen.
Wenn man mich vmb das Schloß sicht schwingen,
So ists ein anzeigung fürwahr,
Es krig ein andern Herrn diß Jar.
Doch bistu selber schuldig dran.
10 Dieweil ich dann nun muß davon,
So verzeih dir Gott deine Sündt!
Laß dir befohlen sein die Kindt,
Die noch jung vnd vngwachsen sein!

Reinmundt fellt jhr vmb den halß, druckt sie vnd sagt:
15 Ach hertzallerliebster Gemahl mein,
Verzeih mir, was ich hab geredt!
In einem zorn ich es thet
Vor vnaußsprechlichem hertzenleid.
Ach das ich vergaß treü vnd Eydt
20 An dir, du hertzen lieber Gemahl!

Melusina sagt:
Ob vns beeden bleibt der vnfahl.
Noch eins magstu wissen jetzundt.
Dein junger Sohn, der Reinmundt,
25 Wird Graf im Forst an dessen stadt,
Der das vbel gestifftet hat,
Vnd Dietrich, der Sohne dein,
Wird Regent zu Porttenach sein.
Er vnd seine Söhn die wern werden
30 Die Männlichsten Ritter auff der Erden.
Du aber vnterlaß es nit,
Gott treülich für mich arme bitt!
Deßgleich will ich auch dencken dein,
Mit allem guten bey dir sein.
35 Aber in Weiblicher gestalt,
Wie ich zu dir kam in dem Walt,
Wirstu mich sehen nimmermehr.

Reinmundt knihet vor jhr nider vnd sagt:

[338ᵇ]   Ich bitt durch aller Frauen Ehr
         Vnd die Lieb, die ich zu dir trug,
         Laß deines klagens sein genug
       5 Vnd verzeih mir mein Sündt vnd schult!
         Darzu bracht mich groß vngedult.
         Ich wils mein lebtag niemmer than.

Melusina hebt jhn auff, gibt jhm die hand, druckt jhn vnd
                    sagt:

      10 Herr Gemahl, dieses nicht sein kan,
         Ob ich euch schon von hertzen vergib.
         Nun gsegn dich Gott, meins hertzen lieb!
         Mein holtseliger Gemahl, der liebe Gott
         Behütt euch! mein liebstes kleinot
      15 Meiner Lieb, du vil Süssigkeit!
         Gott gsegn dich, wolust vnd freüdt,
         Die ich mit dir gehabt auff Erdt!
         Mein außerwehlter trost, so wehrdt!
         Gott gsegn meins lebens auffenthalt,
      20 Mein kurtzweil vnd schimpff mannigfalt!
         Gott gsegn dich, mein trost vnd hort!
         Gedenck offt der traurigen wort!
         Gott gsegn all Menschen vnd seitenspil,
         Die mir gaben der freüden vil!
      25 Gott gsegn Lusinien, das Schloß,
         Das ich erbauet mit arbeit groß!
         Gott gsegn aller Frauen freüdt!
         Gott gsegn euch, liebster Gemahl, heüt!
         So fahr ich weg von freud vnd Ehr
      30 Vnd jhr secht mich fort niemmermehr.

Melusina fehrt mit grosem geschrey hinweg. Reinmundt schlegt
die Händ ob dem kopff zusammen, sicht jhr nach vnd sagt:

         O jammer dir, armer Reinmundt!
         O wehe der aller bösten stundt!
      35 Wie soll meim armen hertzen gschehen,
         Wenn ich dich niemmermehr soll sehen?
         Ach wehe deß Elendts vnd der noth!

Nun gsegn dich der liebe Gott,
Du aller liebster Gemahl werdt,
Du vnzalbarer Schatz auff Erdt!
Der Ehrn bistu wol ein kron,
5 Hast mir gwaltig vil guts gethan.
Gott gesegne dich allezeit!
Du warst mein glück vnd mein gsundheit.
Gott gesegn dich, du beste freündtin!
Gott gesegn dich, Reichthumb vnd gwin!
[338ᶜ]   10 Gott gesegn mein lust vnd kurtzweil!
Gott gesegn dich, mein wolfahrt vnd heil!
Gott gsegn dich, mein holtseligkeit,
Mein Blum vnd mein Süesser geruch!
Nun bin ich aller Welt ein fluch.
15 Mein gute zeit ist mir vergangen.
Ach Gott, was soll ich nun anfangen?
Grössers leidt kündt mir nicht gschehen,
Als das ich sie soll niemmer sehen,
Von der mir herkam alles guts.
20 Nun werd ich niemmer gutes muths,
Biß das mein leben nemb ein endt,
Dann als glück hat sich von mir gwendt
Vnd geht jetzund mein jammer an,
Den mir hie niemand wenden kan.
25 Das macht als mein treülossigkeit,
Das ich jhr brach mein glüb vnd Eyd.
Das thut Gott ernstlich an mir rechen.

Anna sagt:

Ach wehe! mir will das hertz zerbrechen,
30 Das die Frau dreymal vmb das Schloß
Sich schwang mit kläglichem gschrey so groß,
Damit sie hat anzeiget, daß
Sie vns alhie nicht gern verlaß.
Auch hat sie bedaurt die zwey Kind,
35 Die von jhr nicht entwehnet sindt.
Ach Gott, was haben eur Gnad than!
Wie fang ichs mit den Kindern an,

Die jhrer Mutter bedörffen noch?
Mit sehnlichem vmbschauen sie floch
In die lufft vnd thet sich vmbdrehen
Vnd schrey kläglich, weil ichs kund sehen,
5 Das einer ein harts hertz müst han,
Solt es jhm nicht zu hertzen gahn.
Vor Weinen ich nicht reden mag.

Reinmunt sagt:

Ich wert nicht mehr frölich mein tag.
10 Ach wie hab ich für meinen leib
Gehabt so ein glückhafftigs Weib,
Von der mir alles guts ist kommen!
Kein böß wort hab ich von jhr eingnommen.
Sie ist holtselig gwest vnd frum,
15 Billich so kümmer ich mich drumb.
Auch wahr sie ein schöne Person,
Schöner, dann ichs beschreiben kan,
Das Königliche schönste bilt.
Sie ist gwest tugentreich vnd milt.
20 Auch hat sie können Wehen vnd sticken,
Neben, schlingen, Würcken vnd stricken.
Ja ich möcht doch nur wissen gern,
Was für Künst auff der Erden wern,
[338ᵈ]   Das sie nicht künd ein theil darvon.
25 Ach Gott, mein Herr, was hab ich thon?
Ach das ich einen Menschen find,
Der mir zuwegen bringen kündt
Meinen Gemahl im vorigen leben!
Ich wolt jhm die gantz Grafschafft geben,
30 Mich dennoch gleichwol mit jhr nehrn.
O Melusina, thu wider kehrn!
Ich bitt durch Gottes gütigkeit,
Verzeih mir nur jetzt mein thorheit!
Ich wils mein lebtag thun nicht mehr.
35 O Gemahl, mein klagen erhör
Vnd kehr wider zu mir herwertz
Vnd erfreu mir mein traurigs hertz,

Das sonst in hertzen leid vergeht!
Vnd lestu mich in diser nöt,
So ist auff Erd kein ermer Mann,
Der je ohn dich nicht leben kan,
5 Als ich der elende Reinmundt,
Der in leidt ist zum todt verwundt.
Weil du dich von mir hast gewendt,
So hat all mein wolfahrt ein endt
Vnd ich gehe in das höchst Elend.

10   Abgang jhr aller.

ACTUS SEXTUS.

  Kompt der Ehrnholt vnd beschleust:
Also sich die Tragedi endt,
Darauß zwo lehr zu nehmen send:
15 Erstlich so sollen die Eheleüt
Ihr Eheliche pflicht allezeit
Treülich gegen einander halten,
Vnd ob sie böß Leüt wolten spalten,
Sollen sie jhn nicht leichtlich glauben,
20 Ihr Ehelich lieb jhn lassen rauben,
Sonder all sach gar wol erfahrn.
Auch sollen sich Eheleüt bewahrn,
Das auff sie bracht werd kein argwon,
Dann es kombt vil vnglücks davon.
25 Zum andern sollen die Eheleüt
Gebrauchen auch der bescheidenheit,
Nicht leichtlich aneinander schenden,
Sonder all red zum besten wenden,
Denn es kombt offt auß einem wort
30 Groser jammer, vbels vnd mord.
Drumb sollen sich Eheleüt befleissen,
Aneinander als gutes beweissen,
Keines das ander mit wortten beschwern,
Sonder, wie Salomon thut lehrn,
[339] 35 Sol jhr eines das ander lieben.
So würd das ander auch getriben,
Das es hin wieder lieben muß.

Das mercket hie zu dem beschluß!

Abgang.

Folgen hernach die Personen in diese Tragedi:

1. Ehrnholt.
2. Helmas, der König in Nordwegen.
3. Feronia, die Königin.
4. Valentina,
5. Meliora,
6. Melusina, die drey Königlichen Töchter.
7. Agoras, der Teuffel.
8. Emerich, der Graf von Petiors.
9. Bertram, sein Sohn.
10. Reichhardt, sein Junger.
11. Adolff, ein Jägers Jung.
12. Reinmunt, der jung Graf von Forst, der Melusina Mann.
13. Ludwig, der Landtherr in Nordtwegen.
14. Phila,
15. Vbalt, zwen Paurn in Nordwegen.
16. Artus, der Engellendisch Ritter.
17. Renner, sein Diener.
18. Merlinus, der Zauberer.
19. Vriens,
20. Gyot, der Melusina Söhn.
21. Amuratus, der Türckisch Keiser.
22. Bajeza,
23. Riffon, seine zwen Räht.
24. Hermannus, der König in Cypern.
25. Vitalis,
26. Ruffus, seine beede Räht.
27. Hermina, sein Tochter.
28. Mucius, ein Königlicher Gesandter auß Armenia.
29. Freymundt, der Melusina Son, der Münch.
30. Goffray, der Melusina Son.
31. Dietlib, der junge Graf von Forst, Reinmundts Bruder.
[339ᵇ] 32. Johannes, der Abt.
33. Wolffran, der Münch.
34. Gilg vnd

35. Lienhardt, zwen Potten.
36. Anna, der Melusina SeügAmb.
37. Grimholt, der Rieß im Berg Abelon.

(21)

TRAGEDI, ANDER THEIL, VON DER MELUSINA, WIE
GOFFRIUS GEHAUSET VND SEIN ENDT GENOMMEN HAT,
Mit 27 Personen vnd hat 6 Actus.

5 Der Ehrnholt geht ein vnd sagt:
ALl solt jhr vns sein Gottwillkommen,
Weil wir vns haben fürgenommen,
Tragedi weiß hie zu Agirn,
Nach dem Reinmundt thet verlirn
10 Melusina, den Gemahl sein,
Wie er in jammer, angst vnd pein
Sich hat begeben ins Elendt
Vnd darin sein leben geendt,
Auch wie Goffray mit dem zahn
15 Grose Reü seiner Sündt gewahn
Vnd wie er die bereühet hab
Vnd was er thet biß in sein grab.
Das alles werd jhr hörn vnd sehen,
Wie es mit wort vnd that geschehen,
20 Weil sich schon die Person hernehen.

Er geht ab. Ludwig, der Landherr in Nordwegen, geht ein
vnd sagt:
Nun ist es bey vier vnd zwantzig Jarn,
Das auß dem Königreich ist gefahrn
25 Persina, die Königin deß Landts,
Vnd hat seid erfahren niemandts,
Ob sie todt oder lebendig sey,
Ob sie sey gfangen oder frey

107 *

Oder obs wider kommen wöll.
Das Land ich hie Regirn söll
Als ein Königlicher Stadthalter,
Soll sein deß gantzen Landts verwalter.

[339ᶜ]   5 So vnderstehet sich der Grimholt,
Der vnsern König verwachen solt
Verzaubert im Berg Abelon,
Der martert mir die vnderthon
Mit reisen, steurn vnd auch Fronen.
10 Bitt ich, das er soll jhr verschonen,
Sie können deß nicht kommen zu,
So hebt sich jammer vnd vnruh,
Das er schlecht, strafft, steckt vnd pflegt
Vnd jhn die hertsten Gefängnuß legt,
15 Das jhr etlich darin verderben.
Ohn als erbarmen lest er sie sterben,
Ja er selbst hat erschlagen schon
Im Land mehr dann ein tausent Mann,
Auch die Landherrn mit angriffen,
20 Die nicht nach seinem Reihen pfieffen,
Also das ich auch muß besorgen,
Er fall auff mich heut oder morgen
Vnd mach mir auch meinen garauß.
Darumb so hab ich geschicket auß
25 Etliche Pauersleüt, die söllen
Mir ein berümbten Ritter bstellen,
Der mit dem Riesen kempff vnd streit
Vmb vnsere alte Freyheit.
Erhelt er die mit seiner hand,
30 Macht vom Riesen ledig das Land,
So soll er Herr deß Landes sein
Vnd alles einkommens nemen ein,
Biß ein anderer Erb sich find,
Villeicht vnsers Königs Kindtskind,
35 Weil er drey Töchter hat verlassen.
Schau! dort kommen auff ferrner strassen
Die außgesande Landtsleüt,
Bringen ein Ritter zu dem streit.

Goffray mit Phila vnd Vbalt gehn gerüst ein. Phila sagt:

Herr Stadthalter, hie bring wir ein Mann,
Welcher den Riesen Gedeon,
Der gewohnet hat in Garandt,
5 Erschlagen hat mit seiner Hand.
Der berümbt sich, er wolts auch wagen
Vnd den Grimholt auch jetzt erschlagen.
O das ers kündt! was geb ich drumb?

Ludwig, der Landherr, gibt jhm die hand vnd sagt:

10 Seit mir zu tausent mahl willkomb!
O Edler Ritter, helfft auß noth!
Wo nit, so müß wir sterben todt.
Wir haben ein grosen Volland,
Der bringt vns vmb schier alle sandt
[339ᵈ] 15 Mit seiner grausamen Tyraney.
Drumb helffet vns vnd steht vns bey!
Vnd wo jhr thet den Riesen erschlagen,
So will ich euch beim Eydt zusagen,
Ihr solt deß gantzen Landts Herr sein.

20 Goffray gibt jm die hand vnd sagt:

So glaubt mir bey der Treüe mein!
Dieser groß Mann der muß mir sterben
Vnd soll jhm kein Mensch gnad erwerben,
Es sey dann sach, er bring mich vmb.

25 Vbalt sagt:

O Herr, thuts best! ich bitt euch drumb.
Ich will euch schencken mein bestes Pfert,
Das ist gar wol acht gulden wehrt.
Nichts bessers hab ich in meim Hauß.
30 Ich hab schir gar gezehret auß,
Wolt euch sonst etwas bessers geben.

Goffray sagt:

An den Riesen setz ich mein leben
Vnd acht mir deines gschencks nicht vil;
35 Allein ich betten haben will,

Man wöll mir einen geben zu,
Der mir den weg hinweissen thu,
Wo der Rieß hat sein auffenthalt.
Mit jhm will ichs außmachen halt.
5 Das solt jhr all mit freuden erfahrn.

Ludwig, der Landherr, sagt:

Zicht hin! Gott wöll euch gsund bewahrn!
Vnd Phila, du must mit jhm hin
Vnd zu dem Riesen weissen jhn.
10 Vnd bringstu vns das Pottenbrot,
Das der Tyrannisch Rieß ist todt,
So hastu von mir hundert Kronen
Vnd solst all dein lebtag frey wohnen,
Fort geben weder Gült noch Zinst.
15 Dein tag du sonst so vil nicht gwinst.
Vnd Gott geb euch auch glück darzu!

Phila sagt:

Was jhr mich heist, ich gern thu
Vnd will dem Ritter den Riesen weisen.
20 Ich aber wil mich mit jhm nicht schmeissen,
Sonder so balt ich jhn thu sehen,
Wil ich mich in der still abdrehen,
Wie ein Katz auß dem Taubenhauß,
Dann wenn man zeicht die Messer auß
25 Vnd wil mit streichen zammen kommen,
Stehe ich wie der Haß vor der Trummen.
Ich fürcht den Risen, glaubt mir ohn spot!
Wenn ich jhn seh, bin ich halb todt,
[340] Also hat er mir gefahren mit.

30 Ludwig sagt:

Ey schweig! du darffst jhn schlagen nit.
Wenn du werst gwest ein solcher Mann,
So hets kein anderer dörffen than.
Zieh hin vnd weiß dem Herrn den Berg,
35 Darin sich helt das wunderwerck!
Vnd Gott geb euch vil glück vnd heil,

Das jhr dem Riesen gebt sein theil
Vnd erlangt vns vorige freyheit!

Ludwig gibt jhm die hand. Goffray sagt:

In Gottes Namen zieh ich hin.
5 Bey dem Tantz ich mehr gwesen bin,
Wie ich dann auch vor kurtzen tagen
Gedeon, den Volland, hab erschlagen.
Der ist wol so böß gewest, als er.
Ich wolt, das er schon vor mir wer.

Abgang. Kompt Reinmundt in Leidkleidern und sagt kläglich:

Nun ist es heůt der vierte tag,
Das Melusina in wehe vnd klag
Von hinn hat jhren abschied gnommen.
Wie wol sie offt zu nacht ist kommen
15 Vnd mit sehnlichem weinen groß
Sich hat geschwungen vmb das Schloß,
Doch will sie sich nicht lassen fangen.
Ach groß vbel hab ich begangen.
Ach wehe meins jamers vnd meins leiden!
20 Alle vernunfft ist von mir gscheiden.
Den Argwohn ließ ich mich verführn.
Vnbscheidenheit thet mich regirn
Vnd meine grobe böse wort
Bringen mich in vnglück vnd mordt.
25 Ach wie hett mich die lieb so wehrt!
Wie gar nicht hat sie mich beschwert!
Wie vnrecht hab ich jhr gethan,
Ich Meineidiger loser Mann!
Wie offt hat sie mich gwarnet vor,
30 Ehe vnd wann ich Nerrischer thor
Sie nie hab gnommen zu der Ehe.
Das thut mir in dem hertzen wehe.
Ach hab ich an Graf Emerich
Nicht vorhin hart versündigt mich,
35 Das ich dem frommen Herrn mein
So jämerlich namb das leben sein?
Vnd habs dabey nicht bleiben lahn,

.... (emahl than.
... .! erdrucket mich!
... . auff thete sich
.... mich in jhren schlundt,
. ... vergieng diese stundt,
.... in dem hertzen mein
. ... vnaußsprechliche pein!

.... geht ein, tregt ein Kind am arm vnd sagt:
..... Gnediger Herr, seit getrost!
¹⁰ Was ists, das jhr in Traurn rost
Ewr hertz, das vor betrübet ist,
Dieweil jhr doch höret vnd wist,
Das man mit Traurn vnd mit weinen,
Mit weheklagen, winseln vnd greinen
¹⁵ Nichts verlorns kan wider bringen
Oder vnmügliche dieng bezwingen.
Darumb so fasset euch ein hertz!
Last Traurn sein von euch abwertz
Vnd befehlet Gott eüre sachen!
²⁰ Haltet jhm auß! er wirdts wol machen,
Also das jhr es kündt ertragen.
Ich hett eur Gnaden was zu sagen,
Wenn sie lustig zu hörn wer.

Reinmunt sagt:

²⁵ Ich will es hörn: sag du nur her!

Anna, die Amb, sagt:

Gnediger Herr, heüt diese nacht,
Da ich in meinem Beth erwacht,
Hab ich gesehen mein Gnedige Frauen
³⁰ In der Kindtsstuben gehn, auff trauen,
Die thet sich zu den Kindern neigen,
Hub sie auff vnd thet sie selbst setzen
Vnd leget sie frisch wider nieder,
Namb darnach jhren abschied wieder,
³⁵ Als wenn sie niemand hett gesehen.

Reinmundt sagt:

Ey Ey, was thustu mir verjehen?

Ach wolstu nicht reden mit jhr?

Anna sagt:

Es wahr ein solche forcht in mir,
Wenn ich schon auff thet meinen Mundt,
5 Das ich davor nicht reden kundt.
Auch thet ich diese fürsorg tragen,
Ich möcht sie mit den reden verjagen.
O last sie gehn! thut jhr verschonen!
Ich mein, sie soll wider her gwohnen
10 Vnd mit der zeit selbst bey vns bleiben.

Reinmundt sagt:

Bey leib so last sie nicht vertreiben!
[340ᶜ] Kein mensch thu sich wenden noch regen,
Das man jhr nur nichts thu entgegen!
15 Wils Gott, so wird sie sich erbarmen
Vber mich hochbetrübten armen
Vnd jhr zwey Kindlein selbst erziehen,
Das wir kein frembte Leüt dörffen mühen
Vnd mir auch vergeh mein hertzleidt.

20 ### Anna sagt:

Gnediger Herr, vor dem abscheidt
Ward meiner Gnedigen Frauen bitt,
Das jhr solt leben lassen nit
Den Horribel, jhrn Jüngsten Sohn,
25 Welcher auch thut drey augen han,
Dann sie sprach, wenn er lebendt blieb,
Er vberauß groß vbel trieb,
Dergleich vor nie geschehen war.

Reinmundt sagt:

30 So gehin! laß jhn bringen her!
Mein hertz ist so mit leidt besessen,
Das ich der warnung bett vergessen,
Vnd hestu mich nicht gemahnet dron,
Wer er lembdig kommen davon.

35 Die Amb geht ab. Reinmundt sagt:

Ach ist dεa vbεlε noch kein Endt?
Soll ich in meim grossen Elendt
Nεch mεhr von meinen Kindern leiden,
Wiε mir mein Gemahl thet bedeüten?
Hau ich nicht vorhin gnug geplagt,
ου ουy es Gott vom Himel klagt.
Uoch ist besser ein Kind gestorben,
Denn etwa ein gantz Gschlecht verdorben.

Zwεn Trabanten führn den Horribel ein, ist ein Knab bey
zchn oder zwölff Jahrn vnd hat ein gemalts aug auff der
stirn, vnd sagt Horribel:

Gnediger Herr vnd Vatter mein,
Warumb last jhr mich fordern rein?
Soll ich die Mutter wider bringen,
15 Die jhr mit schand von euch thet zwingen,
Von der jhr hett als heil vnd glück
Das euch vnd vns jetzt wend den rück,
So sagt mir, wie ich jhm soll than;
Dann wenn ich sie nicht bringen kan
20 Vnd einsmals zu meim Alter kumm,
So werd ich mit euch reden drumb.

[340ᵈ]   Reinmundt sagt:

Ihr Trabanten, nembt den bößwicht
Vnd verbind jhm sein angesicht!
25 Führt jhn in ein lehrn Keller hin!
Thut jhn mit Feur erstecken drin
Vnd traget jhn als dann zu grab!
So komb ich deß losen leckers ab.

Die Trabanten verbinden jhm das angesicht, werffen jhn ins
loch, zinden ein Feur an, lassen jhn ersticken vnd gehn ab.

Reinmundt sagt:

Nun hab ich meiner Gemahl willn
Dieses Sohns halb lassen erfüln,
Darauß ich gar wol sehen kan,
35 Wie sich mein vntergang fang an.
Alhie ich nit mehr bleiben mag,

Sonder will mein vorige klag
Widerumb auffs neü repetirn,
Biß ich thu mein leben verlirn.

Abgang. Grimholt, der Rieß, geht gerüst ein vnd sagt:
5 Ach wie scheint heut die Sonn so schön?
Ich will ein weil nauß in das grün
Vnd zuhörn dem voglgesang.
Im Berg hab ich gehütt nun lang
Meins gewesenen König Helmes grab,
10 Vnd wenn ich recht gesehen hab,
So hab ich von ferr jhrer zwen
Herwartz zu dem Berg sehen gehn,
Denen soll werden Abentheur
Von meinen schlägen vngeheur,
15 Das sie jhr tag dran dencken sollen.
Ich will gehn sehen, was sie wollen.

Goffray vnd Phila gehn ein, der Phila ersicht den Riesen,
stutzt vor jhm vnd sagt:
O Edler Ritter, secht euch für!
20 Dort secht vor euch den Riesen jhr.
O thut euch nicht hin zu jhm wagen,
Das jhr nicht werd von jhm geschlagen!
Secht jhr, wie es ein Volland ist?

Goffray sagt:
25 Wie ein verzagter Mann du bist!
Gehe fort! er darff dir nichtsen than.

[341] Phila stellt sich, als wöll er zurück, vnd sagt:
Nein, auff mein Eyd, ich wag mich nicht nan.
So will ich auch nicht helffen euch,
30 Vnd solt er euch erschlagen gleich.
Ich kenn jhn wol vnd kauff jhn nit.

Goffray helt jhn vnd sagt:
Ey bleib stehn vnd gib dich zu fridt!
Ich will den Riesen selbst wol dempffen.
35 Du darffst mir gar nit helffen kempffen.

Gehe du nur her vnd sie mir zu,
Auff das du lerust, wie ich jhm thu!

    Phila begert zurück vnd sagt:
Nein, Nein, ich laß mir das wol wehrn,
Ehe ich mich wolt mit kempffen nehrn.
Wolt ehe mein lebtag bleiben ein Paur,
Solt es mir wern noch so saur
Vnd noch so vbel gehalten sein,
So bleibt mir doch gantz die haute mein
10 Vnd durffs der Bader mir nit flicken.
Nur hieß der hieb mich zu klein stücken
Vnd freß mich in einem Salat.
Secht jhr nicht, wie er ein maul hat?
Ich glaub fürwahr bey meiner treü,
15 Das er ein Paurnfresser sey.
Er hat jhr je vil vmbgebracht,
Darumb kumb ich zu jhm nicht naht.
Aber dahinden in dieser Ecken
Da will ich mich heimlich verstecken
20 Vnd will euch kempffen sehn zu.

    Goffray sagt:
Nun, mein Mänlein, dasselbig thu!
Ich will den Riesen zwingen fein.

Grimholt, der Rieß, laufft auff jhn zu vnd sagt:
25 Was Teufels hat dich gfürt darein?
Von wann bistu vnd wer geborn?
Sagstus nicht, so bistu verlorn,
Du kleine arme Creatur!
Was windts hat dich hergwehet nur?
30 Heüt den tag müssen die Kroen vnd Raben
Ein malzeit an deim leibe haben
Vnd ich nimb dir harnisch vnd schilt.

    Goffray sagt:
Du Tyrann, wie machstu dich so wilt?
Solt vor den worten ich verzagen?
35 Wer vnd von wann ich bin, dir sagen?

[341ᵇ]   Dasselbig ist noch nicht von nöten.
              Du hast gesagt, du wölst mich tödten
              Vnd mein fleisch dann den Raben geben.
              Dasselbig wirstu nicht erleben,
         5 Weil du nicht hast, ob Gott wil, gsagt.
              Du finst mich nicht also verzagt,
              Wie du dich lest villeicht bedancken.

                   Grimholt sagt:
              Ich mein, du habst dich vol getruncken,
        10 Das du so gar hochmütig bist.
              Wol her! ich bin auff dich gerüst
              Vnd will dich fertigen in dein grab,
              Wie ich vor manchem gethan hab.

Sie schlagen zusammen, liegt ein jeder ein weil ob, dan letzlich so schlegt der Goffray den Riesen gar zu boden, der steht
        wider auff vnd laufft in Berg. Goffray sagt:
              Wenn du schon lauffst in Berg hinein,
              So will ich doch balt bey dir sein.

Goffray folgt jhm nach. Phila, der Paur, kreücht herfür
        20   vnd sagt:
              O auff jhn! er ist des wol werdt.
              Er hat vil armer leüdt beschwerdt.
              Weil der Rieß fleicht, so bin ich fro;
              Sonst aber so blieb ich nit do.

Goffray vnd der Rieß kempffen von inwendig wider herauß,
der Phila versteckt sich wider vnd wird entlich der Rieß er-
              schlagen. Goffray sagt:
              Hie liegstu selbst in deinem blut
              Vnd ich hab dir dempfft den hochmut.
        30 Du bist gewest so gar vermessen.
              Wen werden jetzt die Raben fressen?
              Nun Kundman, so kom nun herfür!
              Da mustu etwas sagen mir.

Phila springt herfür, juchtzt vnd lacht, hebt die hendt auff
        35   vnd sagt:

O grossen danck thu ich euch sagen,
Weil jhr den Riesen habt erschlagen,
Der vns so gwaltig hat gezwengt.

[341ᶜ]   Goffray sagt:
5 Ja Gott hat vber jhn verhengt.
Nun komb mit mir in Berg hinein!
Weiß mir, wo die gefangenen sein,
Die ich darin hab hörn weheklagen!

          Phila sagt:
10 Von jhm hab ich wol hörn sagen,
Weiß auch wol, das jhr drinnen sein.
Ich aber bin nie kommen nein,
Denn wen der Rieß einmahl bekam,
Zu jhm in den Berg gefangen nam,
15 Den ließ er niemmermehr herauß.

          Goffray sagt:
So komb! hilff mirs als suchen auß!
Die gefangen ich erlösen will
Vnd jhn machen groß freüdenspil,
20 Dich aber zum Landtsherrn schicken,
Mit guter Pottschafft zu erquicken,
Das nun der Rieß sey geschlagen todt
Vnd das Land kommen auß aller noth.

Sie gehn mit einander ab. Phila, der Paur, geht wider ein
25   vnd sagt:
Gott lob, der vns hat geben sich!
Ietzt hat der Ritter geschicket mich,
Dem Statthalter zu zeigen an,
Wie der Rieß sey erschlagen schon
30 Vnd der Ritter den Berg hab gewunnen,
Vil Golts vnd gelts darin gefunnen,
Deßgleichen wol zwey hundert gfangen,
Die zuvor kein gnad mochten erlangen.
Die will der Ritter ledig lassen.
35 Nun so mach ich mich auff die Strassen
Vnd verdien ein guts Pottenbrot.

Vmb das Land hats nun mehr kein noth.

Goffray bringt Leudolt, den gefangen Landherrn, vnd noch
etliche gefangene stumme Personen, so vil man dern haben
kan, in armudtseliger, zerrissener wahdt, auch tregt er ein
langen zettel oder Tafel in der Hand. Goffray sagt:

 Ihr lieben gefangen, nun seid getröst!
 Auff heut hab ich euch all erlöst
 Von deß Riesen grausamem gewalt.
 Ach wie seit jhr so vngestalt,

[341ᵈ] 10 Mager, dürr, gelb vnd verblicben!
 All eure kräfft send von euch gwichen.
 Vbel hat man euch ghalten leider.
 Wie seind erfaulet euer kleider!
 · Wie seind euch gwachsen negel vnd har!
 15 Ihr daurt mich in dem hertzen zwar.
 Doch west ich gern, wer jhr all werdt.
 Wolt jhr mirs sagen ohn beschwerdt?

   Leudolt sagt:

 Gnediger Herr vnd erlöser, wist,
 20 Das mein nam Ritter Leudolt ist.
 In dem Land ich ein Landherr wahr,
 Wie männiglich ist offenbar.
 Mein gut wahr etlich thunnen Golt,
 Vnd da ich daß nicht geben wolt
 25 Dem Riesen, so vil er wolt han,
 Da nam er mich gefänglich an,
 Legt mich in die Prisaun gar balt
 Vnd nam mir all mein gut mit gwalt,
 Gab mir al tag für hungersnoth
 30 Nicht mehr, als nur zwey stücklein Brot,
 Deß wassers darzu auch nicht gnug
 Zu trincken auß eim alten krug.
 Der ich vor in vberfluß lebt,
 Andern Landtsherrn weit ob schwebt,
 35 Der must jetzund der vnderst sein.
 So seind mir auch die kleider mein

Also erfaulet an dem halß.
Ach solts eur Gnad ich sagen als,
Wie der Rieß ist mit mir vmbgangen,
Ich müst zu weinen vor anfangen.
5 Also ists auch den gsellen mein,
Die durch eur hilff erledigt sein,
Ergangen eben, gleich wie mir.
Nichts könn wir euch geben darfür,
Als lob verjehen mit vnserm mundt,
10 Ein frölichs dancklied singen jetzundt.
Das nemb jhr Gnaden von vns an!
Nun fang an, wers am besten kan!

Ietzo hebt einer auß den gefangen an vnd singt dem Goffray
ein herrlichs dancklied, das kan jhm einer, so singen kan,
seines gefallens selbst machen, vnd so man außgesungen hat,
fengt Goffray an vnd sagt:

Ihr lieben Leüt, gebt euch zu rhu!
Gott ich selbst für euch dancken thu.
Allein ich bitt: gebt mir bericht
20 Von einer gar seltzamen gschicht!
[342]   Dann ich hab in dem Berge vnden
Ein köstlichs Grab von Steinen funden,
Darein da seint gehieben milt
Eins Königs vnd seines Gemahls Bilt
25 Auffs schönste Contrafectischer art
Vnd vmb das Grab geschriben ward,
Wie ich es hie hab gschriben auff.
Darumb so mercket fleissig drauff
Vnd sagt mir darnach, was es sey
30 Vnd der geschicht verstand dabey!

Er liest den Brief oder die Tafel vnd sagt:

Mit gulten füesen dieses Grab
Ich Persina gemachet hab
König Helman, dem Gemahl mein,
35 Den in diesen Berg schlossen ein
Mein Töchter, die Palentina,

Die ander, genand Meliora,
Vnd Melusina ward die dritt,
Auff das, wenn er hierinn verschiedt,
Solt jhn der Rieß darein begraben,
5 Den sie hierzu bestellet haben,
Das er den Berg bewachen solt.
Vnd wenn jemand erlösen wolt
Mein Gemahl, so solt ers verwehrn
Vnd niemand zu jhm lasen kehrn
10 In diesen Berg, er wer dann worn
Von meim Geschlecht Königlich geborn.
Drauff hab ich das Reich verlassen
Vnd meine Töchter verflucht der massen,
Das Palentina in Aragon
15 Auff einem Berg soll hütten forton
Meines Gemahls Schatz, biß einer kem,
Der das heilige Land einnemb
Vnd auch diesen Schatz erwürb,
Vnd das sie niemmermehr erstürb
20 Biß hin wol an den Jüngsten tag.
Die ander verflucht ich darnach
Auff ein Berg in Armenia,
Solt eines Sperbers warten alda,
Biß sie erlöst das Jüngst gericht;
25 Dieweil würd sie erlöset nicht.
Also die dritte Tochter mein
Soll all Sambstag ein Wurm sein
Vnter der gürttel, als wie ein Schlang,
Biß zu der Sonnen vntergang.
30 Ob sie nun also bekombt ein Mann,
Soll sie als dann mit todt abgahn,
Das sie erlöst vnd selig werd;
Wenn aber sich jhr Mann beschwerd,
So bleibt sie biß am Jüngsten tag.

35 **Goffray sagt:**

[342^b] Ihr lieben Herrn, jetzt ist die frag:
Habt jhr den König nicht gekendt,

Der Helmmes ist worden genendt,
Weil er das Land hie thet Regirn?

Leudolt sagt:

Ja wir theten jhn nicht gern verlirn,
5 Denn er ward gar ein frommer Mann,
Hett seiner Gemahl ein Eyd gethan,
Die er doch het in Ehrn holt,
Das er sie nicht besuchen wolt
In jhrem Kindbet niemmermehr.
10 Darob er sich vergessen sehr
Vnd sie hernach darin besucht.
Dessen haben groß Rach gesucht
Die drey benanden Töchter sein
Vnd liessen jhn hie spern ein
15 Vnd mit diesem Riesen verwachen.
Die Königin thet sich auff machen
Vnd ist gezogen ins Elendt,
Gab das Reich vnd das Regiment
Dem Statthalter ein zu Regirn.
20 Also theten wir sie verlirn
Vnd wissen noch nicht, wo sie sey
Mit jhren Töchtern allen drey.
Das weiß ich vnd sonst nichtsen mehr.

Goffray sagt:

25 So glaub ich bey Trauen vnd Ehr,
Das der König mein Anherr sey,
Dann ich weiß wol, bey meiner treü,
Melusina heist die Mutter mein.
Solt sie deß Königs Tochter sein,
30 So hett wir zuspruch zu dem Reich.
Nun will ich balt scheiden von eüch
Vnd solches daheim bey jhr erfahrn.
Nun kombt vnd thut euch all nicht sparn!
Helfft mir den Riesen wie ein Narrn
35 Auffgerichts binden auff ein karn
Vnd in dem Land herumben führn,
Das wir gleichsam mit Triumphirn

.Vnd machen männiglich bekandt,
Das nun durch mein Siegreiche handt
Erlöset worden sey das Landt!

Sie gehn alle mit freuden ab.

5 ACTUS PRIMUS.

Ludwig, der Landherr, geht ein mit Phila vnd sagt:
Weil du mir thest die Pottschafft sagen,
Das der Rieß sey worden erschlagen
[342ᶜ] Vnd das Land wider frey gemacht,
10 Vnd du hast mir die zeitung bracht,
So empfang das trinckgelt von mir!

Er gibt Phila gelt vnd sagt weiter:
Vnd laß mich balt sein auff mit dir,
Das ich mit grossem Preiß vnd Rumb
15 Dem Kühnen Ritter danck darumb,
Auch das ich mich befleiß dabey,
Recht zu erfahren, wer er sey;
Dann er muß vnser König wehrn.
Er ist wol würdig solcher Ehrn.

Sie gehn mit einander auff der Brucken herumb. Phila sagt:
Herr Statthalter, secht jhr, dort vnden
Führn sie den Riesen gebunden
Also todt auff dem karn rauß,
Den der Ritter hat gelassen auß
25 Die gefangenen auß jhrer gfengnuß;
Vnd weil jetzt durch Gottes verhengnuß
Der Rieß nun mehr schon ist erschlagen,
Hab wir Gott wol drumb danck zu sagen.

Sie führn den todn Riesen auff einem Karn vnd Goffray mit
dem zahn geht gerüst mit Leudolten hindennach. Ludwig
drit zu jhm, felt jhm zu fuß vnd sagt:
Ach Gnediger Herr vnd Ritter, wist!
Weil das Land nun erlöset ist
Durch eure Ritterliche hand
35 Vnd dem Riesen gschehen widerstand,

So sagen wir euch Lob vnd danck
Vmb die Wolthat vnser leben lang
Vnd ergeben vns mit Leib vnd blut,
Mit vermögen, auch Haab vnd Gut
5 Vnter eur Gnaden schutz vnd gwalt.
Macht jhrs mit vns, wie es euch gefalt!
Wir wöllen all eur Gnaden sein.

    Goffray hebt jhn auff vnd sagt:
Ich beger nichts, groß oder klein.
10 Allein hie haben wir den Riesen,
Der werd dem gantzen Land gewiesen,
Was er ist gewest für ein Volland
Vnd wie ich jhn mit meiner Hand
Erleget hab vnd todt geschlagen.
15 Vnd weil der Rieß thet zu mir sagen,
Er wolt mich den Raben zu essen gehen
Vnd ich jhm selbst namb das leben,
[342ᵈ]   So last die Raben fressen jhn!
Vnd nach dem mir liegt in dem sin,
20 Das Melusina, die Mutter mein,
Warhafftig muß gewesen sein
Deß König Helmes Tochter zwar,
Der in dem Berg verfluchet wahr,
So will ich eylend ziehen hin
25 Gen Garand, da ich Regend bin,
Vnd auch zu meiner Mutter (wist!),
Erfahrn, wer doch gwesen ist
Ihr Vatter, der liebst Anherr mein.
Vnd jhr solt deß Landts Regent sein,
30 Auch brauchen alles Silber vnd Golt.
Vnd was jhr sonst bedörfft vnd wolt,
Auch findet in dem Berg verborgen,
Das braucht vnd thuts fleissig versorgen,
Biß das ich kürtzlich wider kumb!

35   **Leudolt sagt:**
Eur Gnaden dancken wir darumb
Vnd Gott wöll euch zu diesem stück

Geben vil wolfarts, heil vnd glück,
Das eur Frau Mutter außerkorn
Von vnserm König sey geborn
Vnd eur Gnad vnser König sey,
5 Weil sie vns macht vom Riesen frey.

Goffray gibt jhn allen die hand vnd sagt:
Dieweil diß gut werck ward verricht
Vnd ich hie hab zu warten nicht,
So will ich jetzt mit wissen scheiden.

10   **Ludwig sagt:**
So wöllen wir mit lust vnd freüden
Das Nachtmal zuvor nemen ein
Vnd eur Gnaden danckbar sein
Vmb das, so sie vns guts gethan.
15 Auff morgen so ziehen sie davon.

Abgang jhr aller. Dietlieb, der Graf von Forst, geht ein vnd
sagt:
Ach wie reüdts mich so hart jetzund
Vnd das ich mein Bruder Reinmundt
20 Mit meinen wortten hab verletzt,
Das er hat einen zweifel gsetzt
In den geliebsten Gemahl sein
Vnd sich der liebste Bruder mein
Gegen mir den zorn bewegen ließ,
25 Das er mich jhm entweichen hieß!
Wolt sein Rapier durch mich auß stechen,
Mein vnwarheit an mir zu rechen,
[343]   Der ich doch bey all meinen tagen
Nichts böß von seim Weib west zu sagen,
30 Allein das ich thet zu jhm jehen,
Es schadet nicht ein guts auffsehen,
Dann die Weiber send wunderlich.
Doch thut die red hart taurn mich
Vnd wolt Gott, ich hets nicht gethan,
35 Weil ich dardurch verlorn han
Meines allerliebsten Bruders gunst

Vnd all versehnung ist vmbsunst.
Bey jhm kein gnad ich niemer hab,
Biß ich komb in mein todengrab.

Abgang. Reinmundt geht ein mit Reinmunt, seinem Sohn,
5   vnd sagt:

Mein Sohn, wie wol mich hoch erfreüt,
Das Goffray in seinem Streit
Nun mehrmals hat das best gethan,
Das Land Garand gebracht davon,
10 Auch jetzt im Land zu Northemen
Dem Riesen thet sein leben nemen,
Das man jhm das gantz Land will geben,
Auch deine Brüder, die noch thun leben,
Fast alle seind so wol ankommen,
15 Vrienß hat das leben genommen
Dem Türckischen Keiser Amurat,
Die Kron in Cypern erlanget hat,
Gyott ist verheürat worn
Zu deß Königs Tochter außerkorn,
20 Hermina im Armener Land,
Das Königreich steht in seiner hand,
Anthoni hat zu seinem leib
Den allerschönsten Gemahl vnd Weib,
Auß Lützelburg ein Hertzogin,
25 Vnd er ist fort ein Fürst darin,
Deßgleichen dein Bruder, der Reinhart,
In Beheim neülich König ward,
Schau! also bastu nun vernommen,
Wie dein Brüder wol seind ankommen,
30 Allein der Freymundt ist verbrend,
Vmb dessen willen hat sich gewend
Alles glück von vns gar weid,
Vns gebracht in das hertzenleid,
Das dein Mutter von mir ist gschieden.
35 Dieselbig thet mich fleisig bitten,
Das ich Horribel solt tödten lahn.
Dasselbig hab ich auch gethan.

Nun weiß ich, was du werden wirst,
Ein fürtrefflicher reicher Fürst,
Welches mir alles bringt groß freüd.
Doch ist noch vil gröser mein leid,

[343ᵇ]   5 Das ich dein Mutter, die Hochgeborn,
So jämerlichen hab verlorn.
Ach Gott, wenn ich gedenck daran,
So thut mir ein anmacht zugahn,
Das ich wolt lieber sterben als leben.

10   Reinmund, der jung, sagt:
Herr Vatter, gedenckt, Gott hats euch geben!
Der hats macht, euch wider zu nemen.
Darumb thut euch vmb das nicht gremen,
Das man nicht wider bringen kan!
15 Nembt Gottes straff mit gedult an!
So wird euch alles leid dest ringer.
Es ist als gschehen durch Gottes finger.
Der hat all dieng in seinem gwalt.

      Reinmundt, der alt, sagt:
20 Dein Bruder der wird kommen balt.
Wenn ich jhm das nun sagen thu,
Was meinst, werd er sagen darzu,
Das dein Mutter wir haben verlorn?

      Reinmundt, der jung, sagt:
25 Es gefall jhm oder thu jhm zorn,
So ist es halt leider geschehen.
Wahr ists, er wirdts nit gern sehen.
Was kan er aber darzu than?
Secht, secht! wenn ich recht gsehen han,
30 So kompt er gleich hereiner dort
Auß dem Schieff bey deß Meers Port.

Goffray geht ein. Reinmundt gibt jhm die hand vnd sagt:
Hertzlieber Sohn, sey vns willkommen!
Hertzlich gern hab ich vernommen,
35 Das du den Riesen thest erschlagen
Vnd solchen grosen Preiß weg tragen.

Deines gleichen ist nicht in dem Land.

Goffray sagt:

In einem tieffen Berg ich fand
Ein Königlichs Merbelsteines grab.
5 Die vmbschrifft ich gelesen hab,
Das mein liebe Frau Mutter (wist!)
Deß Königs Helmes Tochter ist,
Den sie vnd jhre Schwester beid
Von wegen, das er einen Eyd
10 Seinem Gemahl hat geschworn
Vnd ist doch daran brûchig worn,
In den grosen Berg Abelon
Ewig zu bleiben verschlossen han
Vnd mit dem Riesen jhn verwacht,
15 Den ich jetzund hab vmbgebracht.
[343ᶜ] Dieweil dann vns das Reich gebûrt
Vnd auch gutwillig geben wird,
So wolt ichs als der Frau Mutter sagen,
Das wir davon möchten Rahtschlagen,
20 Wie wir das Reich möchten erlangen.

Reinmundt, der alt, schlegt die hend zusammen vnd sagt:

Ach Gott! ach was hab ich angfangen?
Ach wehe, wehe, hertzenlieber Sohn!
O wehe! es ist geschehen schon
25 Vmb die hertzliebsten Mutter dein.
Deß muß ich ewig traurig sein.
Vnd wolt Gott, ich wer nie geborn,
Seit ich mein Gemahl hab verlorn!

Goffray sagt:

30 Wie ist dann mein Mutter gestorben?
Ach wehe! vnd wenn ist sie verdorben?
Sagt mir! wie ist es gangen zu?
Ich hab dieweil kein rast noch rhu.

Reinmundt, der alt, sagt:

35 Mein Sohn, so wiß! der Bruder mein,
Der ist daran schultig allein,

Das ich auch bin Eydbrüchig worn
An jhr, da ich jhr hab geschworn,
Das sie wol alle Sambstag solt
In jhrem Gmach thun, was sie wolt,
5 Vnd ich solt jhr nicht forschen nach.
Als mein Bruder an eim Sambstag
Albie war, mit vns wol zu leben,
Da thet er mir einen raht geben,
Das ich solt sehen, was sie thet.
10 Darzu hat er mich vberredt
Vnd ich hab gsehen mir zu schaden,
Das sie in jhrem Gmach thet baden
Vnd ward vnden deß leibs ein Schlang.
Das hab ich jhr verschwiegen lang,
15 Biß du das Kloster hast verbrendt.
Dardurch ward mir mein gmüth verwendt,
Das ich jhr dise gstalt warff für.
Drauff hat sie propheceyet mir,
Wie es mir werd so vbel gahn,
20 Vnd ist damit gflogen davon
Vnd sagt, sie müst in groser klag
Verflucht sein biß an Jüngsten tag.
Vnd als, was mir hast gsaget du,
Das trifft mit jhren reden zu.
25 Deß bin ich ewig in wehe vnd klag.

Goffray würfft die wehr weg vnd sagt:

Verfluchet sey die stund vnd tag,
[343ᵈ] Darin eur Bruder kam hieher!
Nun schwer ich jhm bey treü vnd Ehr,
30 Das ich das vbel an jhm will rechen,
An dem verfluchten bösen frechen.
Vnd ich selbst bin auch schultig dran.
Ach wehe! ach Gott! was hab ich than?
Reinmundt, komb, mach dich auff mit mir!
35 Die gantze Grafschafft will ich dir
Als balt bringen in deine hand,
Dieweil der Graf vnd sonst niemand

Vns beed vmb vnser Mutter bracht.

Reinmundt, der alt, sagt:

Ach Gott, wo hab ich hin gedacht,
Da ich es euch beeden hab gsagt?
5 Ich bitt, was ich euch hab geklagt,
Das wollet jhr an jhm nicht rechen.
Ietzt denck ich, was mein Gmahl thet sprechen,
Da sie den abschied nam von mir,
Das Reinmundt würde werden schir
10 In der Grafschafft Forst der recht Herr.
Nun werd ich frölich niemmermehr.
Ach Gott, thu mir mein hertz erleichten,
Das ich mein vbel vnd Sünd mög Beichten,
Die ich alhie begangen hab!
15 Der kan mir niemand helffen ab,
Denn der Babst in eigner Person.
So will ich mich auff machen schon
Vnd sein Bäbstliche Heiligkeit
Bitten vmb raht in meinem leid.
20 Ihr Söhn, halt jhr dieweil wol hauß!

Goffray sagt:

Last mich das geschefft vor richten auß!
In zweyen tagen komb ich wider.
Die zeit könd jhr wol warten sieder.
25 Als dann will ich euch zeigen an,
Was vns allen noch sey zu than.

Er niembt den jungen Ritter bey der hand vnd geht mit jhm
ab. Reinmundt, der alt, sagt:

Ietzt geht mein vnglück heüfflich an.
30 Goffray ist ein böser Mann,
Der lest warhafftiglich nicht nach,
Biß er vollendet hab die Rach
An dem geliebsten Bruder mein.
Wie wol es ward von jhm nicht fein,
35 Das er mich zu dem Meineyd bracht,
So vbels auff mein Gemahl dacht.

> Ich selbst hett in der jeh wolan
> Ihm ein tödlichen schaden than.
>
> [344]   Aber was soll ich machen jetz?
>
> Mir ist vergangen Sinn vnd witz
> 5 Vnd kan schir weder dencken noch mercken.
> Ach Herr, thu mich mit Weißheit stercken
> Vnd bewahr auch den Bruder mein,
> Das jhm nichts schad am leben sein!

Er geht gar Traurig ab. Dietlieb, der Graf von Forst, geht
10   ein vnd, sagt:

> Mein Bruder vnd die Söhne sein
> Weren mir vnd allen den mein
> Ein Ehr vnd auch Ewiger ruhm.
> Solt ich mich dann nicht kümmern drum,
> 15 Das ich mir zu meim grosen schaden
> Meins Bruders vngnad hab auffgladen?
> Dann wie ich seither hab erfahrn,
> So ist im lufft gar hinweg gfahrn
> Sein Gemahl vnd hat jhn gar verlassen
> 20 Vnd er sey vber alle masen
> Bekümmert fast biß in den todt.
> O wehe deß jammers, angst vnd not!
> Es wird nicht vngerochen bleiben.
> Mein gewissen thut mich engsten vnd treiben,
> 25 Das ich nicht weiß, was ich soll machen,
> Dann ich bin schultig an den sachen.
> Hett ich mein Maul gehalten zu,
> So wer nicht kommen in die vnrhu
> Mein Bruder vnd die Kinder sein.
> 30 Ach wehe der jammer, noht vnd pein!
> Es ist mir groses vnglück vor.

Mann klopfft jehling an. Er erschrickt vnd sagt:

> Ach wer klopfft jetzt an dem Saalthor? . .
> Wer draussen ist, mag herein gahn
> 35 Vnd zeig an, was er hab zu than!

Er macht auff. Goffray laufft vngestim mit Reinmundt, dem

jungen, ein. Goffray sagt:

Ach du Ehrvergesener bößwicht!
Was vbels hastu zugericht
Deim Bruder, meinem Herrn Vatter,
5 Der allezeit wahr dein wohlthater?
So wol die liebste Mutter mein,
Der ich nun muß beraubet sein.
Darfür mustu lassen dein leben
Vnd all dein Güeter Reinmundt geben!

Er zeicht vom Leder. Dietlieb, der Graf, schreit:

[344ᵇ]   O mordio, jhr Dienner! helffet mir!

Er laufft ab. Goffray laufft jhm nach vnd sagt:

Ja, ja, ich will halt helffen dir.

Reinmundt, der jung, steht still vnd sagt:

15 Ach Gott, was vnglücks hebt sich an!
Wie wird es dann zu end noch gahn?
Der Graf taurt in dem hertzen mich.
An jhn kein hand mag legen ich.
Iedoch so bin ich des vergwist,
20 Das Goffray nicht zu stillen ist,
Biß er jhm hab sein sach gemacht
Vnd vom leben zum todt gebracht.
Er ist ein vnheltiger Mann,
Den ich gar nicht darff reden an,
25 Das er ein wenig thet gemach.
Ach Gott! es ist ein böse sach,
Die dieser Graf hat angericht.
Doch kan mans wider bringen nicht,
Deß hett man auch wol zu gedencken.
30 Aber Goffray wirdts jhm eindrencken.

Goffray gehet mit bloser Wehr ein, bringt mit jhm Angilum,
den Gräfischen Cantzler, zwen Trabanten vnd andere stumme
Personen, wie man sie haben kan. Goffray sagt:

Dieweil die vbelthat ist gerochen
35 Vnd der Graf den hals hat gebrochen,

Weil er sich stürtzt zum Fenster ab,
Dardurch ich nun gerochen hab,
Was er thet wider die Mutter mein,
So muß nun hinfurt eur Herr sein
5 Mein junger Bruder, der Reinmundt,
Vnd jhr solt jhm zu dieser stundt
Als eurm Erbherrn Hulten vnd Schwern,
Das jhr bey verlust Leibs vnd Ehrn
Ihm wollet sein gewahr vnd treü.
10 Vnd ich sag euch allen hiebey,
Welcher sich dessen wehrn wolt,
Sein leben er verlirn solt.
Auch wer an jhm brech solchen Eyd,
Den will ich straffen in Grimmigkeit,
15 So wahr vnd als ich Goffray heiß.

   Angilus, der Cantzler, sagt:
Dieweil jhr vnd ich gar wol weiß,
Das vnser Herr kein Erben hat
Vnd sein nechster Freund ist eur Gnad,
[344ᶜ] 20 Auff die anErben felt das Land,
So wöll wir ohn all widerstand
Eur Gnad zum Herrn nemen an
Vnd niemmermehr wider euch than.
Das schwer ich hie bey Ehr vnd Eyd.

25   Reinmundt, der jung, sagt:
Wann jhr mir dann ohn vnderscheid
Hinfurt wolt treu vnd gehorsam sein,
Nicht thun wider den willen mein
Vnd mich halten für eurn Herrn,
30 So sagt mirs zu ohn als beschwern!
Vnd so jhr euch gebürlich halt,
So will ich mich in gleicher gstalt
Gegen euch halten milt vnd schlecht.
Werd jhr euch aber nicht halten recht,
35 So kan ich euch mit gwalt wol lehrn,
Wie jhr mich halten solt in Ehrn,
Weil ja der todtsfahl ist geschehen.

Angilus, der Cantzler, sagt:

Bey vnser Treu thun wir verjehen,
Das wir in allem frü vnd spat
Wollen verrichten, was eur Gnad
5 Vns schaffen vnd gebietten würd,
Wie treuen vnderthan gebürt.

Sie globen alle an. Goffray sagt:

Weil du nun bist gesetzet ein,
Bruder, so kom mit mir herein!
10 So wollen wir ferrners Raht haben,
Wie wir den Grafen thun begraben,
Der von wegen der vbelthat
Ihm selbst sein halß gebrochen hat,
Vnd wöllen die gantz gschicht beschreiben,
15 Das sie thu im gedechtnus bleiben,
Auch Brieff mit der Landschafft auffrichten,
Darauß sie schreiten sollen mit nichten,
Sonder dich Ewig halten zum Herrn
Vnd alles thun nach deim begern,
20 Wie sie sichs auch nicht können beschwern.

Abgang jhr aller.
ACTUS SECUNDUS.

Gieß, der König in Armenia, geht ein mit Ruprecht vnd Engelharten, seinen Rähten, setzt sich vnd sagt:

25 Ir lieben getreuen, dieweil Gyott,
Vnser Herr Vatter, der König, ist todt
[344ᵈ] Vnd wir als sein einicher Sohn
Haben erlangt Königreich vnd Kron
Vnd wir netlich erfahrn heur
30 Von eim gespenst vnd Abentheur,
Welches in vnserm Reich sein soll
Auff einem Schloß vnd Berge holl,
Darauff gebauet ist mit besten
Ein herlichs Schloß vnd grose Vesten,
35 Darauff soll die zartst aller zarten
Jungfraw eins grosen Sperbers warten,

Vnd welcher Mensch so vil vermag,
Das er bey jhr drey nacht vnd tag
Kan wachen vnd auch darzu fasten,
Deß Sperbers warten nach dem pasten,
5 Den thut die selb Jungfrau gewehrn
Alles des, so er kan begern,
Ausser jhrs leibs, der ist außgnommen,
Denselben den wöll wir bekommen
Oder wöllen nicht König sein.

10   Ruprecht sagt:
Großmächtiger König, die Jungfrau rein
Ist auff dem Berg worden bekand.
Darumb kan sie kriegen niemand.
Derhalb so wer mein treüer Raht,
15 Eur Königliche Mayestat
Geben sich nicht in solche gfahr.

       Engelhart sagt:
Großmächtiger König, es ist wahr,
Die Jungfrau muß da ewig bleiben,
20 Mit dem Sperber jhr zeit vertreiben
Biß hin wol an den Jüngsten tag.
Kein Mensch sie nicht erlösen mag,
Vnd welcher sie erlösen wolt,
Mit jhr vmbs leben kommen solt.
25 Darumb, Gnedigster Herre mein,
Dieweil sonst noch mehr Jungfrau sein,
Die euch gleich seind an Ehr vnd Stand
Vnd euch zubringen Leüt vnd Land,
So schlag die gedancken auß eur Gnad
30 Vnd folget vnserm treüen Raht,
Dieweil wirs gut vnd treülich meinen!

     Gieß, der König, sagt:
Dieser Räht werd wir folgen keinen,
Sonder wir wollen wagen dran,
35 Was wir sollen vnd können than,
Das wir die Jungfrau vberkommen.
Vnd solt vns schon begegnen drummen

Groß vnglück, so geb wir vns drein,
Vnd morgen frü wöll wir auff sein.
Darzu solt jhr vns alle beid
Biß vnter den Berg geben das gleid
[345]   5 Mit allem vnserm Hofgesind.
Das hertz in lieb vns feurt vnd brind.

Sie gehn alle ab. Agoras, der Teufel, geht ein vnd sagt:

Von Persina, der Königin,
Ich hieher bschworn worden bin,
10 Das ich Meliora, der zarten,
Soll alhie hüeten vnd verwarten,
Auff das, wenn kombt ein Ritter her,
Welcher der Jungfrau leib beger,
Das ich jhn hie gefangen halt.
15 Wenn ich dran denck, mein hertz erkalt,
Das dasselbig alt Teufels Weib
So gar wol peinigt meinen leib.
Ach wie offt hat sie mich genöt,
Das ich all jhren willen thet!
20 Ihrs Herrn Schatz ich tragen han
In den holen Berg Abelon
Vnd jhr Tochter, die Palentina,
Muß desselben Schatz warten da.
Die hab ich auch hin müssen tragen.
25 Was soll von Melusina ich sagen?
Die verflucht sie in Schlangensfurm.
Ihr Tochter must sein wie ein Wurm
All Sambstag vnderhalb dem leib
Vnd oben wars ein schönes Weib.
30 Die hat seidher ein Mann genommen
Vnd durch jhren fluch widerummen
Angnommen jhr vngstalt verscheücht.
Biß an Jüngsten tag sie vmbfleücht
In der Wiltnus mit groser klag,
35 Biß das schir kombt der Jüngste tag.
Dieselben hab ich ohn verdriessen
In Walt Columbre führn müssen,

Entlich bemelte Meliora
Auff den Berg in Armenia.
Mit der hab ich groß vngefell.
Ich wolt lieber sein in der Höll,
5 Als dieser schönen Jungfrau warten.
Wer weiß, wer blettert schir die karten,
Das ich ersehen kan mein spil?
Mein Weitz als dann auch schern will.

Abgang.   **Meliora, die Jungfrau, geht mit Eckhart, dem alten**
10   **Bruder, ein vnd sagt:**
Nun ist schon acht vnd zwantzig Jar,
Das ich hierauff verbannet wahr
Von der leibeigenen Mutter mein.
Muß ewig hie gefangen sein.

[345ᵇ] 15 Keines Menschen hilff ich mich getröst,
Das ich von hinnen werd erlöst,
Dann das gespenst vnd böser geist
Agoras mit seim namen heist,
Ist zu verschlagen vnd zu arck
20 Vnd Menschlichen krefften zu starck.
Ach wie vil hat er starcker Ritter
Gebracht in todesnoht so bitter,
Wie jhre Wappen thun außweissen,
Die wir liessen Mahlen vnd Reissen
25 Oben auff dem grosen Schloßsahl!
Deß leb ich in grosem vnfahl.
Mein traurn ist gröser, als das man
Dasselb mit zungen reden kan.
Darumb so bittet Gott für mich!

30   **Eckhart sagt:**
Das hab ich bißher thun täglich
Vnd ich wolt euch erlösen gern;
Gott aber will mich nicht gewern.
Es ist villeicht noch nicht die zeit,
35 Das vns Gott die erlösung geit.
Wer weiß, wie wirs haben verschult?
Gnedigs Fräulein, drumb habt gedult!

Aller tag Abent ist noch nicht,
Das euch durch Gott erlösung gschicht.

❋ **Meliora sagt:**

Ach so habe danck, mein lieber Bruder!
5 Ich bin verlassen von Vatter vnd Mutter
Vnd auch den liebsten Schwestern mein,
Die mit mir tragen gleiche Pein.
Ohn euch ich keinen trost hie west.
Darumb thut noch ferrners das best!
10 Bitt Gott, das ein Ritter kumb her,
Der mich löß auß der gefengnuß schwer!
Vnd Ehe er den Berg auffer gieng,
Berichtet jhn vor aller dieng,
Das er die sach greiff weißlich an!
15 Vnd wenn mich einer bringt davon,
So will ich eur in gnad gedencken,
Eurm Gotshauß einkommens schencken,
Das jhr solt mit zufriden sein.
Nun gehe ich zu dem Sperber mein,
20 Dem muß ich nun zu Essen gehen.

Die Jungfrau geht ab. Eckhart sagt:

Geht hin! Gott laß euch glück erleben,
Das jhr kombt von der Abentheur
Vnd auß diesem Schloß vngeheur!
25 Nun so will ich wieder vmbkehrn,
Will bitten, das mich Gott wöll erhörn
[345ᶜ] Vnd die Jungfrau erlösen wider,
Das sie kom von dem Schloß hernieder.
Es ist gar ein schöns Frauenbilt,
30 Ist gar freygebig, getreü vnd milt
Vnd rufft auch Gott gar fleissig an.

Er sicht sich vmb, erschrickt vnd sagt:

Secht! secht! wen sehe ich dort her gahn?
Ich bin erschrocken, das ich zitter.
35 Es seind villeicht wol solche Ritter,
Die wolten von dem Berg herab.

Vnd der Jungfrau bringen ein gab.
Ich will gehn in mein Zellen ziehen.

Gieß, der König, mit Ruprecht vnd Engelhart geht gerüst ein
vnd sagt:

5 Verziech, alter! vnd thu nit fliehen!
Wir müssen dich vor etwas fragen.

Eckhart steht still vnd sagt:

Ja, mein Herr, was wolt jhr mir sagen?
Als, was ich nur weiß oder kan,
10 Das will ich euch gern zeigen an.
Ihr lieben Herrn, seid mir willkumb!

Gieß, der König, sagt:

Mein alter, sag! weistu auch drumb,
Wer wohnet auff dem Berge groß
15 In dem so wol erbauten Schloß,
Köstlich gebaut mit Erckern vnd zinnen?

Eckhart sagt:

Eins Königs Tochter wohnt darinnen,
Die auß Nortwegen hieher kam,
20 Meliora so ist jhr nam,
Ein Tochter des Königs Helmes (wist!),
Auff dieß Schloß her verbannet ist.
Da muß sie eines Sperbers warten.

Gieß, der König, sagt:

25 Kan niemand hinauff zu der zarten?
Vnd mag sie auch kein Mensch erlösen
Von der verbannung vnd anderm bösen?
Davon gib du vns guten bericht!

Eckhart sagt:

30 Ihr lieben Herrn, das weiß ich nicht,
Dann ich noch nie gesehen hab,
Das ein Ritter sey kommen rab.
Die nur ein gab wolten erlangen,
Seind all drohen blieben gefangen,
35 Dann die Abentheur ist gefehrlich

Vnd etwas außzurichten schwerlich.

Auch so lest man nur ein allein
Auff einmahl in das Schloß hinein,
Welcher sein heil versuchen mag.
5 Kan er fasten vnd wachen drey tag
Vnd mit fleiß droben eines Sperbers warten,
So mag er bitten von der zarten,
Was man hat gutes in diesem leben.
Das wird jhm dann von jhr gegeben.
10 Allein jhr Leib ist außgeschieden.
Vmb denselben darff niemand bitten,
Denn wenn schon einer jhr begert,
So wird er doch gar nicht gewehrt,
Sonder das gespenst oder böß geist
15 Ein solchen Ritter zu stücken reist.
Vnd bleibt im Schloß Ewig gefangen.
Auch wem nach Essen thut verlangen
Oder thut in drey tagen schlaffen,
Den thut man auch gar hefftig straffen
20 Vnd muß Ewig gefangen sein.
Darumb will eur einer hinein,
So mag er sich bedencken vor,
Ehe denn er hin komb zu dem Tohr.
Kompt er hinein, so thuts jhm gahn,
25 Wie ich euch jetzt gesaget han.
Auch müssen die andern herauß bleiben.

Gieß, der König, sagt:

Der Jungfrauen lieb thut vns treiben,
Das wir dieselben wollen erlangen
30 Oder Ewig bleiben gefangen.
Doch danck wir dir vmb deinen raht.

Ruprecht sagt:

O Königliche Mayestat,
Weil vns der alt so trewlich rieht,
35 So ist an eur Mayestat mein bitt,
Ihr wolt erretten eur Königlichs leben
Vnd euch in die gefahr nicht geben,

Dieweils im Schloß so gefehrlich ist.

Der alt Eckhart fellt auff die knie, hebt die hend auff vnd sagt:

O Gnediger König, ich habs nicht gwist,
Das jhr selber der König seit.
5 Ich bitt: verzeicht mir mein grobheit,
Das ich euch nicht thet Reverentz,
Vnd weichet balt von dieser grentz!
Eur Mayestat leben das müst mich retten.

Gieß, der König, sagt:

10 Stehe auff, Bruder! thu dich nicht scheuhen!
Allein gib vns guten bericht!
Dann wir wollen ablassen nicht,
[346] Biß wir die Jungfrau vberkommen.

Eckhart sagt:

15 Ich bitt durch Gott, bitt nur nicht drumen!
Dann jhr dörfft kommen vmb leib vnd leben.
Auff mein Eyd, man thut sie keim geben.
So ist auch oben in dem Schloß
Ein böser geist vnd Teufel groß,
20 Der dörfft eur Mayestat bringen vmb.
Ach steht jhr ab! ich bitt euch drumb.
Die Abentheur bringt euch noch schmertz.

Engelhart sagt:

Gnedigster Herr, wider heimwertz
25 Steht mir all mein hertz, muht vnd sinn.
Der warnung ich erschrocken bin,
Die vns der Eckhart hat gethon.

Gieß, der König, sagt:

So laß wir warlich nicht davon.
30 Die Abentheur die wöll wir schauen
Vnd vns werben vmb die Jungfrauen,
Soll wir das leben drumb verlirn.

Ruprecht sagt:

Eur Mayestat die wird verführn
35 Die lieb zur Königlichen Jungfrauen.

Ich bitt durch Gott: thut nicht vertrauen!
Verschont eur selbst, auch Leůt vnd Land!

Gieß, der König, sagt:

.Das wer vns jmmer vnd Ewig schand,
5 Wenn wir etwas so starck verhiessen
Vnd vns davon abweisen liesen,
Wenn vns ein Wind anwehen thet.
Bruder, da niem sie alle beed!
Führ sie mit dir in dZellen dein!
10 So gehn wir in das Schloß hinein
Vnd besehen darinn das Wunder.

Eckhart sagt:

Was mir eur Gnad befahl jetzunder,
Dasselbig will ich alles than,
15 Darneben euch gebetten han,
Ihr wolt folgen der lehre mein.
Der liebe Gott wöll bey euch sein!

Ruprecht sagt:

Gnedigster König, zu diesem stück
20 Wünschen wir euch vjl heil vnd glück.
Gott helff vns durch sein Göttlichen Namen
Wider mit gsundem leib zusammen!

Der König gibt jhn allen die hand, der Eckhart geht mit
Ruprecht vnd Engelharten ab. [346ᵇ] Gieß, der König, sagt:
25 Gott walts nun! ich steig den Berg nauff.
Vnd geht das Tohr schon gegen mir auff,
Das ich ohn bschwerd bald komb hinein,
Wie solt mein hertz nit frölich sein?

Abgang. Agoras, der Teufel, geht mit Meliora ein, tregt ein
Polnische Peütschen vnd sagt: (Wenn mans haben kan, soll
der Teufel einen Sperber tragen.)
Ein Vogel ist mir gesessen ein,
Der ist schon in das Schloß herein,
Der vermeind, dich zu bringn davon.
35 Dem will ich gehen seinen lohn;

Vnd wenn er nicht selbst König wer
Vnd beharren wolt sein beger,
So wolt ich jhm den hals abbrechen.
Nun aber thet dem Mutter sprechen,
5 Das ich jhr Gschlecht hoch Ehrn solt,
Von andern jhr verschonen wölt.
Sonst könd jhm kein Mensch gnad erwerben,
Er müst von meinen henden sterben.

Gieß, der König in Armenia, geht ein. Meliora geht jhm ent-
10 gegen vnd sagt:

Hertzallerliebster Vätter mein,
Eur Lieb soll mir Gottwillkumb sein.
Eur lieb Vatter, König Gyott,
Der neulich ist verschieden in Gott,
15 Ist meiner lieben Schwester Sohn.
Ach was wolt jhr hierinnen thon?
Eur Lieb kompt hie in noht vnd gfahr.

Gieß, der König, sagt:

Ach Jungfrau Bas, nicht vmb ein har
20 Besorg wir vns gfahr oder schaden.
Vnser hertz ist in Lieb beladen
Vnd wo wir euch nicht mögen erwerben,
So müßn vor hertzenleid wir sterben.
Darumb thut vns die nicht abschlagen!

25 Meliora sagt:

Ach Gott von Himel, was thut jhr sagen?
Hie bleib ich biß am Jüngsten tag.
Kein Mensch mich nicht erlösen mag.
Wie gern ichs auch sonst wolt than,
30 Ich bitt, thuts euch nicht vnderstahn!
Ihr vnderwind euch schwerer sachen.
Drey tag müst jhr hie fasten vnd wachen
[346ᶜ] Vnd auch deß Sperbers warten darzu,
Vnd ob eur Lieb das als nit thu,
35 So muß sie Ewig alhie bleiben,
In langer weil die zeit vertreiben,

Wie jhr hie angemahlet secht
Vil Ritter von gar hohem Gschlecht,
Die all heroben bleiben müssen,
Ihr verbrechung in traurn büsen,
5 Vnd der keiner hat mein begert.
Vnd so jhr mein hegern werd,
So kommet jhr vmb Land vnd Leüt
Vnd in die gröste gefehrlichkeit,
Die ich nicht all außsprechen kan.

10   Gieß, der König, sagt:
Es gelt vns leben oder Kron,
Laß wir vns anderst nicht begaben.
Eurn leib vnd sonst nichts wöll wir haben.
Darumb gebet euch nur zu rhu!
15 Drey tag ich fasten vnd wachen thu,
Will auch deß Sperbers fleissig warten,
Nur als von wegen eur, der zarten,
Die vns vnser hertz hat verwundt.

       Agoras, der Teufel, sagt:
20 Gehin vnd wart deins diengs jetzund
Vnd thu den Löffler von dir weissen!
Laß jhn dieweil den Sperber speissen!
Wird er nit können fasten vnd wachen,
So will ich jhm gut bossen machen,
25 Er soll sein lebtag dencken dron.
Genugsam histu gwarnet schon.

Abgang jhr aller. Eckhart, der alt, geht ein mit Ruprecht
         vnd Engelhart. Eckhart sagt:
Ihr lieben Herrn, zwen tag seind hin,
30 Vnd wie ich schon berichtet bin,
So wird es keinen mangel han.
Vnser Herr König wird jhn auch außstahn
Mit wachen vnd darzu mit fasten.
So hat er auch am allerbasten
35 Der Königlichen Jungfrau Sperbers gwart,
Das wir nun warten auff der fahrt,

Wenn er wieder zu vns kombt rab,
Vnd begert ein zeitliche gab
Ausserhalb der Jungfrauen Leib,
Das er bey hohen Ehrn bleib
5 Vnd jhm als guts erbotten werd.

Ruprecht, der Raht, sagt:

Kein ander gab der König begert,
[346ᵈ]   Denn nur das Königlich Fräuelein.
Dieselbig soll sein eygen sein,
10 Das könd wir jhm nicht reden auß.

Eckhart sagt:

Fürwahr, daselbst wird nichts darauß.
Wenn er thut kein andere bitt,
So kombt er zu vns lebndig nit
15 Vnd als vnglück wird jhn betrigen.
Die Jungfrau kan gar keiner krigen.

Engelhart sagt:

Ach Gott, so taurt mich der frum.
Soll er so schendlich kommen vmb,
20 Der je niemand hat leidts gethan?

Ruprecht sagt:

Er soll sich haben warnen lahn.
Solt wir den König hie einbüsen
Vnd er sein leben lassen müssen,
25 Wie wolten wir dann alle zwen
Bey der Landschafft daheim bestehn?
Alles vnglück wird vns betrigen.

Eckhart. sagt:

Gott kan es als zum besten füegen,
30 Aber ohn Gott ist kein hilff vnd Raht.
Der König gewieß verloren hat
Sein Jungs vnd Königliches lebn,
Folgt er nit dem Raht, von mir geben.
Kombt alle beid mit mir herein!
35 Ich will gehn in das Schloß hinein

> Vnd will erfahrn, wie jhms geht.
> Villeicht sein sach noch gar wohl steht.

Sie gehn alle ab. Kompt Gieß, der König, Meliora, Agoras, der Teufel; vnd kompt vber ein weil Eckhart, der alt Bruder, darzu. Gieß, der König, neigt sich gegen der Jungfrauen vnd sagt:

> Tugentreiche Jungfrau, vns bericht,
> Ob wir recht gefast oder nicht,
> Ob wir recht auffgwart haben vnd gwacht
> 10 Beedes diese drey tag vnd nacht,
> Vnd was man mit verdienet hab!

Meliora sagt:

> Eur Lieb hat wol verdient ein Gab.
> Dieselbig soll eur Lieb auch wern.
> 15 Ausserhalb mein thut nit begern!

[347]
> Sonst treff die gab an, was es wöll.

Gieß, der König, sagt:

> Kein andere gab vns gfallen söll,
> Denn eur zart Jungfräulicher leib.
> 20 Den begern wir zu einem Weib,
> Verhöfflich, jhr werd vns gewehrn.

Meliora sagt:

> Vmb Gotts willen, thut mein nicht begern!
> Ihr kombt sonst vmb eur leib vnd leben,
> 25 Vmb als glück, Land vnd Leüt darneben,
> Dann eur Lieb ich nicht werden kan.

Gieß, der König, sagt:

> Euch wöll wir vnd nichts anders han,
> Vnd wenn jhr vns nicht sollet wern,
> 30 So thun wir auch nichts anders begern.
> Doch lassen wir gar nicht von Euch,
> Vnd solt es kosten das Königreich,
> Leib vnd leben, Ehr vnd Gut.

Meliora sagt:

Auf der bitt nicht beharren thut!
Fürwahr, es wird als vbels drauß.
Vergebens Red ich euchs nicht auß.
Das gspenst vnd des Bergs Abentheür
5 Wird euch sein zu gar vngeheür.
Darumb thut euch bedencken wol!

Gieß, der König, sagt:

Kein Mensch vns deß abweissen soll.
Euch wöll wir haben einich allein.

10 Er greifft nach der Jungfrau vnd sagt:

Kompt! jhr solt vnser eygen sein.

Die Jungfrau weicht vnd geht ab. Eckhart sagt:

Ach Herr König, geht euch zu fridt!
Fürwahr, die Jungfrau wird euch nit
15 Vnd sie ist auch weg geschieden schon.

Gieß, der König, dapt vmb vnd sagt:

Ach vns kompt ein groß Finsternuß an.
O Meliora, du höchster hort,
Sprich vns nur zu ein freundlichs wort!
20 Vnser tag wöllen wir gern blind sein,
Doch alles nur von wegen dein.

Agoras, der Teufel, niembt die Peütschen, felt jhn an vnd sagt:

[347ᵇ]   Weil du so bist mit lieb besessen
Vnd hast den Narrn an jhr gfressen,
25 So will ich dir geben dein lohn.
Du solst dein lebtag niemmer than.

Er Peütsch den König gar hart; der schreit vnd sagt:

Ach wehe! hör auff! erbarm dich!
Solstu so gar Elendiglich
30 Dein König vnd Herrn mit Peütschen schlagen?

Agoras sagt:

Ey thet man dirs doch vor offt sagen,

1 O Ach der.

> Du solst der Jungfrau nicht begern!
> Was gelts? ich will dich moras lehrn.

Agoras, der Teufel, schlegt jhn gar sehr vnd stöst jhn zur
Thür auß vnd sagt:

> 5 Also hastu recht deinen lohn.
> Gehin vnd lerne dencken dran,
> Wie ich hab manchem vor gethan!

Abgang jhr aller.

ACTUS TERTIUS.

Kompt Reinmundt, Goffray vnd Dietrich, seine beede Söhn.
Reinmundt sagt:

> Ihr lieben Söhn, weil jhr all beid
> Mir ein tag wolt geben das gleid,
> So solstu, Goffray, Herr sein
> 15 Zu Lusinien, in dem Lande mein,
> Vnd dein Bruder, der Dietrich,
> Soll zu Porttenbach halten sich,
> Auch haben Schlasint vnd Favent·
> Vnd soll reichen sein Regiment
> 20 Biß gen Anglor vnd Meerfeur,
> Wie es befahl die Mutter eur.
> Solches sey euch hiemit eingewiesen.
> Vnd das ich meine Sünd mög büesen,
> So will ich auff sein vnd also
> 25 Beichten dem Babst Gregorio.
> Vnd was er mir aufflegt für buß,
> Dieselben ich verrichten muß,
> Das ich villeicht nicht widerummen
> So bald in dieses Land möcht kommen;
> 30 Denn wenn ich denck an den Gmahl mein,
> So kan ich niemmer frölich sein.
> Auch ist mein Bruder worn vmbbracht,
> Der mir vil hertzenleidts gemacht.
> Horribel, mein Sohn, ist ersteckt,
> 35 Freymundt ist in das Feur gelegt

[347ᶜ]   Mit Maliers, dem Kloster gut.

Derhalb dir auch gebürn thut,
Dastu das soltest wider bauen.
Wenn du das halten wilt auff trauen,
So sag mirs mit treüen händen zu!

5   Goffray sagt:

Alles, was vns béfihlestu,
Dem wöllen wir mit fleiß nachkommen,
Vns halten wie die Erbarn vnd frommen.
Allein vns thut wehe dein abschiedt.
10 Der lieb Gott bewahr dich im friedt
Vnd helff dir wider balt zu Land!

          Dietrich sagt:

Wir wöllen vns Rüsten beid sand,
Das wir ein tagreiß mit dir Reiten
15 Vnd dich etlich meil nauß beleiden.

Goffray vnd Dietrich gehn ab. Reinmundt sagt kläglich:

Nun gsegn dich Gott, du schönes Land,
Das ich durch glückselige hand
Meines Gmahls alles vberkam!
20 Gott gsegn euch, lieb Kinder, alsam!
Gott gsegn euch, liebe vnterthanen!
Bey euch kan ich nicht lenger wohnen.
Gott gsegn euch, Edler Graf Bertram,
Der durch mich jämmerlich vmbkam!
25 Gott gsegn dich, du Edler Turstbrunnen!
Durch dich mich mein Gmahl lieb hat gwunnen.
Gott gsegn Lusinien, das Schloß,
Mein vnd meines Vatters Herschafft groß!
Gott gsegn all Freund, gelt, gut vnd Ehr!
30 Der keins gsieh ich niemmermehr.
O wenn ich nur einsmals sehen solt
Mein Gmahl, die mich bett also holt!
O das ich solt zwischen vns beeden
Nur noch einmahl gnug mit jhr reden!
35 Ach was hilfft lang das wünschen mein!
Es kan vnd mag als nicht gesein.

Hab ichs gut gmacht, so hab ichs gut.
Verschwunden ist all freud vnd mut.
Wenn ich krig Absolution,
So will ich ziehen in Arragon.
5 Darin will ich in dem Walt draussen
Mir bauen ein Kirchen vnd Clausen
Vnd drin mein leben bringen zu,
Biß mich Gott gar abfordern thu.

Er geht ab. Ruprecht vnd Engelhardt, die zween [347ᵈ] Königlichen Räht auß Armenia, gehn ein. Ruprecht sagt:

Ach soll mich nicht das vnglück krencken?
Ich kan mir gar nicht anderst dencken,
Denn vnser König sey verlorn,
Gefangen oder gar vmbbracht worn.
15 Ach hett er jhm nur lasen Rahten,
Da wir jhn beid so fleissig baten,
Deßgleich der alt Bruder auch thet!

Engelhart sagt:

Ja wenn er vns gefolget hett,
20 So hett er kein gfahr dörffen sorgen.
Nun aber ist vns vnverborgen,
Das er vns nit gefolget hat.
Ietzt dörfft es nun wol hilff vnd Raht,
Wie wir jhn wider vberkemen,
25 Ehe vnd wann er thet schaden nemen.
Es wer für sein Mannliche that,
Wie auch für seine Jugent schadt,
Wenn jhm ein leid solt widerfahrn.
Ey Gott wird jhn darfür bewahrn
30 Vnd behüeten, als deß Landts Herrn.

Ruprecht sagt:

Ach Gott! ich sehe jhn von ferrn
Den Bruder von dem Berg nabführn,
Der thut jhn mit Wasser anschmirn.
35 Was mag jhm nur zugstanden sein?
Ach wehe deß liebsten Herrn mein!

Der König geht mit dem Eckhart ein, sie lauffen jhm entgegen, setzen jhn nieder. Engelhart sagt:

Großmächtiger König, O thut vns sagen,
Was hat euch beleidigt vnd geschlagen?
5 Wir wollen eur Mayestat beystahn,
Weil wir ein lebendige adern han
Vnd leib vnd leben gar nicht sparn.

Gieß, der König, sagt:

Ach was söll vns sein widerfahrn?
10 Es hat vns gmacht das vngeheür
Vnser Bulen schir gar zu theür.
Keinen stick wir nicht gsehen kunden.
Das gspenst das hat vns vberwunden,
Vns mit Beütschen vnd Riemen gschlagen,
15 Das wir halb todt vor jhm da lagen,
Warff vns darnach zum Schloß hinauß.
Vnd bett vns nicht auffghalten drauß
[348] Der Bruder vnd mit Wasser glabt,
So hett wir vnsern theil gehabt.
20 O wie ist der König ein kind,
Der ist so vnbsunnen vnd gschwind,
Vnd will nicht folgen weisem Raht!
Der hat das gespött zu dem schad.
O helfft vns eilend führn nein
25 Vnd werfft vns in ein Schieff hinein!
Last vns mit dem Bruder vertragen,
Der vns all dieng vor thet ansagen,
Sich vnser namb so treülich an!
Der Freyerey wir gar gnug han.
30 Ein anders mals bleib wir zu hauß.

Eckhart sagt:

Kompt mit mir in mein zellen rauß
Vnd leget euch ein weil zu rhu,
Biß alle dieng ist gericht zu!
35 Als dann will ich euch lassen fahrn.
Der liebe Gott wöll euch bewahrn!

Sie gehn alle ab. Goffray geht ein vnd sagt:

 Das Kloster Maliers wolan
 Thut ziemlich wiederumb auffgahn,
 Ist schon auß dem grundt ob der Ern,
 5 Soll noch den Sommer fertig wern.
 Das will ich gantz reichlich ergötzen,
 Mit groser anzahl Brüdern ersetzen,
 Das es soll besser sein, als vor.
 Ach wehe mir! wie bin ich ein thor,
 10 Der ich mich hart vergriffen hab!
 Drumb das ich thet mein Bruder ab,
 Macht, das mein Mutter ward verlorn,
 Weil ich mein Vatter bracht zu zorn.
 Solchs vnglück hat sich weit erstreckt,
 15 Das Horribel ist worden ersteckt.
 Der Graf von Forst ist vmbgebracht
 Vnd aller dieser vnraht macht,
 Das mein Vatter wegzogen ist
 Vnd ich bin wahrhafftig vergwist,
 20 Das er nicht wider kombt zu Land.
 Das ist mir jmmer vnd Ewig schand.
 Darumb so will ich auch Buß than
 Vnd will selbsten ins Kloster gahn,
 Gott fleissig bitten vmb sein hült,
 25 Das er mir verzeih meine schult
 Vnd will hinfort bessern mein leben,
 So wird mir Gott mein Sünd vergeben.

Er geht ab. [348ᵇ] Gregorius, der Babst, geht ein mit Vin-
centio, dem Priester, vnd Georgio, dem Schuler, der hat ein
 30 Rock mit Erbeln an. Gregorius sagt:

 Auff heüt an S. Peter stulfeür
 Hat man frommen Christen zu steür,
 Die jhrer Sünd ablaß hegern
 Vnd derselben gern ledig wern,
 35 Eingesetzt ein Hochzeitlichs Fest,
 Welches einem jeden zulest,
 Das er sein Sünd mit Reü vnd klag

Dem Babst Persönlich Beichten mag.
.Weil wir dann jetzo im Ambt sind
Vnd männiglich spür vnd empfind,
Das wir seind ein knecht aller knecht
5 Vnd jedem thun wollen sein recht,
So wöll wir heüt selbst Beicht anhörn.
Derhalb wer für vns thut begern,
Den thut ohn scheuch zu vns rein weissen!

      Zum Georgen sagt er:
10 Ietzt aber soltu herein heissen
Den absolvirten Graf Reinmundt,
Das er gleich zu vns komb jetzundt,
So wöll wir weiders mit jhm reden,
Was jhm werd zu thun sein von nöten.

Georg, der Schuler, geht ab. Gregorius, der Babst, sagt:
Vnd jhr, Præsbiter, Herr Vincentz,
Es hat in Aragonischer grentz
Der vorbenande Graf Reinmundt
In einem Walt in einem grundt
20 Ihm außerwelt ein GottesClausen,
Sein zeit zu verbringen da draussen.
Guts gnug will er verordnen drein
Vnd will darin ein Claußner sein
Vnd führn ein ruiges haußhalten.
25 Den Gottesdienst solt jhr verwalten
Vnd deß einkommens darumb gniessen,
Sein Sünd vnd vbl darin zu büessen.
Wenn jhr euch drein dann wolt ergeben,
Wolt wir euch verordnen darneben
30 Georgium zum Administranten.
Auch so wöllen wir dahin senden
Etlichs Heilthumb, Freyheit vnd gnad,
Die man daselbst zu holn hat,
Darnach man alzeit mag walfarten.
35 Davon hett jhr groß nutz zu gwarten
Vnd köndet in rhu selig leben.

[348ᶜ] Vincentz, der Priester, kniet nieder, küst dem Babst

die Füß, hebt die händt auff, macht sein reverentz vnd sagt:

> Allerheiligster Herr, ich bin ergeben,
> Nichts zu thun wider eur Heiligkeit,
> Sonder in gehorsam bereit
> 5 Mit dem Grafen in gehorsam zu leben,
> Den Gottesdienst versehen darneben,
> Daß das Volck von nahen vnd weiten
> Zu allerley tagen vnd zeiten
> Diese wolfahrt besuchen soll.

Gregorius, der Babst, hebt jhn auff vnd sagt:

> Eur ghorsam der gefelt vns wol,
> Den man euch auch vergelten sol.
> Dort kompt der Graf gleich selbst herbey.
> Dem zeigen wir an, wie jhm sey.

Graf Reinmundt geht mit Georgen, dem Schuler, ein. Gregorius, der Babst, beüt jhm die hand vnd sagt:

> Herr Graf, weil jhr seit absolvirt
> Vnd vnser Heiligkeit gebürt,
> Das wir eurm Christlichen fürnemen
> 20 Mit vnserer steur zu hilff kemen
> Vnd dasselb von stad gehe dest baß,
> So wollen wir geben gnad vnd ablaß
> Allen, die in rechter andacht
> Daselbst anruffen Gottes Almacht.
> 25 Die sollen haben vergebung darnach
> Ihrer sünden wol hundert tag.
> Also wo sie ohn todsünd sterben,
> Sollen sie das Ewig leben erwerben
> Vnd die nicht selbst hin konden lenden
> 30 Vnd doch jhr steür vnd opffer senden
> Vnd lassen jhn lesen ein Meß,
> Das man im Himel jhr nit vergeß,
> Die sollen gleichen ablaß han,
> Das sich erhalten mag davon
> 35 Ein Priester, der den Gottsdienst versicht.
> Vnd das es auch in dem fehl nicht,

So hab wir euch den Herrn bstelt.
Nun saget vns, wie euch gefelt
Vnser Heilligkeit gnedigs erbietten?

Graf Reinmundt sagt:

5 Darmit bin ich gar wol zufriden.
AllerHeilligster Vatter in Gott,
Nun will ich hinfort biß in todt
[348ᵈ] Mit dem Herrn in andacht hausen
Im Walt in der einnötten klausen,
10 Die auch versehn mit Gůlt vnd Rend,
Daran wir wol zufriden send.
Nun ist mir mein gewiessen erleicht
Durch die absolution der Beicht.
Drumb will ich meine kleider ablegen,
15 Ein Můnchskutten anziehen dargegen,
Darinnen ich Gott dienen kan.

Gregorius, der Babst, sagt:

So wöll wir in die Cantzley gahn,
Euch fertigen ein starcken begriff,
20 Eur ablaß- vnd begnadungsBrief,
Wöllen euch auch diesen Jüngling,
Etlich gleidtsleůt vnd ander dieng
Zuordnen, mit euch hin zu ziehen.

Graf Reinmundt neigt sich zur Erden, küst die händ vnd sagt:

25 Eur Heiligkeit thut sich hart bemühen
Mit mir, das ich es je nicht mag
Wieder verdienen mein lebtag.
Aber so vil ich vermag vnd kan,
Das will ich alzeit gern than,
30 Auch für dieselben in meim Gebett
Fleissig Beten frü vnd auch spet.
Gott wöll jhr Heilligkeit verleihen
Zu Seel vnd Leib glůck vnd gedeyhen!

Gregorius, der Babst, machet ein creůtz vber sie vnd sie knien
35 alle drey nieder. Gregorius sagt:

So nembt in Gottes Namen an

Von vns die Benediction,
Das jhr mit gnad von vns abscheit
Vnd heim kombt ohn schaden vnd leid,
Vnd das jhr eurn Gottsdienst verricht,
5 Wie jhr euch darzu habt verpflicht!
So wird euch Gott nach diesem leben
Die Ewig freüd der Seelen geben.

Graf Reinmundt, Vincentz, der Priester, vnd Georg, der Schuler, stehn wider auff. Vincentz sagt:
10 Vnd Gott wöll auch eur Heiligkeit
Benedeyen in Ewigkeit!

Sie gehn alle ab. [349] Goffray geht ein vnd sagt:
Mein Bau ich nun verrichtet hon,
Das Kloster außgebauet schon,
15 Vil schönner, als es vor nie ward.
Nun so mach ich mich auff die fahrt
Zu Babst Gregorio, dem frommen,
Versuchen, ob er heraus wöll kommen
Vnd mir weyhen das Kloster ein.
20 Dem Beicht ich auch die Sünde mein,
Vnd was er mir aufflegt für buß,
Die ich derhalb verrichten muß,
Das will ich hertzlich gern than,
Dann mir thut hart zu hertzen gahn
25 Das vbel, das ich hab begangen.
Ach bett ich das nit angefangen!
Wer wolt auff erden seliger sein,
Als mein Eltern vnd die Brüder mein?
Dietrich, mein Bruder, mir so gfelt,
30 Das auff Erd ist kein Küenrer helt.
Seinen Hof helt zu Porttenbach,
Darzu auch in der Marck darnach.
Vriens in Cypern König ist.
Dem Türcken beweist er vil list.
35 Gyott ward ein König alda,
Sehr mechtig in Armenia.
Ein Königlichen Sohn verließ,

Welchen er Gieß nach jhme hieß.
In Beheim ist König Reinhart.
Anthoni zu eim Fürsten ward
Im gantzen Lützelberger Land.
5 Reinmundt der hat in seiner hand
Die Grafschafft Forst, die ich jhm gab.
Ich das gantz Lusinien hab
Vnd was ich sonst mehr vberkam,
Da ich dem Riesen das leben nam.
10 Also hoch seind wir kommen an.
Wer wolt sieben solcher Söhn han,
Wie vnser Eltern gehabt haben?
Nun solcher fürtrefflichen gaben
Will ich mich heüt aller verzeihen,
15 Will mir lassen mein Kloster weyhen,
Darin mein leben bringen zu.
Allein weil ich erfahren thu,
Das mein Paß, die Palentina,
Muß hüetten in Albania
20 Deß Schatz meines lieben Anherrn,
So thut mein traurigs hertz begern,
Dieselbig Abentheur zu sehen.
Als dann so will ich gar verschmehen
Alle zeitlich wollustbarkeit,
25 Im Kloster bleiben all mein zeit.

Abgang. [349^b] Meliora geht ein mit Eckhart, dem alten,
vnd sagt:

Ach mich daurt in meim hertzen hart
Der jung König, der alhie wart
30 Vnd mich wolt zu eim Gemahl han.
Er ist meiner Schwester Sohns Sohn
Vnd Regirt im Armenier Land.
Dem begegnet solch spott vnd schand,
Denn er wird Weibisch blädt verzagt,
35 Iederman von jhm singt vnd sagt
Vnd jhn gantz spöttiglich veracht.
Ach wehe! wo hat er hingedacht,

Das er sich gar nicht warnen ließ
Vnd sonst ein Gab jhm geben hieß?
Ach wie hat es die Schwester mein
Vor jhrem abschied gsagt so fein
5 Ihrem Gemahl, dem Grafen Reinmundt!
Das hebt sich schon recht an jetzundt.
Des reut er mich in meinem hertzen.

Eckhart sagt:

Man sagt, er sey mit Kranckheitsschmertzen
10 Vber all massen hart beladen,
Vnd kan jhm kein Artzt helffen noch rahten.
Des lebt er in groser Schwermuht
Vnd hat abgnommen an Ehr vnd Gut
Vnd niembt je lenger je sehrer ab.
15 Kein hertz ich zu seim leben hab,
Denn er weiß, das die gantz Landschafft
Nach einem andern König gafft
Vnd seiner seind gar vrdrutz worn.
Das thut jhm hefftig wehe vnd zorn.
20 Ich besorg, das er balt werd sterben.

Meliora sagt:

Stirbt er nit, so muß er doch verderben,
Dem ich so treulich hab gerahten.
Er bringt sich selbst in disen schaden,
25 Das er guten raht hat veracht.
Nun ist jhm auch zu schand gemacht
Sein Wappen hinauff auff dem Saal,
Sein Nam drauff geschriben vnd die Jarzal.
Ach lieber Gott! wer kan darfür?
30 Er hat nit wollen folgen mir.
Wir seind all zu vnglück geborn,
Ich vnd meine Schwester verflucht worn.
Den andern hat er selbst ermörd.
Derhalb das vnglück nicht auffhört,
35 So lang vnd vil diese Welt steht
Vnd vnser Gschlecht nit gar vergeht.

Eckhart sagt:

Dieweils je nicht kan anders sein,
Jungfrau, so gebt euch willig drein!

[349ᶜ]   Dann willig leiden ist sehr gut,
5 Die weils den schmertzen lindern thut
Vnd die hoffnung zu Gott ernehrt.
Wer weiß, was Gott für glück beschert,
Das jhr kombt von der Abentheur
Vnd auß diesem bösen fegfeur
10 Widerumb in vorigen stand vnd Ehr?

Meliora sagt:

Mein vnglück thut mir wehe nimmermehr.
Iedoch habe ich ein erbarmen
Mit andern betrübten Armen,
15 Die mit vns kommen in vuraht.
Nun, es will jetzt schir werden spat.
Ich will nauff zu der Tafel gahn.

Eckhart sagt:

So zieh ich in mein Zellen davon
20 Vnd will mein Abentgebet sprechen,
Darnach mein AbentTrüncklein zechen
Vnd mich darauff legen zu rhu.
Gott ich euch nun befehlen thu.

Abgang jhr aller.   Kombt Reinmundt in seiner Bruderskutten
mit Vincentz, dem Priester, vnd Georgen, dem Schuler.   Reinmundt sagt:

Nun seind wir hie zu Moserad,
Der Klausen, die vns eingeben hat
Zu Rom die Bäbstlich heiligkeit.
30 Da will ich vnd jhr alle beid
Gott dienen vnser leben lang.
Demselben sey Lob, Preiß vnd danck
Für solche grosse güet vnd wolthat
Vnd das er mir verziehen hat
35 Mein vnaußsprechlich grose Sünd
Vnd angenommen zu eim Kind!

Der verleih mir gedult vnd lieb,
Das ich mich seinem dienst ergib
Vnd nimmer denck der Weltlichen frewd.

Vincentz, der Priester, sagt:

5 Seind wir doch bey eur Gnad alzeit
In jhrer Zelln vnd bsondern gmach.
Eur Gnad ob vns kein zweifel trag!
Wir wöllen euch trewlich beystehn,
Ob etwas vnrechts wolt zugehn,
10 Das es bey zeit wird abgeschafft,
Geendert vnd villeicht gestrafft.
Zu dem seind wir nicht gar allein.
Noch vil frommer Brüder hie sein,
[349ᵈ]   Die auch Gott dienen in der Klausen.
15 Es ist hie so böß nicht zu haussen,
Als ich es hab gemeint zu Rom.

Georg, der Schuler, sagt:

Ich danck Gott, das ich hieher kam.
Drumb will ich mich alzeit befleissen,
20 Eur Gnad gehorsam zu beweissen,
Vnd auch was jhr mich, Herr Vincentz,
Verrichten heist, das thu ich bhentz
Vnd will mich verhalten gar wol,
Das eur Gnad daran haben soll
25 Ein gnedigs gutes wolgefallen.

Reinmundt sagt gar demütig:

Ich will nicht haben von euch allen,
Das jhr mich Gnedigen Herrn nendt.
Die Weltlichen man dabey kendt,
30 Die Geistlichen aber die kendt Gott,
Die sollen nach Gottes gebott
Vnder einander Brüder sein.
Darumb so ist der Wille mein,
Ihr wolt mich forthin heissen jetzund
35 Anderß nicht, als Bruder Reinmundt,
Dann ich hab mich willig ergeben,

Vnder deß Ordens Regel zu leben
Vnd der nachkommen in allen sachen.
Drumb darff man mir kein küchlein pachen.
Macht mirs, wie mans andern thut machen!

Abgang.

ACTUS QUARTUS.

Kompt Phila vnd Vbalt, die zwen Paurn, führn aneinander
bey der hand, juchtzen vnd singen folgents liedt, wie man
von dilladey süngt:

1.

Was wöll wir aber singen?
Das hoscha Heya ho!
Von gar frölichen diengen.
Das send wir alle fro, o o, fro,
Der Rieß ist nimmer do.

2.

Ietzt dörff wir niemmer trauren.
Das hoscha Heya ho!
Wir send zwen reicher lauren.
Das send wir alle fro, o o, fro,
Der Rieß ist nimmer do.

3.

Zum Wein da wöll wir lauffen.
Das hoscha Heya ho!
Vnd wollen vns vol sauffen.
Das send wir alle fro, o o, fro,
Der Rieß ist nimmer do.

4.

Der Rieß der wolt vns fangen.
Das hoscha Heya ho!
Das ist an jhm außgangen.
Das send wir alle fro, o o, fro,
Der Rieß ist nimmer do.

5.

S. Martin wöll wir schencken.
Das hoscha Heya ho!
Keins vnglücks mehr gedencken.

Das send wir alle fro, o o, fro,
Der Rieß ist nimmer do.

6.

Ey vnglück, du must wandern.
5   Das hoscha Heya ho!
Behilff dich bey eim andern!
Das send wir alle fro, o o, fro,
Der Rieß ist nimmer do.

7.

10   Vnser Herr, der Goffraus,
Das hoscha Heya ho!
Die armen leüt erlösen muß.
Das send wir alle fro, o o, fro,
Der Rieß ist nimmer do.
15   Juch ju ju ju!

Phila sagt:

Alles vnglück hat vns verlassen.
Ietzo sitzen wir, wie wir vor Sasen,
Da vnser König noch thet leben.
20 Gott hats vns wol in den Sin geben,
Das wir den Riesen liesen erschlagen.

Vbalt sagt:

Ey lieber, thu mir aber sagen!
Wo ist Goffray, der streitbar Mann,
25 Dem wir das Land verschencket han?
Lieber, wie meinstu, wenn er köm
Vnd sich dieses Landes annem
Vnd wer vns so hart, als der Rieß?

Phila sagt:

30 Ich wolt, das jhn die plag anstieß,
Wenn er wider herkommen solt
Vnd vns so vbel halten wolt.
Das ist wahr, muß ich verjehen.
Wenn er lest seinen Ernst sehen,
35 So fürcht sich einer vor seim zahn.
Weist, wie er hat seim Bruder than,

Darumb das er ein Münch war worn?

Den verbrend er in seinem zorn

[350ᵇ]   Vnd all, die Münch im Kloster wahrn,

      Ließ er im rauch gen Himel fahrn

5 Vnd wir haben selbst gsehen das Feur.

Vbalt sagt:

Villeicht hat jhm ein Abentheur

Seines lebens ein end gemacht

Oder sonst worden vmbbracht,

10 Weil wir seither nie haben vernommen,

Wo er sich hilt vnd hin sey kommen.

Hilt er sich aber Ehrlich vnd wol,

Zum Herrn er mir lieb sein soll.

Ich hoff gar nicht, das er beger,

15 Widerumb zu vns zu kommen her.

Kombt er dann, so seind wir schon do.

Phila sagt:

Ich sag werla eben auch also.

Was wöll wir jetzt vil von jhm sagen

20 Vnd vns selbst engstigen vnd plagen?

Vnglücks kombt sonst balt genug herein.

Darumb so laß vns frölich sein,

Ehe vns das vnglück vberfall,

Vnd laß vns singen noch ein mahl!

Phila hebt an vnd singt allein in vorigem thon:

1.

Ey lieber Nachtbaur Vbalt,

Wöll wir nicht zu dem Wein?

Vbalt sagt:

30   Wiltu darzu, so thu es balt!

Ich gehe mit dir hinein.

Ey ja nein,

Es kost den pfennig mein.

2.

35   ### Phila sagt:

So wöll wir nein zum StörchleinsWirht,

Der ist ein frölicher Mann,

Vnd wenn er vns schon dapffer schirt,
So liegt nicht vil daran,
Ja daran.
Ein guten muht wir han.

3.

Vbalt sagt:

Ey wiltu gehn, so magstu gehn.
Wie lang drehstu dich vmb?

Phila sagt:

10 So gehe! wir send die rechten zwen.
Mein lieber Nachtbaur, kumb!
Ja wol kumb!
Was kratz ich mich darumb?

Sie juchtzen vnd gehn ab. [350ᶜ] Gregorius, der Babst, geht
15 mit Goffray ein. Gregorius sagt:

Weil jhr nun habt gebeicht eur Sünd
Vnd worden seit gar ein GottsKind,
So wöll wir euch zwen Bischoff bstellen,
Die euch eur Kloster weyhen söllen,
20 Darzu mit gnad vnd ablaß freyen,
Das es euch mög zum besten deyen,
Auch den Brüdern vnd Gotteshauß.
Sagt vns! wo wolt jhr ziehen auß?

Goffray sagt demütig:

25 Allerheiligster Vatter in Gott,
Eur Gnaden wöll belohnen Gott
Der wolthat, die sie mir hat than!
Ietzund ich in meim willen han,
Erstlich zu suchen den Vatter mein:
30 So weiß ich nicht, wo er mag sein.
Es ist schon lang, das er weg kam
Vnd sagt, er woll ziehen gen Rom
Vnd holn seiner Sünd ablaß.
Nicht weiß ich, ist geschehen das.
35 Ich hab jhn seither nicht gesehen.
Ach wenn jhm etwas wer geschehen,
So Reyets mich von hertzen grund.

Gregorius sagt:

Ist eur Vatter der Graf Reinmundt,
Der neůlich bey vns wahr alhie?
Von dem wieß wir wol, wann vnd wie
Er von vns hat sein abschied genommen.

5　　　　　Goffray sagt:
Er ists; wo ist er wol hinkommen?
Wiessens eur heiligkeit, ich bitt,
Sie wöll sich des beschwern nit,
Wo er sich halt, mir zeigen an.

10　　　Gregorius, der Babst, sagt:
Er ist zogen in Arragon
Zu vnser Frauen zu Moserat.
Den Orden er angnommen hat,
Sich daselbst in ein Klausen begeben.
15 Darin will er bschliessen sein leben.
Da find jhr jhn: glaubt vns gewieß!

　　　　　Goffray sagt:
Für jhn ich leib vnd leben ließ,
Weil ich so hart wider jhn thet.
20 Nun so will ich gleich von der steht
Zu jhm ziehen in Arragon,
Ihm mein vorhaben zeigen an
Vnd von jhm nemen ein abschiedt.
Gott laß eur heiligkeit in frid
[350ᵈ]　25 Alhie lang zeit mit gnaden leben!

Gregorius segnet den Goffray, gibt jhm die hand, macht ein
Creutz vber jhn vnd sagt:
Die heilig Treyfeltigkeit wöll geben,
Das der Herr frisch vnd gsund heim kumb
30 Vnd das er bleib Gotsfürtig frum,
Hie wol Regir Land vnd auch Leůt
Vnd bekomb dort die ewig freůdt!

Sie gehn mit groser reverentz vnd ehrerbiettung ab. Anna,
die SeugAmb, geht mit Diettrichen, dem jungen Grafen, ein.
35　　　　　Dietrich sagt:

Mein alte Kindtsfrau, mir ansag!
Wie kompts, das jetzo die drey tag
Mein Mutter mit weheklagen groß
Sich sehen lest wol vmb das Schloß
5 Vnd so gar kläglich weinen thut?
Ist das zeichen böß oder gut?
Die weilen ich noch so jung bin,
Dergleich nicht hab gesehen vorhin,
So bitt ich, du wolst mirs anzeigen.

10　　　　**Anna sagt:**

Eur Gnaden will ich nichts verschweigen,
Sonder als sagen, was ich weiß.
Darumb so höret zu mit fleiß!
Es ist nun balt bey dreisig Jarn,
15 Das eur Mutter hie weg ist gfahrn,
Darob sie grosen schmertzen liedt.
Die hat auch vor jhrem abschiedt
Eurm Herrn Vatter thun anzeigen,
Wenn sie sich wer vms Schloß ereigen,
20 So werd noch dasselbige Jar
Ein anderer Herr im Schloß fürwahr.
Nun muß ich zwar die warheit jehen,
Das ich sie seither nie gesehen
Mit dergleichen kläglichem gschrey,
25 Welches villeicht ein anzeig sey,
Das eur Herr Vatter sterben werd.

　　　　Dietrich sagt:

Das hab ich warlich nie begert,
Sonder ich wart hie, wenn er kumb
30 Absolvirt von Rom widerumb,
So bleibt er wie zuvor Regent
In dem Land biß hin an sein endt
Vnd ich wolt michs von hertzen schemen,
Das ich etwas zu mir solt nemen,
[351]　35 Das meim lieben Vatter gebürt.

　　　　Anna sagt:

Eur Gnaden Vatter hat Regirt
Wie ein rechter guter Haußhalter.
Weil er aber hat ein schwers alter,
Möcht jhn villeicht Gott fordern ab,
5 Das ich für ein gwieß zeichen hab,
. Weil die Frau sich jetzund lest sehen.

Dietrich sagt:

Wie wol Gottes will muß geschehen,
Iedoch wolt ich, der Vatter mein
10 Thet·hie noch lang bey leben sein.
Wenn er nur halt köm zu vns her!

Anna sagt:

In das Land kombt er niemmermehr.
Als ich leider von jhm verstanden,
15 So will er gar in frembten Landen
Im Elend sein zeit bringen zu
In groser Armut vnd vnrhu
Vnd will also büsen sein Sündt.
Darumb jhr jhn hie nimmer find.
20 Villeicht ist er darzu schon todt.

Dietrich sagt:

Ach nein, darfür behüt jhn Gott!
Gott wird es noch zum besten wenden,
. Dann es steht alles in sein. henden.

25 **Abgang. Goffray geht ein vnd sagt:**

Da ich nechst zu Moserad wahr,
Hett ich verhoffet gantz vnd gar,
Mein Vatter dahin zu bewegen,
Das er den Orden thet ablegen
30 Vnd warttet seines Grafenstand,
Regirt selbst sein Leüt vnd Landt.
So kond ich aber nicht erhalten,
Sonder must es Gott lasen walten.
So ist·mir jetzo Pottschafft kommen,
35 Durch die ich klärlich hab vernommen,
Das er sey hart kranck vnd tödlich.

Darumb thet ich auffmachen mich,
Alhie zu sehen, wie jhms gieng.
Vil köstlich labung ich mit mir bring.
Damit so will ich jhn begaben,
5 Ob er sich damit könd erlaben.

Abgang. Reinmundt geht ein; den fürt Georg, der Schuler,
vnd setzt jhn nieder. Reinmundt sagt:

[351^b]   Ach das mein Sohn Goffray kem
Vnd einen abschied von mir nem!
10 Dann meines lebens ist nit mehr.
Mein leib ist mir geschwollen sehr.
Mein sterck vnd Fleisch ist mir verschwunden.
Die kranckheit hat mich vberwunden.
Es muß ein mahl geschieden sein.

15   Georg, der Schuler, sagt:
Gnediger Herr, es Riedt herein
Ein frembter Herr mit etlichen pferden,
Die rein für eur Gnad begerten,
Die seind im Hof abgestanden schon,
20 Ihre pferd in die stallung thon.
Es darff woll eur Gnaden Sohn sein.

Reinmundt sicht sich kräncklich vmb vnd sagt:
Ja, es ist eben der Sohne mein.
Ach lieber Sohn, kumb her zu mir!
25 Dann ich kan nicht hingehn zu dir,

(Goffray geht ein, gibt seim Vatter die hand.)
Vnd laß mich dich zur letzt empfangen!
Wie hart thet mich nach dir verlangen
In meiner hartseligen zeit!

30   Goffray sagt:
Ach Herr Vatter, zufriden seit!
Ich hoff, Gott werd eur schwachheit wenden,
Euch widerumb gesundheit senden
Vnd wider bringen in eur Land
35 Zu eurn Leūten in vorigen stand,

Wenn es ist sein Göttlicher will.

Reinmundt sagt:

Ach lieber Sohn, schweig davon still!
Mein Grafenstand vnd zeitlich Gut.
5 Mir nichts zu schaffen geben thut,
Dann der Welt hab ich abgesagt,
Die mich lang gnug hat peinigt vnd plagt
Vnd alles vnglück auffgelegt.
Mein Sinn vnd muht hab ich gestreckt
10 Auffwarts zu den Himlischen güttern,
Zu den keüschen Englischen gemüthern.
Mit den will ich vorhin bey Gott
Leben ohn angst, gefahr vnd noht,
Gott Ewig loben vnd Benedeyen.
15 Nichts zeitlichs thut mich mehr erfreyen,
Weil es ist als so vergengklich.
Mein lieber Sohn, Gott gesegne dich!
Es muß sein: ich kan niemmer leben.
Ich will Gott meinen geist auffgeben.

[351ᶜ]   20   ### Goffray sagt:

Junger, geh, lauff in dZellen nein!
Heiß vns den Herr Vincentzen rein,
Das er dem Herr Vatter beystehe!
Sag jhm, es sey jhm gewaltig wehe!

25   ### Vnd zum Vatter sagt:

Vnd mein Herr Vatter, gehabt euch wol!

Reinmundt sagt:

Zu sterben bin ich trostes vol,
So bin ich auch darzu bereid.

30   ### Gottfrid sagt:

Dort kommen sie gleich alle beid.

Herr Vincentz geht ein, tregt ein brinnets Wachslicht. Georg
tregt ein weykessel mit wasser vnd sprengwedel, auch ein
Rauchfaß mit Weyrach. Herr Vincentz sicht den Reinmundt
35   vnd sagt:

Gnediger Herr, seit wolgemuht!
Zu Gott eur hoffnung setzen thut!
Ihr habt hie gfürt ein strenges leben:
Dafür so wird eur Gnaden geben
5 Die jmmer, wehrent Himelsfreüd.

Reinmundt sagt:

Mein Herr, weil jhr jetzt bey mir seid,
So thut mir alle Gottesrecht
Vnd an meinem end mir zusprecht!
10 Der liebe Gott wöll euch bewahrn!
Der helff mir selig in Himel fahrn!
Laß mich zu schanden werden nicht!

Vincentz, der Prister, gibt jhm das Liecht vnd sagt:

Gnediger Herr, nembt hin das Liecht!
15 Das bedeut das Ewige leben,
Das euch Christus, der Herr, wird gehen.
Derselbig ist der Weg vnd Liecht,
Der euch weist in die finster nicht.

Er sprengt jhn mit dem Weywasser vnd sagt:

20 Auch nemet hin das gsegnet wasser!
Das wescht euch von den Sünden nasser
Vnd wird eur vorige Tauff verneüd,
Damit jhr Christo verleibet seid.

[351ᵈ] Er nimbt das Rauchfaß, Reücht jhn mit vnder das ge-
25   sicht vnd sagt:

Dieser Weyrach vertreibt ohn zweifel
Alles gespenst vnd auch den Teufel
Vnd alles böß muß von vns weichen.

Er schreit jhm zu:

30 Wolt jhr vns geben ein wahrzeichen,
Das jhr wolt sterben wie ein Christ,
So machet vns dessen vergewist!

Reinmundt sagt:

O ja, ich will Christlich streitten,
35 Den zeitlichen todt gern leiden,

Das ich dort ewig werd erhalten.
Nun scheid ich ab. Gott wöll sein walten!

Vincentz weyhet jn wider, Reüchert auch wider, macht ein
Creutz vnd sagt:

5 Nun so scheid hin in Gottes namen!
So wirstu Ewig selig. Amen.

Reinmundt stirbt. Vincentz sagt:

Gott helff jhm! nun hat ers vollendt.
Georg, druck jhm das liecht starck in der hend,
10 Das er es noch nicht fallen laß!
Ach wie ein seligs end ist daß!
Wer dergleich von Gott könd erwerben,
Der solt warlich dest lieber sterben.
Er ist hie gwest ein frommer Herr.
15 Mit jhm bin ich gereiset ferr
Vnd bey jhm gwest ein gute zeit.
So ist er in all seinem leid
Gedultig vnd gar willig gwesen,
Das ich mir nit west zu erlesen
20 In gantzer Welt ein solchen Herrn.

Georg, der jung, der weint, niembt das Liecht von jhm vnd sagt:

O diesen todt seh ich nicht gern.
Ach das ich es erwünschen möcht
Vnd es von Gott zu bitten decht,
25 Das er noch lenger hie solt leben!
Ich wolt mich jhm zu eigen geben.
Kein solchen Herrn krig ich nit mehr.

Goffray sagt:

Den toden ists ein grose Ehr,
30 Wenn man jhn gutes thut nachsagen.
Mein Herr Vatter thu ich auch klagen,
Der wahr fürwahr ein frommer Mann.
Das gröst vbel hab ich jhm than,
[352]   Darauß dem guten alten frommen
35 Alles sein vnglück ist herkommen.
Des werd ich frölich niemmermehr.

Doch hilfft es nicht, wenn ich gleich sehr
Wein vnd bettl vnd lege mich kranck.
Er kompt nicht wider mein leben lang.
Besser ists, auff Erd wol gestorben,
5 Dann alles zeitlichs Guts erworben.
Drumb wollen wir jhn nun abtragen
Vnd wollen jhn zimlich beklagen,
Darnach ein Grab jhm richten zu,
' Darinn man jhn begraben thu
10 Auff das ehrlichst nach seinem Standt,
Damit auch in dem gantzen Landt
Sein Wandel werd allein bekandt.

Sie tragen jhn todt ab.

ACTUS QUINTUS.

Ruprecht vnd Engelhart, die zween Armenischen Räht, gehn
ein. Ruprecht sagt:

Mein Herr Engelhart, jhr wist,
Das nun in Gott verschieden ist
Vnser König, dem Gott gnad!
20 Seid er sich angenommen hat
Auff dem Berg der gfangen Jungfrauen,
. Hat man sichtiglich können schauen,
Das er beedes an Leib vnd Gut,
An vernunfft, sterck, kräfften vnd mut
25 Alle tag hat genommen ab,
Biß er ist kommen in das Grab.
Nun denck ich, das dem Königreich
Keins in gantzer Welt war gleich.
Ach wie hat so schrecklich abgnommen
30 Als glück! vnd wo ists nur hinkommen
. Dises Königreichs groses gut,
Das als vol schulden stecken thut,
Vnd hat doch kein Feurschaden glietten,
Kein ruhm oder feindschafft erstritten
35 Vnd kompt doch in den vntergang?

Engelhart sagt:

Das alles hab ich gemercket lang.
Der König ists dran schuldig allein,
Der all dieng nach dem gefallen sein
Angestelt vnd verrichtet hat,
5 Nicht gefolget seiner weisen Raht,
Dergleich vor jhm kein König than.
Gyott ward ein sehr kluger Mann.
Wenn er ein sache vor jhm hett,
Fragt er zuvor drumb seine Räht.
[352ᵇ] 10 Fielens jhm bey, so war es gut,
Fings als an mit bedachtem muht,
Platzt nicht nein, wie der Heintz in dNüß.
Aber sein Sohn, der König Gieß,
Wolt jhm nicht lassen reden ein.
15 Drob kompt das Land in noht vnd pein
Vnd muß ewiglich bleiben arm.

Ruprecht sagt:

Es ist wahr. Ach das Gott erbarm,
Das ein solchs Königreich vnd Land
20 Soll kommen in armuht vnd schand!
Ey was thet sich der König zeihen,
Daß er begert sein Baß zu freyen,
Ein Schwester seines Vatters Mutter?
Wer niemand gwest, als der alt Bruder,
25 Der jhms so treülich widerriedt;
Darzu die Jungfrau wolt jhn nit,
Bad jhn, er solt sie nicht begern,
Dann sie könd vnd möcht jhm nicht wern,
Warnet jhn auch vor des Landts schaden,
30 Den er jhm selbst nicht solt auffladen.
Doch wolt er gar nicht lassen ab
Vnd hegern kein andere gab,
Als sie; jedoch so ist jhm das
Bekommen, wie dem Hund das Graß.
35 Drumb solts mich seindhalb nicht verdriessen.
Weil aber wir auch drob einbüsen,
So wolt ich, er wer nie geborn.

Engelhart sagt:

Ach weheklagen ist nun verlorn.
Ietzund hab wir zu beten sehr,
Das vns Gott ein König bescher,
5 Der sich besser halt, als er gethan,
Vnd nem seiner Räht wahrnung an,
Wie das wahr sprichwort thut verjehen,
Das vil augen mehr können sehen,
Denn nur ein einigs aug allein.
10 Ein König soll den Rähten sein
Folgen in allen billigen sachen,
Nicht als nach seim kopff allein machen;
So gretid es jhn nit nach der that;
Dann warlich man sagt: Guter raht
15 Hatt niemals spot vnd schaden bracht;
Aber ein dieng hernach bedacht,
Wenn es zuvor ist gschehen schon,
Man gar nicht wider bringen kan.
Gott bscher dem Land ein solchen Herrn,
20 Das es mög kommen auß beschwern!

Sie gehn ab. Kompt Goffray mit Dietrich in klagkleidern vnd sagt:

[352ᶜ]   Mein Bruder, weil der Vatter ist todt,
Deß Seeln wöll genaden Gott,
25 Vnd du hast sein Land eingenommen,
So will ich kehrn widerummen
In das Neu gebaut Kloster mein,
Das man neulich geweyhet ein.
Das hab ich bessert vmb groß gut.
30 Menniglich das hoch loben thut.
Hundert vnd zwantzig Münch seind darin.
Ich bitt dich: zich doch mit mir hin!
Sich, wie ich es gerichtet an!

Dietrich sagt:

35 Mein Herr Bruder, das will ich than.
So balt ich mein sach hab verricht
Mit der vnderthanen Erbpflicht,

Kan ich wol mit dir hinspacirn,
Sehen, was für Gottesdienst führn
Die Münch in deim gestiefften orn.
Schau! es kombt ein Curir daforn,
5 Dann ich hab jhn ja hörn blasen.

Goffray sagt:

Ja er thut das posthorn stosen.
Kombt er, so wöll wirn reden an,
Was er in dem Land hab zu than.

Adam laufft jehling ein vnd im lauffen sagt er:

Von Northemen postir ich her,
Wolt, das ich zu Lusinien wer.

Goffray sagt zu jhm:

Mänlein, hör! wo kombstu her
15 Vnd wo hinauß steht dein beger?

Adam sagt:

Gnediger Herr, aus Northemen
Thet ich mein Curir hieher nemen,
Zu suchen ein gfürste Person,
20 Wird gnendt Goffray mit dem zahn.
Es soltens wol eur Gnaden sein.

Goffray sagt:

Ja, ich bins. Sag! was wiltu mein
Vnd wer hat dich zu mir gesendt?

25 Adam sagt:

Es habens gethan die Landstend,
Wöllen eur Gnad zum König haben,
Vmb die bewiesen wolthat begaben,
Weil jhr den Riesen thet erschlagen.
30 Solch Pottschafft soll ich euch ansagen,
Dann dieses gantz Königreich groß
Ist jetzunder gar Herrenloß.

[352ᵈ]   Ausser vns die Landherrn sein,
Die sich selbst duncken vil zu klein,
35 Weil es in dem Land vngeheur

Hat noch ein grose Abentheur.
Auff Randnisch gegen Arragon
Muß Palentin, die Jungfrau schon,
Verhütn jrs Vatters, König Helmes, Schatz,
5 Wie jhr Mutter zu einem dratz
Sie ewiglich dahin verflucht.
Nun haben vil Ritter versucht,
Zu erlösen die Jungfrau schön,
Wie dann neulich zwen Ritter kün,
10 Die sich dieser sach theten vermessen,
Ein vngeheûrs Thier hat gfressen
Vnd kan die Jungfrau von dem bösen
Kein Mensch auff dieser Welt erlösen,
Er hab dann gwunnen das heilig Land.
15 Als dann kan er mit seiner hand
Auch diß vngeheur Thier bezwingen,
Die Jungfrau vnd Schatz davon bringen,
Der so lang wahr im Berg verschlossen
Vnd doch kein Mensch nie hat genossen.

20   Goffray sagt:

Hör, Bruder! der König Helmas
Vnser Mutter Vatter was
Vnd Palentina ist jhr Schwester.
Drumb will ich eiln desto fester
25 Vnd inmittelst nicht lassen ab,
Biß ich die Jungfrau gewonnen hab.
Des schwer ich hie ein Teûrn Eyd.
Nun, Bruder, so wöll wir allbeid
Erstlich auffs Kloster ziehen zu.
30 Darinnen magst verziehen du,
Biß ich hab diese Reiß verricht.

        Dietrich sagt:

Ey mein Herr Bruder, das thet ich nicht.
Das gespenst das ist ohn allen zweiffel
35 Nichts anders,   (.   ha Teufel.
Ich wolt d

Goffray sagt:

Kein Mensch soll mich davon abtreiben,
Diß wunder will ich auch besehen,
Vnd solt mir darob leids geschehen
5 Vnd auch darob mein leib verlirn.
Doch will ich zuvor ordinirn
Mein geschefft vnd meinen letzten willen
In meinem Kloster in der stillen,
Wer mein Gut soll Erben nach mir.

10 ##### Dietrich sagt:

Ich hab kein ordnung zu geben dir.
[353] Was du mich heist, ich dir verricht.

Goffray sagt:

Ja es soll sein vnd anders nicht.
15 Mein Curir, sag an den Landherrn,
Dieweil sie mein so hart hegern,
So wöll ich sie von dem gespenst
Oder Abentheur, wie du es nenst,
Erretten woll mit meiner hand
20 Vnd jhnen fried schaffen im Land,
Es sey dann, Gott nem mir das leben.
Darauff will ich mein Treü dir geben.

**Goffray gibt dem Potten die hand, der Küst sie vnd neigt
sich. Dietrich sagt:**

25 Weil es dann also ist beschlossen,
Mein Bruder, so komb vnverdrossen
Mit mir herein in die Turnitz!
So Essen wir das Nachtmahl jetzt.
Darzu will ich auffnemen jhn.
30 So könn wir weiter reden drin
Von allerley glegenheit im Landt,
Das dir die selb auch werd bekandt.

Abgang. Leiprecht, der Abt, vnd Herr Vlrich, der Coven-
tual, gehn ein. Leiprecht, der Abt, sagt:

35 Herr Vlrich, deß Gottshauß Patron,

Hat warlich groß kost gwendet an,
Damit er es also erbauet.
Allenthalb, wo einer hinschauet,
Sicht er die schönsten weitsten wiesen,
5 Darin Vischreiche Pechlein fliessen.
Die Weinberg liegen drohen strachs
Hauffens weiß vnd schöne holtzwachts
Sambt einem grosen Ackerbau
Hat alhie vnser liebe Frau.
10 Die höltzer vol schöner weyher sein.
Wenn schon vil Brüder kehrn rein,
So können wir doch nicht verthan,
Was wir schon für einkommens han
Vnd wird desselben täglich mehr.
15 Von wegen vnser Frauen Ehr
Gibt jederman, wer hat zu geben,
Das wir hierin woll können leben.
Vnd wenn gleich ist die Regel scharff,
Das kein Bruder ohn vergunst darff
20 Mit eim fuß auß dem Kloster gahn,
So geht doch das vns zwen nicht an.

[353ᵇ]   Wir dörffen außgehn, wenn wir wöllen,
Auch bißweiln kurtzweil anstellen.
Deß hab wir desto öffter gest,
25 Essen, Trincken vnd leben auffs best
Vnd jetzo müß wir richten zu,
Wenn der Fundator kommen thu,
Das wir jhn Ehrlich wol bewürden.
Er muß vns wol zahlen die ürden.
30 Doch soll dem Prior sein bevohlen,
Das sein Ehrwürt verschaffen wollen,
Das die Herrn all Geistlich sein
Vnd führn ein Gottsfürchtigen schein.
Es ist vmb wenig tag zu thon,
35 Dann wenn er wider zicht davon,
So kan er jhn ewig nachgehen.

*

29 O örden. Ürte = zeche.

Herr Vlrich sagt:

Man sagt wol vil von Klosterleben,
Wenn einer sein Sünd büsen wöll,
Er in ein Kloster kommen söll,
5 Da thu er seiner Sünden gnug.
Die alten Geistlichen seind gwesen klug,
Das sie den fürnemsten darneben
Haben dennoch solch freyheit geben,
Das sie so hart nicht bunden sein
10 Vnd man jhn nicht darff reden ein.
Man muß jhn reverentz beweisen
Vnd darzu ein Gnedig Herrn beisen,
Ja drüber alles gutes than.
Das weiß gleich wol nit der gmein man.
15 Der wird sonst hart darüber grübeln,
Vor zorn vberlauffen vnd wibeln.
Schad nit; man muß den Paurn geben
Die feigen, die hinder der Maurn kleben.
O soltens die Paurn wissen als,
20 Es kostet vns München den halß.
Sie würden auch jhr gut wol sparn,
Den Klöstern nicht damit zufahrn,
Wie sie bißher haben gethan.
Sie sehen vnsern wandel an
25 Vnd meinen, wir seind. lauter geist.
Das macht vns vnser Kuchen feist.
Wenn man vns aber solt innen sehen,
Würdens vns mehr schenden vnd schmehen,
Als Gnedig vnd Würdig Herrn nennen.

30 ### Der Abt Leiprecht sagt:

Das best ist, das sie vns nicht kennen.
Die Kute sicht ausen geistlich wol,
Steckt aber fleisches eben vol.
Wir seind Menschen, wie ander leüt,
35 Vnd wers nit glaubt, der ist nit gscheid.
Müß wir vns schon der laster massen,
Dörffen den schalck nicht recht außlassen,

[353ᶜ] So steckt er dest tieffer im hertzen˙
Vnd bringt vns desto grössern schmertzen,
Vnd was wir heüt an boßheit sparn,
Laß wir morgen mit gewalt außfahrn,
5 Wenn wir allein seind vnd vertraut,
Gleich als die wölff in der Schafshaut.
Doch last vns jetzt nicht dencken dron!
Vns wol halten, weil der Patron
Ietzund soll zu vns kommen her,
10 Das er damit bethöret wer,
Als wenn wir wern Geistlich leüt,
Vnd vns seines Guts noch mehr rein geit!

Abgang. Kompt Adam, der Pott, vnd sagt:
Nun hab ich mein Pottschafft verricht.
15 Goffray komb gleich oder nicht,
Er sicht gleich einem bösen Mann,
Hat wie ein Schwein ein grosen zahn.
Solt er auch damit vmb sich hauen,
So wer jhm warlich nicht zu trauen
20 Vnd er blieb mir lieber alhie.
Kein man auff Erdt fürcht ich noch nie,
Als jhn, wegen heßlicher gstalt.
Er ist ein Mann von Jarn alt
Vnd will suchen die Abentheur,
25 Die mir lieber verbren im Feur,
Als das ich mich daran solt wagen.
Nun wolan! es gilt jhm seinen kragen.

Er geht ab. Kompt Leiprecht, der Abt, mit Herr Vlrichen,
dem Münch. Leiprecht sagt:
30 Vnser Herr ist wol kommen her,
Er hat aber ein Fieber schwer,
Des er nicht balt wird kommen ab.
Es wird jhm helffen in das Grab,
Dann alt leüt seind böß zu Curirn
35 Vnd er hat willens zu Testirn.
Villeicht schafft er vns noch mehr guts,
So wern wir dest bessers muhts.

Dort kompt er mit dem Bruder sein
Sehr vbel auff zu vns herein.

Goffray geht mit seinem Bruder Dietrich gar krencklich ein
vnd geht ein Knecht mit jhm, hat ein harmglaß in eim futter.
Die München lauffen zu[353ᵈ]rück,, knappen vnd bucken sich.

Goffray setzt sich vnd sagt:

Herr Prælat, gedenckt jhm nach!
Dann ich bin warlich hefftig schwach.
Hett mir ein Reiß genommen für,
10 Die will Gott nicht erlauben mir,
Vngeacht das ichs zugsagt hab.
Weil ich im Kloster hab mein Grab,
Ob ich villeicht deß legers stürb
Vnd mein gesundheit nicht erwürb,
15 Das man mich gar Ehrlich bestad,
Mein Bruder mir bestellet hat
Ein offenbarn Notarium.
Da will ich auffs neü widerumb
Euch mit eim guten Legat begaben.
20 Das vberich soll mein Bruder haben,
Dann er mein liebster Bruder ist.

Abt Leiprecht sagt:

Durchleuchtiger, Gnediger Herr, so wist!
Vns all im Kloster behüte Gott,
25 Das wir nit sehen eurn todt,
Vil weniger eur Testament!
Ich vnd mein gantz wirdigs Convent
Bitten Gott altag für eur leben.
Eur Gnad hat vns vorhin gnug geben,
30 Des wir nicht alles wirdig sein.

Graf Dietrich sagt:

Ach du hertzliebster Bruder mein,
Deins Guts vnd Gelts, Landts oder Leüt
Hab ich begert zu keiner zeit.
35 Lieber bistu mir in deim leben,
Dann als Gut, das du mir kanst geben.

Behalt dein Gut! gib dich zufridt!
Du stirbst noch lang deß legers nit,
Es schlag dann etwas mechtigs darzu.

Goffray sagt:
5 Ach Bruder, wie wolsts wiessen du?
Ich weiß am besten, wie mir ist.
Du weist nit, der du gesundt bist,
Wie eim krancken ist in seim schmertz.

Abt Leiprecht sagt:
10 Gnediger Herr, habt ein gutt hertz!
Dort kompt der Doctor der Artzney.
Der kan balt sehen, wie euch sey,
Wenn er nur siehet den Vrin.

Goffray sagt:
15 Ja wol, so last halt sehen jhn!

Freidenreich, der Doctor der Artzney, geht ein. Goffray sagt:

[354]   Herr Doctor, mir den harm besecht!
Dann mir ist warhafftig nicht recht.
Auch werd ich krencker alle stundt.

Freidenreich niembt den harm vom Knecht, thut jhn auß dem
futter, besicht jhn vnd sagt:
Gnediger Herr, der harm ist gar vngesund.
Ein harts Fieber hat an euch gsetzt,
Vnd solt mans nicht steuren, zuletzt
25 So wirdts nicht wol mit euch zugehn.

Er greifft jhm den Pulß vnd sagt:
Eur Puls zu schlagen gar still stehn.
Sie seind so schwach, ich kans nit sagen.
Eur Gnad laß sich ins Beth nein tragen!
30 Ihr seit krencker, als jhr euch macht.

Der Doctor geht auff ein Seiten, führt den Abt weg vnd sagt:
Gnediger Herr, habt auff jhn acht!
Er stirbt warlich noch heüt den tag.
Kein Artzney jhm nicht helffen mag.

Goffray sagt:

Was habt jhr beid zwieschen euch beeden
Von mir für ein heimliches reden?

Freidenreich, der Doctor, sagt:

5 Gnediger Herr, ich hab befohln,
Das sie auch für eur Gnaden sollen
Fleissig Beten in dem Convent,
Denn Gott vnd die Artzney beed send
Die beste hilffe aller krancken.

10   ### Goffray sagt:

Ich bett zwar schon ander gedancken.
Was wolt jhr nicht hie bey mir bleiben?

Freidenreich sagt:

Ich muß in dApotecken schreiben
15 Vnd eur Gnad etwas richten zu;
Darnach ich wider kommen thu.

Freidenreich geht ab. Leonhart, der Notarius, geht ein, tregt
ein Brief oder Libell mit roten schnürn durchzogen vnd ein
schreibbüchlein in henden vnd sagt:

[354ᵇ]   20 Gnediger Herr, albie bring ich
Wie eur Gnad thet heissen mich,
Ein form von eim Testament.
Die allerzierlichsten die send,
Die man verschlossen halten kan,
25 Das niemand nichtsen wieß davon,
Als der Testator nur allein.

Goffray sagt:

Also solt jhr auch machen das mein.
Ihr herrn, tret ein wenig ab!
30 Mit jhm ich was zu reden hab.

Sie gehn alle ab. Goffray sagt:

Notari, das Kloster soll haben,
Vmb das sie mich zu sich begraben,
Zehen tausent gulten an golt.

Alles vbrichs dann haben solt .
Mein Bruder, der Graf Dietrich.
Den will zum Erben setzen ich.
Dabey so will ichs lassen bleiben.
5 Drumb thus als auff das best beschreiben!
So wöll wir es noch heütt bezeügen.
Ich bin doch des todes leibeigen
Vnd es kan anders werden nicht.

.   Leonhart, der Notarius, sagt:
10 Ich hab der sach schon guten bericht.
Ich will das Testament beschreiben.

Er geht ab.   Goffray sagt:
Thut aber nur nit lang außbleiben!

Der Abt, Herr Vlrich, Graf Dietrich vnd der Knecht oder
Trabant gehn wider ein.   Goffray sagt:
Nun führt mich hinein in das gmach!
Dann ich bin warlich hefftig schwach.
Den leibsArtzt hab ich nun ersucht.
Deß Artzney aber schafft kein frucht.
20 Des guts verordnung ist bestelt,
Allein es jetzo an dem fehlt,
Das ich auch raht schaff meiner Seel,
Das sie nicht kombt in angst noch quel.
Darumb so füret mich herein!
25 So sag ich euch die Beichte mein
[354c]   Vnd jhr solt mich auch Absolvirn.
Vnd was sich sonst mehr thut gebürn,
Damit solt jhr mich wol versehen.

Abt Leiprecht sagt:
30 Gnediger Herr, das soll geschehen.

Sie führn jhn ab.   Herr Vlrich bleibt allein herauß vnd sagt:
Ich muß bekennen bey mein treüen,
Der gut Herr thut mich selber reüen.
Er ist wol ein zornicher Mann.
35 Doch hat er vns vil guts gethan.
Deß führn wir wol billig klag.

Das Kloster bekombt all sein tag
Kein solchen schutzherren, wie jhn.
Von hertzen ich erschrocken bin,
Als ich vom Doctor ghöret hab,
5 Wie er jhm sagt das leben ab.
Wie kan ich aber solchem thon?
Der todt der ist der Sünden lohn.
Wenn wir dort wollen selig wern,
Müß wir zeitlich sterben auff Ern.
10 Aber dennoch thun wirs nit gern.

Abgang.

ACTUS SEXTUS.

Kompt der Ehrnholt vnd beschleüst:
Gleich wie ich jetzt rauß gangen bin,
15 Da ist Goffray gschieden hin.
Damit hat die Tragedi jhr endt.
Sechs stück darauß zu lernen send.
Das erst ist, das ein Reicher Man,
Wer sein bedarff, vil guts soll than,
20 Wie Goffray den Northemer thet,
Den er den Riesen erschlagen het.
Zum andern sollen die Kinder rechen
Der Eltern schmach vnd wider sprechen,
Was man jhn vbels hat gethan,
25 So ferr man das mit Ehrn kan.
Zum dritten bey dem König Gieß
Haben wir all zu lernen dieß,
Das sich keiner einmengen thu
In händel, die jhm nicht stehn zu,
30 Vnd das er sich auch warnen laß,
Sich gferlicher dieng nicht anmaß.
Zum vierdten bey dem Reinmundt,
Das ein jeder von hertzen grundt
[354ᵈ] Abstehe von Sünd vnd Müssethat
35 Vnd seiner Selen schaffe raht.
Zum fünfften, das er frömmer werd,
Zu Sündigen nicht mehr begert,

Sonder werd der von hertzen feindt,

So bleibt er forthin Gottes freündt.

Zum Sechsten bey dem Münchenleben,

Wer was wil vmb Gotts willen geben,

5 Der gebs, das wol angelegt sey,

Das man sein in guten denck dabey

Vnd das Almusen wol leg an.

So kriegt man deß von Gott den lohn.

Der wirdts alles reichlich wider geben

10 Hie zeitlich vnd in jenem leben. ᐟ

Folgen die Personen in diß Spil:

1. Ehrnholt.

2. Reinmundt, der gefürste Graf, der Melusina Mann.

3. Goffray, der groß, sein Sohn.

4. Meliora, der Melusina Schwester.

5. Anna, der Melusina gewesene SeugAmb.

6. Ludwig, der Landtherr in Nortwegen.

7. Phila,

8. Vbalt, zwen Paurn vnd Kundtleüt.

9. Grimholt, der Rieß vnd groß Volland.

10. Leidolt, ein gefangener im Berg.

11. Dietrich, deß Grafen Reinmundts Sohn.

12. Reinmundt, der Junge, des Reinmundts Sohn.

13. Horribel, deß Reinmundts Son, mit dem aug auff der Stirn.

14. Angilus, der Cantzler zu Forst.

15. Gieß, ᐟder König in Armenia.

16. Ruprecht,

17. Engelhart, seine zwen Räht.

18. Eckhart, der alt Bruder.

19. Gregorius der 7, der Babst.

20. Vincentz, der Priester.

21. Georg, ein Schuler.

[355] 22. Abt Leiprecht,

23. Herr Vlrich, der Conventual zu Malvester.

24. Adam, der Bott.

25. Freidenreich, der Doctor der Artzney.

26. Leonhart, der Notarius.

27. Agoras, der Teufel.

(22)

CÓMEDI VOM SOLDAN VON BABILONIA VNND DEM RITTER TORELLO VON PAVIA, WIE ES JME AUFF SEINER REISZ ZUM HEILIGEN LANDT ERGANGEN,

Mit 22 Personen, vnd hat 7 Actus.

Der Ehrnholt geht ein vnd sagt:

GOtt, der Allmächtig, starck vnd reich,
Wöll mit Gnaden wohnen bey euch!
Durch lieb seind wir zusammen kommen,
10 Ein histori vns für gnommen
Vor euch zu spielen Comediweiß.
Beschreibt Bocatius mit fleiß,
Wie der großmechtige Soldan,
Regent vnd Herr in Babilon,
15 Vernommen, wie sich die Christen
Theten so starck wider jhn Rüesten,
Ein zug zu thun ins heilig Land,
Ist er in kleidern vnbekandt
In Franckreich zogen außzuspehen
20 Vnd jhre heimlichkeit zu sehen.
Auff der Reiß eines abents spat
Nit weit von Pavia, der Statt,
Er sich im Felt verirret hett
Vnd vngefehr ersehen thet
25 Den Edlen Ritter Torellum,
Der jhn auff sein Schloß mit sich nam
Mit allen, die er hett bey sich.
Tractirt vnd begabt sie Ehrlich

Vnd ließ sie wider von sich kern,
Dann er meint, das sie kauffleüt wern.
Nicht lang darnach es sich begab,
Torellus zog zum heiling grab,
5 Den theten die Meerrauber fangen,
Brachten jhn dem Soldan nach langen.

[355^b] Der war da in groser zwencknuß
Gelegt in schwere gfencknuß.
Für ein Falckner gab er sich auß,
10 Das halff jhm widerumb herauß,
Dann der großmechtige Soldan
Nam jhn zu seinem Falckner an.
Iedoch daucht jhn gar nicht, das der
Allein ein schlechter Falckner wer,
15 Sonder hielt jhn für die Person,
Die jhm vil gutes bett gethan
Vor Pavia auff seinem Schloß.
Iedoch hett er deß wunder groß,
Wie er doch wer in sein Land kummen.
20 Entlich so fragt er jhn darumen
Vnd als Torellus saget das,
Der Soldan hoch erfreuet was,
Thet jhm vberauß grose ehr,
Wolt jhn von sich nicht lassen mehr.
25 Aber Torellus hat zuletzt
Seinem Weib gwise zeit angsetzt,
Wenn er nicht wider kommen thet,
Ein andern zu nemen sie macht hett.
Die selbig zeit die gieng herzu.
30 Deß hatt er weder rast noch rhu.
Den Soldan hoch vmb vrlaub bat.
Derselbig jhm verordnet hat
Ein Zauberer, der west all dieng,
Wenn sich die neu Hochzeit anfieng.
35 Der führet jhn auff seinen Saal,
Da man saß an dem mittagmahl,
Gab sich zu erkennen seim Weib
Vnd jhr Gemahl wie zuvor bleib.

Was daselbst vnd sonst mehr geschehen,
Werd jhr, wenn jhr still seit, als sehen.

Abgang. Keiser Heinrich der virte, ein grose weidliche Person,
geht in schönen kleidern ein mit dem Grafen von Bolonia vnd
Herrn Gottfriden von Lotringen vnd dem Ehrnholt, setzt sich
vnd sagt:

Ihr lieben getreuen, wir bahn vernommen,
Durch ein schreibn ist vns erst kommen,
Wie das Jerusalem die Statt
10 Der Türckisch Soldan gstürmet hat
Vnd sie bekommen in sein gewalt.
Darumb so last vns Rahten balt,
Wie man erlöß das Christen blut!

Der Graf von Bolonia sagt:

[355ᶜ]   15 Die zeitung ist fürwahr nit gut,
Das dieser Erbfeindt aller Christen
In das heilig Land soll einnisten
An dem ordt, da Christus hatt glietten.
Nun wird mein hertz niemer zufrieden,
20 Biß wir das heilig Land bekommen,
Das vns der Türck mit gwalt hat gnommen.
Wag ich mein alte haut schon dran,
Schad nichts, ich wils gar gern than.
Auch bin ich der hoffnung dabey,
25 Das deß jederman willig sey,
Das Land wider zum Reich zu bringen.

Herr Gottfrid, der Hauptman, sagt:

Ja wenn man will den Türcken zwingen,
So muß man mit ernst darzu than,
30 Die sach auch weißlich greiffen an,
Sich bewerben vmb gut krigsleüt,
Die vor gewest sein in sturm vnd streit,
Die auch Gott vnd sein wort recht lieben,
Sich vmb diesen verlust betrüben,
35 Ihn lassen die sach ein ernst sein.
Dann warlich der schad ist nicht klein,

Den vns jetzt hat der Türck gefllegt.
Wie mancher Ritter hat da kriegt
Die Ritterschafft, ablaß vnd gnad!
Darumb so ist mein treuer Raht,
5 Man wend daran, was man kan,
Vnd nem allenthalb Krigsleüt an,
Die vor mehr beim schertz gewesen sein,
Vnd nem dem Türcken wider ein
Das gantze Palestiner Landt.

10   Keiser Heinrich der vierdte sagt:
Ja freylich wer es vns ein schand,
Wenn wir feüreten in den sachn.
Wir wollen befelich lassen machn
An alle Fürsten, Herrn vnd Ständ,
15 Die vns getreü vnd ghorsam send,
Die sollen jhn werden zugeschickt
Vnd anschlagen solche Edict,
Das sich zum Krieg rüst jederman,
Der zuversicht, der wahre Gott,
20 Der vns geholffen auß mancher not,
Der werd vns auch in diesem streit
Verleyhen sterck vnd krafft allzeit,
Das wir erhalten sein heiligs Grab,
Das wir lengst gwonnen den Heiden ab.

Sie gehn alle ab. [355ᵈ] Kombt der Ehrnholt, bringt ein
Brief mit einem grosen Siegel, nagelt jhn an vnd schreit auß:

Auß befelch Keiserlicher Majestat,
So diß Edict gefertigt hat
Mit jhr Mayestat eignem Secret,
30 Darumb einem Christen ansteht,
Das sich ein jeder rüstet zu,
Zieh wider den Türcken dem Keiser zu.

Er geht wider ab. Kompt Abraham, der Jud, vnd sagt:

Bey Gott, groß Narren seind die Christen,
35 Das sie jedoch auß vnsern listen
Nit mercken, das all Juden seindt

Ihnen von hertzen gram vnd feindt.
Trauen, ich sag bey meinem Eyd,
Es ist mir in meim hertzen leid,
Das ich sie nur muß· sehen leben.
5 Wenn mir gwalt vber sie wer geben,
Wie sie gwalt vber die Juden haben,
Es hetten sie lengst gfressen die Raben.
Iedoch lassen sie vns allsandt
Wol verkleidt ziehen durch jhr Land.
10 Dardurch erfahren wir allzeit
Ihre Rahtschleg vnd heimlichkeit.
Auch schinden wir sie biß auffs marck,
Betriegen sie mit wahren arck,
Verrahten dabey, was wir sehen.

15   Er sich das Edict vnd sagt:
Laß schauen! was ist da gschehen?

   Er liest, verwundert sich vnd sagt:
Adonai! fürwahr, das ist nit recht.
Der Keiser lest schreiben Landtsknecht,
20 Vermeint, den Türcken mit zu schlagn
Vnd auß dem heiligen Land zu jagn.
Gut ists, das ichs gelesen han.
Ich wils verrahten dem Soldan.

Abraham, der Jud, geht ab. Torellus, der Ritter von Bavia,·
25   geht ein vnd sagt:
   Gott hat mir jetzt vnd alle wegen
Verliehen groß gelt vnd sein segen,
Das mir als wol ersprossen hat.
Deß danck ich jhm für solche gnad.
[356] 30 Ich hatt zwo meil von der Statt drauß
Ein trefflichs Schloß vnd Herrenhauß,
In welchem ich sampt meinem Weib
Zu Sommers zeit mein weil vertreib
Mit Fischn, hetzn, Peisen vnd Jagen,

*

7 O hett.

Das ichs nicht alles kan auß sagen.
Die allerschönsten Gärtn hab ich,
Die in meim hertzn erfreüen mich,
Dann sie tragn vil blumen vnd frucht,
5 Die Menschlichs gmüt zu seben sucht.
Mein wollust, den ich bett mein tag,
Ich jetzt zu sagen nicht vermag.
Noch ein dieng ich zwar vor mir hab,
Wider zu sehen das heilig Grab,
10 Alda ein Walfahrt Gott außrichtn.
Das will mein Gmal nachgebn mit nichtn.
Gott geb, was mir auch folg darauß!

Soldan, der Türckisch Keiser, geht vngerüst mit Werowalt
vnnd Lupulto, seinen beeden Rähten, ein, setzt sich vnd sagt:

15 Wir seint auß dem Krieg wider kommen
Vnd mit grosem glück eingenommen
Jerusalem vnd ander Stätt
Vnd als, so darumb liegen thet.
Also ist Palestiner Landt
20 Wieder in der Heyden handt,
Daß wir mit Türcken haben bsetzt.
Das heilig Grab blieb vnverletzt,
Iedoch aber allein darumb,
Das vns das Gelt zum besten kumb,
25 Das die München im selben Grab
Den Christen Pilgern namen ab.
Das tregt ein Jar vil guts vns ein.

Man klopfft an der Porten. Soldan sagt:
Es klopfft jemand: wer will herein?

30 Werowalt geht, sichts vnd sagt:
Großmächtiger Herr vnd Soldan,
Ein sehr alter Judischer Mann
Der begert für eur Majestat,
Dern er etwas zu sagen hat.

35 Soldan sagt:
Es wird gwiß ein Kundtschaffter sein.

O ja; nur balt last jhn herein!
Vergebens er nit rein begert.
Last hörn, was er doch bringen werd!

[356ᵇ] Werowalt macht auff. Abraham, der Jud, fellt nieder auff die Erd, steht wider auff, neigt sich vnd sagt:

Großmächtiger Soldan vnd Herr,
Ich komb auß Welschen Landen her,
Darinnen hab erfahren ich,
Das der virde Keiser Heinrich
10 Hab allenthalben außgeschickt
Vnd angeschlagn offne Edict,
Darinnen heut er auff zum Krieg
Vnd vermeint, zu gwinnen mit Sieg
Seines Gottes heiliges Grab,
15 Das jhm eur Majestat gwan ab.
Das kan mein treü hertz vnd gemüht
Nicht bergen eurer Gnad vnd güt,
Wie ich auch vormals offt hab than.
Bitt, das mit gnadn zu nemen an.

Er hat vil neigens vnd Cramants. Soldan sagt:

Jud, sey zu frid vnd wolgemut!
Dir wöll wir schencken groses gut,
Dastu vns angabst vnser Feindt.

Abraham, der Jud, sagt:

25 Gott geb eur Majestat von heündt
Biß zu all zeitn die oberhand,
Das jhr vertilgt die Christn alsandt,
Welche seind mir vnd Gott ein greil!

Soldan sagt:

30 Jud, geh hinein vnd wart ein weil!
Drinn soll dir dein verehrung wern,
Dann deine zeitung hört wir gern.

Der Jud geht ab. Soldan sagt:

Wir fürchten vns gleichwol nicht hart
35 Vor der Christn vermeiner herfart,

Dann wann wir jhn ziehen entgegn,
Könten den Paß wir jhn verlegn,
Ehe dann sie kommen vber Meer.
Doch gscheh es nicht ohn gegenwehr!
5 Weil man dann soll kein Feind verachtn,
So haben wir jetzt zu betrachtn,
Wie man die sach greiff weißlich an.

Werowalt sagt:

Großmächtiger Herr, so soll man
10 Als halt in alle Land außschreiben
Vnd ein groß Kriegsvolck zsamen treiben
All Vestung, Schlösser vnd auch Stätt,
Wo deß Feindts zug vngfehr fürgeht,
[356ᶜ]   Darmit setzen vnd Proviantirn,
15 Auch die Armata auffs Meer führn
Vnd allenthalb fleissig wachen,
Auch auff sie gute Kundschafft machen,
Auff das, wenn sie gezogen kömen,
Könt man die gegenwehr fürnemen
20 Vnd sie mit schand treiben zurück.

Lupolt sagt:

Das ist fürwahr ein rechts Kriegsstück
Vnd mich dunckt selbst in meinem Sinn,
Das man jhn nicht baß schaden künn,
25 Als wenn man jhnen auff dem Meer
Als balt anböt die gegenwehr.
Dardurch wehr jhn der Paß verlegt
Vnd manchs MutterKindt erschreckt,
Das es sein tag kein hertz mehr hett.
30 Darumb mein meinung dahin steht,
Man zieh dem Feind halt vnder die augn,
Dann lang zu warten wird nit taugen,
Es westen dann eur Mayestat
Etwan villeicht ein bessern Raht,
35 Als ein fürtrefflicher Regent,
Demselben wir schultig zu folgn send.

Soldan sagt:

Ihr beedn Herrn, jhr redt wol wahr.

Weils aber noch frü ist im Jar

Vnd wir gar zeitlich bahn erfahrn,

Was die Christen fürhabens warn

5 Vnd wir mit Kriegsvolck ohne das

Versehen seind vber all maß

Vnd können das halt zamen bringen,

Als vnser eigen leůt bezwingen,

So wollen wir eigner Person

10 Vns Kauffleutskleider legen an

Vnd reisen also vnerkandt

Vber Meer vnd ins Teutsche Land

Durch Italia vnd Franckreich

Vnd durch die Lampartie dergleich,

15 Zu erfahrn der Christen Rahtschlag.

Darzu hilfft vns, das wir vil sprach

Von jugent auff gelernet han.

Ihr, Lupolt, solt mit vns davon.

Werowalt soll all sach bestellen,

20 Wie wir vnser Feind schlagen söllen.

Auff morgen frü wir auff sein wölln.

Sie gehn alle ab.

ACTUS PRIMUS.

Abraham, der Jud, geht ein, tregt ein sack auff dem Nacken
25   vnd sagt:

[356ᵈ]   Ein gute Peut bracht ich davon,

Die ich vmb wahr gelegt an,

Vnd verschick sie in das Teutschland,

Biß mein schalckheit baß werd bekand.

30 O kentens mich schelm vnd verräthern,

Die Gojm ließn mich schinden vnd edern,

Dann ich jetzt den Keiser verriet,

Forcht mich darob keiner sünden nicht.

Die tag ich ein Abt betrogn hab.

35 Für einen Artzt ich mich auß gab,

* * *

14 O Lamparti.   31 schinden vnd edern ebenso bl. 14a.

Der das Potagra heilen kündt
Besser, denn man sonst keinen findt.
Auff trau, der Abt mirs glauben thet,
Hat mir ein grose schenck geredt,
5 Mir zu geben vber mein lohn,
Wenn ich jhn lernet allein auff stohn.
Nun hat er ein schöns Pfert im stal,
Zu Kirchen ward sein gsind das mahl.
Dem ließ ich das Pferd weg Reütten
10 Vnd thet jhms gar eylend andeütten,
Es Ritthe jhm einer das Pferdt hinauß.
Der Abt sprang auß dem Beth herauß,
Schry dem Dieb zu, seins Wegs zu gehn
Vnd solt jhm sein Pferdt lassen stehn.
15 Doch fraget der Dieb nichts darnach.
O · wie balt ich zu dem Abt sprach:
Gnediger Herr, gebt mir mein lohn,
Weil jhr allein köndt auffstehn schon!
Der einfeltig Abt glauben thet,
20 Daß jhm mein kunst geholffen hett.
Nein zwar, der grose schreck hat es thon.
Iedoch bracht ich das Gelt davon
Vnd behalt mir das Pferdt darzu.
Ietzund ich Hundt feil tragen thu,
25 Die will ich für Sponßeü verkauffen
Vnd mit meim Gelt meins wegs hinlauffen.

Er geht ab. Torellus geht ein vnd schreit:
Jahn, Jahn, geh balt herauß zu mir!

Jahn schreit vnd sagt:
30 Ja sagt, mein Herr! was wollet jhr?
Sagt mirs! so darff ich nicht hinauß.

· Torellus sagt:
Du lecker, komb zu mir herauß!
Soll ich wie ein zanbrecher schreyen?

35　　Jahn schreit:
Nein, fürwahr, Herr, bey mein tretten,

Ich kan jetzt nicht hinauß kommen.

Torellus sagt:
Nicht rauß kommen? sag mir! warumben
[357] Kanstu nicht zu mir kommen rauß?

5 **Jahn sagt:**
Wart noch ein weng! jetzt will ich nauß,
Dann ich werds schir bald haben gar.

Torellus sagt:
Soll ich dich rauß werffen beim har
10 Oder mit Peütschen herauß schmeissen?
Kombst nicht? ich wil dichs nimmer heissen.

Jahn laufft rauß, helt das geseß zu. Torellus sagt:
Warumb, das du nicht wolst herauß?

Jahn sagt:
15 Ja, Herr, ich kundt fürwahr nicht nauß,
Ich hett gar etwas nötigs zu than.

Torellus sagt:
Was war es dann? halt zeig mirs an!
Oder will dich schmeissen an Halß.

20 **Jahn sagt:**
Der Teufl, wolt jhrs denn wissen als?
Ich saß auff dem heimlichn sprachhauß,
Darumb kundt ich nicht zu euch rauß,
Aber jetzt wil ich thun, was jhr wölt.

25 **Torellus sagt:**
Schweig nur! wie, wenn du best bestelt
Zwey Spenfercklein vnsern Gästen?
Die seind resch abbraten am besten.
Da hast ein gulden: kauff mirs ein!

30 **Jahn sagt:**
Ich weiß nicht, was Spenfercklein sein.
Wol weiß ich, das ein Span holtz ist.

Torellus sagt:

Ein rechter grober Dölpel bist.
Spenfercklein finstu auff dem Marck.

Jahn sagt:
Mein Herr, grob daß ist auch fein starck.
5 Doch müst jhr mich berichten wol,
Wenn ich Spenfercklein kauffen sol.
Was ist ein fercklein? sagt mir dabey!

Torellus sagt:
Spenfercklein seind halt junge Seü,
10 Die man fein gar gantz braten kan.

Jahn sagt:
Da hett jhr mir lang gsagt davon.
Biß ich hett an jung Seü gedacht,
Hett euch werla lautter spen bracht.
[357ᵇ] 15 Gott geb, wo ich sie hett genommen!

Torellus sagt:
Da werst mir wol mit beim kommen.
Gehin vnd bring mir zwo jung Seü!

Jahn geht ein wenig fort, wend sich vmb vnd sagt:
20 Ich muß noch eins wissen dabey:
Ich soll euch zwo jung Seü kauffen?

Torellus sagt:
Ja geh nur fort! von stat thu lauffen,
Das man bey zeit sie richte zu!

Jahn geht fort, kehrt wider vmb vnd sagt:
Ja das ich dennoch baß mercken thu,
Jung Seü, jung Seü ich kauffen soll.

Torellus sagt:
Ja geh doch fort! du hörst es wol.

30 Torellus geht ab. Jahn sagt:
Jung Seü? wenn ich nun wissen thet,
Wo man dieselben Seü feil het!

Abraham, der Jud, geht ein, tregt ein sack auff seim Halß.

Jahn sagt:

Mann, was tregstu in dem sack dein?

Abraham, der Jud, sagt:

Es seind zwey junge Spenfercklein,
5 Die ich zu verkauffen beger.

Jahn sagt:

Wie gibst sie dann? sag mir halt her!
Dann ich jhr ein haar kauffen soll.

Abraham, der Jud, sagt:

10 Vmb acht patzen kriegt jhr sie wol,
Vnd neber werdts nit kriegen jhr.

Jahn sagt:

Ich gieb euch zehen patzn darfür.
Ihr müst mir aber darnach sagn,
15 Wie ich die Spenseü heim soll tragn,
Auff das sie nit entlauffen mir.

Abraham, der Jud, sagt:

Da laß ich euch sorgen darfür.
Wolt jhr mir auch zalen den sack,
20 Darinn das baar Spenfercklein stack,
So gib ich euch den auch zu kauffen.

Jahn sagt:

Wie gebt jhr den dreck vber ein hauffen?
[357ᶜ]   So will ich euchs als kauffen ab.

25   Abraham, der Jud, sagt:

Drey patzen für den sack ich gab;
Macht als dreyzehen patzen eben.

Jahn sagt:

Ich will euch halt ein gulten geben.
30 Wolt jhr mirs geben, so seit zufrid!

Er reckt jhm das gelt dar, der Jud niembts vnd sagt:
Ey ja, doch so gar wol auch nit.

Er geht eillend ab. Jahn fast die Seü vngesehen auff vnd sagt:

Meim Herrn werd ich Gottwillkum sein,
Weil ich jhm die Seü kauffet ein.

Abgang. Keiser Heinrich der virt geht ein mit dem Grafen
von Bolonia vnd Herrn Gottfriden von Lotringen. Der Keiser
5   setzt sich vnd sagt:

    Gott sey jmmer vnd ewig preiß,
    Der so gar wunderbarer weiß
    Vns auff vnser Edictanschlagn
    Beschert hat in so wenig tagn
10 Deß Kriegsvolcks wol vierzehen tauset.
    Derhalben vns dest weniger grauset,
    Wie wir mit Siegenreicher handt
    Erobern wölln das heilig Landt,
    Das vns der Türck hat abgedrungen.

15   Graf von Bolonia sagt:
    Großmächtiger Herr, es hat bezwungen,
    Sich disem Krieg zu vndergeben,
    Darinn zu wagen leib vnd leben,
    Deß Soldans groß vnbilligkeit,
20 Welcher der gantzen Christenheit
    Ihr höchstes kleinet gnommen hat,
    Das sie derhalbn eur Majestat
    Sein so ghorsamlich wilfahret.

       Herr Gottfrid sagt:
25 Großmächtiger Herr, kein Mensch sich sparet,
    Zu wagen leib vnd leben dran
    Vnd dem Feind widerstand zu than,
    Wie dann vil Münch mit grosen hauffen
    Derhalb sein auß dem Kloster glauffen.
[357ᵈ] 30 Die Hirten verlasen jhr Viech
    Vnd begeben zum Kriege sich.
    Deßgleichen das Volck arm vnd reich
    Verlassen Weib vnd Kind zugleich
    Eur Majestat zu ruhm vnd ehr
35 Vnd groß zu machen eur Kriegsheer
    Vnd das heilig Land zu erhalten.

Heinrich, der virt, Keiser, sagt:

Wolan! diß alles muß Gott walten!

Ihr lieben Herrn, nun rüst euch schier,

Das auff das ehest fort rucken wir

5 In diesem wolbefugten Krieg,

Zu erlangen mit lob den Sieg!

Darmit wöll wir eigner Person,

Ob wir wol seind betaget schon,

Selbst vnsern Keiserlichen leib wagn,

10 Was vns Gott aufflegt, willig tragn,

Das wir den verlust wider bringn.

Gott helff, das vns wol mög gelingn!

Sie gehn ab. Kompt Torellus mit seinem Lackeyen Gabriel
vnd sagt:

15 In meim grosen See dort vnden

Hab ich vil wilder Enden funden,

Die will ich mit dem falcken fangen.

Der schuß der mag sie nit erlangen.

Dann mir gfelt wol, wenn die End fleucht,

20 Sich der falck auff die höch auffzeicht,

Vnd so er den Rab greifft vnd fengt,

Mit demselben sich nidersenckt.

Gehe vnd bring den Gehrfalcken mir,

Das ich anfang das Weidwerck schir!

25   Gabriel sagt:

Gestrenger Herr, das will ich than.

Er geht gegen dem abgang. Der Torellus sagt:

Verzeich! ich will selbst mit dir gahn,

Dich vnderweisen, wie du solt

30 Die falcken dir fein machen holt,

Das sie dir stehen auff der hand,

Das als dir noch ist vnbekand.

Sie gehn ab. Der Türckisch Soldan mit Lupolto vnd, wo
mans haben kan, mit noch einer stummen Person geht ein,
ist wie ein Kauffmann verkleidt vnd sagt:

[358]   Vnser fürschlag der schickt sich frey.

Ietzt kum wir auß der Lampartey,
Darin wir habn erfahrn vnd gsehen,
Was vor langer zeit ist geschehen
Vnd was noch auff heutigen tag
5 Daselbst ist der Christen fürschlag.
Nun reisen wir auch auff Franckreich
Vnd in das Teutscheland zugleich.
Vnd ob wir recht haben vernommen,
Soll wir heut gen Pavia kommen.
10 Nun will sich schon der Ahent nehen
Vnd ich kan noch kein Statt nicht sehen,
Dann wie ich mich beduncken laß,
So seind wir kommen von der straß.
Ach das vns nur ein Mensch beköm,
15 Der vns ein bericht geb von dem!
Dann mir will schir lang sein die zeit.

Lupolt sagt:

Ja der weg dunck mich ziemlich weit.
Die meuß mir seind in Brotkorb kommen.
20 Der magen mir anfengt zu brummen,
Möcht gern ein mahl Essen sehen.
Schaut, was sich dort thut hernehen!
Fürwahr ein trefflich schönes Hauß,
Gar wol staffiret vberauß.
25 Derhalb, so wir benachten solten,
Wir halt daselbsten bleiben wolten.

Sie gehn hin vnd wider, so geht Torellus ein mit seinem
jungen, dem Gabriel, der tregt ein Habicht. Torellus sagt:

Gabriel, ich hab gesehen
30 Etlich frembte leüt zu vns nehen,
Die sich gwieß haben verrietten
Villeicht nach frembter kauffleüt sitten.
Kom! laß vns sehen, wer sie sein!

Torellus geht gegen sie. Der Soldan sagt:

35 Ach sagt vns, lieber Herre mein,
Wo auff Pavia geht die straß!

Dann vns verlangt sehr vber dmaß,
Dieselbig Statt heut zu erlangen.

Torellus gibt jhm die hand vnd sagt:
Ir Herrn wolt wol sein empfangen!
5 Fürwar, es ist nun mehr zu spat,
Zu erlangen bemelte Statt.
Ir seit abwegs gereist der Straß.

[358b]   Soldan sagt:
Mein lieber Herr, so sagt vns das,
10 Ob wir nicht in einem Wirthshauß
Hierumb heüt möchten ruhen auß!
Wir seind hungerig vnd müd der Reiß.

Torellus sagt:
Fürwar, ein guts Wirtshauß ich weiß,
15 Welchs nicht gar weit liget von hinnen.
Da find jhr gute ruh darinnen.
Mein Diener sol euch weisen hin.
Da habt jhr gute Herberg drin.

Torellus nimbt sein Jungen Gabriel, führt jhn auff ein seiten
20   allein vnd sagt:
Gabriel, nimb ein vmbschweiff groß
Vnd führ sie hinein auff mein Schloß,
Iedoch ein weiten weg vnd krum,
Daß ich eher, als sie, hinein kum
25 Vnd darinnen ein weng richt zu
Vnd sie allsambt beherbergen thu!

Gabriel sagt:
Gestrenger Herr, euer geheiß
Will ich außrichten mit grosem fleiß.

30   Torellus geht zum Soldan vnd sagt:
Mein freund, ziecht hin mit meinem knabn!
Ein gute Herberg werd jhr habn
Vnd Gott wöll sein euer gleidtsman!

Soldan sagt:
35 Zu danck soll wir das nemen an.

Sie geben die hend aneinander. Torellus geht ab. Lupolt sagt:
   Mein Jüngling, sag! wer ist der Mann?

Gabriel sagt:

   Günstige Herrn, das will ich than.
5 Er ist ein Ritter, mechtig reich.
   Zu Pavia ist nit seins gleich.
   So ist sein nam in allem Land
   In Ehr vnd ruhm gar wol bekand.
   Doch kompt vnd macht euch auff die Reiß,
10 Auff das ich euch das Wirtshauß weiß!

   Sie gehn ab. Torellus geht ein vnd sagt:
   Albie bin ich auff meinem Schloß
   Vnd erwart mit verlangen groß
[358ᶜ]   Die frembten Herrn zu empfangen,
15 Den ich den weg weit hab vorgangen.

Soldan geht ein mit Lupolto vnd der stumen Person, auch
     mit Gabriel, vnd Soldan sagt:
   Ach wem steht zu diß herlich Hauß,
   Sehr schön zugericht vberauß
20 Mit Wasser, Gärten vnd Gebeuen,
   Das es eim thet sein hertz erfrewen,
   Der so ein schöne wohnung hat?

Gabriel sagt:

   Deß hauses Herr gleich dort her gat.

Torellus geht zu dem Soldan vnd den seinigen, gibt jhn die
     hand vnd sagt:
   Seit mir willkomb, jhr lieben Gäst!
   Wenn ich euch wol zu halten west,
   Solt es an mir je nichts erwinden.

30   Soldan sagt:
   Ach Herr, last vns gnad bey euch finden
   Vnd beherbergt vns frembte leüt!

Torellus sagt:

   Ihr Herrn, sagt mir doch, wer jhr seit!

Vor mir dörfft jhr euch scheuen nit.
Als, was ich hab, theil ich euch mit,
Dann ich bin auch gereiset weit.

Lupolt sagt:

5 Wir sein auß Cypern frembt kauffleüt
Vnd kommen jetzt von Meyland her
Vnd seind fürwahr gereiset seer
Nach Franckreich vnserm handel nach.

Torellus sagt:

10 Groß ruhm vnd lob ich euch drum sag.
Nun kompt herein auff meinen Saal
Vnd esset mit mir das nachtmahl!
Last euch mit eim schlechten genügen!
Morgen möcht es Gott besser fügen,
15 Das ich mit euch Reüt in die Statt.
Da hab ich auch bessern vorraht.
Nun kompt herein! dann es ist spat.

Abgang.

ACTUS SECUNDUS.

Abraham, der Jud, geht ein, lacht vnd sagt:
Das muß gewiß ein halbnarr sein,
Das er glaubt, ein Jud verkauff Schwein,

[858ᵈ]   Da er doch vnd die Welt wol weiß,
Wie man die Schneider mit der Geiß
25 Vnd die Kürschner mit den Katzen
Thut spotten, vexiren vnd fatzen,
Also thut man die Juden keyhen
Mit Schweinen fleisch, Würsten vnd Seüen,
Weil wir jhr fleisch nicht dörffen essen.
30 Sonst wolt ich wol sein so vermessen
Vnd wie die Christen mit Schwein vmbgehen.
Aber also laß ich es stehn
Vnd verkauff die jung Hund für Schwein,
Dann wir müssen der Christen Hund sein,
35 So halt ich sie für vnser Seü,
Bezahls gleicher weiß mit vntreü.

Der Jud geht ab. Torellus geht ein vnd sagt:

Ich hieß gester den Jahn außlauffen,
Das er solt zwey Spenfercklein kauffen.
Nicht weiß ich, was er heim hat bracht,
5 Weil ich lag auff dem Schloß die nacht
Vnd thet bewirthen meine Gäst.
Derhalben ich jetzt gerne west,
Ob er die Schwein het kauffet ein.

Er schreit vnd sagt:

10 Jahn, Jahn, kom eillend zu mir rein!

Jahn schreit wider:

Herr, jhr steht doch in dem hof drauß
Vnd ich bin hinnen in dem hauß
Vnd soll doch zu euch hinein gehn.
15 Ich kan der sprach gar nicht verstehn.
Wolt jhr rein, so kompt rein ins hauß!

Torellus sagt:

Nun du solst zu mir gehn herauß.

Jahn laufft ein, macht sein geknap vnd sagt:

20 Herr, hie bin ich, was soll ich than?

Torellus sagt:

Nix, allein solst mir zeigen an,
Ob du habst nechten kauffet ein
Zwey Spenfercklein vnd wo sie sein:
25 So setz ichs heut mein Gästen für,
Das ich sie desto baß Tractir,
Die zu mir kamen gester zu nacht.

Jahn sagt:

Ja ich hab jhr zwey zu wegen bracht,
30 Die kauffet ich eim Juden ab.
Drinnen ich sie in eim sack hab.
[359] Die will ich gehn tragen herein.

Er laufft ab, bringt zwen Hund in einem sack. Torellus sagt:

Ja werden sie aber auch feist sein,
35 Das sie vns machen ein gute richt?

Jahn sagt:

Gnediger Herr, das weis ich nicht,
Dann ich hab die Seu nicht gesehen.

Torellus sagt:

5 Du Lecker, soll ich dich nicht schmehen?

Jahn sagt:

Nein; warumb?

Torellus sagt:

Dastu wahr Kauffst vnd sichst sie nicht.

Torellus niembt den sack, schüt jhn auß, so lauffen die Hund davon. Torellus sagt:

Sich da, du leichtfertiger bößwicht!
Du bringst mir Hund für junge schwein.

Jahn sagt:

15 Ja ich hab nicht gwůst, wer sie sein.
Meint jhr sonst, das ich Hund wolt kauffn
Vnd sie vergebens weg lassen lauffn?
Der schelmsJud hat mich beschissen.

Torellus schlegt jhn wol ab vnd sagt:

20 Du loser lecker, so laß mich wissen!
Wie teur kauffstu jhm die Hund ab?

Jahn greind, kratzt sich im kopff vnd sagt:

Ein gulten ich darfür auß gab.
Den sack haben wir zum besten.

25   **Torellus sagt:**

Mein Gäst werd ich damit nicht mesten.
Du schelm, da hast du nun den sack,
Da dein böse Hund drinnen stack.
Den gieb dem Juden wider· du!
30 Heiß dir auch dein gelt stellen zu!
Oder ich schlag dich Himelblab.

Jahn greint vnd sagt:

Den sack trag ich nicht wider nab,

Aber dem Judn will ich eins machn.
Eur Gnad soll des jhr lebtag lachn
Vnd er soll wol bezalet sein.

Torellus sagt:

[359^b] 5 Wenn es geschicht, will ichs sehen fein.

Jahn macht vil Cramantzen vnd geht ab. Torellus sagt:

Nun wil ich je kein vnkost sparn,
Ob ich doch endtlich möcht erfahrn,
Wer doch die frembden Herren wern,
10 Dann ich wests je von hertzen gern.
Sie geben sich auß für Kauffleüt,
Aber jhr gestalt zeigt vnd bedeüt,
Das sie gewiß kein Kauffleüt sein.
Will gehn wider zu jhn hinein.

Er geht ab. Kompt Soldan mit Lupolten vnd sagt:

Lupolt, weil in der Christen Landt
Wir sein vmbzogen vnbekandt,
Darinn vns vil guts ist geschehen,
(Hab wir doch nie dergleichen gsehen)
20 Deßhalb schwer wir bey Machomet,
Wenn der Mann zu vns kommen thet,
So wolten wir jhm als guts thon,
Das man in gantzen Babilon
Ewiglich hett davon zu sagen.

25 ### Lupolt sagt:

Fürwahr, mir ist bey all mein tagen
Nicht widerfahrn solche wolthat,
Alß vns der Christ bewisen hat.
Er wird auch gwiß gut zeitung wissen.

30 ### Soldan sagt:

Die zu erfahren sein wir gefliessen.
Doch soll wirs lassen bleiben dabey,
Das vnser gwerb Kauffmanschafft sey.

Sie gehn ab. Kompt Torellus mit dem Türckischen Soldan vnd seinen geferten. Torellus sagt:

Ihr lieben Herrn, ich glaub, jhr wist,
Das euch von mir verheissen ist,
Euch zu weisen ein Herberg gut.
So seit nun keck vnd wolgemuht!
5 Last euch Essen vnd Trincken schmecken
Vnd mein gladen gest nicht erschrecken!
Dann es seind lauter gar gut freundt.

     Soldan beüt jhm die Handt vnd sagt:
Derhalb wir nicht herkommen seind,
10 Bey dem Herren gar ein zu kehrn.
Es wer fürwahr zu vil der Ehrn.
[359ᶜ]   Vns ist nechten auff deß Herrn Schloß
Geschehen sehr vil der Ehrn groß.
Solt wir jhn dann noch mehr beladen?

15   Torellus sagt:
Ein guter will kan niemand schaden.
Secht! da kompt gleich die Haußfrau mein
Mit allen meinen Gästen herein.

Adelheit, deß Torelli Weib, mit Torothea, jrer Jungfrau, Herrn
Freidenreich, dem Ritter, Leonora, seinem Gemahl, Herrn
Seyfriden vnd Felicitas, seim Gemahl, geht ein vnd beut den
frembten Herrn die Handt, darnach auch jhrem Gemahl; also
thun auch alle, die mit jhr eingangen sein, in richtiger ordnung.   Torellus sagt:
25 Ihr lieben Herrn, nun kompt herein
Vnd last vns alle frölich sein!
Besecht mein schönen Garten vnd Saal!

      Soldan sagt:
Ach strenger Herr, zu diesem mahl
30 Können wir diß als nicht vergelten.

      Adelheit sagt:
Ach schweigt vnd thut davon nichts melten!
Niemand kan wissen, wie noch all tag
Eins zu dem andern kommen mag.
35 Darumb thut mit vns herein kehrn

Vnd helfft vns die Malzeit verzehrn!

Sie gehn alle ab. Keiser Heinrich, der vierte, geht ein mit dem Grafen von Bolonia vnd Herrn Gottfriden von Lotringen.

Der Keiser sagt:

5 Ihr lieben getreüen, nach dem jhr wist,
Das nun mehr vnser Kriegsvolck ist,
Im Läger virtzig tausent starck,
Zu bekriegen den Türcken arck,
Vnd das wir haben gwonnen da
10 Nicea vnd Antiochia
Vnd auch noch ander Stätt nach dem,
Ietzt seind wir für Jerusalem,
Das wir die Türcken darauß treiben
Vnd vns das heilig Grab möcht bleiben.
15 Darumb gebt nun auch Raht darzu,
Wie man das leger schlagen thu,
[359ᵈ] Das wir vns vnsers Kriegsvolcks schaden
Vnwissender dieng nicht auffladen
Vnd vns selbst nicht setzen in gfehr!

20 ### Graf Bolonia sagt:

Großmächtiger Keiser, Gott der Herr,
In deß namen wir jetzt kempffen,
Wird selbst des Feindes hochmut dempfen
Vnd wegen seins heiligen namen
25 Den Sieg geben vns allen samen.
Darzu hab wir hie Lägers gnug,
Da wir können mit gutem fug
Deß Paß halb dem Feind abbruch than,
Das jhm kein hilff zukommen kan.
30 So ist zerschossen schon die Maurn.
Deß steht der Feind gar groß in traurn
Vnd ist bereidt gedacht darauff,
Die Statt auff gnad zu geben auff,
Dann sie drin nicht mehr haben zu Essen.

35 ### Herr Gottfrid von Lotringen sagt:

Meines theils kan ich nicht ermessen,

Das zu der Gnad zu Rahten sey,
Dann der Feind steckt voller vntreü,
Als wir offt haben erfahren schon,
Hat vnserm glauben vil vnehr thon.
5 Das führ eur Mayestat zu gmüht,
Laß sich bewegn zu keiner güt,
Sonder last die Feind all erschlagn!

Heinrich, der Keiser, sagt:
Wir haben jetzt nach dem zu fragn,
10 Wie wir erstlich die Statt gewinnen.
Als dann so wird sichs selbst fein finnen,
Wie wirs mit dem Feindt wöllen machen.
Wir halten, nötig sey, zu wachen
Auff allen Bergen vmb vnd vmb,
15 Das dem Feindt kein Proviant zukumb,
Biß wir auch lauffen den Sturm an.

Graf von Polonia sagt:
Ja nur balt mit dem Stürmen dran,
Auff das die Feindt mercken dabey,
20 Das vns die sache ein ernst sey!
Was soll wir lang ligen zu Feldt?

Herr Gottfrid sagt:
Wie jetzt der Herr Graf hat vermelt,
So halt ich, das man morgen zu nacht
25 Gestürmet hett mit groser macht
Vnd nicht eher nachlassen thet,
Biß man die Statt gewonnen hett,
[360]   Zu dempffen deß feindts Tyranney.

Heinrich, der Keiser, sagt:
30 Im Namen Gotts, so bleibts dabey!

Sie gehn alle ab. Kompt der Türckisch Soldan mit Lupolt
vnd sagt:
Ach Machomet, schutz vnd bewahr
Wir seind verstricket gantz vnd gar
35 Ob diß Mans red vnd haußhalten.

Vns möcht das hertz im leib zerspalten,
Das er vnd auch sein zartes Weib,
Die Tugentsamst vnd schönst von Leib,
Solten verdambte Christen sein
5 Vnd Ewig leiden hellisch pein,
Auch das wir nicht vergelten soltn
Die wolthat, als wir gern woltn,
Dann aller ehrn ist vil zu vil.

Lupolt sagt:

10 Diesen Mann ich stehts loben will,
Dann er ist weiß, reich, milt vnd gütig,
Wol beredt vnd so gar sannftmütig,
Freygebig, frölich vnd liebreich,
Das ich nie gsehen hab seins gleich.
15 Doch so hab zu besorgen ich,
Das er vns noch nicht laß von sich
Vnd vnser Reiß damit verlenger,
Das wir heim kommen desto wenger,
Nun wissen je jhr Mayestat,
20 Die Reiß schon lang gwehret hat
Vnd das die Christen vns bekriegen.
Solten sie vns denn gar obsiegen
In eurm abwesen, so wers nit gut.

Soldan sagt:

25 Wir wollen sehen, wie man jhm thut.

Kompt Torellus mit seinem Weib Adelheit vnd Torothea,
jhrer Jungfrauen. Torellus sagt:

Die frembten Herrn rüsten sich zu
Vnd wollen auff sein morgen fru.
30 Drum will ich meiner zu gedencken
Ihr jedem ein schöns Pfert schencken,
Das sie seind desto baß berietten.
Dann jrre Pferd die stehn danieden
Vnd sein so gar müht vberauß.
35 So gehe du nein vnd bring jhn rauß
Ihr einem jeden ein neues kleidt,

Dieweil jhr Reiß geht also weit

[360ᵇ]   Vnd sie vnderwegen nicht können

Sich zu kleiden gelegenheit finnen,

Dann wie ich diese Leũt seh an,

5 So werden sies vergelten schon,

Wenn etwan die vnserigen zu jhn kemen.

Adelheit sagt:

Eur befelch soll mich gar nit gremen,

Sonder wils als halt richten auß

10 Vnd euch bringen die kleider rauß.

Adelheit geht mit jhrer Jungfrau ab, so gehn jhr Soldan vnd
Lupolt mit einer stummen Person entgegen. Soldan sagt mit
reverentz zu Torello:

Gnad Herr, eur treu vnd gütigkeit

15 Die lob ich all meins lebens zeit.

Ihr habt vns vil mehr guts gethan,

Dann man es von euch rũmen kan.

Drumb wolt ich nichts liebers auff erden,

Dann das euchs solt vergolten werden.

20 Weil aber wir in frembtem Land

Diß als nicht zu vergelten hand,

Ist vnser bitt, vns zu erlauben,

Dann wir müssen gleich fort, auff glauben,

Vnd bedancken euch alles guts.

25   Torellus sagt:

Ich befihl euch in Gottes schutz,

Ihr lieben Herrn! nembt für gut!

Allein eins mich berichten thut!

Was ist eur handel vnd gewerb?

30   Lupolt sagt:

Ach Herr, die frag ist streng vnd herb.

Zu diesem mahl wils es nit thon,

Das wir vil solten sagn davon.

Aber villeicht so gibts die zeit,

35 Das jhr erfahrt all glegenheit

Vnsers gewerbs vnd kauffmanshandels,

Vnsers wesens, thuns vnd wandels.

Ietzt hab wir zeit, von euch zu Reisen.

Torellus sagt:

In meinem stall soll man euch weisen

5 Für eur müede Pferd gute Roß,

Mit denen jhr eur Reise groß

Desto baß könt zu end bringen.

Gott geb, das euch nit thu mißlingen!

Adelheit geht mit jhrer Jungfrau ein; tregt die Jungfrau drey
schöner Mandeen oder nachtschauben vnd sagt:

[360ᶜ] Ihr frembten Herrn, dieweil ich spüer,

Das nicht lenger wolt bleiben jhr,

Sondern eurs wegs weiter ziehen,

So bitt ich euch, nicht zu bemühen,

15 Von mir zu nemen diese Gab,

Dann jhr könt leichtlich reisen ab

So ein weiten weg eure gwandt.

Damit jhr hettet bey der handt

Ein vorraht, so thu ich euch schencken

20 Diß kleit, mein dabey zu gedencken.

Vnd wolt damit nemen für gut!

Sie gibt jedem ein kleid. Der Soldan gibt jhr die Hand vnd sagt:

Gott der hab euch in seiner hut!

Der Soldan vnd alle die seinigen nemen die kleider, geben
jhnen allen nach einander die handt vnd gehn mit groser Reverentz ab. Torellus sagt:

Hertzlieber Gmahl, nun merck du mich,

Warumb ich so gut williglich

Den Herrn hab ins hauß auffgnommen.

30 Villeich möcht ich noch zu jhm kommen

Auff meiner Reiß zum heilign Grab,

Die ich gar hoch gelobet hab,

Dann ich halt sie für statlich Leüt,

Die von mir all jhr lebenszeit,

35 Wo sie hin kommen, wissen zu sagn.

Adelheit sagt:

Ach Herr, jhr dörfft kein scheuhen tragen
Vor mir eurs gfallens zu halten hauß,
Allein bleibt hie vnd reist nicht auß!
5 So will ich alles gern than,
Was jhr auff Erd wolt von mir han
In all Mensch- vnd müglichen dingen.

Torellus sagt:

Die Red laß dir kein schmertzen bringen!
10 Ich bin noch nit gerüst darzu,
Das ich so balt weg Reisen thu.
Ietzund ich aber gar gern west,
Wer doch seind gwesen diese Gäst,
Dann mir sagt doch das hertze mein,
15 Das sie trefflich grose leut sein,
Die ziehen jetzt auff Pariß hinein.

Er fürt sie bey der hand ab.

[360ᵈ] ### ACTUS TERTIUS.

Abraham, der Jud, geht ein vnd sagt:

20 Ich habs offt gsagt vnd thus noch sagen:
Den Goim thu ich feindschafft tragen
Vnd kan mir sein nicht wol gnug lachn,
Wenn ich eim thu ein Possen machen,
Wie ich dem mit den Hunden thet.
25 Ey wenn ich nur jetzt wissens het,
Wie man jhn hat daheim empfangen!
Potz schau! dort kompt er her gegangen.
Ich will mich auff die seiten drehen,
Er möcht mich sonst schenden vnd schmehen.

Jahn geht ein, tregt ein grosen hafen vol wassers zugedeckt
am Arm, vnd als der Jud weichen will, sagt er:

Ey bleib nur stehn vnd laß dir sagn!
Ich mein, mein Herr der thet mich schlagn.

Abraham sagt:

35 Warumb?

Jahn sagt:

Dastu mich also hast beschiessen.

Abraham sagt:

Wie da? ich hab davon kein wissen.
5 Ir secht mich für ein vnrechten an.

Jahn sagt:

Nein, nein, du schelm hast es gethan.
Ich kenn dich gar wol, wer du bist.

Abraham sagt:

10 So sagt, was euch geschehen ist!
Ich weiß nichts drumb, bey meiner treü.

Jahn sagt:

Du verkauffest mir Hund für Seü
In einem Sack, doch vnbesehen,
15 Wiewol mir ists zum besten gschehen,
Denn ich bin meim Herrn entloffen.
In dem Hafen sein Schatz ergroffen,
Damit wil in ein Landt einfahrn.
Mein Jud, wenn du kein fleiß wolst sparn,
20 Wolst Kutschen vnd Pferdt verschaffen mir,
So laß ich alles anders dir,
Was hie ist in dem Hafen drinnen.

Der Jud wend sich zu den Zuhörern vnd sagt:

Potz da wil ich balt gelts gnug gwinn.
[361] 25 Wenn ich den Schatz in meim gwalt hon,
So lauff ich mit dem rest davon
Vnd komb in das Landt nimmermehr.

Er kehrt sich zum Jahnnen, ziecht den Hut ab, helt jhn auff vnd sagt:

30 Ja wol, so gebt eur Geld nur her!
Kutschen vnd Pferdt ich schaffen wil.

Jahn sagt:

17 O den. 23 O dem. 25 O 161 statt 361. O mein.

Ey fürwar, deß Gelts ist zu vil,
Es geht nicht hinein in den Hut.

Abraham helt den Göhrn auff vnd sagt:

In Göhrn mir es herschitten thut!
5 Ich wils im Göhrn wol heim tragen.

Jahn sagt:

Nein, man möchts euch auß den henden schlagen.
Thut das hembt auß dem Busen rauß!
Darinn kündt jhrs wol tragen zu hauß.

Abraham thut den Busen auff, zeicht das Hemmet rauß, Jahn
schiett jhm das Wasser in Bauch vnd würfft jhm den Hafen
an kopff vnd laufft davon vnd sagt:

Gelt, Schelm, ich hab dich wider troffen?

Er laufft ab. Abraham sagt:

15 Daß gseß ist mir vol Wassers gloffen.
Auwe! mich hat mein tag kein Christ,
Als wie der schelm, so vberlist.
Ich gedacht jhn vmb das Gelt zu bringen.
Darzu mich zwar der geitz thet zwingen.
20 Drumb ist mir nicht fast vnrecht gschehen
Vnd ich wil forthin denckn vnd sehen,
Wie ich den Gojm wider Eff
Vnd das der schalck den Lecker treff.

Er schüttelt vnd verwundert sich vnd geht ab. Kommen Soldan mit Lupolt vnd einer stummen Person, setzt sich vnd sagt:

Als wir Reißten von Pavia
Zu Schieff gen Alexandria,
Haben wir böse post vernommen,
Das wir balt zu hülff solten kommen
[361ᵇ] 30 Vnserm Heer im heiligen Landt
Vnd das sie bereit verlohrn handt
In Egypten etliche Stätt,
Das vns gar hart zu hertzen geht.
Darumb so macht euch auff geschwindt,
35 Das wir noch morgen frü auff sindt.

Ayrer.   114

Das wir vnser Kriegsvolck entsetzn,
So lang gwarter hoffnung ergötzn!

Lupolt sagt:

AllerGroßmächtiger· Soldan,
5 Wir seind darzu bereitet schon,
Mit eurer Majestat zu Reisen,
Die Christenhund balt abzuweisen
Von jhrem Kriegischen fürnemen.

Soldan sagt:

10 Ja freylich sollen wir vns schemen,
Das, sie vns Nicea eingnommen
Vnd Antiochia bekommen
Sambt vil andern Schlössern vnd Stätten.
Vnd wenn wir jhn nicht steürn theten,
15 Nemen sie vns mehr Land vnd Leüt.
Drumb macht euch auf! wir haben zeit.

Werowalt, der Türckisch Hauptman, geht ein mit Abraham,
dem Juden, vnd etlichen andern stummen Personen, gerüst.

Werowalt sagt kleglich:

20 Ach Machomet, hör vns klagen!
Vns ist all hult vnd gnad abgschlagen
Von den Christlichen bluthunden,
Die stürmen an der Statt da vnden,
Haben die StattMaurn eingeschossen.
25 Dessen ich bin gar hart verdrossen,
Dann vnser Keiser in Teutschland
In Kauffmanskleidern gar vnbekand
Vmbzeucht vnd will das Land besehen.
Ach wers bey seim anwehsen gschehen,
30 So dörfft man mir kein schult nit geben.
Ich will halt wagen leib vnd leben
Vnd mich wern auff den letzten Mann.

Abraham, der Jud, sagt:

Adonay! sie kommen schon.
35 Drumb, wöll wir erhalten das leben,
So müssen wir die Statt auffgeben.

Traun, sie ist vor auch gwesen jhr.

Werowalt sagt:

So kompt herein! drinn wöllen wir
Mit den KriegsRähten mehr Rahtschlagen,
5 Vnd wo die Feind in dreyen tagen
[361ᶜ] Nicht wöllen ziehen von der Statt,
So ergeben wir vns auff gnadt.
Solt wir aber vngnad erwarten,
Schlag wir einander auff die schwarten.
10 Vnd wen der kopff wird auff der fart,
Der hat macht zu scheren den part,
Denn wer will vnsers blutes han,
Der muß vns so vil setzen dran.

Ietzt wird drinnen ein gewaltigs Schiesen vnd getümmel, das
zimlich lang werd. Die Türcken lauffen zurück. Heinrich,
der Keiser, laufft mit den seinigen gerüst ein vnd sagt:

Ihr lieben Kriegsleüt, habt ein hertz!
Es gilt fürwahr kein spott noch schertz.
Die Statt wir hahn geöffnet schan.
20 O lermen! schlagt frisch drauff! dran! dran!

Die Türcken lauffen rein, schlagen lang aneinander. Inmittelst ist darinnen in der Statt auff ein Neues ein groß Schiesen
vnd tummeln vnd werden auff deß Türcken seiten, außerhalb
deß Juden, alle erschlagen. Der Keiser mit den seinigen laufft
auch ab, kommen aber nach auffgehörtem gerumpel wider.
Der Keiser tregt ein Kron, ein Scepter vnd schöns schwerdt,
legts alles nider, schlegt die Hendt zusammen vnd sagt:

Gott sey lob Ewig, ruhm vnd preiß,
Der so gar Vätterlicher weiß
30 Sein liebs ChristenVolck hat erredt
Vnd seines namens Feind gethöt!
Nun wollen wir von hauß zu Hauß
All abgötterey dilgen auß,
Die Statt besetzen vnd befesten,
35 Den Gottsdienst bestelln nach dem besten,
Das drinn der wahr Gott werd gepreist,

114 *

Der vns so groß gnad hat beweist.
Vnd jhr, Graf von Bolonia,
Sollt fürter sein ein König da
An vnser stat; das wöll wir han.
5 Deß geben wir euch diese Kron,
Deßgleich den Scepter vnd das schwerd,
Dann jhr der Ehren wol seit wehrdt.

[361ᵈ] Der Keiser setzt jhm die Kron auff, der Graf fellt zu
fus, thut die Kron wider vom kopff, legt sie auff die Erden
10   vnd sagt:

Gott hat durch sein mechtige handt
Erlediget das heilig Landt,
In welchem Christus hat gelitten
Vnd für vns am Creutz ist verschieden,
15 Auch vns erworben das ewig leben.
Der hat vns das Land wider geben,
Dem wir allein zu dancken han.
Das aber ich ein gulten Kron
Solt tragen hie in dieser Statt,
20 Da Christus Dörner getragn hat,
Dasselbig sey von mir gar fern!
Es gschech zu spot meim Gott vnd Herrn.
Soll aber ich das Land besitzn,
So will ich albie gar gern sitzn
25 Als ein Vatter der Christenheit,
Mich Vetterlich erzeign all zeit,
Das es Gott allein reich zu Ehr,
Denn ich vergesse nimmermehr,
Das sein almacht in diesem Krieg
30 Vns geben hat so reichen Sieg.
Aber eur Keiserlich Mayestat
Danck ich vnderthenigst der gnad,
Das mich dieselb düchtig erkandt,
Das ich werd des Landts Vatter gnandt.

35   Heinrich, der viert, Keiser, sagt:
Nun seind wir zwar ein alter Mann,
Han zwo vnd sechtzig schlacht gethan

In eigner Person, könn wir verjehen.

Doch haben wir noch nie gesehen,

Das Gott so greiffliche wolthat

Vns je allzeit erzeiget hat.

5 Vil weniger wir gsehen han,

Das doch jrgents wol ein Kriegsman

Sich solcher ehr hett widersetzt,

Damit man im Wolthat ergötzt,

Das wir von euch für demut halten.

10 Nun kompt herein mit jung vnd alten,

Das man ein jeglichen begab,

Nach dem ein jeder verdienet hab,

Vnd das wir alsambt gleicher weiß

Auß rechtem hertzn mit grosem fleiß

15 Gott sagen lob, Ehr, ruhm vnd preiß!

Sie gehn alle ab.

ACTUS QUARTUS.

[362] Kompt Abraham, der Jud, hat sich gantz. weiß bekleit
vnd sagt:

20 Ich hab dem losen lecker gschworn,

Der mit Wasser mein Bauch erfrorn,

Das ich jhm wöll sein lohn drumb geben.

Weil dann sein Mutter jhr zeitlichs leben

Heut disen tag verlohren hat

25 Vnd er in grosem trauren stat,

Das er nicht dencken wird an mich,

So hab dest besser glegenheit ich,

Das ich jhm thu erscheinen balt

In seiner Mutter geistesgstalt

30 Vnd Peütschen jhn wol mit Geissel ab.

Als dann ich mich gerochen hab.

Potz, dort ich jhn gleich lauffen sich.

Ich muß gehn vnd verbergen mich.

Er laufft ab. Jahn geht ein, kratzt sich im geseß vnd kopff,
würfft sein Spieß oder stangen weg vnd schreit:

O ja, fürwar, sie ist schon todt,

Mein liebe Mutter: tröst sie Gott!
Ach liebe Mutter, wie sol mir geschehen?
Sol ich dich mein tag nimmer sehen,
So stürb ich doch von hertzenleid.
5 Ein fromme Mutter warst, auff mein Eydt,
Dann ich kan gar nicht von dir sagen,
Das du mich hest gschmecht noch geschlagen,
Dann ich war dein hertzlieber Son.
Ach liebe Mutter, was soll ich thon,
10 Wenn ich dich jetzt verliren muß?
Ey gib mir noch einmal ein kuß
Vnd offenbar mir doch dabey,
Wo dein Seel hingefahren sey!

Er greint; indessen kompt der Abraham, der Jud, ist verkleidt weiß, wie ein geist, vnd brändt jhm Fewr auff dem kopff;

der sagt:

Ach lieber Sohn, ich dir betewr,
Das ich hart leid in dem Fegfewr,
Weil ichs vor meim absterbn vergessen,
10 Mir su stifften Vigil vnd messen.
Ach lieber Sohn, ach weh, mein Sohn!

Jahn greind vnd sagt:

Ach liebe Mutter, was soll ich thon?

Abraham, der Jud, sagt:

|angb| 15 Ach lieber Sohn, so hilff doch mir!

Jahn sagt:

Ach Mutter, wie hilfft man dann dir?
Wie wolt ich das gern thon!

Abraham, der Jud, sagt:

20 Ach hilff mir doch, hertzlieber Sohn!

Er geht su jhm, küst jhn vnd sagt:
Hilff, das ich auß dem Fegfewr komb!

Jahn sagt:

Wie soll ich dir helffen widerumb?

Ich weiß nicht, wo das Fegfeür ist.

Er wend sich zu den zusehern vnd sagt:
Ich glaub nit, das du mein Mutter bist.

Zum Juden sagt er:

5 O Mutter, dein stimb nicht außweist,
Dastu gewiß mein Mutter seist.
Dein stimb ist gröber, als sonst der Frauen.

Abraham, der Jud, zeugt die Peütschen, geisselt jhn dapffer ab vnd sagt:

10 Wie, schelm? wiltu mir nicht drauen?
Ich will dir geben deinen lohn.

Jahn schreit vnd sagt:

Ey Mutter, hab ich dir doch nichts thon!

Abraham, der Jud, schlegt jmmer zu vnd treibt den Jahnen
15 ab vnd sagt:

Gelt? ich hab jhm vergolten auch,
Das er mirs Wasser goß in bauch.

Jahn laufft ein, niembt dem Juden vnversehen sein Peütschen vnd sagt:

20 Hör, du Teufel, sag, wer du seist!

Abraham, der Jud, sagt:

Ich bin halt deiner Mutter geist.

Jahn sagt:

So wiß! meins Vatters geist bin ich
25 Vnd du hast also gschlagen mich.
Nun hab ich ghört mein lebtag sagen,
Das kein Weib jhren Mann soll schlagen.
Weil du aber thest schlagen mich,
So will ich wider zahlen dich.

[362ᶜ] Er helt den Juden bey dem Arm vnd Peütscht jhn
weidlich rumb. Abraham, der Jud, sagt:
Mein Jahn, hör auff! laß mich zufrid!

Jahn sagt:

Nein fürwahr, Jud! das thu ich nit,·
Dann ich hab dich schon wol erkendt.

Abraham felt jhm zu fuß vnd sagt:

5 Ich bitt: den zorn von mir abwend!
Ich wils all mein tag niemmer thon.

Jahn schlegt noch mehr zu vnd sagt:

Ey laß dir vor geben dein lohn!
Du schelm, wolstu mein Mutter sein?

10   Abraham sagt:

Adaney, erbarm dich mein!
Euch zu betrigen thet ich hoffn,
So hat der schalck den lecker troffen.

Er laufft ab. Jahn lacht, schlegt in die schoß vnd. sagt:

15 Ich glaub nicht, das ein biderman
Darff sagn, ich hab jhm vnrecht than.
Ein gulden hat er mir abbschissen,
So hab ich jhn gossen vnd gschmissen,
Das, wenn ichs meinem Herrn sag,
20 Fragt er dem gulden wenig nach.

Er geht ab. Geht Torellus mit Adelheit, seinem Gemahl, Dorothea, jhrer Jungfrauen, Herrn Freidenreich, Leonora, seinem Gemahl, Herrn Seüfrid vnd Felicitas, seinem Weib, ein. Torellus sagt:

25 Hertzlieber Gmahl vnd liebe Freündt,
Wie jhr euch habt versamblet heünt,
Ihr wist wol, das ich globet hab,
Ein Reiß zu thun zum heilign Grab,
Die ich Kriegshalb müssen einstelln.
30 Wann aber ich vnd wir all sölln
Das, so wir Gott zugsaget, halten,
So muß es nun der liebe Gott walten,
Das ich die weite Reiß fürnem.
Vnd jhr, gebt mir vrlaub zu dem!

Adelheit sagt:

[362ᵈ]   Hertzlieber Gmahl, jhr seit vor Ritter.

Kein stund ward mir noch nie so bitter,

Das jhr euch von mir scheiden wolt.

5 Vil lieber wer mir, das ich solt

Vor euch alß halt mein lebn- beschließn.

Herr Freidenreich sagt:

Herr Schwager, lasts euch nicht verdrießn!

Was wolt jhr mit der· Reiß anfangen

10 Vnd was könt jhr damit erlangen?

Gliebs halb könt jhr der wol embern,

Dann Gott erhört all Sünder gern

Vnd Christus spricht, wer beten wöll,

In seim Kämmerlein beten söll

15 Vnd viler wort enthalten sich,

Gott werdts vergelten offentlich,

Vnd das Christus woll auch allwegen

Vns seinen heiligen geist geben

Vnd selbst Persöhnlich sein dabey,

20 Wo jhrer nur zwen oder drey

In seim namen zsamen kommen.

Darauß ich hab so vil vernommen,

Das Gott an all orten der Welt

Eins jeden Christen frumkeit gfelt

25 Vnd das er gar kein gfallens hab,

Ihm nach zu ziehen zum heilign Grab,

Darinn er ist ein mal gelegn,

Nicht mehr zu finden alle wegn.

Derhalb so bleibt bey meiner Schwester,

30 Die euch lieb hat je lenger je vester,

Erst anfengt, euch Kinder zu bringen,

Vnd kümmert euch nit mit den diengen,

Die vil kosten vnd wenig nutzen!

Torellus sagt:

35 Der Schwager thut sein red auffmutzen,

Die ich gleich wol nicht straffen kan.

Doch hab ich Gott ein glüh gethan,

Dieselbig muß gehalten sein,
Vnd kostets mir das leben mein.
Auch ist das wahr, doch mir nicht lieb,
Das ich damit mein Gmahl betrüb.
5 Ich hoff aber zu meinem Gott,
Der werde mich vor todesnoth
Bewahren gsund auff dieser Reiß.

Herr Seüfrid sagt:

Herr Schwager, jeder sein anßchlag weiß,
10 Doch ist der heimweg gar vngwieß.
Ich bitt: habt dessen kein verdrieß!
Bleibt bey vns! jhr seit doch vor Ritter.
Vnd macht vns die Freundschafft nit bitter!
Schont daran doch eurs Weibs vnd Kindt!

[363]   15   ### Torellus sagt:

Dieselben wol versehen sindt
Mit gelt vnd Gut, Schloß, Garten vnd hauß,
Auch sonst ander notturfft durchauß.
So will ich auch nicht lang außbleibn
20 Vnd meiner Gmahl ein zil fürschreibn,
Wie lang sie warten soll auff mich.
Vnd so die zeit versaume ich,
So halt sie gwiß, das ich todt sey,
Vnd soll jhr sein zuglassen frey,
25 So ich nicht wider kommen kan,
Das sie jhr nemb ein andern Mann.
Vnd ich will fort die tage mein
Ewig von jhr gescheiden sein.
Das verheiß ich euch gwiß vnd wahr.
30 Die zeit sey ein tag vnd drey Jar.
Damit jhr nur zufriden seit!

Felicitas, deß Seüfriden Weib, sagt:

Herr Bruder, es ist ein lange zeit.
Bedencket doch, was in ein Jar

Eim für vnglück zukum fürwahr,
Wenn einer schon selbst ist zu hauß,
Gschweigen, so lang zu bleiben auß.
Doch will ich euch kein ordnung geben.

5 **Adelheit sagt:**

Ach Herr, verschonet eurs leben!
Ich sorg fürwahr bey meiner Ehr,
Ich werd euch sehen nimmermehr.
Doch es geh gleich, wie es Gott woll,
10 Kein Mensch mich nicht bereden soll,
Mein tag ein andern Mann zu nemen.

Torellus sagt:

Das zu verreden solst dich schemen,
Dann du bist noch ein junges Weib
15 Vnd darzu auch gar schön von leib,
So hastu gelts vnd Guts genug,
Das deine Freund wol haben fug,
Dir nach mir einen Mann zu geben.
Nun es muß sein, kosts mir mein leben.

20 **(Er druckt sie.)**

Hertzliebs Weib, nun bewahr dich Gott
Sambt all den vnsern vor aller not
Vnd er wöll gnedig lassen gschehen,
Das wir gsundt aneinander sehen
25 Mit mehr freüden, als vnser scheiden
Vns traurigkeit bringt allen beiden!

Er druckt sie, sie weinet vnd sagt:

[363ᵇ] Hertzallerliebste Gmahle mein,
Das scheiden bringt mir grose pein.

30 **Sie gibt jhm ein Ring vnd sagt:**

Ach Gott, kan ich die Reiß nicht hindern,
Mein traurigkeit damit zu lindern,
So nembt noch von mir diese schenck,

9 O geht. 13 Nibel. 16: nun versprich ez niht ze sêre. 28 O 168 statt 363.

Dabey jhr mein seit ingedenck,
Auff das, wenn euch Gott wider bring,
Das ich euch kenn bey diesem Ring!

Sie weinet. Torellus gibt jhr vnd allen seinen Freunden die
5   hand vnd sagt:
Es mus doch sein: Gott wöll sein waltn!

Leonora sagt:
Es möcht mir wol mein hertz zerspaltn,
Das vnser aller bitt nit gilt.

10   **Herr Freidenreich sagt:**
Gott ist alzeit von gnaden milt,
Der geb euch glück zu eurer Reiß
Vnd als, was ich zu wünschen weiß,
Nemlich, das wir all widerummen
15 Mit grössern freuden zsammen kommen!

Sie gehn alle traurig vnd weinet ab. Soldan geht mit Lupol-
ten vnd wen er sonst haben mag, gerüst ein vnd sagt:
Vns weint das hertz im leib vor zorn,
Das wir so schendlich han verlorn
20 Palestina, das globte Land,
Das vns die Christen abtrungen hand.
Drumb schweren wir bey vnser Kron
Vnd vnserer Statt Babilon,
Das vnser Feinschafft gegen sie
25 Soll jetzt grösser sein, als vor nie.
Darzu gebt vns doch euren Raht!

Lupolt sagt:
O Keiserliche Mayestat,
Diß Land bekomb wir nimmermehr,
30 Dann es ist befestigt so sehr,
Weil die Christen des ordts besuchen
Christum, den wir Heiden verfluchen,
Vnd es tregt jhn vil nutzens ein.
Darumb kein ander Raht wird sein,
35 Dann das eur Mayestat hinfort

All Bilger an deß Meeres port
[363ᶜ]   Lassen erschlagen, töden vnd hangen.

Soldan sagt:

Guts brichts genug hab wir empfangen.
5 Die fürsehung wöll wir bestellen
Vnd alle Christen fangen wöllen,
Die wir bekommen allenthalben.
Das ist ja ein schand jhnen allen.

Abgang. Kommen Theodorus, der Genovesische, vnd Malignus, der Lamparter Kauffmann, vnd Torellus, der Ritter.

Theodorus sagt:

Fro bin ich, das wir zu Land kommen.
Gar vil anstöß hab wir eingnommen,
Weil vnser an der pestilentz
15 Vil gstorben sein so gar eylentz,
Die man in das Meer gworffen hat.
Darumb hat wol das sprichwort stat,
Das sagt, welcher nicht beten kan,
Der lerns auff dem Schieff gar schan,
20 Dann vns haben auch noch zuletzt
Die MeerRauber gar hart zugsetzt.
Vnser vil vor hunger vergiengen,
Vnser vil auch die Türcken fiengen
An dem Port, da wir außstiegen.

25   Malignus sagt:

Ich bin gewest zu fuß in Kriegen,
Deßgleichen auch im streit zu Roß;
Da sagt man wol, die gfahr sey groß:
Ach Gott, es ist als Kinderspil.
30 Mein tag ich davon sagen will,
Was ich auff dem Meer gsehen hab.

Torellus sagt:

Ich war vor auch beim heilign Grab,
Da fuhren wir ins Türcken gleit.

2 O 163 statt 363.

Hetten kein solche gfehrlichkeit
Weder zu Wasser oder Landen,
Als wir die Reiß haben außgstanden.
· Das macht, der baß der stundt frey offen.
5 Wir haben ein böse zeit antroffen,
Darinnen wir außzogen sein,
Da der Türck diß globt Land nam ein.
Das hat Keiser Heinrich, der viert,
Welcher jetzund gar wol Regirt,
10 Dem Türcken wider abgewunnen.
Das müssen wir entgelten jetzunden.
Nich weiß ich, wie ich armer Mann
Folgents mein Reiß verrichten kan,
Die ich vnserm Gott globen thet.

[363ᵈ] 15   Malignus sagt:
Mein weg ein anders Land ein geht.
Gen mitternacht muß ich fort fahrn.
Der lieb Gott wöll euch all bewahrn
Vnd wolt mir nichts für vbel han!

20   Theodorus sagt:
Ein andern weg muß ich davon;
Darumb wir vrlaub nemen wölln.
Gott tröst all vnser Reißgeselln,
Die auff der Reiß jhrn geist auffgeben!

25   Torellus sagt:
Vil gferten wir verlohren eben.
Gott wöll vns allen Bilgern geben,
Die wir noch seind blieben beim leben,
Das wir verrichten vnser fahrt,
30 Darumb jeder außzogen ward!

Sie geben die hend aneinander. Theodorus vnd Malignus gehn
ab. Torellus bleibt drinn vnd sagt:
Keiner Reiset weiter, dann ich.
Der liebe Gott behütte mich
35 Vor schnelln dieben vnd Meerraubern,
Vor bösen geistern, den vnsaubern,

Vnd bleid mich wider gsund zu hauß!

Lupoltus vnd noch ein stumme gerüste Person lauffen ein.
Lupolt sagt:

Du Christenhundt, wo wiltu nauß?
5 Wenn du erretten wilt dein leben,
Mustu dich vns gefangen geben
Zu eigen dem grosen Soldan.

Torellus zeügt vom Leder vnd sagt:

Nein fürwahr, das werd ich nit than,
10 Ehe jhr mit gwalt mich bringt darzu,
Dieweil ich mich starck wehren thu.

Sie schlagen starck zusammen, entlich schlagen jhn die Türcken
zu boden vnd er sagt:

Ich bitt vmb gnad; eur seind zu vil.
15 Gefangen ich mich geben will.

Sie fallen jhn an, binden jhn vnd führen jhn ab. Adelheit
geht mit Dorothea, jhrer Jungfrau, ein vnd sagt:

[364]   Ein bösen traum hab ich heünt gsehen.
Wenn nur meim Herrn nichts wer geschehen
20 Auff seiner weiten Meerfart!
Vmb jhn bin ich betrübet hart,
Ja herter, denn ich kan außsprechen.
Vor leid möcht mir mein hertz zerbrechen,
'Dann mich andet fürwahr nichts guts,

25   **Dorothea sagt:**

Eur Gnad wollen sein gutes muhts,
Den nachtgsichten nicht nachdencken,
Noch sich jhrenthalbn bekrencken,
Dann sie sein nur lauter betrug,
30 Vergehn wie ein Plitz in dem pflug,
Kommen von tieffen gedancken her
Vnd sein wie ein fabel vnd meer.
Darumb schlagt solch dieng auß dem hertzen!

Adelheit sagt:

Der traum bringt mir fürwahr groß schmertzen.
Wolt Gott, das ich jhn könt außschlagn
Vnd sich nichts böses hett zutragen!
Dann mir die traum gern werden wahr.

5   **Dorothea sagt:**

Da setzt jhr drauff den glauben gar.
Besser wers, das jhr das nit thet,
Zu Gott ein starcke hoffnung bett,
Das er dem Herrn beyständig wer
10 Vnd jhn brecht halt gsund wider her.
So weiß ich gwiß, er wird es than,
Dann Gott all dieng vermag vnd kan;
Doch will er drumb gebetten sein.

        Adelheit sagt:

15 Ich will gehn den traum schreiben ein,
Ob wir erfahrn nach diesen tagen,
Was sich darauff hab zugetragen,
Auff das ich dichs erinnern kan,
Ob ich denn vnrecht glaub daran.

Sie gehn ab. Kompt Soldan, der Türckisch Keiser, mit Lupolto vnd etlich stummen Personen vnd sagt:

Weil wir von euch haben vernommen,
Ein Christ sey gfenglich hieher kommen,
Der geb ein trefflichen Weidman,
25 Kan wol mit dem Falcken vmbgahn,
Vnd beger, das man jhn brauchen soll.

        Lupolt sagt:

Eur Mayestat die sehen wol,
Wie die Sclaven verhalten sich,
30 Das jhn zu trauen ist schwerlich,
[364ᵇ]   Dann wenn sie alle dieng außspehen
Vnd als dann jhrn vortel ersehen,
Reissens aus wie ScheffenLeder,
Sein vnsers Landts ergst verrähter,
35 Als weit sie das sein zogen auß.

Soldan sagt:

Last bringen auß der gfengnuß rauß
Für vns diesen jetzt gfangen Christen!
Das wir von jhm erforschen mit listen,
5 Was er hab in dem Land gethan.

Lupoltus geht zum eingang vnd schreit:
Stockmeister, bring den ChristenMann!

Alphonsus, der Stockmeister, sagt:
Ja wol, es soll von stund an gschehen!

10   Soldan sagt:
Wenn wir nur seine gstalt besehen
Vnd hören dabey seine stim,
Mercken wir schon, was steckt in jhm,
Ob er sey warhafft schlecht vnd frum
15 Oder geh mit bösn stucken vmb.

Stockmeister führt Torello an · einem springer ein vnd sagt:
Großmächtiger Keiser vnd Soldan,
Da habt jhr diesen Christen stahn.

Soldan sagt:

20 Hör du, verdambter hundt vnd Christ,
Balt sag du vns, von wann du bist
Vnd auch was dein handierung sey!
Zeig an dein Vatterland dabey
Vnd geh vns fein grad vnder augn!

25   Torellus sagt:
Gnediger Herr, ich will nichts laugn,
Ich bin ein künstlicher Falckner da,
Geborn in der Statt Pavia,
Vnd zog in das Land nach eim Herrn,
30 Wolt auch gern sein Falckner wern.

Soldan sagt:

Wie heistu mit dem namen dein?

Torellus sagt:

Torellus ist der namen mein.

Soldan sagt:

Vns ist im Lamparter Land
Ein Torellus gar wol bekandt,

5 Derselb aber kein Falckner ist.
Nicht wissen wir, wer du dann bist.
Stockmeister, balt führ jhn jetzt ab,
Das man sich zu bereden hab!

Stockmeister führt in wider ab. Soldan sagt:

10 Vns macht der gfangen ein argwohn,
Dann er von gstalt sicht wie der Mann,
Der zu Pavia in der Statt
Vns so vil guts bewisen hat.
Vnd wenn wirs westen, das ers wer,
15 Wolt jhm thun alles guts vnd Ehr.

Lupolt sagt:

Gnedigster Herr, ich hab betracht,
Wenn derselb Ritter hat gelacht,
So blintzelt mit den augen er;
20 Vnd wenn es dieser gfangen wer,
So könt man es daran wol sehen.

Soldan sagt:

Last jhn rein führn! es soll geschehen.

**Lupoltus geht zum abgang. Der Stockmeister führt jhn wider
25 ein. Soldan sagt:**

Bey Machomet vnd vnser Treüen
Darffstu dich nicht fürchten noch scheühen.
Wir haben wol ein Ritter kent
Zu Pavia, der wahr so gnent.
30 Drum sags, ob du derselbig seist!

Torellus felt zu fuß vnd sagt:

Ja, Torellus mein namen heist

15 O°Wol.

Vnd bin von Hohem stand geborn,
Vor achtzehen Jahrn ein Ritter worn.
Iedoch weiß ich nicht zu verjehen,
Das ich eur Mayestat hett gsehen,
5 Vil weniger dieselben kendt.

Soldan steht auff, hebt jhn auff, gibt jhm die hand, druckt
jhn vnd sagt:

Du hast wol than, das dich hast gnent.
Du Edler Ritter, treü vnd frum,
10 Sey vns zu tausent mal willkum!
Wie kombstu her in vnser Land?

Torellus felt wider zu fuß vnd sagt:

Eur hoheit mir nit ist bekand.
[364ᵈ]   Doch bitt ich sehr eur Mayestat
15 Durch Gottes willen vmb genad.
Ich bin ein armer gfangener Mann.

Soldan sagt:

Stehe auff! wir wollen dir nichts than.
Ein lieber Gast solstu vns sein.
20 Geht balt! tragt seine kleider rein,
Die vns sein Gmahl thet verehrn!

Lupolt geht ab, bringt die kleider, die deß Torelli Weib dem
Soldan hat geschenckt. Torellus schüttelt den kopff vnd sagt:

Von den sachen thet ich nichts hörn.

25 Lupolt bringt die kleider. Soldan sagt:

Schau! das wahr deiner Haußfrau schenck.

Torellus schüttelt den kopff, verwundert sich vnd sagt:

Ja, jetzo bin ich ingedenck,
Das auff eine zeit drey Kauffherrn
30 Bey mir wahren auß Cypern,
Die damals all drey jrr geritten
Vnd theten mich vmb Herberg bitten.
Die beherbergt ich dieselb nacht
Auff meim Schloß vnd zu morgens bracht

Ich sie mit mir heim in die Statt,
Die mein Gemahl begabet hat.
Da wust ich gar nit, wer die wahrn.

Soldan sagt:

5 Schweig still! du solsts mit nutz erfahrn.
Stockmeister, ledig jhm zu hand
Von seinem leib fesel vnd band
Vnd zieh jhm an in sonderheit
Seines Weibs vns verehrtes kleit!

10   Er deut auff Lupolten vnd sagt:
Schau! dieser Mann der war auch mit.

Lupolt gibt jhm die hand vnd sagt:

Ich hett jhn mein tag kennet nit.
Machomet zals zu tausent mahl,
15 Was guts jhr vns thet vberall!
Vnd vergeht mirs, daß ich euch fieng!

Torellus felt zu fuß vnd sagt:

Ach Gott, wie wunderbarer dieng
[365]   Hat mich Gott an das ort jetzt bracht!
20 Ich hett der gnad nimmer gedacht,
Sonder mich verziehen meins lebens.

Soldan sagt:

Ey all dein sorgen ist vergebens.
Kom rein! wie wir dir theten melten,
25 Wöll wir dir dein Wolthat vergelten
Nach vnserm Keyserlichen standt
Vnd soll dir offen sein das Land
Vnd niemand an dich legen hand.

Abgang.

30   ACTUS QUINTUS.

Jahn geht ein, tregt ein Brieff vnd ein Spieß vnd sagt:
Ja es ist gut davon sagen.

Zu den zuhörern sagt er:

Hört! fürwar, ich sol Brieff außtragen

Vnd sol doch nicht wissen, wo hin.
Ich selbst weiß gar wol, wo ich bin.
Wo aber jetzt mein Herr vmbziecht,
Errahten meiner wol zehen nicht.
5 Noch dennoch so sol ich jhn suchen.
Ich hett lust, solt mein Frau verfluchen.

Er besinnt sich vnd sagt:

Hört jhr? sein kein Ziegeiner hinnen?
Dieselben bißweiln war sagen können,
10 Wenn sie es offt vngfehr errahten.
Wer mirs sagt, dem sols nicht schaden,
Wo sich mein Herr auffhielt die zeit,
Dann die Welt ist gar grausam Weit
Vnd ich fürcht, ich zieh gar darauß,
15 So köm ich nimmermehr zu Hauß.
Nun was hilffts? es muß doch nur sein.
Post! dort kompt die zeschJungfrau rein.
Was gelts, sie werd jetzt suchen mich?
Daher will mich gleich stellen ich.

Dorothea, die Jungfrau, geht ein vnd sagt:

Ey, Jahn, wo seit jhr kommen hin?
Nach euch ich vmbgeloffen bin
Vnd kund euch doch gar nirgent finden.

Jahn sagt:

25 Ich war in meinem kleidt dahinden
Vnd zu nechst gstanden vor dem hauß.

Dorothea sagt:

Ich hab es als gesuchet auß
[365ᵇ] Vnd hab mich schir darob verflucht.

30 ### Jahn sagt:

Hett jhr nur in mein Kleidern gsucht,
Hett jhr mich nacket gfunden drinnen.
Solt jhr mich da nit finden können,
Da ich zu nechst stehe vor dem hauß?
35 Vnd jhr wollet mich schicken auß,

Den Herrn zu suchen, vnd nicht wist,
Wo er ist gwest vnd jetzo ist.
Fürwahr, es dunckt mich nerrisch sein.

Dorothea sagt:

5 Ey geht jhr zu der Frauen nein!
Die wird euch sagen, was jhr thun solt.
Wann jhrs dann nicht verrichten wolt,
So künd jhrs selben sagen jhr.

Sie geht ab. Jahn sagt:

10 Ja, Frauen gehn, wirdts sagen dir.
Der Frauen ists allein zu than,
Das sie wider hett jhren Mann,
Das sie künd kurtzweil mit jhm treiben;
Mir ists aber, daheim zu bleiben.

Er geht ab. Die Adelheit geht mit Dorothea ein. Adelheit rufft vnd sagt:

Jahn, hört vnd kombt balt her zu mir!

Jahn schreit inwendig deß eingangs.

Ja wohl, Gnad Frau, was wollet jhr?

20 Adelheit sagt:

Wo seit jhr?

Jahn sagt:

Daheim im Hauß.

Adelheit sagt:

25 So kombt jhr balt zu mir herauß!
Ich muß euch etwas halten für.

Jahn sagt:

Ja, Frau, kompt jhr darein zu mir!
Zu mir ist der weg eben gleich
30 So weit rein, als herauß zu euch.
Ich will euch schon

Ietzt pfeifft er vnd sagt:

Pfeiffen ein Reyhen.

[365ᶜ]

Adelheit sagt:

Eur pfeiffen thut mich nicht erfreyen.
Wenn ich darfür mein Herrn hett!

Jahn geht ein vnd sagt:

5 Ihr redt, das man wohl glauben thet,
Dann das kan gar ·wol glauben ich,
Ihr habt eurn Herrn lieber als mich.
Wenn jhr jhn nur zu finden west!

Adelheit sagt:

10 Ach mein lieber Jahn, thut das best
Vnd secht, das jhr den Herrn find!

Jahn sagt:

Ja, Herrn find; ich glaubs wol, wenn ichs künd.
Vnd wenn ich west, wo er auch wer,
15 So wer dest baß zu finden er.
Aber also wirdts gar hart zugehn.

Adelheit sagt:

Ey last das best bey euch doch stehn
Vnd last euch keine müh verdriessen!
20 Ihr solts all eure lebtag gniessen.
Ich will euch geben zehrung vnd lohn.

Jahn sagt:

Ja fürwahr, Frau, ich wils

Er pfeifft vnd sagt ferners:

25 Gern thon.

Sie gehn mit einander ab. Kompt Soldan mit Lupolt vnd
Torello. Der Soldan setzt sich vnd sagt:
Ritter Torello, wie gfelt euch
Vnser Hofhalten, gwalt vnd Reich?
30 Wo fern euch dasselb wol gfelt,
So bleibt darin, ·so lang jhr wölt!
Wir wollen euch als guts than.

Torellus seüftzt vnd sagt:

Gnedigster Herr, jetzt· denck ich dran,

Das ich meiner Haußfrau versprach,
Wenn ich von jhr blieb Jar vnd tag,
So solt sie sich verwegen mein
Vnd jhr als dann erlaubet sein,
5 Zu nemen einen andern Mann.
Nun bin ich auß viertzig wochn schan
Vnd hab ein gar weite Reiß für.
Drumb bitt ich zu erlauben mir,
Das ich zu rechter zeit heim kumb.

10   Soldan sagt:
Ey kümmert euch nur nicht darumb!
Auff den tag, wie jhr selber wolt,
Ihr ohn schaden daheim sein solt.

[365ᵈ].   Man klopfft draussen. Soldan sagt:
15 Macht auff! wer begert zu vns rein?

Lupolt macht auff, bringt Theodorum mit sich herein vnd
sagt:
Es ist ein Genoveser Kauffman.

Theodorus sagt:
20 AllerGnedigster Herr Soldan,
Im Wirhtshauß man mir sagen thet,
Wie das eür Majestat jetzt hett
Zu verkauffen gefangen Leüt.

Soldan sagt:
25 Auff diß mahl es gar nichtsen geüt,
Dann der gut Mann ist vns nicht feil
Vmb deines Guts den grösten theil,
Sonder er muß hie bey vns bleibn.

Torellus felt dem Keiser zu fuß vnd sagt:
30 Gnedigster Herr, wenn ich dörfft schreibn
Ein Briefflein klein beim an mein Frauen,
So hett ich hie dest baß zutrauen,
Das sie meinen zustand erführ
Vnd der Brief gwißlich geantwort wür.

35   Soldan hebt jhn auff vnd sagt:

Ach schreibt nach eurer gĺegenheit!
Dann jhr hie nicht gefangen seit,
Sonder macht, was jhr selbst wolt than!

Torellus sagt zu Theodoro:

5 Mein Herr, wenn ichs erhalten kan,
So bitt ich: nembt mein schreiben mit!

Theodorus sagt:

Ey mein guter Herr, warumb nit?
Seind wir doch mit einander gfahrn,
10 Im Schieff zwen gut gleidtsgferten warn.
Solt ich euch dann den dienst nicht than?
Von Genua auß ich wol kan
Eurm Gemahl schicken ein schreiben.

. Torellus sagt:

15 Ist gut, mein Herr! dabey solls bleiben.
Was es.kost, zahl ich zu danck auß,
Schick euch den Brief in eur Wirtshauß.

· Torellus gibt jhm die hand. Soldan sagt:

Weil jhr dann diesen Kauffman kendt,
20 Bey dem jhr eurn Brief weg send,
[366] So last jhn mit zu der Mahlzeit!
Redt weiter von der sach albeit!

Abgang. Herr Seüfrid vnd Freidenreich gehn mit · einander ein. Herr Seüfrid sagt:

25 Mein Schwester hat ein steten muht,
Auff jhren Herrn starck hoffen thut,
Das er halt wider kommen wer.
So glaub ich, er leb nimmermehr,
Dann er wer so lang nicht auß blieben
30 Oder hett auff das wengst her gschrieben,
Weß man sich doch verhalten solt.
Derhalben ich schir reden wolt,
Wenn folgents das Jar laufft auß
Vnd er nicht wider kom zu hauß,
35 Das wir vns dahin hettn bedacht, ·

Das wird ein andre Heürat gmacht.
Mein Schwester hat ein lange zeit.

Freidenreich sagt:

Es ist wahr, doch ist die Reiß weit
5 Vnd tragen sich zu gar vil dieng,
Eh man ein solche Reiß verbring.
Auch kan man offt nicht Pottschafft krign
Oder bleiben die Brief verlign,
Das das freyen ist böß zu wagen.
10 Wir müssen der sach baß nachfragen
Bey den durchreisenten Kauffletten,
Die seltzam zsam kommen in zeiten,
Oder wenn etwan ein Schieff anköm,
Das man davon bericht einnemb,
15 Ob etwan Brief darinnen wern.
Malignus lest sein Schiff außlehrn.
Den wöllen wir darumb bald fragen.
Last hörn, was er vns thut sagen!

Malignus geht ein. Herr Freidenreich sagt:

20 Potz schau! da geht er gleich daher.
Last hörn, was er bringt für meer!
Wir wollen jhn gehen sprechen an,
Ob er villeicht was weiß davon.

Sie gehen zu jhm, geben jhm die hand. Herr Setifrid sagt:

25 Eur ankunfft hab wir gern vernommen.
Mein Herr, ist euch kein Brief zu kommen,
Den Herr Torellus hat her gesandt
Vnd wo er sey, in welchem Landt,
Ob er noch leb, wie jhms thut gehn?

[366^b]   30   ### Malignus sagt:

Ihr Herrn, jhr solt mich recht verstehn.
Als wir hinein fuhrn auff dem Meer,
Starb es auff vnserm Schieff gar seer,
Das an der pestilentz verdorben.
35 Von vns der halbe theil todts storben,
Vnd ob wol etlich vber blieben,

Der anzahl doch halt wahr beschriben,
So seind doch von den Türckischn hunden
Ihr vil weg gfürt, gfangen vnd bunden,
Das ich nicht anders weiß zu sagen,
5 Dann er sey gstorbn oder erschlagen.
Ich glaub nicht, das er wider kum.

Herr Freidenreich sagt:

Wir sagen euch groß danck darumb,
Wie wol vns wers ein grose pein,
10 Wenn der frumb Ritter todt soll sein.
Wir müßn den sachen baß nachfragen.

Malignus sagt:

Ich weiß euch weiters nichts zu sagen.

Sie gehn ab. Malignus sagt:

15 Mir ist auß Alexandria
Vil wahr gschickt her gen Pavia
Vber Meer ein gantzes Schieff.
Darzu verloren ist der Brieff.
Des bin ich nicht zufriden wol,
20 Weiß nicht, was ich annemen soll,
Das ich nicht mich vnd ander Leüt
Dardurch bring in gefehrligkeit.

Abgang. Kompt Adelheit mit Torothea vnd sagt kleglich:

Ach lieber Gott, thu dich erbarmen
25 Vber mich trostlosen vnd armen,
Dieweil ich fast in einem Jar
Hab kein Brief von meim Herrn fürwahr!
Ach Gott, wenn er im leben wer,
Er bett vor lengst geschrieben her.
30 Derhalb verschwind mir auch mein Gut,
All frölichkeit, lust, freüdt vnd muht
Vnd wolt auch, das ich schon wer todt.

Torothea sagt:

Ach Gnedige Frau, dafür sey Gott!
35 Ihr müst haben ein kecken muht,
Gedencken „all sach wird werden gut",

Dann Gott kan ja eurn lieben Herrn
Wol wider herbringen von ferrn.
[366ᶜ]   Allein gut dieng das will weil haben.

Adelheit sagt:

5 Gott thet mich wol reichlich begaben,
Aber mein jetzigs hertzenleid
Vberligt mein wolfahrt gar weit,
Das ich mich nichts gwisers befahr,
Dann mein traum werd mir gar zu wahr,
10 Das ich mein Herrn sehe nimmermehr.
Ach schau! dort kompt mein Bruder her
Mit meinem schwager, Herrn Seüfrid.
Die kommen auch vergebens nit.

Herr Freidenreich geht mit Seüfriden ein, geben jhr die hand.

15   Herr Freidenreich sagt:

Ein guten tag, hertzliebe Schwester!
Ich vnd Herr Seüfrid haben gester
Mit einander gehabt ein Raht
Von deinet wegen deß Abents spat,
20 Weil dein Herr bleibt so gar lang auß.

Adelheit sagt:

O ist er todt, so sagts balt rauß,
Das ich komb meines jammers ab
Vnd ich auch komb, wie er, ins grab!
25 Dann auser sein kan ich nicht leben.

Seüfrid sagt:

Wir können kein bericht dir geben,
Ob er lebendig oder todt.
Ist er gstorben, so helff jhm Gott!
Dann wir müssen doch alle sterben,
30 Wöll wir das Himelreich erwerben.
Doch ist wol zu besorgn dabey,
Das er nicht mehr im leben sey.
Weil er nun ein Jar ist außbliebn
Vnd hat vns nie kein Buchstab gschribn
35 Vnd weiß, wie er verlobet sich,

Dastu solst verheüraten dich,
Wenn er ausen blieb Jar vnd tag,
Weil du denn führst so grose klag,
So haben wir geredt davon,
5 Dir wider zu geben ein Mann.
Ich meint, du werst abschlagen nit.

Adelheit sagt:

Ey lieben Herrn, last mich zufrid!
Ich hoff, mein Herr sey noch bey leben.
10 Drumb dörfft jhr mir kein andern geben
Vnd ich wolt in mein hertz mich schemen,
Das ich ein andern Gmahl solt nemen,
Ehe ich gwiß west, das er todt wer.

Herr Freidenreich sagt:

15 Schwester, die Jarszeit geht daher,

[366ᵈ]   Wo du deins Herrn nicht verschonst,
Nicht gern in solcher hartsal wohnst,
Hab wir dir ein Mann außerkorn.
Ist reich, jung, schön vnd hochgeborn,
20 Mit namen der Monsur Leupolt.
Dem solstu sein in Ehren holt
Vnd er ist dir nicht außzuschlagn.

Adelheit sagt:

Wolt jhr mir schon Heürat antragn,
25 Der ich doch nicht gedenck zu freyen?

Herr Seüfrid sagt:

Eur lieb folg! es wird sie nit reühen,
Weil es Gott so versehen hat.

Herr Freidenreich sagt:

30 Schwester, wenn du nit folgst meim raht,
So schwer ich dir bey meiner Ehr:
Dir hilff ich zu keiner Heürat mehr,
Es geh dir darnach, wie Gott will.

Adelheit sagt:

35 Ihr Herrn, jhr thut an mir gar vil,

Das ichs euch nicht gar gern abschlag
Vnd doch auch nicht gar gern zusag,
Dann mein Herr hett mich auch gar lieb,
Den ich warlich nicht vbergib.
5 Sonst wolt ich folgen bald eurm Raht.

Herr Setfrid sagt:

Die Heürat kan euch sein kein schad.
Darumb gebt euch nur willig drein!
Vnd ich will jhn gehn bringen rein,
10 Das jhr jhm solt thun die zusag.

Setfrid geht ab. Bringt Monsur Leupolten gar wol staffirt,
neigt sich, gibt jhn allen die hand vnd sagt:
Gott geb eur Lieb ein guten tag!
Was ist diß mahls eur Lieb beger,
15 Das sie mich lasen fordern her?
Hie bin ich vnd wils hören an.

Herr Freidenreich sagt:

Monsur Leupolt, so wist! wir han
Vnser Schwester vnd freundin zugegn
20 Mit groser bitt können bewegn,
Weil jhr Herr bleibt so lang von hauß
Vnd nun mehr ist das Jar schon auß,
Darinn er wider kommen wolt
Oder sie wider Heüratn solt,
25 Wie er jhr dessen macht hat geben,
Sorg wir, er sey nit mehr bey leben
[367] Vnd sey kein besser raht in dem,
Dann das sie euch zum Gmahl annem.
Das hat sie vns müssen verheisen.

30 #### Monsur Leupolt sagt:

Ihr habt gehandelt als die weisen,
Hoch verstendigen, treuen Herrn,
Vnd wer die Frau gebracht so ferrn,
Das sie widerumb freyen wolt
35 Vnd hett mich, wie ich sie hab holt,
So wer der kauff gar bald gemacht.

Adelheit sagt:

Zu freyen war ich nicht bedacht.
Doch haben jhr Lieb die zwen Herrn
Mich beredet so weit vnd ferrn,
5 Das ich jhn das hab gsaget zu.
Allein mit dem gedieng ichs thu,
Das ich euch nichts weiters zusag,
Dann das auch vber Jar vnd tag
Noch ein Monat verschiennen sey.

10   ### Monsur Leupolt sagt:

Im namen Gotts so bleibs dabey!
Dann wenn ich es selbst wissen solt,
Das Herr Torellus kommen wolt,
So wolt ich eur Lieb nicht begern,
15 Weniger sein Lieb mit beschweren.
Darumb ich eur Lieb der gstalt niem,
Kompt er wider, so weich ich ihm.

Herr Freidenreich gibt sie zusammen vnd sagt:

So geb ich euch beede zusammen
20 Biß zus Priesters hand in Gotts namen
Vnd wünsch euch beiden glück vnd heil.

Herr Seüfrid sagt:

Alle wolfahrt werd euch zu theil!
Nun last vns rüsten auff die Hochzeit,
25 Das gleichwol all dieng sey bereit!
Kompt Torellus nicht halt hieher,
So wird jhm sein Weib nimmermehr.

Sie drucken aneinander vnd gehn alle ab. Torellus geht ein vnd sagt:

30 Ach wehe der grosen angst vnd noht!
Mir kompt von Genua ein Bott,
Darinnen schreibt mir der Kauffman,
Der mir mein Brief solt heim gschickt han,
Wie das jhm sey der Bott ertrunckn
35 Mit meim vnd andern Brieffn versunckn.

[367ᵇ]   Nun ist die Jarszeit schon dahin

Vnd weiß mein Weib nicht, wo ich bin.
Ach weh! ich bin verlustigt jhr.
Ich weiß nicht heim zu kommen mir,
Ehe dann sie freyet widerumb.
5 Also ich vmb mein hertzlieb kumb
Sambt allem Reichthum, gut vnd Ehr.
Deß werd ich frölich nimmermehr.
Ach weh, weh, jammer, angst vnd noht!
Kom vnd erredt mich, grimmer todt!

In dem geht der Soldan ein mit Lupolto vnd Lentulo, setzt
sich. Torellus macht vil neigens vnd felt zu fuß vnd sagt:
Ach Großmächtiger Herr Soldan,
Vor leid ich nimmer bleiben kan.
Groß hertzenleit mich drenckt vnd drückt.
15 Der Kauffman hat ein Botten gschickt
Mit meinem Brief nach Pavia,
Der ertranck auff der Reiß alda,
Das mein Brief nicht zu hauß ist kommen,
Nun ist bereit die Jarsfrist rummen.
20 Dardurch hab ich mein Gmahl verschertzt.

Soldan hebt jhn auff vnd sagt:
Mein Torellus, seit nur behertzt!
Ihr solt vns drumb glauben vnd trauen,
Wir bringen euch zu eurer Frauen
25 Zu rechter zeit ohn alln schaden.
Trett ab! wir wölln vns berathen
Einer sach halb, die heimlich ist.

Torellus geht ab. Soldan sagt:
Lentulus, hör! nach dem du bist
30 In schwartzer kunst erfahren weit
Vber alle, die leben zür zeit,
So thu in der Christaln schauen,
Wie es doch steh vmb seine Frauen,
Vnd theil vns mit dein treuen raht,
35 Wie er heim kom ohn leid vnd schad!

Lentulus neigt sich, zeucht sein Christalln rauß, besicht sie vnd sagt:

Großmächtiger Keiser vnd Soldan,
Durch meines geists hilff ich wol kan'
Erfahrn, was allenthalben gschicht,
5 Vnd gib eur Mayestat bericht.

[367ᶜ] Er sicht in die Christallen, verwundert sich vnd sagt:

Das man zu Pavia richt zu,
Das die Frau Hochzeit machen thu
Mit einem Ritter hochgeborn.
10 Monsur Leupolt hat sie erkorn
Vnd wird die Hochzeit in zwen tagn.

Soldan sagt:

Mein Lentulus, so thu vns sagen!
Wenn du fleiß thest in diesen diengen,
15 Wie balt wolstu jhn dann heim bringen?
Oder was wer zu fangen an,
Das die Hochzeit zu rück müst gahn,
Biß er zuvor wider heim kem?

Lentulus sagt:

20 Ich bin meiner kunst gwiß in dem:
Wenn er mein lohn mir gibt darumb,
Ich morgen noch mit jhm heim kumb,
Wenn sich hebt die vorhochzeit an.

Soldan sagt:

25 Wir selbst geben dir deinen lohn
Vnd noch so vil, als du begerst,
Wenn du jhn zu rechter zeit heim gwerst
Vnd also, das jhm gscheh kein schad.

Lentulus sagt:

30 Das sey versprochen eur Mayestat,
Wenn er die Reiß mit mir will wagn!

Soldan sagt zu Lupolten:

Holl jhn rein! so wöll wir jhms sagen.

Lupolt geht ab, bringt Torellum mit sich. Soldan sagt:

Torellus, nun müß wir vns scheiden.
Die sach kein verzug mehr will leiden,
Dann ein gwisse post thet vns sagen:
Wie das noch gwiß in dreyen tagen
5 Dein Weib werd wider Hochzeit halten.

Torellus fellt auff die knie vnd sagt:
Ach das muß jhr als vnglück walten!
O Gnedigster Herr, ich bitt durch Gott,
Eur Mayestat schlag mich zu todt,
10 Weil ich diß als nicht weren kan.
Ach weh! ach Weib! solst mir das than?
O jhr Freund, solt jhr in meim leben
Meim Weib ein andern Mann thun geben?
Ist doch das Jar erst neulich auß!
15 Ach traurigs hertz, fall mir herauß!
Laß sterben mich in dem vnmuht!

[367ᵈ] **Soldan sagt:**
Schweig, freund! all sach die seind noch gut.
Bey vnser Ehr wir dir zusagn:
20 Morgen frü, eh es wird sechs schlagn,
Solstu schon bey dem Gemahl dein
Frisch vnd gsund zu Pavia sein
Vnd solst die Braut führen zu beht,
Ehe sie kein Mensch berühren thet.
25 Vnd für deine grose wolthat
Hab dir die Kron vnd ander kleinot!

Er gibt jhm ein Kron, Ketten, Ring, Schwerd vnd sagt:
Schau! dieser Mann soll dich heim führn.

Torellus sagt:
30 Was euch für lohn drumb wird gebürn,
Das zahl ich euch mit grosem danck.

Der Soldan gibt jhm die hand. Lentulus greifft hinein, thut
ein Pocal herauß, beut jhm das vnd sagt:
Ihr müst außtrincken diesen tranck,
35 Dann wir spannen nicht wider auß,
Biß wir heim kommen in eur haus.

Euch muß vergehn der hunger davon.

Torellus sagt:
Ach Gott! ich wils als gern thon.

Er trinckt den Wein auß vnd sagt:
5 Ach wie schleffert mich also hart!

Er setzt sich vnd entschlefft. Soldan sagt:
Machomet hab glück zu der fart,
Das er heim komb mit lob vnd freüd!

Lentulus sagt:
10 Ich will schon kommen zu rechter zeit,
Dann morgen soll es kaum tag sein,
Führ ich jhn in sein hauß hinein
Vnd stell jhn auff die Hochzeit ein.

Lentulus fast jhn auff vnd laufft mit jhm ab. Soldan mit den
15 seinigen gehn ab.
ACTUS SEXTUS.

Ietzund richt man den Tisch auff das aller stattlichst zu.
Jahn ist auch dabey vnd hilfft. Jahn sagt:
[368] Nun ziehet eurs wegs wider nein!
20 Ich muß deß Silbers auffseher sein,
Biß die Braut auß der Kirchen geht.
Das Ampt mir fürwahr baß ansteht,
Als im Land meinen Herrn zu suchen.
Ich dacht zwar, ich müst mich verfluchen.
25 Darumb ich auch dest fröher bin,
Vnd das jhn hat der Teuffel hin.

Dorothea geht ein, sagt zu Jahn:
Mein Jahn, schaut vnd secht fleisig zu,
Auff das man nichts verliern thu
30 Vnd das auch sonst kein schad mög gschehen!

Jahn sagt:
Was Teufels soll ich zusehen?
Ist doch niemand hinnen dann ich!

116 *

Oder soll ich nur sehen auff mich,
Das ich selbst nichts thu weg tragen?

Dorothea sagt:

Man darff schier gar nichts zu euch sagen:
5 Wie mans euch macht, so gfelts euch nit.

Jahn sagt:

So geht eurs wegs! last mich zu frid
Vnd sagt, der Bott hab sich beschiessen!
Was ich thun sol, werd ich wol wiessen.

Dorothea geht ab. So klopfft man an, Jahn sagt:
Wer klopfft dann aber vor dem Hauß?
Es ist doch das Ampt noch nit auß.

Er macht auff: kompt Torellus in den Kleidern, die jhm der
Türckisch Soldan geschenckt vnd zuvorn sein gewesen seind,
hat ein Kron auff, hat vil Ketten an vnd ein gultes Schwerd,
vnd Lentulus mit jhm, ist in gleichen sehr stattlich Kleid.
Jahn, da er sie ansicht, macht vil Cramantz. Torellus sagt:
Wo ist Torellus, dein gwesner Herr?

Jahn sagt:

20 Er zog in Welsche Land gar ferr.
Wo er hin kam, kan ich nit sagn.
Ich glaub, die Rabn habn jhn vertragn.
Er wer zwar wol daheimen bliebn.
Sein mutwill hat jhn hinauß triebn.
25 Hat sollen kommen in eim Jar.
Weil er aber so lang auß wahr
[368ᵇ] Vnd nicht wider zu hauß wolt kommen,
Hat halt mein Frau ein andern gnommen
Vnd wird heut gleich die Hochzeit wern.

30   ### Torellus sagt:

So möcht ich dennoch wissen gern,
Wo doch dein Herr hinkommen wer.

Jahn sagt:

Darumb kümmer ich mich nit ser,

Dann ich hab jhn schon lengst verklagt.
Mein Frau mich seinethalb wol plagt,
Bin schier die gantzen Welt durchloffen.
Ihn zu erfahrn, thet ich wol hoffen,
5 Aber es hat mir als fehl geschlagn.
Drumb thu ich nichts mehr nach jhm fragn,
Wenn jhn schon hat der Teufel hin;
Dann auß den augen auß dem Sinn.
Da habt jhr fein kurtz meinen bscheid.

10   **Lentulus sagt:**

Sag deiner Frauen, das wir albeid
Vns wölln auff jhr Hochzeit laden
(Das soll geschehen ohn jhrn schaden)
Vnd wollen kommen zur Mahlzeit.

15   **Jahn sagt:**

Ihr Herrn, sagt mir, wer jhr seit,
Das ich jhrs recht kan zeigen an!

           Lentulus sagt:

Sagt nur, wir sein zwen MansPersen!
20 Das vbrich wird sie wol erfahrn.
Dieweil thu dich dann Gott bewahrn!

Sie gehn beede ab. Jahn verwundert sich, lacht vnd sagt:

Der Teufel! was sein das für Leüt?
Sie seind wie die König bekleit
25 Vnd geben seltzam grillen für.
Mich daucht, den einen kenn ich schier.
Doch geht er mich gar wenig an.
Ich hör die pfeiffn, sie kommen schon.

Jahn stelt sich gar wacker in possen. So kompt Monsur Leupolt mit Adelheit, seiner Braut, der geht Dorothea nach, Herr
Freidenreich mit Leonora vnd Herr Seüfrid mit Felicitas, vnd
gehn die Pfeiffer vorher. Jahn macht grose reverentz. Monsur
Leupolt empfengt die Braut, darnach alle nach einander. [368ᶜ]

           Monsur Leupolt sagt:

35 Hertzlieb, mir ist mein hertz erfreüt,
Das es ist kommen zu der Hochzeit.

Nun kompt Torellus nimmermehr.

Adelheit sagt:

Ach wie reüt mich der Mann so sehr!
 Ach Gott, was wolt ich doch drumb geben,
5 Das er, mein Herr, noch wer bey leben!
 Weil es aber nicht hat sein wöllen,
 Muß ichs dem lieben Gott heim stellen.
 Der mach es nach seim Göttlichen raht!

Herr Freidenreich geht herzu vnd sagt:
10 Setzt euch zu Tisch (dann es ist spat)
 Vnd thut all fröligkeit anfangen!
 Der ferdig schnee ist lengst vergangen.
 Denckt an gegenwertige dieng!
 Vnd einer eins dem andern bring!

Sie setzen sich nieder, Essen vnd Trincken; so machen die
Geiger vnd Pfeiffer auff, sein lustig. Herr Seüfrid sagt:
 Seit lustig, jhr liebn HochzeitGest!
 Als traurn vergessen ist das best.
 Vnd thut desto mehr Weins dran giessen!

20 **Monsur Leupolt sagt:**
 Niemand kan dieser Hochzeit gniessen,
 Als die dieselben helffen zirn.
 Wers glück hat, thut die Braut heim führn.
 Darauff bring ich das Trincklein Wein
25 Euch, der hertzallerliebsten mein.

Sie Trincken dapffer herumb. Man klopfft an. Jahn geht
zur Thür, sicht, wer drauß ist, geht wider für den Tisch mit
groser Reverentz vnd sagt:
 Fürwahr gar statlich Herrn drauß sein,
30 Begern eillend zu euch herein.

Monsur Leupolt sagt:

Freylich last sie balt kommen für!

Adelheit sagt:

Mein hertz im leib das zittert mir.

Ich erschrick vnd bin doch erfreüdt.

Herr Freidenreich sagt:

Ich hoff, es sein gar gute Leüt.

[368ᵈ]   Last sie rein vnd her zu vns setzn,
5 Sich auch der Hochzeit zu ergötzu!

Jahn macht auff, geht Torellus mit Lentulo ein, in der Klei-
dung wie zuvorn. Braut vnd Breütigam sampt jhren Gesten
stehn alle auff, bietten jhnen die hand. Torellus sagt:

Vil glück vnd heils wünsch wir euch alln.
10 Wir bitten: habt des kein vngfaln,
Das wir zu euch begeren thetn!
Bey euch wir was zu werben hettn.
Doch dörffen wirs nicht eher than,
Biß man thut vom Essen auff stahn.
15 Wir wollen euch sein ohn schaden.

Herr Freidenreich setzt sich höfflich zu Tisch vnd sagt:

Eur Mayestat woll sein geladen
Sampt deren gferten alle beit
Zu diser frölichen Hochzeit
20 Vnd thun sich mit vns freud ergötzn.

Lentulus sagt:

Wir wölln vns zu euch nider setzn,
Mit euch lustig vnd frölich sein.

Freidenreich bringt ein Scheürn, stelt sie Torello zu vnd sagt:

25 Ihr Mayestat versuch den Wein
Vnd bring jhn, wer jhm gfallen thu!

Torellus nimbt die Scheürn, würfft ein Ring drein, Trinckt
vnd sagt:

So bring ich den Trunck der Braut zu
30 Alles auff besser glück vnd heil.

Adelheit sagt:

Gott geb, das vns das werd zu theil!

Er stelt jhn der Braut zu, die Trinckt. Darnach so sicht sie
in die Scheürn. Jahn sagt zu den zusehern:

Wenn mein Herr noch im leben wer,
So schwür ich ein Eydt, es wer der,
Der auff hat die Königliche Kron.

Die Braut thut den Ring rauß, besichet jhn wol an vnd darnach auch den Torellum, schlegt die hend zusammen vnd sagt:

[369]   Ach Gott, den Ring den ken ich schon.
So wolt ich schier schwern vnd glauben,
Das diß wer eine von den schauben,
Die ich schenckt dort den Kauffleüten.
10 Ach Herr, was wird das ding bedeüten?

Sie sicht Torellum an, steht vom Tisch auff, fellt jhm vmb den halß, küst jhn, fellt darnach auff die knie, hebt die hend auff vnd sagt:

Ach, ich bitt vmb Gotts willn vmb gnad.
15 Vergebt mir meine vbelthat,
Das ich mich wider verheürat hab!
Mein Bruder mir diesen raht gab,
Dann wir meinten, jhr werd lengst todt.

Monsur Leupolt fellt jhm auch zu fuß vnd sagt:

20 Ach vergeht mir! ich bitt durch Gott.
Ihr seit noch kommen zu rechter frist,
Das noch nichts böses gschehen ist.
Ich west nicht, das jhr ward im lebn.
Den Ring mir hat euer Gmahl heut gebn
25 Vnd, dieser dieng steht zu gedencken,
So will ich jhr den wider schencken.
Dardurch sey abgelöst das gelüeb!
Keusch vnd Rein ichs eur Lieben gib,
Wie sie mir ist vertrauet worn,
30 Vnd bitt: fast auff mich keinen zorn!
Der gröst spot vnd schand ist doch mein.

Torellus sagt:

Es soll euch beeden verziehen sein.
Ich selbst an der sach vrsach hab,
35 Das ich meim Gemahl ein zeit gab,

In der ich wolt kommen wider.
Sein außzug, den weiß wol ein jeder,
Aber sein widerkunfft gar nit.
Drumb gebet euch beede zu frid
5 Vnd seht hie disen Hérren an!
Der hat bey mir das best gethan,
Dann vor zwen tagen (glaubt mir zwar!)
Ich zu Alexandria war
Vber Meer etlich hundert Meil.
10 Der hat mich bracht in solcher eyl,
Das ich noch her kam heüt gar frü.

Torellus druckt sein Gemahl vnd sagt:
Weil wir nun den Herrn haben hie,
Müssen wir jhm auch alles guts than.

[369ᵇ] 15 Adelheit gibt jhm die Hand vnd sagt:
Herr, was ich Ehrenthalb kan,
Das thu ich euch zu Lieb vnd Gunst.
Vnd jhr solt vns nichts thun vmb sunst.
Wir wöllen euch reichlich lohnen wol.

20 Herr Freidenreich sagt:
Nun bin ich freud vnd traurens vol:
Die freud, das jhr gesundt allhie seyt;
Das leid, das ich sie alle beyd
Zu diser Heürat hab gebracht.

25 Herr Seyfrid:
Ach Gott, es hat kein Mensch gedacht,
Weil kein Brieff von eur Lieb kam her,
Das dieselb noch im leben wer.
Es bett nicht nur Herr Freidenreich
30 Daran schult, sonder wir all gleich
Haben sie wider zu freyen tribn.

Leonora sagt:
Ey, hett jhr nur ein mahl her gschribn,
So wer die Heürat nicht fort gangen.

35 Torellus sagt:

Ich armer Mann ich ward gefangen
Bey dem Heidenischen Soldan,
Da man nicht Bottschafft haben kan.
Nur einsmals kam ein Kauffman dar,
5 Der zu Genua Burger war,
Dem gab ich auch an euch ein Brieff,
Den soll er auff dem Meere tieff
Bey eim Botten euch zusenden.
Da thet das vnglück solchs abwenden;
10 Dann der Bott ist im Meer ertruncken
Vnd mit vil anderm Gut versuncken.
Vnd ehe dann ich das ward gewahr,
Da war schon vorüber das Jar.
Gott weiß, wenn ich wer kommen her,
15 Wenn der gut Herr nicht gwesen wer!
Der kont mir nicht allein wol sagn,
Was sich alhie hat zugetragn,
Sonder er hat zuwegen bracht,
Mich herzubringn in tag vnd nacht,
20 Vnd wir seind auch darinn herkommen.

Adelheit sagt:

Wo habt jhr dann die Schauben gnommen,
Die ich gab den frembten Kauffleüten?

Torellus sagt:

25 Hertzlieber Gmahl, laß dich bedeüten
[369ᶜ]   Vnd wiß, das der verkleid Kauffman
War der Soldan von Babilon!
Die andern wahren seine Räht.
Der mich lang gfangen halten thet.
30 Auff die letzt, da er mich hört nennen,
Da thet er mich von stundt an kennen
Vnd ließ mir diese schauben reichen.
Soll ich dir bringen zum wahrzeichen.
Auch schencket er mir diese Kron
35 Vnd henckt mir diese Ketten an.

*

Damit solstu jetzt sein verehrdt.

Er setzt jhr die Kron auff, henckt jhr die Ketten an vnd sagt:

Darnach schenckt er mir auch das Schwerdt
Vnd sonst noch ander kleinot mehr
5 Vnd bracht mich durch den Mann hieher.
Schau! also hastu bericht empfangen,
Wie es mir auff der Reiß ist gangen
Vnd wie es sich nicht wölln füegen,
Das ich eher hett herkommen mögen.
10 Gott, ders also hat versehen,
Dem wöll wir ewigs lob verjehen
Von heut vnd vnsers lebens tag.

Adelheit sagt:

Ach Gott, grosen danck ich dir sag,
15 Dastu mir durch die güte dein
Hast wider bracht den Herren mein
Vnd vnser freud noch grösser gmacht.

Zu Lentulo sagt sie:

Vnd weil jhr habt mein Herrn bracht,
20 Seit jhr mir der liebst Gast auff Ern.
Drumb, was jhr wolt vnd thut hegern,
Wenn mans nur vmbs Gelt kriegen kan,
Forderts vnd scheucht niemand daran!
Man sols euch schaffen, kan man es haben.
25 Vnd ich will euch reichlich begaben.
Auch wöllen wir reden davon,
Was zu schicken sey dem Soldan.
Dem will ich gar gern danckbar sein.
Wie wol mein schenck ist jhm zu klein,
30 Doch wölln wir thun, was wir können.

Lentulus sagt:

Deßhalb wöllen wir schon Raht finnen,
Wie sichs wird schicken nach dem besten.
Ietzt seit jhr lustig mit eurn Gesten,
35 Das sie ewig dencken dabey,
Das auff die Hochzeit kommen sey

Der, deme das glück gönnet wol,
Das er die Braut heimführen soll,
[369ᵈ] Vnd ich will auch mit lustig sein.

Jahn geht hinzu, fellt zu fuß vnd sagt:
5 Ach Torellus, lieber Herre mein,
Fürwahr hört jhr, ich bin gar fro,
Das jhr widerumb seit aldo.
Ihr seit fürwahr ein guter Herr.

Torellus sagt:
10 Vor warstu von der meinung ferr.
Aber was ist daran gelegen?
Man zürnet nit von deinet wegen.
Darumb, jhr Herrn, seit wolgemuht!
Gott, der da ist das ewig gut
15 Vnd der all dieng hat wol versehen,
Der laß vns als zum besten gschehen
Vnd thu vns langs leben verleyhen,
Das wir vns ewig vnd hie erfretien!
Ihr Spilletit, macht vns einen Retihen!

Man blöst auff. Sie Tantzen einen langen Reyhen, Torellus
mit seiner Gemahl, Herr Freidenreich mit Leonora, Her Setí-
frid mit Felicitas vnd Monsur Leupolt mit Dorothea. Der
Lentulus sicht jhnen zu. Als dann, so der Reyhen auß ist,
gehen sie in der ordnung mit einander ab. Jahn kompt vnd
25 Beschletist:

Also habt jhr klerlich vernommen,
Wie mein Herr wider heim sey kommen
Vnd was sich mit jhm hat zutragen.
Es ist aber nit gut zu wagen,
30 Das eim jeden, wie jhm, geraht.
Gleichwol ers selber gemacht hat,
Das er jhr hat ein zeit fürgschriben
Vnd ist drüber so lang außblieben.
Dann ein Weib hat ein kurtzen muht

24 Hier fehlt der beisatz: Actus septimus.

Vnd gar leichtlich vergessen thut,
Was jhr ist auß den augen hin,
Von dem sie hat kein nutz vnd gwin.
Doch steht es eim Weib nicht wol an,
5 Wenn sie nicht gwiß weiß, das jhr Mann
Verschieden ist auß diesem leben,
Das sie thut nach eim andern streben,
Dann die Ehe hat eingesetzet Gott.
Die soll nichts scheiden, als der todt.
[370]   10 Vnd wenn auch wer ein Weib so geil
Vnd böd sich andern Männern feil
Vnd könt jhrs Mans todt nicht beweisen,
So solten sich jhr Freund befleisen,
Sie von solchem zu weisen ab,
15 Das man des keinen schaden hab.
Auch soll man mercken beim Soldan,
Wenn man einem hat guts gethan,
Das man es danckbar thue vergelten.
Danckbarer leüt find man jetzt selten.
20 Drumb wird die lieb deß nechsten klein.
Was lang fein gwest ist, ist noch fein.
Darumb befleiß man sich der Tugent
In alln Ständen, anfangs der jugent,
So wechst sie mit vns biß ins alter.
25 Gott, der all dieng ist ein erhalter,
Derselbig darzu gnad verleych
Vnd helff vns Ewig in sein Reich!

Die Personen in das Spiel:

1. Ehrnholt.
2. Keiser Heinrich, der vierdt.
3. Graf von Bolonia.
4. Herr Gottfrid von Lottringen.
5. Soldan, der Keiser von Babilonien.
6. Werowalt,
7. Lupoltus, zwen Türckischer Räht.
8. Alphonsus, der Türckisch Stockmeister.
9. Lentulus, der Türckische Zauberer.

10. Torellus, der Ritter zu Pavia.

11. Adelheit, sein Haußfrau oder Gemahel.

12. Dorothea, jhr Jungfrau.

13. Gabriel, deß Torelli Lackey.

14. Herr Freidenreich, Ritter zu Pavia.

15. Leonora, sein Gemahl.

16. Herr Seüfrid, ein Edler Ritter von Pavia.

17. Felicitas, sein Gemahl.

18. Theodorus, der Genovesische Kauffmann.

19. Malignus, der Lamparter Kauffmann.

[370ᵇ] 20. Monsur Leupolt, der neue Bräutigam.

21. Abraham, der Jud vnd Christenverrähter.

22. Jahn, der Pott.

ENDE.

(23)

COMEDI, VON DEM GETREUEN RAMO, DESS SOL-DANS VON BABILONIEN SOHN, WIE ES IHME MIT SEINER FALSCHEN STIEFFMUTTER ERGANGEN,

Mit 20 Personen vnd hat 6 Actus.

Lucifer, Sathanas vnd Asmotheus, drey Teuffel, gehn mit einander ein. Lucifer sagt:

ICh meint zwar nicht, das in der Höll
Wer ein solchs gethös vnd geschöll,
10 Als wie dise Leüt anfangen.
Bin schir mit schrecken herein gangen.
Sollen das wolzogen Christen sein?
O dem Teuffl zu in dHöll hinein!
Wir wollen gern eurer Jugent
15 Etwas anzeigen von Ehr vnd tugent,
Das sie sich solten halten darnach.
Ein bistori in Persischer sprach
Ist von Armenio beschriben,
Zum gedechtnuß bißher verbliben,
20 Geht von eim Türckischen Soldan,
Der nam in bösen verdacht sein Sohn,
Weil jhn sein Gemahl vnd ein Raht
Vnwahrhafftig verlogen hat,
Das er jhn auß dem Land vertrieb.
25 Der falsch Raht hett die Keiserin lieb
Vnd trieb mit jhr groß sündt vnd schandt.
Das wurd deß Keisers Sohn bekandt,
Wolts seinem Vatter als fürtragn.

So thet der falsch Raht jhn verklagn,
Ziehe jhn, wie das ers selber thet
Vnd die Keiserin sehr lieb bett.
Der Keiser jhn verdampt zum todt.

5 Doch thets wunderlich schicken Gott,

[370ᶜ]   Das er ein lindre straff erfandt,
Vnd schaffet sein Sohn auß dem Landt.
Endlich kam die sach an den tag
Vnd wird der Raht gestrafft hernach,
10 Wie jhr solt weiter sehen vnd hörn.

Sathan sagt:

Wir wöllen euch auch zaubern lehrn
Vnd wolln euch treülich beystandt than,
Das man eur keinen sehen kan.
15 Auch können wir euch schlaffent machn,
Das jhr vil stundt nicht solt erwachn,
Vnd ein tag führn vil hundert Meil.
Drumb so halt die Meüler ein weil!
Oder ich wils euch zubinden.
20 Ich hab ein lecker gesehen dort hinden,
Der machts warlich gar vil zu grob.

Asmotheus sagt:

Wenn ich jhn werd erwischen drob,
So will ich jhm den halß vmbdrehen.
25 Ich hab jhn auch schon lang gesehen.
Will balt hininder zu jhm schleichn
Vnd jhm, auch andern seines gleichn,
Knebel in die meüler stecken.
Will dann dieselb straff auch nicht klecken,
30 So will ich jhm die Zung annehen.
Er sol so balt kein wort mehr jehen.

Sie gehn ab. Kompt Ramus allein vnd sagt:

Groses leid hab ich schon lang tragen
Vnd darffs doch niemand sagen noch klagen.
35 Mein Stieffmutter, das sieh ich wol,
Die steckt doch aller geilheit vol.

Ich habs gar wol gsehen die tag,
Ihr stellt Herr Malefictus nach.
Sie thun stets aneinander verwarten
Vnden in meines Herr Vatters Garten.
5 Daß thut mir gar wehe auff den Balck,
So wol dem arglistigen Schalck,
Dem der Keiser als guts zutraut.
Der ist ein Lecker in der Haut.
Nun will ich jhnen fein nachschleichen,
10 Vnd so sie mehrers thun dergleichen,
So will ichs zeigen dem Keiser an.
Ich will her in die Ecken stan
Vnd sehen, was sich zu werd tragen.
Als dann wil ichs dem Keiser sagen.

Er verstellt sich. Kompt die Keiserin allein vnd sagt:

[370ᵈ]   Ach ich muß bekennen auff trauen,
Das die Burgerlichen Jungfrauen
Vil mehr von Gott begnadet sein.
Ihr sorg vmb Heürat ist gar klein,
20 Dann sie findn allenthalb jhrs gleichn,
Ein schönen, jungen vnd ein Reichn,
Darnach sie jhr begirt ermant.
Wir aber im Fürstn vnd Hohen stand,
Wenn wir schon woltn Heüraten gern,
25 So thut man vns dasselbig wern,
Wir nemen dann ein vnsers standts,
Ein Fürstn vnd Herrn der Leüt vnd Landts.
Die können wir nicht alzeit krigen,
Müßn desto lenger allein liegen.
30 Oder thut sichs zutragen schon,
Das eine bekompt ein Gmahl vnd Mann,
So drucket sie das Regiment,
Das sie werden dardurch verwend,
Das sie nach den Weibern weng fragn.
35 O diesen mangl muß ich auch klagn.
Der Keiser mehr bekümmert sich.
Vmb seine vnderthan, als mich.

Ayrer.   117

Darob bin ich gar nicht zufridn,
Hab bey jhm vil nachthunger glidn
Vnd sorg, ich muß deß noch mehr leiden;
Dann wenn er solt vor mir verscheiden,
5 Müst jch für jhn leid tragen zwar
Auff das allerwenigst ein Jar.
Dem ich nicht so hart thet nachfragn.
Aber wenn wolt sich doch zutragn,
Das ich ein andern Mann bekem,
10 Der mir am stand auch wer bequem,
Müst mehr brunst leiden als jetzund.
Derhalb ich mir ein list erfund,
Hab mir ein Liebhaber erwelt,
Malefictum, den Raht, bestellt,
15 Der ergötzt meines vnmuhts mich.
Auff dem Saal hie wil warten ich.

Malefictus, der Keiserlich Raht, geht ein, thut der Keiserin
grose reverentz, gibt jhr die hand, druckt sie vnd sagt:

Ach allerGenedigste Frau,
20 Inmassen ich eur Gnad vertrau,
Komb auch zu eur Gnad in Garten.

Ramus, der Son, geht herfür vnd sagt:
Ich dacht wol, ich woll dich erwarten.
Nun will ich sehen, was wird es wern.

25   Detrometa, die Keiserin, sagt:
Ach kompt nur offt! ich hab euch gern.
[371]   Dieweil der Keiser, mein Herr, ein alter,
Gibt nur zu Hof einen Haußhalter,
Sonst ist aber ein harter Mann,
30 Niembt sich vmb mich gar wenig an,
So muß ichs mit eim andern wagen.

Ramus sagt:
Das will ich als dem Keiser sagen,
Der wird euch auff die Bulschafft kommen.

Er trohet jhnen vnd geht ab. Malefictus sagt:

Frau Keiserin, ich hab vernommen
Ramum, der hat alles gesehen,
Was hie zwischen vns ist geschehen.
Der wirdts als zeigen dem Keiser an.
5 Ach gebet raht, wie wir jhm than!
Wir haben sonst beed das leben verlorn.

Detrometa sagt:

So sey es jhm ein Eydt geschworn,
Ich will den Lecker selbst verklagen
10 Vnd beim Keiser dermassen eintragen,
Es sol jhn kosten Leib vnd Leben.
Beim Keiser will ich jhn angeben,
Wie das er wöll Bulen vmb mich.

Malefictus sagt:

15 Zu dem hab besser glegenheit ich
Vnd. dem Keiser zu referirn.
Der glaubt mir mehr, als sonst jhr viern.
Dem will ich sagen, ich hab gesehen,
Das sein Son wolt eur Gnaden schmehen,
20 Das hett aber eur Gnad abgschlagen.
Darbey will ich dem Keiser sagen,
Eur Gnad sey drinnen in der Kammer,
Könn nicht genug bweinen den jammer,
Das jhres Gmahls leiblicher Son
25 Beger an jhr so übl zu thon.
Sie thuts dem Keiser nicht sagen gern,
Kan sich doch sein nicht mehr erwehrn,
Wenn er jhn nicht abschaffen thu.
Als dann so schirt eur Gnad auch zu,
30 Das jhn der Keiser schaff auß dem Landt.
Als dann kan vns schaden niemandt
Vnd bleibt vnser sach lang verschwiegen.

Detrometa sagt:

Den Keiser wöll wir schon betriegen.
35 Wie jhr habt gsagt, wöll wir jhm than.
Er sol nicht vil gewinnen dran.

117 *

Sie geben einander die hend vnd gehn ab. Kompt Ramus,
deß Keisers Son, vnd sagt:

[371^b] Ach weh vnd jammer der übelthat!
Sol die Keiserlich Mayestat
5 Eim solchen Raht vnd falschen Weib
Vertrauen gantz Reich, Gut vnd Leib,
Die doch jhr Ehelich treü vnd pflicht
An jhrem Herrn vnd Gmahel bricht!
Vnd ein solches Weib, die brichet das,
10 Die thut fürwar auch alles, was
Man an sie sinnet vnd begert,
Ist auch nicht würdig oder wehrt,
Das sie soll sein in solcher würd.
Kindlicher treü halb mir gebürt,
15 Das ich das zeig dem Keiser an.
Das will ich auff das ehest than.

Abgang. Soldan, der Türckisch Keiser, geht ein mit Maleficto vnd Dietmairo, seinen Rähten, setzt sich vnd sagt:

Vnser Reich hat gar vil anstöß.
20 Die vnderthanen sein verwegen vnd böß,
Wölln sich nicht mehr lassen Regirn.
So hab wir stettigs Krieg zu führn
Vnd weng rhu. in dem Regiment.
Persia hat sich von vns trent,
25 Mit denen wir stehts zu fellt ligen,
Haben zu streiten, fechten vnd Krigen.
Die Christen in dem gantzen Land
Fügen Machomet grose schand,
Verachten vnsern glauben vnd Sittn,
30 Von den wir auch werden bestrittn.
Das ficht vns vberauß hart an.

Malefictus sagt:

Großmächtiger Keiser vnd Soldan,
Es ist lang gwest vnd gwerd biß heünt,
35 Das auch die nechsten blutesfreündt
Den jrigen thun groß hertzenleit,

Bringens in höchste gfehrlichkeit
Vnd man darffs nicht wol von jhn sagn.

Dietmairus, der Secretarius, sagt:

Mann muß mit Freunden vnd feinden wagn.
5 Die Feind können offt gut Freund wern.
Gut freundschafft thut sich offt verkern
Vnd werden die ergsten Feindt drauß.
Auch kommet einem offt zu hauß,
Das die Freund, die eim feind sindt worn,
10 Stechen hertter, als wilte dorn.
Guter Wein sauren Essig gibt.
Also, wenn man gut Freund betrübt,
[371ᶜ] Werden arge feind darauß gemacht.
Darumb soll man gut haben acht,
15 Es haltn mit feindn vnd Freundn dermaß,
Das es sich verantwortten laß.
Dasselbig halt ich für das best.

Soldan sagt:

Mit Freunden halten ist das best,
20 Dann dem feind ist nicht gut zu trauen,
Ob er sich schon ließ also schauen,
Als wolt er ewig ein Freund bleiben,
Dieweil die alten weisen schreiben,
Der versönt Feind denck hinderwertz,
25 Hab alzeit ein vergöltes hertz,
So lang biß er sich rechen kan.

Zu Maleficto sagt er:

Was aber liget euch dann an?
Wir mercken, das jhr habt schwermuht.

30 Malefictus sagt:

Es ist nicht als zu sagen gut.
Wolt lieber, das eur Mayestat
Der sachen ohn mich schaffet Raht,
Das mir drauß kein mißgunst entstündt.

35 Soldan sagt:

Was ist es dann? sagts vns geschwindt!
Seyt jhr nicht vnser treuer Raht,
Der bey vns groß vertrauen hat
Vbers gantz Reich vnd vnser Land
5 Vnd die vnderthanen allsand,
Auch darzu vber vnser leben?
Vnd wenn jhr vns ein Raht könt geben,
Wolt jhr dann dasselbig nicht than?

Malefictus sagt:

10 O Großmächtiger Herr Soldan,
Es trifft an gar ein schwere sach,
Die ich nich gerne Ruchtbar mach.
Doch weil ich es je sagen muß,
Bitt ich: habt drob keinen verdruß!
15 Deren tag ich gesehen han,
Das Ramus, eur Mayestat Sohn,
Die Keiserin vmb vnzucht ansprach,
Dargegen ich auch von jhr sach,
Das sie sich jhrer Weiblichn Ehrn
20 Seiner gar schwerlich kunt erwehrn.
Dem vnglück solt man balt fürkommen.

Soldan sagt:

Dergleich hab wir noch nie vernommen
Vnd können das auch nicht wol glauben,
25 Das vnser Sohn solt wölln berauben
Vnsern Gemahel jhrer Ehrn.

[371ᵈ]   ### Malefictus sagt:

Eur Mayestat mag sie selbst hörn.
Ich weiß, das sie in jhrer Kammer
30 Hertzlich beweinet diesen jammer.
Da frag eur Mayestat sie drumb!

Soldan steht eilend auff, würfft seinen Scepter von sich vnd sagt:
Den bößwicht wöll wir bringen vmb.

Er geht eilend ab. Dietmairus, der Secretarius, sagt:
35 Ach Herr, was fangt jhr alhie an?

Malefictus sagt:

Ich habs pflichthalben müssen than,
Weil ich es hab mit augen gsehen.

Dietmairus sagt:

5 Schaut, das jhm nicht thu vnrecht gschehen!
Dann der argwohn der ist ein schalck.

Soldan geht ein, führt sein Gemahl mit sich vnd geht jhr Antrometa nach. Sie, die Keiserin, weint. Soldan sagt:

Solt der verwegen lasterbalck,
10 Vnser Sohn, eur, vnser Gmahl, begern
Zu solchen schanden vnd vnehrn,
So zeiget vns dasselbig an!

Detrometa, die Keiserin, sagt:

Vor schrecken ich nicht reden kan.
15 Ja freylich hat er michs angsunnen,
Vnd bett sein bitt an mir stat gfunnen,
So hett er sein willen volbracht.

Soldan sagt:

Wie ein hundt soll er werden gschlacht.
20 Drumb, Maleficte, schafft, das er
Morgen alsbalt gerichtet wer,
Vnd last jhm den kopff schlagen ab,
Das man deßhalb rhu vor jhm hab,
Vnd last mich nicht mehr sehen jhn!

25 Malefictus sagt:

Ach solt man jhn gar richten hin?
Deren straff wer zu vil fürwahr,
Weil er das werck nicht verbracht gar,
Sondern bett das nur thun hegern.

30 Soldan sagt:

Soll er dann nicht gerichtet wern,
[372] So soll er vns nicht mehr beschauen;
Dann wir können jhm nichts guts trauen.
So mögt jhr jhm als balt ansagen,

*

22 O jhn. 33 O jhn. 34 O möcht er jhn.

Das er morgen, ehe es thu tagen,
Sich halt thu auß dem Land begeben,
So lieb jhm sey sein leib vnd leben
Vnd vnser höchste vngenadt.

5 Malefictus geht ab. Detrometa sagt:
Ich danck hoch eurer Mayestat,
Das sie mir gnedigst schaffet frid.

Soldan sagt:

Hertzlieber Gmahl, warumb das nit?
10 Soll wir ein Land beschützen können,
So wissen wir auch weg zu finnen,
Eüch rhu zu schaffen vor vnserm Sohn.
Drumb last euch das nicht fechten an
Vnd thut mit vns in Turnitz gahn!

15 Abgang jhr aller.

ACTUS PRIMUS.

Dietmairus geht ein vnd sagt:
Das ist mir ein gschwinder sententz,
Den der Keiser in zorn eillents
20 Vber seinen Sohn ergehn ließ,
Dann wer weiß, ob die anklag gwiß.
Ein Richter soll zwen theil anhörn.
Ein Partt kan balt ein Menschn bedörn.
Auch soll ein Keiser seine Räht fragn,
25 Mit jhnen mit bedacht Rahtschlagn,
Auff das man nicht gar zu gschwind fahr.
Wer weiß, ob die anklag ist wahr.
Der Keiser ist ein alter Mann,
Die Keiserin ein jung WeibsPerson.
30 Dargegn der Malefictus hat
Einen namen vnd gleiche that,
Das ich weder deß Keisers Frauen,
Noch jhm so vil guts wolt zutrauen,
Als ich wolt trauen deß Keisers Sohn.
35 Doch darff ich nichts sagen davon.
Der hund geht mir vmb vor dem liecht.

Antrometa geht allein ein vnd sagt:

Deß Keisers Sohn vnrecht geschicht.
Er ist zu Ehrlich vnd zu frumb.

Dietmairus geht zu jhr vnd sagt:

5 Ey, Jungfrau, was wist jhr darumb,

[372ᵇ]   Das Ramus solt vnrecht geschehen?

Antrometa sagt:

Ich hab nie böses von jhm gsehen,
Dann ich weiß, so lang er hat glebt,
10 Hatt er nach Ehr vnd Tugent gstrebt
Vnd keines lasters bschultigt worn.
Den schalck tregt selber hindern ohrn
Der gar Fuchslistig Malefict.

Dietmairus sagt:

15 Ich glaub, er sey vnschultig verschickt
Der frumb Ramus in das Elend,
Den ich alzeit Ehrlich erkend.
Darff doch dem Soldan nicht redn ein.

Antrometa sagt:

20 Die Keiserin geht stehts allein
In dem Schloß vmb vnd in dem Garten,
Will vns auff sie nicht lassen warten,
Sagt, das sie vnser nicht beger.
Ja wol, die vorig Keiserin wehr
25 Auß jhrem Gemach kommen nimmer,
Wer nicht bey jhr gwest Frauenzimmer.
Aber die hat bey jhr die Männer lieber.
Hilfft jhr noch der Keiser nieber.
Iedoch frag ich gar wenig nach.
30 Die zeit bringt alle dieng an tag,
Die wird auch künfftig offenbarn,
Wie mit deß Keisers Son man ist gfahrn.
Ietzt schweig ich still vnd geh hinein.
Bitt: was ich red mit euch allein,
35 Das wolt verschwiegen hahn in trauen!

Sie gehn eilend ab. Dietmairus sagt:

·Das Mensch weiß etwas von jhrer Frauen.

Nun will ich gar wol schweigen still. ·

Aber doch achtung haben will,

5 Wie sie sich hinfort halten wer.

Deß Keisers Son jrrt sie nicht mehr.

Er geht ab. Kompt Ramus, deß Keisers Sohn, tregt ein
Trühlein mit Gelt vnd Kleinoter vnd sagt:

·Ach wie hat sich das blat vmbkehrt!

10 Die Keiserin hat gesehen vnd ghört,

Das ich bin gewest in dem Garten

Vnd nicht so lang können warten,

Biß ichs dem Keiser zeiget an,

Was sie mit Maleficto than,

[372^c] 15 Sonder ist mir mit klagen vorkommen,

Den Keiser dermaß eingenommen,

Das er mich gautz vnverhört strafft,

Bey lebens verlust ins ellend schafft.

Das muß ich dißmal gschehen lasseu.

20 Hab mich begeben auff die strassen

Vnd mich deß Keiserthumbs verziegen.

Villeicht· möcht ich ein Herrn kriegen,

Bey dem ich mein leben zubrecht,

Biß ich erlanget bessers recht.

Er geht ab. Kompt Primus, Freidenreich vnd Gregorius, drey
wandergsellen, tragen bündel. Primus geht wie ein Schreiner
vnd sagt:

Ich hab ein vnglückseligs wandern,

Ziech von einer Statt zu der andern

30 Vnd doch kein Meister finden mag,

Der mir arbeit geb vierzehen tag,

Wie es bey vns ist handwercksbrauch.

Vnd ist kein arbeit auff Schlössern auch.

All meine kleider hab ich verzert.

11 O den.   12 O sn.

Wolt, ich hett das handwerck nicht glehrt.
Ich trag mich schief lam an meim zeuch.
Wolt denselbn verkauffen gleich,
So hab ich kein Kauffleüt darzu.
5 Mein armuht auch mit mehren thu,
Dann wenn mich ein Juncker annem,
Bey dem ich arbeit vberkem,
So ließ er mich doch wider lauffen,
Ehe dann er mir ein zeuch thet kauffen.
10 Verkauffet ich denn meine kunst,
So wer mein Schreinerwerck vmbsunst.
Ich hab erbettelt ein stück brot,
Das will ich Essen für hungersnoht.
Eur jeder hats vil besser, als ich.

Freidenreich geht wie ein Schneider, würfft sein bündel nieder vnd sagt:

Mein bündel nicht hart bschweret mich,
Dann ich hab gar kein kleider mehr,
Allein zwey Hem, ein Gseß, ein Scher.
20 Mit zeuch darff ich mich nicht beladen.
Wenn ich Scher hab, Nadel vnd Faden,
Ein Elen vnd ein Fingerhut,
Mir kein zeuch mehr von nöten thut.
Bin doch auch lang gelauffen rummen
25 Vnd kan kein arbeit vberkommen;
Das macht, der Schneider sein so vil.
Welcher schelm nit hart arbeiten wil
[372ᵈ] Oder mit faulkeit ist beladen,
Hat etwan ein mangel oder schaden,
30 Hincket oder ist sonst nichts wert,
Ein Schneider zu werden begert.
Darvon werdn vnser so vil zuletzt,
Das man vns schier mit bunden außhetzt,
Die Meister kriegen zehen für ein,
35 Nemen an der zerrißnen kein,
Auch nicht, die grindig vnd lausig sein,
Vnd ist doch vnser lohn so klein,

Das ein Schneider auff einen tag
Kaum drey heller zu verzehrn vermag.
So vexirt man sie mit der Geiß,
Das ich derhalben glaub vnd weiß,
5 Weils die Schneider nicht hörn gar gern,
Das jhr vil drumb kein Schneider wern;
Sonst wers Handwerck gar vbersetzt,
Das man den Küchen mit siedet auff tletzt.
Aber was soll ich lang sagen?
10 Ich hab mich auch so müd getragen,
Das ich gedenck zu lassen davon.

Er legt sich nieder. Gregorius geht wie ein Tuchscherer vnd sagt:

Mein gsell, was wolstu darnach thon?
15 Kanst du je weder lesen noch schreiben,
Must derhalb wol dein Handwerck treiben.
Doch danck ich Gott, dann für euch zwen
Kan ich allenthalb wol bestehn,
Dann wo im Land Tuchscherer sein,
20 Da darff ich bey eim kehren ein,
Vbernacht bleiben in seim hauß.
Kein Meister darff mich treiben auß,
Oder er wird vnredlich gmacht.
Derhalbn ich des gelts wenig acht.
25 Wenn ich nur hab kleider vnd schu,
Lauff ich schlechts meinen Meistern zu,
So lang mir einer gibt arbeit.

Primus sagt:

Du hasts vil besser, dann wir albeid.
30 Ich denck: mein Handwerck war auch gut.

Freidenreich sagt:

Ach habt ein vnverzagten muht!
Künnen kein arbeit kriegen wir,
So niemb ich etwas anders für,
35 Das wir ein weil noch können zehrn,
Soll vns das vnglück nicht erwehrn.

Sie legen sich alle zusammen. Kompt Ramus, deß Keisers
Sohn, tregt ein bündel vnd sagt:

[373]   Ietzund zich ich im elend vmb
         Vnd weiß selbst nicht, wo ich hinkum.
    5 Doch hoff ich vnd trag kecken muht,
         Mein sach soll noch balt werden gut,
         Das ich genieß meiner vnschult,
         Die ich tragen will mit gedult.

Er erschrickt vnd sagt:

10 Potz! was seh ich dort für drey gselln?
         Wenn sie mein strassen ziehen wölln,
         So will ich jhn ein gferten geben.

Er geht zu jhnen vnd sagt:

         Ihr Brüder, ich wünsch euch langes leben.
15 Was wartt jhr hie? wo wolt jhr auß?

Primus sagt:

         Ey sag vns vor! wo wiltu nauß?
         Villeicht so ziechstu vnser strassen.
         Da wirstu vns ja mit dir lassen.
20 Wir sein drey arm Handwercksgeselln,
         Die etwan arbeit suchen wölln.
         Was du machst, das thu vns auch sagen!

Ramus sagt:

         Ich hab mich zwar auch schier müht tragen.
25 Das Backet ich weit tragen sol.
         Doch weil euch gfelt mein gfertschafft wol,
         So will ich euch ein gferten geben
         Vnd bey euch wagen leib vnd leben,
         Vnd wer euch thut, soll mir auch than.
30 Als, was ich hab vnd was ich kan,
         Theil ich euch nach vermögen mit.

Freidenreich sagt:

         O wir haben warlich kein gelt nit;
         Aber dennoch kan ich eine kunst,
35 Die sagt ich vor keim Menschen sunst,

Dann ich kan mich vnsichtbar machn,
Das man mich hört reden vnd lachn
Vnd ich kan sehen jederman.

Primus sagt:

5 Hört, jhr Gsellen, ein geist ich han,
Der muß mir dienen, wenn ich wil.

Gregorius sagt:

Ich kan ein Kunst, ist besser vil.
Mein gestalt ich verendern kan,
10 Das man mich sihet vor ein an,
Den ich mir selbst fürsetzen thu.
So kan ich noch ein Kunst darzu,
Dann ich kan die Leüt schlaffent machn,
Das sie nicht ehe können erwachn,
15 Biß ichs jhn thu wider vergünnen.

[373ᵇ]   ### Zu Ramo sagt er:

Mein gspan, sag her! was thustu können?
Weil du weist vnser glegenheit,
Ist dein Kunst zu sagen jetzt zeit.
20 Drumb enthalt vns gar nichts daran!

Ramus sagt:

Bey meinem Eydt, kein Kunst ich kan.
Wenn ich euch aber dörfft vertrauen
Vnd jhr liest eure Kunst mich schauen,
25 Das sie war wehr vnd auch gewiß,
Mich nicht etwan der Teuffel zriß,
So wolt ich dieselb von euch lehrn
Vnd euch darfür groß Gut verehrn.
Das solt jhr balt von mir bekommen.

30   ### Gregorius sagt:

Wo wolst groß Gut haben genommen?
Wer wolt groses Gut geben dir?
Bist ein Bettler so wol, als wir.
Das zeigen alle vmbstend an.

35   ### Ramus sagt:

Ach nein, ich bin deß Keisers Son.
Mein Stieffmutter hat mich versagt,
Beim Keiser vnschultig verklagt,
Das er mich in das elend stieß.
5 Derhalben, wenn eur Kunst wer gwiß,
Hab ich Ketten, Kleinot vnd Ring,
Auch Gelt bey mir vnd ander ding.
Das alles wolt ich euch verehrn,
Wenn jhr mich eure Kunst thet lehrn.
10 Dargegen so sag ich euch zu,
Das ichs nicht ferrners brauchen thu,
Dann so lang, biß ich komb zu gnaden.

Primus sagt:
Vnser Kunst sol dir bringen kein schaden.
15 So wöllen wirs auch lernen dich,
Wenn ich zu erst die Kleinot sich,
Davon du thest sagen so vil.

Ramus thut sein Truhen auff, thut Ketten, Paternoster, Ring
vnd Gelt herauß vnd sagt:
20 Das alles ich gar gern thun wil.
Lernet mich doch nur dise Kunst!

Primus sagt:
Es soll dir nichts guts bringen sunst.

Primus macht fluchs ein Kreiß vnd sagt:
[373ᶜ]   25 Lucifer, balt kumb her zu mir!

Lucifer springt auß dem loch in Kreiß vnd sagt:
Was soll ich draußn machen bey dir?
Was du begerst, das will ich than.

Primus zeigt jhm Ramum, Ramus aber stelt sich, als zitter
30   er. Primus sagt:
Hör, Lucifer, da schau den Mann!
Dem solstu fort von wegen mein,
Was er begert, gehorsam sein
Vnd alles thun, was er dich heist.

35   Lucifer sagt:

Ich bett gemeint, weil du wol weist,
Das ich vorhin vil hab zu than,
Nicht als allein verrichten kan,
Du best ein andern geist begert.
5 Hab ich dich doch alzeit gewert,
Was du mich hiest vnd haben wolst.

Primus sagt:

Ein andern geist mir schicken solst,
Der diesem dien mit allem fleiß
10 Vnd jhm außricht, was er jhn heist,
Vnd niemb doch ein, der gern arbeit.

Lucifer sagt:

Ich will nach deim gebnen bescheid
Dir balt ein geist schicken herein.
15 Der soll vil williger, als ich, sein.

Lucifer springt ins loch. Asmotheus springt rauß, speyt Feür
auß vnd hat ein grosen Pengel bey sich vnd sagt:

Wessen diener soll ich dann wern?
Solchen Leüten dien ich gar gern,
20 Die mit hurn vnd Buben vmbgehn,
Denn solcher vnzucht thu ich beystehn.
Bin lieber dabey, als bey Golt graben.
Kein grössern vnflat könt nicht haben
Das hurngeschmeiß, als ich ebn bin.
25 Aber auff die letzt führ ichs gar hin.
O diesen Ramum kenn ich wol.
Sein Mutter ist hurerrey vol,
Das sie jhr sicht zun augen rauß.

Primus sagt:

30 Ich wolt, dein langs gschwetz wer schon auß.
Besser ists, wenn du so vil weist,
Geh hin! thu als, was man dich heist!
[373ᵈ]   Villeicht bringst auch dein theil davon.

Asmotheus sagt:

28 O zum.

. O ja, ich wills gar gern thon.
Allein du must jhn zuvor lehrn,
Das er mich zu jhm kan beschwern.

Asmotheus verschwindt. Primus gibt jhm, dem Ramo, das
Schwerdt, er macht ein kreiß, aber doch zitterlich, papert mit
dem maul, als sprech er ein Segen, vnd Ramus sagt:
Asmothee, komb zu mir rauß!

Asmotheus springt rauß vnd sagt:
Du darffst dir machen gar kein grauß,
10 Dann ich beger dir nichts zu thon;
Aber dein Stieffmutter krig ich zu lohn
Vnd deins Vatters geheimen Raht
Vnd will dir dienen frü vnd spat
Allenthalbn, wo du begerst mein.

15 Ramus sagt:
So komb, wenn ich werd dörffen dein!
Nimb auch noch etlich geist zu dir,
Ob ich der dörfft zu dienen mir!

Asmotheus verschwindt. Ramus sagt:
20 Dieweil ich dann die erst kunst kan,
So fang nun mehr ein andrer an!

Freidenreich gibt jhm auff einem Zettel ein Segen vnd sagt:
Wenn jhr vnsichtbar werden wolt,
Ihr diesen Segen sprechen solt:
25 Vnd Balam, dreyköpffige Schlang,
Ein Teuffelsköng, saum dich nit lang!
Ein Verkünder künfftiger ding,
Helfft mir, daß ich zu wegen bring,
Daß mich kein Mensch mehr sehen kan!

Freidenreich steht still. Ramus sagt vnd greifft nach Freidenreich:
Ja fürwahr, die kunst geht auch an.

Freidenreich sagt:
Seit jhr aber noch herinnen,

Macht nun, das wir euch sehen können!

Freidenreich spricht etliche heimliche wort, geht herfür vnd sagt:
[374]   Alda steh ich, wie ich vor was.

Ramus sagt:
5 Ey, ich muß auch probiren das. .

Er list den segen auß dem Brieff:
O Balam, Schlang vnd Köng der Teuffel,
Du weisest künfftig ding ohn zweiffel,
Hilff, das mich kein Mensch sehen kan!

10   #### Gregorius sagt:
Die kunst die kan er nun auch schon.
Wer weiß, wo er ist kommen hin?

Ramus sagt:
Nun secht jhr nicht, das ich hie bin?
15 Vnd sagt mirs bey eurn treuen an!

Gregorius sagt:
Fürwahr, ich euch nicht sehen kan.

Er list den gegebenen Segen wider auß dem Brieff vnd sagt:
Nun jetzt hab ich vorige gstalt.

20   #### Gregorius sagt:
Die kunst habt jhr gelernet halt.
Nun nembt auch den zettel von mir,
So sollet alsbalt lernen jhr,
Das jhr gleich sehet, wem jhr wolt.

25   #### Ramus sagt:
Die kunst jhr vor probiren solt.

Gregorius sagt:
O Salmack, hilff, das ich gar balt
Bekumb meins gsellen Primi gstalt!

30   #### Ramus sagt:
Ja, die gstalt eurs Angesichts
Endert eurs gsellen gstalt in nichts.

Nun so·lernet mich auch zu machen,
Das die Leůt nicht eher erwachen,
Biß das vergehn zwo gantzer stundt!

Gregorius gibt jhm ein wurtz vnd sagt:
5 Da nembt diese wurtz in den mundt,
So muß entschlaffen jederman
Vnd kein Mensch nicht erwachen kan,
All, die jhr schlaffent haben wölt,
Weil euch die wurtz zu bhalten gfelt,
10 Vnd bhilt jhr sie im mundt ein Jar.

[374ᵇ] Ramus nimbt die wurtz ins maul. Primus vnd Freidenreich fallen vmb vnd schlaffen, liegen ein gute weil still;
dann so sagt er:
Nun die zwo kunst die sein auch war.
15 Weil jhr mich dann die kunst thet lehrn,
Gib ich euch, was ich hab, gar gern.

Er gibt jhnen das Trühelein mit allem, was er hat, vnd sagt:
Weil ich dann glernet hab die stück,
So kehr ich widerumb zurück,
20 Will mich an meiner Mutter rechen,
Halten, was ich euch thet versprechen.
Da nembt meine Güter zu euch!
Theilt sie vnder einander gleich!
Vnd sag euch großmechtigen danck
25 Für die kunst all mein leben lang.

Er gibt jhn allen die hend vnd geht ab. Primus thut alleweil
die Truhen auff vnd sagt:
Nun wöllen wir die Güter theiln,
Vns alles vnsers schadens heiln,
30 In der Statt suchn den besten Wihrt,
Der die Gäst wol helt vnd Tractirt,
Vnd vns auch einmal fressen gnug.

·Freidenreich sagt:
Alhie zu theiln ist gar kein fug.
35 Schau, wie lauffen nur die leůt zu!

Hör, wie das loß gsindt schreyen thu!
Wenn sie die theilung sehen thetn,
Meinten sie, das wirs gstoln hetn,
Die kleinoter; darumb ich raht,
5 Wir gehn folgents nein in die Statt
Vnd theiln, wo die sach beßrn fug hat.

Abgang.

ACTUS SECUNDUS.

Kompt Malefictus allein vnd sagt:
10 Albie wart ich der Keiserin,
Weil ich der sorg entledigt bin,
Das Ramus·bey jhr Mayestat
Mich etwan eintrag vnd verraht,
Der mir hat gsehen auff die garn.
15 Der wird nun mehr haben erfahrn,
[374^c] Was er hat gwonnen in dem schimpff,
Mir beim Keiser zu machn vnglimpff.
Das ist nun als an jhm außgangen.

Detrometa, die Keiserin, geht ein vnd sagt:
20 Ach hertzenLieb, nun seit empfaugen!

Sie trucken aneinander; die Keiserin sagt:
Vnser feindt ist nunmehr dahin,
Hat seins verrahtens schlechten gwin,
Wird vns nun nicht verrahten morgn.
25 Deß seind wir ohn all scheu vnd sorgn,
Vnsern lust alhie zu verbringen,
Vnd laßn die klein Waltvögelein singen.
Wenn vns dieselben sehen schon,
So zeigen sie vns doch nicht an,
30 Wie Ramus villeicht bett verbracht.

Malefictus sagt:

Wir habn jhm schon ein schweigen gmacht.
Also bleiben wir wol mit rhu.
Kein Mensch auff Erd traut vns böß zu.

Er nimbt sie bey der hand vnd führt sie ab. Kompt Ramus,

hat ein weisen stab vnd sagt:
Albie ich nun mein Kunst probir.

Er macht ein kreiß, parlet mit dem Maul vnd sagt:
Ihr Teufel, kompt balt vnd dienet mir!

So springen also balten Lucifer, Sathan vnd Asmotheus herauß,
speyen Feür auß. Sathan sagt:
Sag, warin wir dir dienen solln!
Wir thun als, was vns wird befohln,
Dann wir seind dir zu dienst bereidt.

10   Ramus sagt:
Ihr andern Geister alle beidt
Sollet balt abtretten von mir.
Vnd Asmothee, ich befehl dir,
Das du mich heut deß Abents spat
15 Führest in meines Vatters Statt
Vnd das du mir wohnst treülich bey.

        Asmotheus sagt:
Das soll geschehen auff mein treü.

Sie gehn alle ab. [374ᵈ] Kommt Musa, ein alts Weib, vnd sagt:
20 Es hat vnser Keiser ein Raht,
Den kan ich sehen frü vnd spat
In dem Keiserlichen Gartn spacirn.
Offt sie sich alle zwey verlirn.
Denck mir, sie kommen ins Summerhauß.
25 Nun geht ein böses gschrey hie auß,
Deß Keisers Sohn sey darzu kommen,
Hab jhr beeder fürhabn vernommen
Vnd solches wolln dem Keiser klagn,
So habn sie jhn also eintragn,
30 Das jhn der Keiser hat verwiesen,
Muß vnschultig jhr vbel büsen.
Ach der jung Herr erbarmet mich,
Hat offt bey mir auffghalten sich
Vnd vil seins anliegens vertraut.
35 Potz leichnam, angst! groß wunder schaut!

Dort kompt er selbst ohn als versehen,
Dem solches vnrecht ist geschehen.
Ach Gott, was will er machen hie?
In todes gfahr gibt er sich je
5 Vnd kumbt in seiner feinde garnen.
Wenn ich es kan, will ich jhn warnen.

Ramus geht mit Asmotheo ein. Asmotheus sagt:

Ietzt sichstu mit den augen gwieß,
Das ich als, was ich dir verhieß,
10 Gehalten hab nach deinem sin.
Wo wiltu nur zur Herberg hin,
Dastu nicht in gfahr setzt dein leib?

Ramus sagt:

Schau! dort seh ich ein altes Weib.
15 Die kenn ich wol, so weiß auch ich,
Das sie wird heut beherbergn mich
Heimlich, das niemand weiß davon.
Mach, das sie dich nicht sehen kan
Vnd bleib heut in der Herberg mein!
20 Morgen frü werd ich dörffen dein,
So gehstu gen Hof mit mir nein.

Asmotheus sagt:

Ey wenn du heut nit darffest mein,
So fahr ich in ein ort hinauß,
25 Da ich mehr hab zu richten auß.
Will morgen frü zu rechter zeit
Bey dir sein, ehe mans Salva leüt,
Vnd dir als thun, was du begerst.

Ramus sagt:

30 Wenn du nur rechter zeit da werst,
So wolt ich heut dein wol gerahten.
Will mich gehn zu der alten laden.

[375] Asmotheus fehrt ab. Musa, die alt, geht zu jhm vnd sagt:

Durchleuchtigster Fürst, ach nembt doch war!
35 Wie gebt jhr euch in solch gefahr?

Ach schonet doch eurs leibs vnd lebens!

Ramus sagt:

Ey schweigt! alle sorg ist vergebens.
Ein gute Kunst ich gelernet han,
5 Das mich kein Mensch nicht kennen kan.
Damit will ich mich wider rechen
An dem Maleficto, dem frechen,
Das jhr euch drob verwundern solt.
Doch ich euch beten haben wolt,
10 Das jhr mich wolt Herbergn die nacht.

Musa sagt:

Ach wie solt ich es haben bedacht,
Das der Gnedigste Herre mein
In meinem Hauß mein gast soll sein?
15 Doch wölln vergut nemen eur Gnaden!

Ramus sagt:

Es soll euch sein ohn allen schaden.

Abgang. Soldan, der Keiser, geht ein mit Maleficto vnd Diet-
mairen, setzt sich vnd sagt:
20 Heut gleich ist ein tag angesetzt,
Das all, die sich finden verletzt
Von jhrn feinden vnd gegnParthey,
Die mögen sich machen herbey,
Das wir jhn geben Audientz,
25 Sie entscheiden mit eim sententz.
Weil aber noch niemand hie ist,
So saget vns, ob jhr nicht wist,
Wo vnser Sohn doch sey hinkommen!

Malefictus sagt:

30 Von jhm hab ich kein wort vernommen.
Villeicht ist er ausser Landts gstorben,
Nach verdienst im Elend verdorben
Vnd ist jhm eben recht geschehen.

Soldan sagt:

35 Weil er vns wolt an Ehrn schmehen,

So habn wir jhn müssen vertreibn,
Auff das wir vor jhm vngschend bleibn
Sambt vnser Gemahl Tugentreich.
Herr Secretari, wie duncket euch,
[375ᵇ]   5 Haben wir jhm nicht recht gethan?

Dietmairus sagt:

Davon ich nicht vrtheilen kan,
Dann ich hatt sein antwort nicht ghört.
Hett er aber die Keiserin gevnehrt,
10 Wie er ist bey eur Mayestat verklagt,
So hat man jhn billig verjagt.
Deß weiß ich nicht den rechten grundt.

Soldan winckt dem Maleficto vnd sagt:

O wir mercken gar wol jetzundt.

Er redt ferrners mit jhm heimlich, gehn mit einander hin vnd
wider, stossen die ohren zusammen. Ramus geht mit dem Asmotheo ein vnd sagt:

Wir zwen können einander sehen,
Drumb wöll wir vns zu dem Raht neben,
20 Hörn, was mein Herr Vatter vnd der Raht,
Der mich ins elend trieben hat,
Im spacirn zusammen sagen.
Den Raht solstu an sein halß schlagen
Zweymal, das er zu boden felt.

25   ### Asmotheus sagt:

Ja weil ich bin auff dich bestelt,
So thu ich alles, was du wilt.
Sein hochmuht soll jhm werden gstilt.

Sie gehn hinzu, stecken die köpff in jr gesprech. Ramus
winckt dem Teufel; der schlegt den Malefictum an kopff, das
er zu boden felt. Malefictus sagt:

Ach, was für gwaltig schlags ist das?

5 O haben, wie 1660, 14.   30 O den T.

Er blut; der Keiser laufft zu mit dem Dietmairn vnd Soldan
sagt:

Herr Malefict, besindt euch baß!
Steht auff! denn zwischen vns beeden
5 Haben wir noch lenger zu reden.

Man hebt jhn auff. Malefictus sagt:
Ach ich kan mich nicht wol besinnen,
Seh ich doch hie kein Menschen binnen
Vnd bin so hart worden geschlagn,
10 Dergleich mir nicht gschach bey mein tagn.
[375ᶜ]   Ach raht vnd sagt mir, wers hab than!
Ich wolt jhn peinlich klagen an.

Ramus deut dem Asmotheo wider; der schlegt den Malefictum
widerumb zu Boden, das er nicht mehr auffstehn kan; der
15   sagt:

Ach weh! ach tragt mich· in mein Hauß,
Ehe mir vor schmertz die Seel geh auß!

Soldan vnd Dietmairus schütteln jhn; er regt sich nicht. Sol-
dan sagt:
20 Geht eilend vnd heist die Trabanten
Oder wer zu nechst ist vorhanden,
Ihn von stund an hin zu Hauß tragen,
Vnd thut vnsern Leibjungen sagen,
Wir haben es ernstlich befohln,
25 Mann soll den besten Artzt jhm holn,
Der jhm seinen Mangel Curir!
Vnd wenn das Reich den Man verlir,
Wer es dem Land ein groser schad.

Dietmairus sagt: .
30 Was mir befahl eur Majestat,
Wil ich außrichten mit allem fleiß
Vnd auffs ehest, als ich kan vnd weiß.

Sie gehn beede eilend ab. Ramus sagt:
Schau! diß ist der ehrnvergessen Rath,
35 Der mich also eingehieben hat.

Ietzund wenn man jhn tregt zu hauß,
So wollen wir nachfolgen nauß,
Auff das, wenn jetzt der Doctor kem
Vnd wolt ein Artzney geben dem,
5 Solstu jhm schlagen auß der Hendt,
Auff das sich nicht sein Kranckheit wendt,
Biß das ich selbsten sein Artzt werd,
Laß jhn hie liegen auff der Erd!

Sie gehn ab vnd man tregt jhn auch Kranck ab. Philomena,
    deß falschen Rahts Gemahl, geht ein vnd sagt:
    Mein Herr ist heut zu Hof gar lang.
    Er machet mir schir angst vnd hang.
    Iedoch ist mein freud, vnd das er
    Bey jhrer Mayestat gilt mehr,
15 Als alle Räht, die zu Hof sein.
    Ach Herr, dort führt man jhn herein.
[375ᵈ]   Ach weh der grosen angst vnd noth!
    Er sicht, als ob er sey halb todt.

  Die Trabanten führn jhn ein, setzen jhn nider; er sagt:
    20 Ir Trabanten, geht nur wider hin!
    Frau, gebet halt ein Trinckgelt jhn,
    Das sie mich haben heim geführt!

        Philomena sagt:
    Euch soll werden, was euch gebürt.

Die Trabanten stehn auff ein seiten. Philomena sagt weiter:
    Ach lieber Herr, wie ist euch gschehen?
    So übel auff hab ich euch nie gsehen.
    Wer hat euch than? das thut mir sagn!

      Malefictus sagt gar krencklich:
    30 Ich weiß nicht, wer mich hat geschlagn
    Zweymal, das ich fiel zu der Erden
    Vnd thet schwach vnd anmechtig werden.
    Ach das der Doctor kömb geschwindt,
    Das ich mich wider erholn kündt!

In dem geht der Doctor ein, bringt in einem verdeckten Be-

cher ein Purgatzen, schleicht der Teuffel Asmotheus und Ramus
mit jhm ein. Medicus, der Doctor, begreifft jhn vnd sagt:

> Ach Herr, die Keiserlich Mayestat
> Des Herrn gebrechen mir gsagt hat.
> 5 Ach erschreckt nicht so hart der dieng!
> Der schaden ist Gott lob noch ring,
> Allein der schrecken ist nicht gut.
> Balt dises Tranck einnemen thut!
> Das erquickt vnd macht frisch das hertz
> 10 Vnd treibt allen vnmuth abwertz,
> So will ich eurn kopff vnd Hirn
> Drinn ob einer kolen schmirn,
> Das es euch auch von dem Haupt kumb.

Er nimbt den Becher. Asmotheus, der Teuffel, schlegt jhm den
Becher auß der Handt vnd wider zu boden. Malefictus sagt:

> Ach weh! mein pein kompt widerumb.
> Ach traget mich nur bald hinein,
> Dann es muß doch gestorben sein!

[376] Sie tragen jhn ab vnd gehn alle mit ab. Kompt De-
20 trometa, die Keiserin, allein vnd sagt:

> Ach weh! ach jammer, angst vnd noht!
> Meines Herrn Gemahls, deß Keisers, todt
> Brecht mir an meim betrübten hertzn
> Nicht so vil angst, jammers vnd schmertzn,
> 25 Als deß Malefiti kranckheit.
> Kein Mensch auff erden weiß, was bedeüt,
> Das er nun ist in etlich tagen
> Anmechtig zu der erden gschlagen
> Vnd doch kein Mensch nicht sehen kan,
> 30 Wer solches hab verricht vnd than.
> Vil Artzney hat man jhm bereit;
> Aber wenn man jhm die eingeit,
> Schlegt jhn etwas ins angesicht,
> Das er der kan geniessen nicht.
> 35 Ach solt er sterben, meins hertzen freüd,
> So wer mirs jmmer vnd ewig leidt.

Sie geht ab. Kompt Philomena vnd Leandra, deß falschen
Rahts Weib vnd Elteste Tochter, führn jhn, setzen jhn nieder.

Philomena sagt:

Ach, Herr, wie fang wirs mit euch an?

Malefictus sagt:

5 Vmb mich ist es geschehen schon.
Deß schreckens ich nicht vberwind.
Ich bin nicht halbweg mehr besint,
Auch zittern mir all meine glieder.

Philomena sagt:

10 Ich hoff, es soll euch vergehn wider,
Wenn man nur hett gute Artzney.

Malefictus sagt:

Ach schaffts als her, sey, was es sey!
15 Auch wenns schon kostet geltes vil.
Kein vnkosten ich sparen will.
Ich weiß, das von dem Kammergut
Ihr Mayestat was bey mir thut,
Wenn es mir je zu teur solt sein.

Leandra, sein Tochter, sagt:

20 Herr Vatter, die Keiserin geht dort rein.
Drumb macht euch auff, wenn jhr es künd!

Kompt Detrometa, die Keiserin, vnd gibt jn allen die hand
vnd sagt:

25 Leid ists mir, das ich euch so find.

[376^b] Ach will die vnerhörte plag
Nicht wider ein weng lassen nach?
Ich bitt, jhr wolt mirs haltn zgut,
Das ich euch besuch, was jhr thut,
30 Dann eur vnglück vnd schwachheit macht,
Das ich eurthalb bin offt erwacht,
Vnd thut mir so weh (glaubet mirs),
Als hett ichs an meinem leib schir.

Seit jhrs doch gar wol in vermögen
Vnd könt noch wol ein anders krigen.
Beim Keiser ichs antreib dermassen,
Soll euch nicht schaden leiden lassen.
5 Darumb so thut alsambt das best!

Philomena sagt:

Ach wenn ich nur zu helffen west,
Wolt ichs je warlich gern than
Vnd als, was ich hab, wenden dran.
10 Ingleichen thun auch meine Kinder.

Malefictus sagt:

Mich dunckt, mein schmertz der werd mir linder.
Dieweil ich also selig bin,
Das jhr, Gnedigste Keiserin,
15 Mich besucht vnd euch gar nicht scheüt
Ob dieser meiner großn kranckheit.
Doch schau ich, wie ichs kan vergelten.

Detrometa sagt:

Ey schweigt! was thut jhr davon melten?
20 Mein Herr, seit keck vnd wolgemuht!
Kan ich euch dienen mit Leib vnd Gut,
So will ich in Ehrn willig sein.

Mann klopfft an. Leandra sicht züm Thor vnd sagt:

Herr Vatter, es will zu euch herein
25 Ein alts Weib vnd zeigt an dabey,
Das sie ein Künstlich Artztin sey;
Vnd wenn jhr je wolt zalen dieß,
So wöll sie euch helffen gewieß
Vnd solchs in vier vnd zwantzig stunden.

30   Detrometa, die Keiserin, sagt:
Es wird offt manches Weib gefunden,
Steht mancher schwerer kranckheit vor
Vnd hilfft wol ehr, als ein Doctor.
Drumb last sie rein! so hört man sie.

35   ### Malefictus sagt:

Ja, versuchen hat geschadt noch nie.

Ramus geht ein in Weibskleidern, neigt sich vnd sagt:

[376ᶜ]   Herr, ich wünsch euch ein guten tag.

Mir ist vorkommen deß Herrn klag

5 Vnd das er eins Artzts beger.

Wenn mir dann nun wil folgen der

Vnd mir meiner müh bezalen,

So will ich leib vnd leben verfallen,

Wenn nicht in vier vnd zwantzig stundt

10 Den Herrn ich mach frisch vnd gesundt.

Doch muß ein schmertz den andern wehrn.

Malefictus sagt:

Ach, mein Frau, thut nur fleiß ankehrn!

Kein gelt noch vnkost will ich sparn.

15 Last mich nur in der that erfahrn,

Das ich widerumb gesund wer!

Mit euch steh ich auß all gefehr,

Kan ich nur wider werden gsundt.

Detrometa sagt:

20 Mein Frau, jhr vermest euch jetzundt

Vor vil von deß Herrn gsundheit wegen.

Weil dann vil an jhm ist gelegen

Bey dem Keiserlichen Regiment,

So bitt ich: allen fleiß anwend!

25 Ich will euch selber darfür lohnen.

Da habt euch auff die hand zwölff Kronen!

Wird er gsundt, wie jhr habt versprochen,

Soll euch nichts werden abgebrochen,

Sonder bezal als, was jhr wölt.

30 Darauff jhr recht all dieng bestelt,

Was jhr dörfft, in der Apotecken!

Ram   t:

Ein klein   mertzen   ß er dran ~~strecken~~.

Iedoch ohne   n   v   A   zney

35 Mach ich jhn   k

Führt jhn j

Morgen vmb die zeit geht er selbst wider.
Wo nicht, so nem man mir das leben!

Malefictus sagt:

Die Frau hat guten trost mir geben.
5 Nun führt mich in mein Beht hinein!
Frau, stelt euch morgen zeitlich ein,
Das ich abkumb der kranckheit mein!

Abgang jhr aller.

ACTUS TERTIUS.

10   Kompt Asmotheus vnd sagt:

Albie wart ich ferner auff bscheid,
Was Ramus vnd sein Frauenkleit
[376ᵈ] Bey seinem Feind hab auß gericht,
Dem arglistigen bösewicht.
15 Ach mir gfelt wol, das ich jhn hab
Dreymahl so redlich gschmiret ab.
O solt mir sein von Gott gwalt geben,
Ich richtet den schelm von dem leben
Mit sambt der Lumpen, der Keiserin,
20 Wie wol sie beed sindt mein vorhin,
Zumahl wenn sie sich nicht bekehrn,
Ich will sie beide Bulen lehrn.
Das Feur soll jhn zum Arsch außschlagen,
Will jhn mit Bech vnd Schwefel zwagen
25 Vnd mit mein scharffen negeln krauen,
Das all Teuffl jhrn lust dran schauen.
Potz, dort kompt gleich mein Ramus rein.

Ramus geht ein vnd sagt:

All vnser sach die schickt sich fein.
30 Ich hab den krancken heimgesucht.
Bey dem wart die Keiserin verrucht,
Vnd als sie hat von mir vernommen,
Das ich bin Artzney halb herkommen,
Hat sie mich betten, das best zu thon,
35   versprochen grosen lohn.
        nun kehr

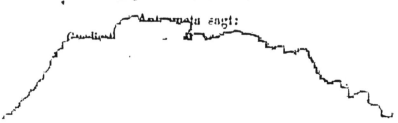

· Vnd schlag den lecker fort nicht mehr,
Biß ich dichs widerumb werd heisen!
Doch will ich jhm mit disem eisen
Ein zeichen brennen in sein hendt,
5 Das man den schelm dabey erkendt.
Doch magstu mir wol sehen zu,
Wie ich mich an jhm rechen thu.

Sie gehn ab. Kommen Malefictus, Philomena, sein Weib, vnd
. Leandra, sein Tochter, führn jhn in einer nachtschauben.
10   Malefictus sagt:

Ich befind mich heut baß, als gester,
Tröst mich der Artztin je lenger je vester
Vnd hoff, wenn sie nur kem hieher,
Das mein sach als balt besser wer.
15 Hilfft sie mir, so soll sie erfahrn,
Das ich kein pfennig an jhr will sparn.
Dort kompt sie: ach, wie fro bin ich!
Ach, Frau, kompt vnd erquicket mich!

Ramus geht ein in gestalt eines alten Weibs, tregt ein Kohl-
feur in eim hafen, darinnen steckt ein brenzeichen, vnd sagt:
[377]   Herr, wie ich euch gester verhieß,
Also will ich euch helffen gwieß,
Vnd wenn ich euch nicht helffen kan,
Dörfft jhr mir nichts geben zu lohn.
25 Ja ich will auch verlirn mein leben
Vnd will euch darzu nichts eingeben,
Sonder euch helffen wunderbar.

      Malefictus sagt:

Ach, vnd das solches balt wür war,
30 Wie Reichlich ich euch lohnen wolt!
Kein gelt noch Gut mich reuben solt.
Gebt mir nur eur Kunst zu erkennen!

      Ramus sagt:

Ich muß euch mit dem Eysen brennen
35 In eur rechte Handt diß zeichen,

So wird eur kranckheit von euch weichen,
, Das jhr der empfind nicht, wie ehe.

Malefictus sagt:

Das brennen thut aber grausam wehe.
5 Ihr solt mir wohl die Hand erlehmen.
Zu dem so müst ich mich deß schemen,
Das ich mir brend in dhend ein zeichen.
Ich hab vil ghört, doch nicht dergleichen,
Das der brand soll kranckheit vertreiben.

10 Ramus sagt:

Nun wolt jhrs nicht thon, so lasts halt bleiben!
Ich kan euch je nicht helffen sonst.
Weil dann jhr verachtet mein kunst,
So last euch helffen, wie jhr wolt!

15 Malefictus sagt:

Ach Frau, alhie jhr bleiben solt,
Ehe ich in der kranckheit vergehe.
Doch bitt ich euch: thut mir nicht wehe!
Ich hab vorhin gelietten vil.

20 Ramus sagt:

Fürs weh thun ich nicht gut sein will.
Wo ferrn jhr nicht kranck wolt bleiben,
So last euch böß mit bösem vertreiben!
Der brand der heilt in vierzehen tagen.

25 Malefictus sagt:

Ich muß aber das zeichen mein lebtag tragen,
Gleichsam wenn ich leibeigen wer;
Vnd wie man in Poln brend die Pfer,
Muß mich kennen ein jederman.
30 Aber ach weh! was soll ich than!
Ein krancker versucht alle dieng,
Das er nur die kranckheit wegbring
Vnd dardurch sein leben erhalt.
Drumb, was jhr thun wolt, das thut balt!

[377ᵇ] Er reckt die Hand dar, hat aber zuvor ein kurtzen

Ayrer. 119

holtzhackersspan in Händen, thut die Händt auff. Ramus
brendt auff den span; wenn ers verricht, so zuckt Malefictus
vnd schreit:

Auwe, Auwe! weh meiner Hand!

5 Ramus sagt:

Ey ey, wie thut euch das so andt?
Vnd jhr thut dardurch gsund erwerben.
Das ist ja besser, als das sterben.

Ramus ziecht ein Püchsen rauß, schmirt jhm die Hand, bindts
10 jhm zu vnd sagt:

Last die Hand also zu acht tag!
So kumb ich wider zu euch hernach.
Werd jhr geheilt vnd gesundt sein
Von aller eur kranckheit vnd pein,
15 So gebt mir mein versprochen lohn!
Kein ander Artzt euch helffen kan.
Das schwer ich euch bey treü vnd Ehr.

Malefictus sagt:

Eur müh ich reichlich widerkehr,
20 Allein bitt ich: schweiget nur still
Vnd sagt von dem brennen nicht vil!
Es dörfft mir sonst an Ehrn schaden,
Beim Keiser gelangen zu vngnaden.
Nun fürt mich ein wenig ins Hauß!
25 Es geht mir gleich der angstschweiß auß.

Sie führn jhn ab. Detrometa, die Keiserin, geht ein mit Antrometa, jhrer Jungfrauen, vnd sagt:

Was thust vom Maleficto hörn?
Will sich sein kranckheit nicht verkehrn?
30 Es reühet mich der gute Mann,
Der dem Reich hat vil guts gethan.
Auch liebet jhn der Keiser sehr.

Antrometa sagt:

Gnedigste Keiserin, ich hör
35 Von Maleficto böß vnd guts.

Einer sagt, er sey durchauß nichts nutz,
Der ander, er sey ein fein Mann;
Derhalben ich nicht wissen kan,
Welchem theil ich noch glauben soll.

5   **Detrometa, die Keiserin, sagt:**
Wem solt der Mann nicht gfallen wol?

[377ᶜ] Er ist ein schöne MansPerson,
Welcher fünff guter sprachen kan.
So kan er zucht vnd höfflichkeit
10 Vnd ein guten Regenten geyt,
Wozu man jhn nur brauchen thut.
Er ist frölich vnd wolgemuht,
Das ich fürwahr nicht gern wolt,
Das ein solcher Mann sterben solt.
15 Das gantz Reich köm dardurch in traurn.

    Antrometa sagt:
Ich acht sein so weng, als eins Paurn.
So west ich auch nicht, warumb er
Bey Hof so hoch zu halten wer.
20 Mich dunckt, man kan ohn des Reichs schaden
Keines embern oder gerahten,
Als deß, der nicht mehr ist vorhanden.
Man hat in allen Stätt vnd Landen
Gar vil rümlich Regenten ghabt,
25 Die das glück vor andern begabt,
Vnd all gar vngern hat verlorn.
Ist jhr doch aller vergeßn worn.
Balt sie gestorben vnd begraben sein,
Hat man wider begert der kein
30 Vnd dennoch Land vnd Leüt Regirt.

    Detrometa sagt:
Antrometa, dir nicht gebürt,
Dastu dich so wider mich legst
Vnd mich als gleich zu zorn bewegst,
35 Dann es ist zwar von dir ein schandt.
Doch ist mir dein torheit bekandt.
Du sagst als, was dir ist zu muht.

Antrometa sagt:

Ich antwort, wie man mich fragen that.
Allein solts mir vngnad gebern,
So werd ich forthin schweigen wern
5 Vnd sagen weder weng noch vil.

Detrometa sagt:

Ey schweig nur von den sachen still!
Ich mag auch davon reden nimmer.
Komb! geh mit in das Frauenzimmer!

Abgang. Kompt Malefictus mit Philomena, seinem Weib,
gesundt, allein die gebrende Hand ist verbunden, und sagt:

Die alt Frau, die mich hat Curirt,
Hat an mir ein groß werck probirt
[377ᵈ] Vnd jhr Chur wunderlich angfangen.
10 All schwachheit ist mir nun vergangen.
Allein thut mir noch weh der brandt
Inwendig in der rechten Handt,
Das ich noch nicht wol außgehn kan,
Dann ich mag nichts sagen davon,
20 Das diß Weib mich, ein Keisers Raht,
Als wie ein Sclaven zeichnet hat.
Kumbt sie her, will ich jhr danck sagen
Vnd ein gute schenck an sie wagen,
Das sie nur nichts sag von dem brandt.

25   Philomena sagt:

Ach schweigt! jhr seit zu wol bekandt.
Wessen leibeigen solt jhr sein?
Es were dann, jhr weret mein,
Weil ich auch eur leibeigen bin.
30 Darumb habt einen kecken sinn
Vnd lasset das Felt Röslein tragen!
Es liegt nicht vil an jhrem sagen.
Potz, dort kombt die Frau eben her.

Ramus geht ein in eines alten Weibs gestalt vnd sagt:

⁂

29 O Leg⁰ †Mir ligt. O jhren.

Ich kumb jetzt nach deß Herrn beger,
Will sehen, wie es dem Herrn geht,
Obs war sey, was ich hab geredt,
Dem Herrn zu helffen in acht tagen.

Malefictus steht auff, beit jhr die hand vnd sagt:

Mein liebe Frau, euch thu ich danck sagen.
Eur hilff will ich mit danck erkennen
Vnd euch forthin mein Mutter nennen,
Auch Ehrn vnd fürchten, weil ich thu leben,
10 Darzu ein statlich verehrung geben.
Mein Mutter, bleibt bey mir zu hauß!
Wenn jhr wolt, geht drin ein vnd auß!
Ich will euch auch kleiden vnd speisen
Vnd nach vermögen guts beweisen,
15 Wie ich meiner rechten Mutter thet,
Wenn ich die noch im leben bett.
Iedoch ist jetzt an euch mein bitt,
Ihr wolt nur davon sagen nit,
Das mir ein zeichen in die bendt
20 Mit einem eisen sey gebrendt;
Dann solts der Keiser werden innen,
So brecht er mich von meinen sinnen,
Denn ich würd ghalten für leibeigen.

Ramus sagt:

25 Was soll ich von dem dieng anzeigen?
Oder wenn kum zum Keiser ich?
Eurer wolthat bedanck ich mich.
[378]   Vnd wo ich euch mehr dienen kan,
So will ichs warlich gerne than
30 Vnd darzu auch gantz willig sein.

Philomena sagt:

Die Frau wöll mit vns kommen rein,
Das jhr empfanget eure gab!
So laß ich euch als, was ich hab,
35 Sehen vnd beweiß euch als guts
Vnd will mit euch sein gutes muhts.

Sie gehn alle ab. Ramus kompt wider vnd sagt:

Ietzund ist kommen zeit vnd tag,
Das ich mich wider rechen mag,
Dann der loß Mann thut mir vertrauen
5 Vber sein Töchter vnd auch sein Frauen.
Alle Gemach im gantzen Hauß
Haben sie mich heut geführet auß.
Da will ich gute glegenheit krign.
Ich weiß, wo sein drey Töchter lign.
10 Den will ich bey dem hellen tag
Heimlich schleichen in jhr Gemach,
Mich den abent verhalten drinnen,
Machen, das mich nit sehen können,
Vnd wenn sie dann entschlaffen sein,
15 Kreich ich zu einer ins Beht hinein
Vnd verbring mit jhr meinen muht.
Die Eltest mir wol gfallen thut.
Wer jhr Vatter ein redlicher Mann,
So wolt ich sie zu eim Gmahl han.
20 Will sagen jetzt davon nicht mehr.
Heut bring ichs alsambt vmb jhr Ehr.
Fangen sie ein geschrey gleich an,
Ists best, man mich nicht sehen kan,
So schleich ich schlechts zum Gmach hinauß,
25 Wie ein Katz auß dem Taubenhauß.
So meint man, das zugangen sey,
Als wie mit jhm, durch zauberey.
Vnd fragt man mich dann vmb ein Raht,
Als dann hat mein hilff wider stadt.
30 Aber ich euch betten haben will,
Schweigt zu diesen sachen still!

Ramus geht in Weiberkleidern ab. Malefictus geht ein, ist gar gesundt, ist jhm auch die Hand nicht verbunden, vnd sagt:

Dise Hand halt ich stettigs zu,
35 Das man den Brandt nicht sehen thu,
[378ᵇ] Des ich mich vberauß hart schem.

•

80 O auch.

Wahrhafft nicht tausent Kronen nem,
Das jhn allein die Keiserin sech.
Sie ist in worten resch vnd frech,
Dürfft mich warlich also ansprechen,
5 Das mir vor traurn das hertz thet brechen.
Dann sie mir liebt vor allen dingen.
Ich will jhr gehn gut Pottschafft bringen.
Weil ich bin wider frisch vnd gsundt,
Fang ichs alt wider an jetzund.

Er geht ab vnd lacht. Kompt Philomena allein, sagt kleglich:
Ach jammer, hertzenleid vnd klag!
Seltzamers dieng ich all mein tag
Nie ghört weder singen noch sagn,
Als sich jetzt mit vns thut zutragn.
15 Meine zwo Töchter zeigen mir an,
Das sich die nacht ein MansPerson
Hab zu jhn in jhr Kammer gfunden
Vnd, als ich sag nun wider jetzunden,
Da er sie hat schlaffent sehen liegen,
20 Sey er zu jeder bsonder gstiegen
Auffs allerleisest, als er hat kündt,
Sie auch betastet weich vnd lindt
Vnd sie im Schlaf zu schanden gmacht
Vnd sein wollust mit jhn verbracht.
25 Auch hab ich ghört von jhn all zweyen,
Das jhr keine hab können schreyen,
Dann sie erstlich gar nicht gewist,
Was jhn im Schlaf geschehen ist.
Ach soll ich nicht von vnglück sagen?
30 Mein Herr ist kaum vor wenig tagen
Widerumb vom todt auffgestanden,
Ietzt werden mir die Töchter zu schanden.
Nicht weiß ich, wie es der Eltesten geht.
Ich muß erst hörn, wenn sie auffsteht,
35 Was sich mit jhr hab zugetragen.

Leandra geht ein vnd sagt:
Ach Frau Mutter, ich muß euch fragen,

Ich kan mich je nicht richten drein,
Obs ein traum oder ein gsicht mag sein.
Heint in der nacht, vnd da ich schlieff,
Deücht mich, wie ein Mann nach mir griff
5 Vnd legt sich in mein Beth zu mir.
Ich darffs nicht alles sagen schir,
Was er dieselben gantzen nacht
Für seltzams dieng mit mir verbracht.
Ich aber kundt jhn doch nicht sehen
10 Vnd nicht wissen, wie mir geschehen.

[378ᶜ] Ich glaub, das ich bezaubert sey.

Philomena sagt:

Ach solt jhr Kinder alle drey
Auff eine nacht zu schanden wern?
15 Das thut mein hertz mir hart beschwern.
Ach wehe, ach wehe! wer hats doch than?

Leandra sagt:

Dasselbig ich nicht wissen kan.
Ich hab nichts gsehen, auch nichts ghört.
20 Vnd ward mir mein vernunfft bethört,
Das ich selbst nicht weiß, wie mir gschach.

Philomena sagt:

Ich will den sachen dencken nach,
Ehe ichs anzeig dem Herren mein.
25 Brecht ich ein solchen Lecker ein,
Er solt mir sein kopff nicht weit tragen.

Leandra sagt:

Ach Mutter, schweigt vnd thut nichts sagen!
Der Vatter ist ein hefftiger Mann,
30 Möcht auch andern sagen davon.
Damit kömen wir vnder die leüt
Vnd müß wir vnsers lebens zeit
Vns lasen in Meülern tragen rum,
Als die an Ehrn nicht wern frum.
35 Das schadet vns an Heüraten hart.
Darumb thut ein weng gmach vnd wart,

Biß jhr erfahrt, wers hat gethan!

Philomena sagt:

Ach wie schwerlich dasselb ich kan!
Mein Mutterhertz will mir zerspringen,
5 Weil ich kein Raht weiß zu den diengen.
Doch wird die zeit als an tag bringen.

Sie gehn alle ab.

ACTUS QUARTUS.

Kompt Ramus mit Asmotheo, dem Teufel, vnd sagt:

10 Asmotheo, dich vnsichtbar mach!
Es wird sich zutragen ein sach,
Das ich werd wider dörffen dein.
Der falsch Raht wird mich legen ein,
So schlag jhn wider kranck, als vor,
15 Da er seine gsundheit verlohr!
Dort kompt er mit der Gemahl sein.
Dich sicht niemand, dann ich allein.

Malefictus mit Philomena, seiner Frauen, geht ein. Malefictus geht zu Ramo in Weibskleidern, gibt jhm die hand vnd sagt:

[378ᵈ] 20 Ach Frau mutter, gebt vns ein Raht!
Sich begibt ein wunderliche that,
Die wer wol mit der scherff zu straffen.
Ein lecker hat mein drey Töchter bschlaffen
Vnsichtbarer gstalt in einer nacht
25 Vnd mir sie all zu schanden gmacht.
Das wolt ich an ihm rechen gern.

Ramus sicht in die Christalln vnd sagt:

Der sach soll schon Raht gschaffet wern.
Es hat es halt ein Jüngling than,
30 Der sich vnsichtbar machen kan.
Wolt nun den Jüngling krigen jhr,
So nembt diesen zettel von mir!
Henckt jhn eur Eltsten Tochter an halß
Vnd befelcht jhr, das sie nachmals
35 In das Camin schiere ein Feür,

Vnd kompt wider die Abentheûr,

So werff sie balt den zettel drein.

Das macht den Jüngling bekand allein,

Das man jhn wider sehen kan.

5 So nemb man jhn dan gfengklich an!

Als dann kompt man deß vbels ab.

Philomena sagt:

Den Raht ich gern vernommen hab.

Ach liebe Mutter, helfft vnd Raht,

10 Das wir erkrigen den vnflat!

Er soll eins bösen todts ersterben.

Ramus sagt:

Ey schweigt! wir wölln jhn wol erwerben.

Da nembt den zettel von mir hin

15 Vnd gebet eurer Tochter jhn,

Das sie jhn brauch nach meiner lehr

Vnd diß vbel mit jhm auffhör!

Malefictus geht mit Philomena ab vnd sagt:

Mutter, kompt nacher rein zum Essen!

20 ### Ramus sagt:

Ja wol, ich will es nicht vergessen.

Als sie abgangen seindt, sagt Ramus zu Asmotheo:

Ietzt will ich mich fangen vnd sehen lassen

In Jünglings gstalt, doch solcher massen,

25 Das man mich doch nicht kennen soll.

Gfenglich wird man mich legen wol.

So balt man mich aber stelt für,

So sey hiemit befohlen dir,

[379] Das du den Raht schlagst Himel' blab

30 Vnd das man jhn todkranck führ ab!

So will ich sein Knecht schlaffent machen,

Das sie nicht solln können erwachen.

Den will ich Nasen vnd Ohren abschneiden,

Vnsichtbar auß der gfencknuß scheiden

35 Vnd du must fleisig warten auff.

Asmotheus sagt:

O ich will gar wol sehen drauff,
Das euch soll gar kein leid geschehen,
Dem Hurnman ein Nasen drehen.

Sie gehn ab. Kompt Malefictus mit Marx vnd Moritzen, seinen beeden Knechten, vnd sagt:

Ihr Diener, wachet fleisig beünd!
Dann ich verhoff, ich wöll mein feind
Noch gfangen krigen diese nacht.
10 Derhalben euch drauff fertig macht,
Das ich noch meines zorns grim
Nach seim verdienst könt rechen an jhm!
Er hat mir grose schmach gethon.

Marx sagt:

15 Günstiger Herr, ich merck es schon,
Will eur Vest befelch ghorsam sein.

Moritz sagt:

Wir wöllen jhn erlauschen fein.
Kompt er vns nur so gewieß ins garn,
20 Soll jhm sein verdienst widerfahrn
Nach eur Gestreng bevelch vnd willen.

Malefictus sagt:

Doch solt jhrs als halten in stillen,
Dann was ich thu in meinem Hauß,
25 Soll eur keiner verschwatzen drauß,
Das man es auch gar nicht erfahr
Vnd geheime sach werd offenbar.
Darnach habt euch zu richten beid!

Marx sagt:

30 Wir wollen thun nach eurm bescheid.

Sie gehn alle ab. Leandra, deß Maleficti Tochter, hat ein
schlaffhauben auff vnd ein Nachtschauben an, tregt ein Kol-
feur in einem Kolhafen, geht ein vnd schreit:

[379ᵇ]   O helfft, o helfft! jetzt könt jhr sehen,
35 Von wem vns ist die schmach geschehen,

Weil ich den zettel würff ins Feur.
'Drumb eilt! kumbt vns zu hilff vnd steur!

Laufft Malefictus mit Marxen vnd Moritzen gerüst ein, sicht
sich vmb vnd sagt:

5 Ey schweig, mein Tochter! wer hat dir than?

Leandra sagt:

Secht jhr nicht in der Ecken stahn
Den bößwicht, der vns hat geschmecht?

Ramus steht neben Asmotheo in einer ecken. Malefictus sicht
jhn vnd sagt:

Schau! bistu der lecker? du komst gleich recht.
Wolstu mir anthun solche schmach,
Dergleich mir nit gschach mein lebtag?
So führt jhn balt in die eisen!
15 Ich will dir laßn den kopff abschmeisen
Vnd dir deiner büberey erwehrn.

Asmotheus schlegt den Malefictum hefftig vnd sagt:

So will ich dir dein haut erpern,
Dir eben so wehe thun, als du mir.

20 Malefictus sagt:

Ach jhr diener, helffet doch jhr!
Der bößwicht mich sonst bringet vmb.

Asmotheus sagt:

Ich will dich schlagen lamb vnd krumb,
25 Weil du wolst nemen jhn gefangen.

Malefictus sagt:

Ach jhr diener, thut nicht lang prangen!
Führt jhn hin, wie ich euch gebot,
Ehe vnd er mich gar schlag zu todt!
30 Vnd morgen frü, ehe es thut tagen,
Last jhr dem lecker den kopff abschlagen.

Sie, die Knecht, führen Ramum ab; der lacht. Asmotheus
schlegt jhn je lenger je mehr. Malefictus felt zu boden vnd
sagt:

Au wehe, jhr Diener! wo seit jhr?
Kompt jhr nicht halt zu helffen mir,
So muß ich sterben ; da ist kein zweifel.

Marx vnd Moritz gehn wider ein.　Marx sagt:

5 Wer schlecht euch dann? es muß der Teufel

[379^c]　Bey vns solchs vbel richten an,

Dieweil ich niemand sehen kan,
Denn nur euch, vnsern Herrn, allein.

Malefictus sagt:

10 Ach wehe! nun führt mich balt hinein
Vnd legt mich nieder in mein Beth,
Ehe mir alhie die Seel außgeht!

Die Knecht führen den Herrn ab, kommen mit dem gefangen
Ramo wider, setzen jn auff ein Stul vnd stehn bey jhme.

15　　　　　**Moritz sagt:**

Du schlimmer hudler, fürchst dir nicht?
Du bist zum Schwerdt albreit gericht,
Dastu thust, samb dir nichts drumb sey!

Ramus sagt:

20 Lieber, sag, könten nicht wir drey,
Ehe jhr mich thet am leben straffen,
Ein stundt oder etlich vor schlaffen
Vnd schnarchen, wie die Ackergeyl?

Marx sagt:

25 Ey nein, wir haben jetzt nicht die weil.
Wir müssen dir vor den kopff abschlagen.

Ramus sagt:

Was wird mein halß wol darzu sagen?
Er dörfft sich balt zu todt bluten.

30　　　　　**Moritz sagt:**

Wir wollen dirs anzeigen mit guten,
Dastu dich schickst zu deim abschied.

Ramus sagt:

Eurenthalb stürb ich noch lang nit.
O wie weng wolt ich fragen darnach,
Wenn ich bekemb all mein lebtag
Kein ergere Feind, als jhr hie werd!

5 **Marx sagt:**

Fürchstu denn kein Waffen noch Schwerd?
Damit wir dich vmbbringen müssen,
Dein grose Missethat zu büsen,
Die du legst vnserm Herren an.

10 **Ramus sagt:**

Eur Herr der ist ein loser Mann,
So seind jhr, sein Diener, nichts wehrd.
Eur keiner hat ein solches Schwerd,
Das mir künd meinen kopff abbeisen.
15 Will euch beeden gut bossen reisen.
Man soll sein vber lang noch lachen.

Moritz sagt:

Ey du Kerl, was wolstu vns machen?
[379ᵈ] Gehe fort! mach deines gespeys nicht vil!
20 Gar Trucken ich dir scheren will
Vnd dir dein vnnütz gschwetz wohl wehrn.

Ramus sagt:

Ey so will ich dich schlaffen lehrn.
Drumb leg dich balt hieher vnd schlaff,
25 So lang biß ich dich selber straff!

Moritz fellt vmb vnd schläfft. Marx rüttelt jhn vnd sagt:

Ey Moritz, Moritz, balt steh auff,
Das vns der bößwicht nicht entlauff
Vnd das wir jhn auch richten vor!

30 **Ramus sagt:**

Ach du schlechter, einfeltiger thor,
Balt fall du schlaffent zu jhm nider,
Biß das ich dich erwecke wider!

Marx fellt auch nider vnd schläfft. Ramus schreit:

Asmothee, balt komm zu mir
Vnd gib Rath, wie all bede wir
Die zwen HenckersKnecht fertigen ab!

Asmotheus sagt:

5 Wir schneiden jhn Ohrn vnd Nasen ab
Vnd schwertzen jhn jhr angesicht,
Das sie kein Mensch kan kennen nicht,
Vnd gehn wir vnsers wegs davon!
Dann legt jhr Frauenkleider an,
10 Geht wider in deß Herrn Hauß!
Der wird mit euch schon reden drauß,
Das jhr jhm abverdienet Gelt.

Ramus sagt:

So gehe! thu, wie du hast vermelt!

Der Teuffel bringt zwen Tügel vnd ein schermesser; in eim
ist blut, in dem andern schwertz; sie thun den Knechten die
Krägen ab, machen jhnen die Nasen vnd Ohren gar blutig,
schwertzen sie. Asmotheus sicht sie an, lacht vnd sagt:

Gelt? ich kan die Lecker verstellen.

20   ### Ramus sagt:

Nun Morgen erwachens, wenn sie wöllen,
Wir aber gehn vnsers wegs fort.
Von ferr wöll wir zusehen dort,
[380]   Was sie weiters werden machen,
25 Wenn sie ohn Nasen vnd Ohrn erwachen.

Sie beede gehn weg. Moritz richt sich auff, rüttelt Marxen
vnd sagt:

Ach Marx, steh auff! was hab wir thon?
Der bößwicht ist gloffen davon.

Marx richt sich auff, verwundert sich vnd sagt:

Ey Moritz, wer hat verwexelt dich?
Für einen Teufel ich dich an sich.
Du hast weder Nasen noch Ohrn
Vnd bist so schwartz, als wie die Morn.

Warlich ich kan dich kennen nicht.

Moritz sagt:

Ey, Ey, wie hast denn du ein gsicht?
Ach wie hastu dich verderben lassen!
5 Du hast weder Ohren oder Nasen
Vnd sichst als wie ein Teufel schwartz.
Drumb laß vns nur balt gehn heimwartz
Vnd laß vns das dem Herrn klagen!

Marx sagt:

10 Ja, was wird er nun darzu sagen,
Das wir den nit haben vmbbracht?

Moritz sagt:

Desselben ich gar wenig acht,
Hett ich darfür mein Nasen vnd Ohrn.
15 Wir seind halt eben bezaubert wohrn,
Das wir jhm gar nichts können thon
Vnd bringen den grosen schaden davon.

Sie gehn traurig ab. Kompt Malefictus mit Philomena, seiner
Gemahl, vnd Leandra, seiner Tochter, setzt sich vnd sagt:

20 Fürwahr, mir ist die weil gar lang,
Biß so lang ich bericht empfang,
Wie der bößwicht sey vmbgebracht,
Der mir mein Töchter zu schanden gmacht
Vnd mich so mechtig vbel hat gschlagn.

25 ### Philomena sagt:

Fürwar, Herr, ich thu die sorg tragn,
Das alle ding zugangen sey
Mit vnsern Töchtern durch Zauberey.
Ist das, wie ich die fürsorg trag,
30 Man den bößwicht nicht richten mag.

Sie sicht sich vmb vnd sagt:

Ja, es ist schon war, wie ich sag.
[380b] Secht! dort kommen die Knecht herein.
Ach secht, wie sie zugericht sein!

An kleidern ich sie kennen thu.

Marx vnd Moritz gehn vbel beschwertzt vnd blutig ein. Malefictus sagt:

Wer hat euch so gerichtet zu?
5 Nun darff ich wol mit warheit jehen,
Eurs gleich hab ich mein tag nie gsehen.
Ich muß gleich eur beeder lachen.

Marx sagt:

Ich glaub fürwahr, jhr habt gut machen.
10 Ihr seit also nicht bschedigt worn.
Wir haben Nasen vnd Ohrn verlorn.
Vns ist worden das lachen teur;
Dann dieser bößwicht vngeheur
Hat vns so jemmerlich zugericht.

15 **Malefictus sagt:**

Ist er von euch getödt noch nicht?
Wo ist er? das zeigt mir halt an!

Moritz sagt:

Die gantze Welt kan jhm nichts than.
20 Er hat vns beede schlaffent gmacht
Vnd ist vnser keiner erwacht,
Biß er vns Nasen vnd Ohrn abschnit.
Wo er hin kompt, das weiß ich nit.
Ich glaub, das er verschwunden sey.

25 **Malefictus sagt:**

So ists ein wahre zauberey.
Kompt rein! last mir mein Ertztin holn!
Der soll als halt werden befohln,
Das sie den zauberer vmbbring,
30 Damit das es vns vor jhm geling.
Sonst weiß ich kein Raht zu dem dieng.

Abgang jhr aller. Malefictus geht allein ein vnd sagt:

Mein Knechten ists wol vbel gangen.
Doch weil ich bericht hab empfangen,

Ayrer.

120

Das der böse geist kumb nicht mehr,
Mit meinen Töchtern treib vnehr
Vnd mir auch ist mein kranckheit hin,
Ich gentzlichen deß willens bin,
5 Mich zu der Keiserin zu begeben,
Mit jhr in all freüden zu leben,
Dann jhr freundlichkeit thut mich treiben,
Das ich ohn sie nicht weiß zu bleiben.
Es gehe mir gleich drob, wie es wöll,
10 Mir sie kein Mensch erleiden söll.
[380ᶜ]   Doch muß ich mein Ertztin Rahts fragen;
Hörn, was sie der Knecht halb werd sagen.

Er geht hin vnd wider, so geht Ramus vnd Asmotheus ein;
der Malefictus geht ab. Ramus sagt:

15 Hörstu, was der lecker thet sagen?
Drumb thu sein Eltste Tochter tragen
Mir also balt heim in mein Gmach
Vnd bhalt sie, biß ich kumb hernach!

Asmotheus geht ab. Ramus sagt:

20 Der falsch Raht wird balt zu mir senden,
Das ich jhm thu sein vnmuht wenden.
Iedoch werd ichs so balt nicht thon.
Ich will sein Tochter bringen davon
Vnd noch alle dieng offenbarn.
25 Der Keiser soll es selbst erfahrn,
Was er hat mit seim Weib begangen.
Darfür will ich groß gnad erlangen
Vnd mich vor gar wol an jhm rechen
Vnd soll dem Vaß der boden außbrechen.

30 Philomena geht ein vnd sagt kleglich:

Ach ist dann deß vnglücks kein endt?
Das glück sich wider von vns wendt.
Mein jung zwo Töchter thun mir sagen,
Leandra hab man weg getragen,
35 Die sey verlorn auß dem beth.
Ach das ich die alt Ertztin hett,

Das sie mir brecht mein Tochter wider,
Hilff auch meins Herrn Knechten sieder!
Schau! da steht sie mir vor gesicht
Vnd ich hab sie gesehen nicht.

5 **Ramus geht zu jhr vnd sagt:**
Gnad Frau, was macht jhr hie allein?

Philomena sagt:

Hertzliebe Mutter, der grossen pein!
Ein Jüngling hat vor zweyen tagen
10 Mein Herrn gwaltig übel gschlagen,
Weiln mein Herr Jhn wolt lassen straffen,
Das er mir hett mein Töchter bschlaffen,
Vnd hieß jhn töden die Diener sein.
Den hat er angethan groß pein,
15 Sie bezaubert vnd schlaffent gmacht
Vnd jhnen, ehe dann sie erwacht,
Abgschniden die Nasen vnd Ohrn,
Sie beschwertzt heim gschickt, wie die Morn,
[380ᵈ] Vnd sich flüchtig davon gemacht.
20 So ist mir heut in dieser nacht
Mein elteste Tochter auß dem Beth tragn,
Dann meine andre Töchter sagn,
Sie hab sich mit jhn glegt nieder.
Ach hett ich nur dieselben wider!
25 Könt jhr nun helffen, thut, was jhr künd!
Wenn jhr mein Tochter wider gwind,
Will ich euch schencken hundert Kronen.

Ramus zeicht sein Christallen glaß herauß, sicht darein, lacht vnd sagt:

30 Gnad Frau, thut eur mit traurn schonen!
Es hat nicht allein der Jüngling
Verricht vnd gethan diese ding,
Sonder derselbig hat ein geist,
Der thut jhm als, was er jhn heist.
35 Der hat all diese sach verricht.
Darumb so solt Jhr trauren nicht.

In meim Christal ich gsehen hab,
Wie all sach ist zu stellen ab
Vnd das eur Tochter wider kumb.

Philomena sagt:

5 Ach helfft vnd Raht! ich bitt euch drumb.
Ohn eurn Raht ists als verlorn.
Vns ist von euch offt gholffen worn.
Kompt rein! dann mein Herr mit verlangen
Wart eur, wird euch gar schön empfangen
10 Vnd klagen, wies vns hat gangen.

Abgang.

ACTUS QUINTUS.

Ietzt kompt der Asmotheus, tregt die Jungfrau Leandram ein,
setzt sie nider vnd sagt:

15 Fro bin ich, das ich komb daher.
Jungfrau, mich dunckt, jhr seit gar schwer.
Ich hab mich schier heiß an euch tragn,

Leandra sagt:

Ach weh! weh! jammer! was soll ich klagn?
20 Wer redt mit mir? wie ist mir gschehen?
Ich kan euch hörn vnd doch nicht sehen.
Wo seit jhr vnd wo wolt jhr hin?
Von euch ich weg geführet bin
Mit gwalt von meines Vatters hauß.
25 Ach sagt, wo wolt jhr mit mir nauß?
Vnd sagt mir, wo ich jetzo sey!

Asmotheus sagt:

Ey schweigt vnd habt der ding kein scheü!
[381] Wer ich bin, das solt jhr halt sehen.
30 Von mir soll euch kein leid geschehen.
Ich beger, mit euch zu kurtzweiln,
Als, was ich hab, euch mitzutheiln
Vnd eur hertzallerliebster zsein.

Leandra sagt:

Ach weh! ach Nein! Nein! Nein! Nein! Nein!
Ich beger doch eur Lieb gar nicht.
Ihr habt mir verblend mein angesicht,
Gmacht, das ich euch nicht gsehen kon.

Ietzt geht Ramus ein in gestalt eines Jünglings vnd sagt:
Edle Jungfrau, nun secht jhr mich schon.
Ich beger eur in zucht vnd Ehrn.
Verhoff, jhr werd euch das nicht wern
Vnd mir eur Lieb doch theilen mit.

10   Leandra sagt:
Ach Edler Jüngling, das thu ich nit.
Mein Ehr ist mir auff dieser Welt
Lieber, dann all eur Gut vnd gelt.
Drumb bitt ich: mich heim lassen thut!

15   Ramus sagt:
Ach Jungfrau, habt ein guten muth!
Ich bin Ramus, deß Keisers Sohn.

Leandra sagt:
Seit, wer jhr wolt! will ichs nicht thon.
20 Ich beger zu dem Vatter mein.

Ramus sagt:
Es soll in allen Ehren sein
Vnd beger, euch zur Ehe zu nemen.

Leandra sagt:
25 Ein KeisersSohn würd sich doch schemen,
Sich mit mir armen Jungfrauen,
Die nit seins standts ist, zu vertrauen.
Wenn es aber ja eur ernst wer,
So weret ich mich nimmermehr.
30 Gott geb, wie ich wider heim kumb!

Ramus sagt:
Da dörfft jhr gar nicht sorgen drumb.
Morgen frü, vnd ehe es thut tagn,
Will ich euch selbst in eur Hauß tragn.

Doch sagt keim Menschen- kein wort davon!

Sie felt jhm vmb den halß vnd sagt:
Als, was jhr wolt, das will ich thon.

Er führt sie bey der handt ab. Asmotheus triett herfür, lacht
5 vnd sagt:

[381^b] Ich hab mich schir zum Narrn glacht,
Das der kauff ist so balt gemacht.
Nun will ich je zusehen gern,
Was noch auß diesem dausch will wern.

Er geht ab. Kompt Malefictus mit Marxen vnd Moritz, seinen Knechten, die sein wider wolauff. Malefictus sagt:

Wer muß nun dieser Jüngling sein,
Der vns allen anthet groß pein
Vnd euch abschnid Nasen vnd Ohrn?

15 **Marx sagt:**

Weil ich bin wider gsundt worn,
Frag ich weng nach jhm, wer er sey;
Er kumb nur nicht wider herbey!
Ich richt mich nach jhm nimmermehr.

20 **Moritz sagt:**

Bey mein ehrn ich jhm schwer,
Er kum gleich wider, wenn er wöll,
Ich mich jhm nicht zugegen stell.
Er ist vns zu listig vnd starck.
25 Mit seiner zauberkunst so arck
Brecht er wol ein gantz Land in schaden.

Malefictus sagt:

Ich hab ein Ertztin, kan mir Rahten,
Die hat euch wider gsund gemacht,
30 Eur Ohrn vnd Nasen wider bracht,
Die kan auch helffen in andern stücken,
Das dem lecker mit nicht soll glücken.
Doch geht jetzt jhr beed beim zu hauß
Vnd, was jhr habt zu thun, richt auß!

Sie gehn ab. **Malefictus sagt:**

Der Knecht halb. ich mich nieht hart grem;
Wenn nur mein Tochter wider köm!
Davon dörfft ich jhnen nichts sagen.
5 So wer mir gschwunden all mein klagen.
Aber ich sorg, vnd das sie der
Bößwicht hab gebracht · vmb jhr Ehr.
Ach, solt das werden offenbar,
Mein Tochter würd verschlagen gar,
10 Das sie zu keiner Heürat kem,
Kein ehrlicher Gsell sie nicht nemb,
Zumahl wenn er jhrs Standts auch wer.

Philomena laufft ein vnd sagt:

Hertzlieber Gemahl, gute mehr!
[381ᶜ] 15 Vnser Tochter ist wider kommen.

Malefictus sagt:

Hastu dann nicht von jhr vernommen,
Wer sie gefürt hat auß dem Hauß?

Philomena sagt:

20 Sie weiß kein wort drumb gar durchauß.
Iedoch sie dabey sagen thut,
Sie hab gehabt ein guten muth.
Wo oder wie das sey gschehen,
Da will sie mir nichts von verjehen.
25 Doch bekand sie auch noch dabey,
Das sie von eim geist gefürt sey
An ein ordt, da jhrs wol sey gangen.

Malefictus sagt:

Den warn bericht muß man erlangen,
30 Ob derselb geist sey glegen bey jhr.

Philomena sagt:

O das hats schon bekennet mir.
Doch will sie den geist gar nicht nennen
Vnd sagt, das sie jhn nicht thu kennen,
35 Vnd bitt, ich soll nichts davon sagn.

Malefictus sagt:

Wolt wirs selbst vnder die Leüt tragn,
Wer wolt sich vmb sie nemen an?
Sie kriget all jhr tag kein Mann.
5 Geh du halt nein vnd red mit jhr!
Was sie sagt, kanstu sagen mir.

Philomena geht ab. Malefictus sagt:

Weil wir dann sindt kommen zu rhu,
Ich mich nicht lang mehr saumen thu,
10 Sonder such die allerliebst mein
Vnd hoff, als vnglück sol weg sein.

Er geht ab. Kompt die Keiserin vnd sagt:

Ach es ist mir schir angst vnd bang,
Das mein Lieb von mir bleibt so lang.
15 Nun kan ich wol mit warheit sagen:
Ich sah jhn nicht in zehen tagen.
Wenn bey jhm thut Vnglück einschleigen,
Thut er mit Lieb von mir abweichen.
Das gfelt mir zwar nicht am basten,
20 Dann sein Vnglück schafft mir ein fasten.
Die fasten schafft mir vngedult.
Doch kriegt dardurch der Keiser Hult
Gar lange, weil der Hunger macht.
Ich denck an jhn bey tag vnd nacht,

[381ᵈ] 25 Dann sein wolfahrt macht mir ein freüd
Vnd sein vnglück das ist mein leid.
Sein lang leben macht lebend mich
Vnd wenn er stirbt, so stürb auch ich.
Also hab ich mich jhm ergeben.
30 Ach schau! dort kumbt er selbst gleich eben,
Der meim hertzen erquickung geit.

Malefictus geht ein; sie empfengt jhn vnd sagt:

Seit Gottwillkumb, mein tausent freüd,
Mein Liebstöckel vnd mein holterdrüssel,
35 Mein hertzentrost vnd Rosenpüschel,
Mein tausentschön, mein augenlust!

Ach wenn ich außzusprechen wust,
Wie ich euch nur gnűg loben sol!
Ihr gfalt mir wol so mechtig wol;
Vnd wenn ich euch zwen tag seh nicht,
5 Meim hertzen also weh geschicht,
Das mir schmeckt weder trincken noch essen.

Malefictus sagt:

Eur Gnaden kan ich nicht vergessen;
Vnd das ich euch nicht besucht hab,
10 Davon hilt mich leibs schwachheit ab,
Dann ich weiß, das ein krancker Mann
Ein gsundts Weib nicht erlustigen kan.
Auch bett ich vnglück in meim Hauß.
Das must ich zuvor treiben auß,
15 Dann vnglück ein Mann thut abtreiben
Von rechter Lieb zu schönen Weiben.
Wenn es aber geht einem wol
Vnd sein hertz ist der freűden vol,
Da ist ein Mann gar hertzenhafft,
20 Als dann zu gehn auff die Bulschafft.
Also bin ich jetzt freűden vol.

Detrometa sagt:

Das ist gar recht vnd gfelt mir wol.
Drumb, mein Lieb, geht jetzt nur hinein!
25 Ich will auff das ebest bey euch sein.

Sie gehn nach einander ab, doch ein jedes allein. Asmotheus
springt herfür, verwundert sich vnd sagt:

Ey, wie ein hurerey vberauß!
Ietzt will ich zu meim Herrn hinauß,
30 Will jhm all schelmerey ansagen.
Erlaubt er mir, jhn zu schlagen,
So will ich jhm den fürwitz büsen.
Er soll mir ligen vor den füsen.

Er geht ab. [382] Kompt Senex, der alt Bettler, vnd sagt:

35 Ach ich denck noch wol, ich war Reich,
Gieng kleid herein eim andern gleich,

Hett meine Ring an meinem·finger
Vnd achtet mich wenig geringer,
Als etwan ein guter Edelman.
Die haben mir mein Gut verthan,
5 Nur das sie mich vnder jhn liessen
Vnd mich die Leût auch Juncker hiessen.
Ach. Gott, wie thut so wol der nam!
Als ich aber in armuht kam
Vnd kein gelt mehr bett außzulegen,
10 Setzten sie sich mir all entgegen,
Hiessen mich einen Bettelman,
Sagten, man muß den gselln so than,
Die nicht Edel weren geborn,
Wolten doch sein so hoch geschorn.
15 O wié manchem hab glihen ich!
Er sicht mich wol vnd geht für mich
Vnd thut, als wenn er mich nicht sech,
Geschweigen, das er mir zusprech.
O armuht, du feindseligs Thier!
20 Wie bistu eingwurtzelt bey mir,
Das ich rumb zieh am Bettelstab,
Mein Junckernstand abgleget hab
Vnd jetzund ein schmarotzer gib,
Laß mich heisen ein schelm vnd dieb,
25 Allein von eines Trinckleins wegen.
Hin ist all wolfahrt, glück vnd Segen
Vnd an jhr stadt kommen die armuht.

Ramus geht wider in Weiberkleidern ein vnd sagt:

Albie mir einer begegen thut,
30 Der muß mich an dem bößwicht rechen.
Ich will gehn jhm ein weng zusprechen.

Ramus geht zu Senex vnd sagt:

Mein freundt, habt nichts für vbel mir!
Wie gehts euch vnd was macht jhr?
35 Wo wolt jhr nauß? gebt mir bericht!

Senex sagt:

Das kan ich euch als sagen nicht.
Ich will etwan ins Wirhtshauß schleichen,
Suchen gut gsellen, meines gleichen,
Bey jhnen ein trunck zu erlangen
5 Oder ein zehrpfennig empfangen;
Dann ich thet meine tag nichts lehrn,
Denn Juncker sein, spilen vnd zern.
Mir war aber zu ring mein Gut
Vnd das mir jetzt gleich mangeln thut.
[382^b] 10 Weil ich dann nicht arbeiten mag,
So bring ich halt zu meine tag
Mit schmarotzen vnd wie ich kan.

Ramus sagt:

Wolt jhr mir folgen, guter Mann,
15 Wolt ich euch sagen von solchen diengen,
Das jhr ein beut davon könt bringen,
Die euch auffs wenigst trüg ein Kleid.

Senex, der alt, sagt:

Ich will euch folgen auff mein Eyd,
20 Mein alter brauchn, als was jhr kündt,
Ob jhr mir doch ein Raht erfindt,
Das ich einmal beköm ein Kleid.

Ramus sagt:

So ferrn jhr anders keck gnug seit.
25 Wenn jhr euch aber fürchten thet,
Lassen weich finden in eurer redt,
So dörfft jhr wol kommen in schaden.

Senex sagt:

Ich will folgen, was jhr werd rahten.
30 Sagt mirs nur balt vnd last mich sorgen!

Ramus sagt:

Ihr wist, das der Keiser all morgen
Vmb sieben vhr hört die Parthey,
Arm vnd Reich, sey, wer der sey,
35 Vnd seine Räht warten auff jhn.

Solt jhr euch gen Hof finden hin,
Dann jhr Mayestat habn ein Raht,
Der in der Handt ein zeichen hat.
Das hab ich jhm selbst drein gebrendt,
5 Welches er aber nicht bekendt.
Doch kem euch dasselb zeichen recht,
Wenn jhr jhn derhalben ansprecht,
Das sey eur leibeigner Mann,
Euch vor zwantzig Jarn geloffen davon.
10 Den fordert von dem Keiser ab!
Das brenneisen ich noch bey mir hab,
Damit ich jhm sein hendt brennet.
O ehe vnd das er euch bekennet,
Das er euer leibeigen wer,
15 Ehe geb er hundert Kronen her,
Dann der Keiser noch sein Hofgsindt
Ihn an dem Hof nicht leiden kündt,
Wenn man an jhm fend das brandzeichen.
Will er euch dann das gelt nicht reichen,
20 So zeiget es dem Keiser an!

Senex nimbt das zeichen von Ramo vnd sagt:

Ach Frau, was soll ich euch drumb than,
[382ᶜ] Das jhr mir gebt den guten Raht?
Nun will ich für jhr Mayestat
25 Vnd außrichten, wie jhr mich lehrt.
Ich hoff nicht, das jhr mich bethört,
Bin hungerig, bedarff des gelts wol.
Mein Seckel ist gar lehr vnd hol.
Wird mir das glück beystendig sein,
30 Füll ich jhn wider ein wenig ein.

Er geht ab. Ramus sagt:

Nun will ich mich vnsichtbar machen
Vnd zusehen all diesen sachen.
Hilffts, so ist gut vnd rech ich mich.
35 Wo ich denn aber weiter sich,
Das der falsch Raht nicht will abstehn
Vnd der Keiserin müssig gehn,

Ich mich nimmer erhalten kan,
Sonder wils zeigen dem Keiser an.

Abgang. Soldan geht ein mit Maleficto vnd Dietmairo, seinen Rähten, setzt sich vnd sagt:

5 Auff heut hab wir ein verhörstag
Das jederman wol klagen mag
Seine anliegen vnd gebrechen.
Darauff wöll wir guts Vrtel sprechen
Nach der strengen gerechtigkeit.

10   Malefictus sagt:
Großmechtigster Herr, wie wol vil Leüt
Sich finden vmb eur Mayestat,
Iedoch der wenigste theil hat
Alhie zu klagen vnd zu handeln.

15   Soldan sagt:
Die mögen jhres wegs fort wandeln.
Es ist verdrießlich, das jederman
Deß andern gebrechen höre an,
Dann dardurch verschreit man die Leüt.

20   Dietmairus sagt:
Ein Richter, der rechts Vrtel geit,
Der handelt offentlich am tag,
Das man wol hörn vnd sehen mag,
Wie er sein Vrtel sprechen thu.
25 Besser ists, jhr vil sehen zu
Vnd hören, wie man Vrtel mach,
Als das man vnbewuster sach
Dem Richter drumb vbel nachred,
Als ob er jemandt vnrecht thet.

In dem gehet Senex ein, treget ein brenneisen, fordert Malefictum auff die seiten vnd sagt:

[382ᵈ]   Hör, ehe wann ich dich thu bschemen
Vnd vor dem Keiser werd fürnemen,
So sag, warumb loffstu davon?
35 Sich! alhie ich das zeichen hon,

Darmit ich dir dein rechte hendt
Zu einer zeichnuß hab gebrendt,
Dastu bist mein leibeigner Knecht.

Malefictus sagt:

5 Ey, alter, du thust mir vnrecht.
Schau, warmit du vmbgehn thust!
Die schmach du mir verbüsen must.
Solt ich, ein Keiserlicher Raht,
Beschultigt werden ein solcher that?
10 Das wer mir je ein grose schandt.

Senex sagt:

So thu nur auff dein rechte handt!
Ich will das zeichen legen darneben
Vnd verlorn haben leib vnd leben,
15 Wenns nicht mit deim brandt trifft recht zu.

Malefictus sagt:

Mein alter, sag! wer bist denn du,
Dastu so gar vermessen bist?

Senex sagt:

20 Weistu dann nicht, wer dein Herr ist?

Malefictus sagt:

Mein Herr ist jhre Mayestat
Vnd ich ein Keiserlicher Raht.
Von keinem andern Herrn weiß ich.

25 Senex sagt:

Wiltu nicht lassen besichtigen dich
Vnd dich mit mir als balt vertragen,
Will ich dich vor dem Keiser verklagen
Vnd für leibeigen ansprechen dich.

30 Soldan sagt:

Sagt, warumb die zwen hadern sich!
Habt jhr zu klagen, so trett herbey!
So kan man hören, was es sey.
Wir sehen wol, jhr zanckt all zwen.

Malefictus sagt:

Hör, alter! wiltu deins wegs gehn,
Mich forthin vnangefochten lahn,
So solstu funfftzig Kronen han.
5 Die gib ich dir allein darumb,
Das der brand nicht fürn Keiser kumb.

Senex, der alt, nimbt das gelt, lacht vnd geht ab. Soldan sagt:

[383]   Weil dann niemand bringt für kein klag
Vnd es schier ist vmb den Mittag,
10 So wöllen wir herein zum essen.
Wir sein heut schir lang gnug gsessen.

Abgang. Malefictus bleibt dahinden vnd sagt:

Der Teufel! wer muß der alt nur sein?
Ehe wann ich mich mit jhm ließ ein,
15 Das der Keiser solt wissen drumb,
Wolt jhm ehe geben ein grose Summ.
Doch weil ich jhn hab gfertigt ab,
Geh ich zu meiner Liebsten nab.

Malefictus geht ab. Ramus geht wider in Weiberkleidern ein
20   vnd sagt:

Will denn noch keins auffhörens sein
Vnd hilfft kein warnung, straff noch pein?
Ich mich nicht lenger enthalten kan,
Wils als dem Keiser zeigen an,
25 Mich gegen jhm zu kennen geben
Vnd jhm auch anzeigen darneben,
Wie ich sein Tochter hab genommen.
Potz! dort thut gleich der Keiser kommen
Mit seinem Secretari allein.
30 Als, was soll sein, das schickt sich fein.

Er trit auf die seiten. Der Soldan geht ein mit Dietmairn,
            dem Secretario, vnd sagt:

Nun könn wir die sach nicht verstehn,
Warumb doch zancken diese zwen,
35 Vnser Raht vnd auch der alt Mann,
Gieng darnach stillschweigent davon.

Diser beeder streitten vnd zancken
Macht vns zwar allerley gedancken,
Was es nur mag gwesen sein.

Dietmairus sagt:

5 Fürwar, mir felt auch nichts guts ein.
Der alt, der vor wolt oben nauß,
Ward balt gedempffet vberauß.
Ich denck mir, es habs gelt gethan,
Damit man als abkauffen kan.
10 Allein der todt der nimbt kein gelt.

Ramus geht herfür vnd sagt:

Ja es geht also in der Welt.
Wer nicht will werdn betrogen drinnen,
Der muß schwimmen vnd fliegen künnen,

[383b] 15 Muß haben scharff augen vnd ohrn;
Dann kein Mensch ist so weiß geborn,
Der nicht in der Welt ward betört.

Soldan sagt:

Was für ein stimb hab wir da ghört?

20 ### Er sicht sich vmb vnd sagt:

Mein Weib, sag! was ist dein beger?

Ramus sagt:

Großmechtiger Soldan, ich kumb her,
Eur Mayestat zu offenbarn,
25 Das ich willens bett vor zweyen Jarn,
Aber es wolt mir nicht gelingen.
Ietzt aber gibt die zeit den dingen
Zu machen ein entlichen außschlag.

Soldan sagt:

30 Was ists dann? vns als balt ansag!
Du thust vns ein wolgfallen dran.

Ramus sagt:

Eur Mayestat woll mit mir gahn.
Die will ich lassen etwas sehen,

Das zuvor auch gar offt ist gschehen.

Ramus geht mit dem Keiser ab. Dietmairus sagt:

O ich mercks schier, wo es will nauß.

Das spiel geht ob der Keiserin auß.

Sie kommen beede wider. Soldan würfft sein Scepter von sich vnd sagt:

Ach, das hett wir geglaubet nicht,

Hett wirs nicht gsehen mit vnserm gsicht.

Ach, soll vns der ehrlose Mann

10 Solch schandt vnd vnehr legen an?

Nun möcht vns wol das hertz zerbrechen.

Ein scharffes vrtel wöll wir jhn sprechen:

Sie sollen beede deß todtes sterben.

Ramus sagt:

15 Ihr Mayestat laß mich erwerben

Bey derselben jhr hult vnd gnadt!

So will ich jhrer Mayestat

Sagen, was vor zwey Jarn ist gschehen

Ynd ich selbst hab mit augen gsehen.

20 In eur Mayestat Lustgarten

Theten sie zwey der lieb außwarten.

Darzu kam ich ohn alles geverdt,

Solchs eur Mayestat zu sagen begert.

Da ward ich von jhm so eintragen,

25 Das man mich auß dem Land thet jagen,

[383ᶜ]   Der ich doch niemand kein leidts hab than.

Soldan sagt:

Wer histu dann? das zeig mir an!

Dann von allen diesen geschichten

30 Wissen wir vns nicht zu berichten.

All gnad hastu auch bey vns schon.

Ramus reist die Weibskleider weg vnd sagt:

Ich bin Ramus, deß Keisers Sohn.

Dem ist also vnbillig gschehen,

35 Wie ich eur Mayestat thet verjehen,

Von eurem Weib vnd falschen Raht.

Soldan fellt jhm vmb den halß vnd sagt:

Ach verzeich vns die vbelthat!

Ach wir seind von jhn worn betrogen

5 Vnd du warst hart von jhn verlogen.

Ach wie fehlets an so eim ringen!

Wir hetten dich gar lassen vmbbringen.

Weil wir dann dich theten erwerben,

So müßn sie beed des tags noch sterben

10 Vnd du solst sitzen an seiner stadt.

Ramus sagt:

Großmechtiger Herr, beweist jhn gnad!

Vnd solchs bitt ich euch darummen,

Dann ich hab deß Rahts Tochter gnommen.

15 Das brecht vns allen ein grose schandt.

Man schaff sie beede auß dem Landt

Auff etlich meil wegs von einander,

Das ein jedes sein strassen wander

Vnd keins wiß von dem andern nicht!

20 So weiß niemand, warumb das gschicht,

Vnd kompt eur Gnad deß pöffels ab.

Soldan gibt jhm die hand vnd sagt:

Hertzlieber Sohn, groß danck du hab,

Dastu mich warnest vor der schand!

25 Morgen schaff wir sie auß dem Land.

Dietmair, balt bring die Jungfrau her,

Das sie jhm vor vermehlet wer,

Ehe man schafft jhren Vatter auß!

Dietmair neigt sich vnd sagt:

30 Ich will sie als halt bringen rauß.

Dietmair geht ab. Soldan sagt:

Mein Sohn, sag mir, wie du darzu kambst,

Das du deß bößwichts Tochter nambst!

[383ᵈ] Dasselb dunckt vns schir nicht recht sein.

35 **Ramus sagt:**

Ich sags eur Mayestat allein.
Doch hab ich jhr mein treü versprochen;
Das will ich halten vnzerbrochen,
Verhoff, es soll mich nicht geretthen.
5 Dort kompt, die mein hertz thut erfretten.

Dietmairus bringt Leandram, die Jungfrau, die felt dem Keiser
zu fuß vnd der Keiser sagt:

Steht auff, Jungfrau, vnd zeigt vns an!
Versprach euch die Ehe vnser Sohn
10 Vnd wolt jhr jhn zum Gemahl haben?

Leandra sagt:

Wolt mich der Keiser so hoch begähen,
Das er mir könt zum Gmahl wern,
Wer er mir lieber, als Himel vnd Ern.
15 Aber ich bin zu schlecht vnd ring.

Soldan sagt:

Es ist versehen alle dieng.
Weil es dann je also sein soll,
So gfelts vns auch gar trefflich woll
20 Vnd ich sprich euch ehelich zusammen
Mit grossem glück; das werd war! Amen.

Soldan gibt sie zusammen, sie drucken einander. Soldan sagt:

Nun sein wir wider worden erfreit
Vnd wölln anstellen die Hochzeit,
25 Vergessen als vnglücks vnd zorn,
Mit dem wir sein vmbgeben worn.
Wie wol es Menschlich fleisch vnd blut
Vber all massen sehr weh thut,
So woll wir doch deß als vergessen,
30 Ihn Messen, wie sie vns gemessen.
Weil nur du, Sohn, noch bist bey leben,
Das Reich wöll wir dir vbergeben,
Das du neben vns sölst Regirn.
Nun thu dein Braut ins zimmer führn
35 Vnd thu sie wie ein Königin zirn!

Abgang.

ACTUS SEXTUS.

Kompt der Ehrnholt vnd beschleust:

Also sich die Comedi endt.

Das glück hat sich offt vmbgewendt.

5 Darauß lehrt man, das offt der Frauen

Guten worten ist nicht zu trauen,

Wie vns ein sprichwort lehret fein:

Sie können falsch vnd freundlich sein.

Ihre wort gleisen vnd klingen schon,

10 Doch offt von falschen hertzen gahn,

Dann man thut teglich sehen vnd hörn,

Wie offt sie jhre Männer betörn,

Zumahl die sich in schand begeben,

Ausser der Ehe in Ehebruch leben,

15 Wie sie den Männern den Fuchsen streichen,

Als liebten sie kein andern dergleichen.

Ein solche auch die Keiserin wahr,

Die bethöret den Keiser gar,

Das er jhr thet als guts zutrauen.

20 Darumb schad nicht ein guts auffschauen,

Dann ein Geils Weib, wie Syrach spricht,

Ist aller dings zu settigen nicht

Vnd will doch dessen hahn kein wort,

Stiefft drüber an vnglück vnd mordt,

25 Setzt leib vnd leben selbst drob zu,

Denckt nicht, das es Gott sehen thu,

Der doch in das verborgen sicht.

Vnd wird so klein nichts gspunnen nicht,

Das nicht die zeit bringt an den tag.

30 Darauß erfolgt dann straff vnd rach.

Der vnschuldig offt leidet lang;

Doch gwind sein sach guten außgang,

Das er wird wiedr zu Ehrn gebracht,

Der vngerecht zu schanden gmacht.

35 Vnd gschichts schon hie nicht auff der Welt,

Das die straff verzeicht gunst vnd gelt,

So wirdts doch gschehen am Jüngsten tag,

Das ein jeder sein lohn empfach.

Die Personen in diß Spiel:

1. Soldan, der Türckisch Keiser von Babilon.
2. Detrometa, sein falscher Gemahl.
3. Antrometa, jhr Jungfrau.
4. Malefictus, der falsch Raht.
5. Dietmairus, der Secretarius.
6. Ramus, deß Keisers Sohn.
7. Leandra, deß falschen Rahts Tochter.
8. Primus,
9. Freidenreich,
10. Gregorius, Drey Handwercksgesellen.
11. Lucifer,
12. Sathan,
13. Asmotheus, Drey Teuffel.
[384ᵇ] 14. Lazarus, ein armer Mann.
15. Musa, ein alts Weib.
16. Philomena, deß Maleficti Gemahl.
17. Medicus, der Artzt oder Doctor.
18. Marx,
19. Moritz, deß Maleficti zwen Diener.
20. Senex, der alt Bettler.

ENDE.

(24)

COMEDIA VOM KÖNIG EDWARTO DEM DRITTEN

DISZ NAMENS, KÖNIG IN ENGELLAND, VND ELLIPSA, HERRN WILHELM MONTAGIJ·GEMAHL, EIN GEBORNE GRÄFIN VON VARUCKEN,

Mit 21 Personen, vnd hat 6 Actus.

Jahn Clam geht ein vnd sagt:

Ir lieffen Leut, ich komb herbey,
Wann jhr wolt wissen, wer ich sey.
10 Weil ich so seltzam Federn hab
Vnd ein sprichwort vns bericht gab,
Das man den Vogel kendt allein
Bey dem Gsang vnd den Federn sein,
So will ichs euch sagen vorhin.
15 Ein excellent knapp man ich bin
Vnd hat mich zu euch her gesandt
Edwart, der König auß Engellandt.
Dem Kerl ist sein Weib gestorben
Vnd er hat vmb ein andre gworben
20 Lieb halb, die er zu fall wolt bringen
Mit gschenck, mit gab, mit andern dingen,
Ein weil mit drohen, ein weil mit bitt,
Vnd als sie jhn wolt gweren nit,
Da nam er sie zu der Ehe gar
25 Vnd mit jhr knapp vnd lustig war.

*

2 Eine italiänische bearbeitung desselben stoffes gibt Bandello in seiner novelle 2, 37; deutsch in meinem italiänischen novellenschatz 4, 89. Bekanntlich ist Eduard III von England auch gegenstand eines dem Shakspere zugeschriebenen dramas. Tiecks vier historische schauspiele von Shakspere. Stuttgart bei Cotta, 1886. s. 1.

Es war so ein gwaltig schön Weib,
Die mich auch also hart vmb treib,
So das ich gar·balt wer gestorben,
Weil sie der König hat erworben.
5 Wie sich aber das als zutragen,
Wern euch jetzt die Personen sagen,
Die nach mir werden kommen rein.
Darumb solt jhr fein stille sein,
Das kein Person werd jrr gemacht.
10 Die Histori hat an tag bracht

[884ᶜ] Paludanus, ein Spaniol.
Potz Wetter angst! jetzt sehe ich wol,
Das dort kommen schon die Trabantn.
Es ist gwiß etwas neus verhanden.

Lienhart vnd Dietrich, die zwen Trabanten, gehn ein mit jhren
Helleparten, treibens als von der Brucken ab. Lienhart sagt:

Wer allhie nichts zu schaffen hett,
Von disem ordt als balt abtrett
Dann der groß König in Engellandt,
20 Edwart der dritt ist er genandt,
Der kompt rein tretten auff den Saal.

Dietrich sagt:

Ir Königlich Mayestat befahl,
Dieweil sie mit den Königs Rähten
25 Etwas wichtigs zu reden betten,
So sollten alle die weg gahn,
Die dise ding nicht gingen an.

Die Trabanten gehn wider zu rück. Kompt der König, dem
gehn erstlich vor Frigius, der Graf von Varucken, vnd Wilhelm Montagius, der Freyherr. Leupolt, der Secretarius, geht
jhm nach vnd demselben folgen die zwen Trabanten. Edwart,
der König, sagt:

Wie wol vnser Gmahl ist gestorben,
Iedoch hab wir dem Reich erworben,
35 Das es von dem Köng in Franckreich
Vnd den Schottlendern all zu gleich

Nun ferrners gar wol bleiben kan.
Der im Krieg hat vil guts gethan,
Vnser KriegsRath Montagius,
Dessen er fort geniessen muß
5 Vnd wir wollen jhm eingeben,
Das er die gantze zeit seins leben
Deß einkommens sol brauchen sich,
Vnserer Graffschafft Salberich.
Weil er Röstenburg machet fest
10 Vnd bey vns sonst gethan das best,
So lassen wir jhns billich gniessen.
Doch ein Reverß wir haben müssen,
Wenn er eins mals mit todt gieng ab,
Das dise Grafschafft wider hab
15 Zu eygen vnser Königreich.
Drumb sagt vns! wie gefellt es euch?

Montagius, der Freyherr, sagt:
[384ᵈ] Der ding bett ich nicht dörffen begern.
Ich danck eur Mayestat der ehrn
20 In der höchsten demütigkeit,
Vnd wo ich kan meins lebens zeit
Verdienen vmb eur Mayestat,
Sie mich jeder zeit willig hat.
Vnd wenn ich ferners beten solt,
25 Eur Mayestat ich bitten wolt,
Das mit jhr gegènwertigkeit
Mir solt helffen ziern mein Hochzeit,
Die wir Christlicher gwonheit nach
Werden halten biß heind acht tag.
30 Das beschuld ich auch widerummen.

Der König gibt jhm die hand vnd sagt:
Was habt jhr für ein Gmahl genummen?
Villeicht wir woln auch eur Gast sein.

Frigius, der Graf von Varuck, sagt:
35 Er hat genummen die Tochter mein.

*

17 Im englischen drama sir William Montague.   34 Warwick.

Darumb ist an eur Gnad mein bitt,
Die wöll vns aussen bleiben nit,
Als den zweyen alten Rähten.

Der König gibt Frigio die hand vnd sagt:

5 Es wer vnrecht, wenn wirs nicht theten,
Euch nicht dienten zu dem Breůtgang,
Vnd jhr bett vns gedient so lang.
O ja, wanns vns Gott lest erleben,
So wöll wir einen Gast euch geben,
10 Als die vns auch vil liehs gethan
Vnd man euch ferners brauchen kan
Dem gantzen Königreich zu gut.
Vnd weil man jetzt außschreiben thut
Ein tag zu besuchen in Flandern,
15 Alda sollen wir sambt vil andern,
König vnd Fürsten, Grafen vnd Freyen,
Auch die sunst darzu ghörig seyen,
Helffen bedencken des Lands anliegen,
Weil wir selbst nit hin Reisen mügen,
20 Vnd ander gschefft verrichten söllen
Wir euch vnd Grafen von Suffart wöllen
Nach der Hochzeit schicken hinein.

Herr von Montagi sagt:

Das soll mir nicht zuwider sein.
25 Alles, was ich kan vnd vermag,
Thu eur Mayestat ich mein tåg,
Will auch dran setzen leib vnd leben.

Edwart, der König, sagt:

Guten bericht wöll wir euch geben,
[385] 30 Was alda wird zu wercken sein,
Das jhr euch wol solt finden drein,
Dann es noch lang hat zum abzug,
Das jhr euch eurer Hochzeit gnug
Nach gstalt zuvorn ergötzen kündt.
35 Doch weil vns hart zugegen sind
Franckreich, darzu auch Schottenland

Vnd euch das als wol ist bekand,
So werd jhr auff euch selbst wol sehen,
Das euch nicht thu ein vbel gschehen.
Drumb kompt mit rein in die Cantzley!
5 Last sehen, was zu schaffen sey!

Sie gehn ab. Kompt Montana, die alt Gräfin, Elipsa, jhr Tochter, Longina, die HofJungfrau, gehn ein. Montana, die Gräfin, sagt:

Hertzliebe Tochter, ists als bereit,
10 Was man bedarff auff dein Hochzeit?
Hastu als fleissig auß gedacht?
Das nur kein vnordnung werd gemacht!
Dann wie ich beint frůe hab vernommen,
Will der König auff die Hochzeit kommen
15 Mit seim Königlichen Hofgesind.
Weil dann so stattlich Leůt da sind,
Můß wir es jhnen wol erbietten.

Elipsa sagt:
Frau Mutter, gebt euch nur zu friden!
20 Ich hab es als geordnet wol,
Das, ob Gott will, nichts fehlen sol.
Gleichwols mir hat vil můh gemacht.
Ich hab mich außgematt vnd gwacht,
Das ich fůrwahr schir schwach drob bin.
25 Hab ein weil gedacht her, dann hin,
Das ich hoff, wir wöllen bestohn.

Longina, die HofJungfrau, sagt:
All speiß die ist bestellet schon,
Das man wol in die sechtzig Tisch
30 Kan speisen mit Wilbrett vnd Fisch,
Mit allerley Fleisch, wie man wil habn,
Von Koppen, Hůner, Genß vnd Pfaben,
Aurhanen, Vögel vnd Schwannen,
Die man zu vns hat bracht von dannen.
35 Vnd als, was sich sunst will gebůrn,
König, Fůrsten vnd Herrn zu Tractirn,

Des als hab wir ein vberfluß,
Auch Trancks, so vil man haben muß.
ReinWein, Rainfahl vnd Muscateller,
Veltliner vnd ander hat der Keller

[385b]   5 Bestellet in groser anzahl,
Das mans nicht verzehrt auff einmal.
' So sein die Stuben, Söller vnd Saal
Mit Tebichen bhengt vber all.
Man hat auch nun einkauffet schon,
10 Was ghört zu der Collation,
Zum Tantz, zum Rennen vnd Turnirn,
Zur Musica, Fechtn vnd Pursirn,
Vil Blumen zu Krentzen vnd zu Schmecken,
Zum Tisch streüen vnd auff zu stecken.
15 Vnd alles, was man haben soll,
Ist als gstifft vnd geordnet woll,
Wenn nun die Gäst geladen sein.

Montana sagt:

So kompt! last vns ins Gemach hinein
20 Vnd last vns darin sehen vmb,
Was mangelt, das mans vberkum!

Abgang.   Kompt Johannes, König in Franckreich, mit Egidio
vnd Rolandt, setzt sich vnd sagt:

Ihr lieben Herrn, weil jhr all wist,
25 Was vns für schimpff geschehen ist
Von dem König in Engelland,
Der vns vil gnommen hat mit schand
Vnd hat vns auch vil Volcks erschlagen,
Das wir vns an jhn nicht mehr wagen,
30 Mit Heereskrafft zu greiffen an,
Iedoch wir jetzt erfahren han,
Das auff den Fürstentag in Flandern
Vil Engelender werden wandern,
So wöll wir jhn den baß verlegen,
35 Vnd wo vns dern thun begegen,
Wöllen wir mit jhn nicht lang prangen,
Sondern sie all nemen gefangen,

Sie auffhalten hie zu Pariß.

Da mögen wir sie bhalten gwiß.

Will sie der König haben bey leben,

So muß er vns wider geben

5 Die Stätt vnd Flecken, die er vns nam.

Egidius sagt:

Vil Landes er von vns bekam.

Auch ist er mit seim Volck all wegen

Vns in den Schlachten obgelegen

10 Vnd warlich erschlagen gut Leüt.

Weil es sich dann jetzung begeit,

Das ein mal auch der seinen weg

Ein Strassen gwind auff vnsern steg,

So wöll wir jhn den baß verlegen

15 Vnd all, die vns ziehen entgegen,

[385ᶜ]   Wöllen eur Mayestat wir bringen.

Rolandus sagt:

Ja, ich rath auch zu disen dingen,

Will mich auch gern brauchen lassen,

20 Bereyten alle Weg vnd Strassen,

Den Engelendern zu begegen,

Sie gfangen nemen vnd erlegen,

Dem König damit thun verdruß,

Damit er als dann mercken muß,

25 Das wir auch im Maul haben zen

Vnd jhn nicht als nauß lassen gehn,

Wie er jhm dasselb nimmet für.

Johannes, der König, sagt:

Ir lieben getreuen, so kommet jhr!

30 Wir wöllen euch mit Gelt vnd Leüten

Außschicken, die Straß zu bereiten,

Was jhr für Engelender fangt

Vnd vns die bringt, die jhr erlangt,

Auff das wir kühlen vnsern muth.

35 Darumb, jhr Herrn, das best nur thut

Vnd trachtet nach fürnemen Leüten,

Die etwas gelten vnd bedeüten,
Dann die schlechten sind vns nicht nutz.

Egidius sagt:

Eur Königlich Würd sey gutes muths,
5 Dann wer auß Lunden in Flandern
Zum Fürstentag an jetzo wandern,
Er zieh für sich oder sey gesandt,
Muß durch eur Königlich Würd Landt,
Dem können wir den weg verzeünen
10 Vnd lassen fürvber jhr keinen.

Johannes, der König, sagt:

So kompt mit vns in die Rahtstuben!
Bringt jhr vns die Englischen buben,
Solt jhr des groß ehr vnd preiß haben
15 Vnd wöllen euch darzu begaben.

Abgang. Kompt Jahn, der Narr, tregt ein stück kalts bratens, zeigts, hat ein Flaschen mit Weins vnd sagt:
Die Hochzeit geht in vollem schwang.
Ich wolt fürwahr, sie weret lang.
20 Das gebratn hab ich gstoln dem Koch.

Er weist die Flaschen.

Hab da ein Flaschn mit Weins auch noch.
Das ist fürwar des allerbesten,
Den man auffsetzt den stattlichn Gästen.
25 Da will ich mein hertz mit erfrischen.

[385ᵈ] Cocleus, der Koch, laufft ein, hat ein Kochlöffll vnd
sagt:
Sich, schelm! thu ich dich da erwischen?
Gelt, du hast mir das Fleisch weg tragen?

Jahn versteckt das Fleisch in sein daschen vnd sagt:
Fleisch weg tragen? was thut jhr sagen?

Er weist jhm die Flaschen vnd sagt:

Alhie ein Trüncklein Weins ich hab.
Damit mein Turstigs hertz ich lab.

O ich frag nach keinen fressen.
Der Kelner thet mirn einmessen,
Er ist in dem Keller der best.

Cocleus, der Koch, sagt:
5 Dasselbig ich dennoch gern west.
Mein Jahn, laß jhn versuchen mich!

Jahn sagt:
Wenn ich aber heiß auffhörn dich
Zu Trinckn, so setz die Flaschn nider,
10 Das ich auch hab zu Trincken wider!
So will ich lassen Trincken dich.

Cocleus, der Koch, sagt:
Ja, so halt du heist auffhörn mich,
So gib ich dir die Flaschen wider.

Er nimbt die Flaschen von Jahnnen, Trinckt. Der Jahn
schreit vnd fehrt mit den henden.
O Schelm, setz die Flaschen nider!
Du hast dir einmal gsoffen gnug.

Er hupfft vnd zappelt mit den henden vnd sagt:
20 O sauff! ich glaub, du seist nit klug.
Hör auff! laß mir auch etwas drinnen!

Cocleus gibt jhm die Flaschen. · Jahn sicht hinein vnd sagt:
Du hast mir nicht vil glassen dinnen,
Wie wol du mir zusagest gwiß,
25 So halt ich dich auffhören hieß,
Wolst mir wider geben mein Flaschen.
Ich mein, du habst die gurgel gwaschen,
Mich lassen schreyen, wie ein tohrn.

Cocleus, der Koch, sagt:
30 Wenn einer Trinckt, können die Ohrn
Das schreiben nicht hörn gantz vnd gar.

Jahn sagt:
Ey schweig! es ist werlich nicht war.
[386]   Was geht das Trincken an die Ohrn?

Wann ich schon Trinck, kan ich wol hörn.

Cocleus, der Koch, sagt:

Mein Jahn, so Trinck vnd thus versuchen!
Wenn du kanst hörn, so thu dann fluchen
5 Vnd sag, ich sey kein Biderman!

Jahn sicht in die Flaschen vnd sagt:

Darauß ich nicht vil Trincken kan.
Du hast der Flaschen than zu vil.
Iedoch ich das versuchen will.

Jahn Trinckt, der Koch springt vor jhm auff, thut das maul auff, als schrey er jhm, er soll auffhörn, redt aber nichts darzu. Jahn sagt:

Du hast mir zugeschrihen kein wort,
Dann ich hab je kein bißlein ghort,
Aber wol gsehen das maul auff than.
15 Nun glaub ichs, das einer nicht hören kan,
Wenn einer Trinckt, der ander schreit.

Cocleus, der Koch, sagt vnd geht ab:

Ich muß gehn nein, dann es ist zeit.

Jahn sagt spöttisch:

20 Nein, dann es ist zeit?
Ich wolt, du werst vor drinnen bliben.
Hast mir mein wolleben vertrieben
Vnd auß gesoffen meinen Wein.
Nun will ich werla wider nein,
25 Mir sie noch einmal füllen ein.

Abgang.

ACTUS PRIMUS.

Kompt König Edwart allein vnd sagt:

Ach dieses Grafen Tochter nur
30 Ist auff Erd die schönst Creatur
Vnd wer wol gwest würdig vnd werth,
Das wir jhr zum Gemahl begert.
So hab wir sie doch vor nie kendt.

Ach wie sein wir in Lieb entbrendt
Gegen diser allerschönsten Frauen,
Das wir nicht lang leben, auff trauen,
Wenn sie vns jhre Lieb abschlüg
5 Vnd nicht auch solch Lieb zu vns trüg,

[386^b]   Das sie sich thet mit vns ergötzen.
Ir Lieb thut vns treiben vnd hetzen,
Das wir vnser vergessen gleich,
Ind schantz schlagen das Königreich
10 Vnd was vns drumb zu thun gebürt.
Ja, wenn sie vns zu theil nicht würd,
So bringt sie vns noch wol von Sinnen.

        Jahn geht ein vnd schreit:
O lescht! o lescht! ich werd verbrinnen.
15 O es ist nichts mit meiner Frauen.
Solt einer die Jung FreyFrau schauen,
Die neulich hat Hochzeit gehalten!

       Der König sicht sich vmb vnd sagt:
Ey das müst dein der Teuffel walten!
20 Wolstu, du vngeschaffne Person,
Dich vmb das Weib auch nemen an?

        Er geht zu jhm vnd sagt:
Was seit jhr? vnd von wem redt jhr?

Jahn thut dem König groß Reverentz vnd sagt:
25 Juncker König, ich red da mit mir
Vnd ich werd geheisen Jahn Clan,
Bin ein gar exelent Persan,
Nicht zu groß vnd auch nicht zu klein.
Aber mein Weib ist nicht so fein,
30 Dann sie ist ein böß TeuffelsWeib,
Darzu nicht halb so schön von Leib,
Als wie die nechste Braut gewesen,
Ein gwaltigs schöns Mensch außerlesen,
Die wolt ich für mein Weib genummen.

    35   **Edwart, der König, sagt:**

Du wirst sie aber nicht bekummen
Vnd dir wird nicht so vil gebürn,
Ein solches Mensch zu maculirn.
Du bhilffst dich wol mit deinem Weib.

5   **Jahn sagt:**

Nein warlich, bey jhr ich nicht bleib.
Ich muß jhr Holtz vnd Wasser tragen
Vnd von jhr teglich werden gschlagen
Vnd muß jhr teglich gen Marck lauffen
10 Vnd, was ins Hauß darff, jhr einkauffen,
Windln waschen, fleihen vnd fegen
Vnd kan jhr kein recht thun allwegen.
Mein Juncker König, wie, wenn jhr
Ein freyheit thet verleihen mir,
15 Das mich mein Weib nit mehr dürfft schlagen?
Grosen danck wolt ich euch darumb sagen
[386^c]   Vnd mit meim Weib behelffen mich.

      Der König sagt:

Billich soll wir bedencken dich,
20 Weil du bist so ein feiner Mann,
Dem sein Weib so vil plag legt an.
Darumb du solst deinem Weib sagen,
Sie soll dich hinfort nicht mehr schlagen
Vnd dich Herr lassen im Hauß sein
25 Oder man soll sie legen ein
In die halßpfeiffen oder Geigen.

      Jahn sagt:

Gut: ich wils meinem Weib anzeigen.

Jahn geht ab. Edwart, der König, sagt:

30 Die lieb thut vnser hertz hart krencken.
Darumb müssen wir vns bedencken,
Wie wir der Frauen hult erwerben,
Dann ohn jhr Lieb so müß wir sterben.

---

11 Diese stelle ist in Grimms deutschem wörterb. 3, 1710 unten nach-
zutragen.   28 O mein.

O FrauenLieb, du heises Feur,
Wie machstu das lachen so theur,
Wenn du nicht gelescht werden kanst!
Auch groser Herrn selbst nicht verschonst.
5 Ach wie hab wir so vbel than,
Das wir sie selbst nicht gnommen han!
Nun jetzt fellt vns ein der gedanck,
Ob vns nicht dieses wer ein ranck,
Weil Herr Montagi gereiset auß,
10 Das wir sein Gmahl suchten zu hauß,
Geben jhr vnser gmüt zu erkennen,
Das wir in Lieb so hefftig brennen.
Villeicht gibt sie sich selbst darein,
Die weiln wir auch jhr König sein
15 Vnd sie sich nichts hett zu befahrn,
Das es ein Mensch thu offenbarn.
Wir gehn vnd dencken ferrner nach,
Wie anzugreiffen sey die sach.

Abgang. Kompt Marcellinus, der König in Schottland, mit
Oswalt vnd Florentino, den zweyen KriegsRähten. Der König
sagt:

Wir haben bericht warhafftig,
Das der Statthalter zu Salberich
Geschicket sey mit noch eim andern
25 Grafen Pottschafftweiß in Flandern.
Da haben wir gut glegenheit,
Zu fallen in die Grafschafft weit
Vnd sie mit sambt dem gantzen Land
Wider zu bringen in vnser hand,
[386ᵈ] 30 Eh es der König jnnen werd;
So lad wir von vns den beschwerd.

Oswalt sagt:

Wenn wir die sach recht greiffen an,
Kein bessern weg könt man nicht han,
Als vns der jetzt gebanet ist.
35 So sein wir auch gar wol gerüst,

Derhalb zu stürmen vnd zu streitten.
Das glück ist starck auff vnser seiten,
Das wir leicht mit dem Volcke alln
Die Grafschafft vnd Schloß vberfalln
5 Vnd nemen es mit stürmen ein.

Florentinus sagt:

Ja, was sein soll, das schickt sich fein.
Also können eur Mayestat
Alles vnrecht vnd vbelthat
10 An dem stoltzen Statthalter rechen
Vnd jhm seinen hochmuht zerbrechen,
Welchen er an vns hat verbracht.

Marcellinus, der König, sagt:

Ja wir haben jhm lang nach dacht,
15 Wie wir die grosen schand vnd schmach,
Die vns von dem Statthalter gschach,
Möchten rechen an seinem blut.
Weil sichs dann also schicken thut,
So wollen wir vns machen auff
20 Sambt vnsers Volcks ein groser hauff.
In vnversehener eyl groß
Wöll wir jhm einnemen das Schloß
Vnd, was drinn ist, als darauß jagen
Vnd, wer sich wehrt, gar zu todt schlagen
25 Vnd es bringen in vnser hend.
Darzu rüst euch, so vil eur send!

Abgang. Kompt Elipsa, die schön Grafin, mit Longina, jhrer
HofJungfrau. Die sagt kläglich:

Ach es ist je ein grose pein,
30 Das der geliebte Herre mein
So kürtzlich balt nach der Hochzeit
Hat verreisen müssen so weit
Pottschafftsweiß biß in Flandern.
Vnd kompt das vnglück zu dem andern,
35 Das der König in SchottenLand
Sehr starck vnd mit bewehrter hand

In vnser Grafschafft fallen thut.
Das kostet vns leib, hab vnd Gut,
Weil er meim Herrn ist gar abholt.
Ach Gott, wenn ichs gwist haben solt,
5 So wer ich nicht kommen hieher.

[387]   Longina, die HofJungfrau, sagt:
Ir macht euch die sach selber schwer.
Diese Grafschafft ist nach dem besten
Verwahrt mit Stätten vnd mit Vesten,
10 Das sie ist für auffrucken gut.
So leichtlich mans nicht gwinnen thut.
Auch so kan mans dem König schreiben,
Der wird fürwahr nicht lang auß bleiben,
Vns zu hilff kommen mit Kriegesmacht.

15   Elipsa sagt:
Da hab ich warlich nicht hin dacht.
Man laß es nur nicht lenger bleiben,
Sonder thus balt dem König schreiben,
Das er vns dißmal wöll nicht lassen,
20 Der Feind hab sich gmacht auff die strassen
Vnd wöll mit seinem Volcke groß
Einnemen Salberich, das Schloß,
Das sey auff dißmal nicht besetzt,
Vnd wir würden gar halt verletzt,
25 Das wir das Schloß müsten auffgeben
Oder schaden nemen am leben.
Da kan vor sein jhr Mayestat,
Die zur gegenwehr notturfft hat.

Sie gehn ab. Kompt König Edwart in Engelland mit Frigio,
dem Grafen, vnd Leupolt, dem Secretario, vnd zweyn Tra-
banten. Der König sagt:
Ihr lieben getreuen, macht vns bekand,
Wie steht es allenthalb im Land?
Was bringen die Curir für schreiben?
35 Könn wir zu rhu vnd friden bleiben
Vor vnsern Feinden in Franckreich

Vnd in Schottland auch der geleich?
Habt jhr nicht etwann Post bekummen,
Das sie sich gehn vns widerummen,
Wie zwar vor auch offt ist geschehen,
5 Mit Kriegsvolck vnd Reutern versehen
Oder vns fallen in das Land?

Frigius, der alt Graf, sagt:
Großmechtiger König, wir alle sand
Wissen nichts neus, dann allein daß,
10 Wie sich König in Schottland laß
Gelusten vnd thu rüsten sich,
Zu gwinnen die Grafschafft Salberich.
Doch weiß ich nicht gwiß, ist es wahr.

Leupolt, der Secretarius, sagt:
15 Die Grafschafft steht warlich in gfahr,
[387ᵇ]   Hab ich auch für ein warheit ghört.
Derhalb, wo man das nicht abwehrt,
Kan der Schott dieselb leicht gewinnen,
Weil der Statthalter ist nicht drinnen.
20 Drumb muß man eylend kunthschafft machen,
Zu erfahrn die warheit der sachen.

Jahn klopfft an. Edwart, der König, sagt:
Ir Trabanten, sehet dorten,
Wer draussen klopffet an der pforten,
25 Vnd last jhn balt zu vns herein!

Jahn tregt ein Brieff, neigt sich mit groser Reverentz vnd sagt:
O die gnedige Fraue mein,
Das schöne Weib, das jhr wol wist,
Sehr traurig vnd bekümmert ist,
30 Dann der König in Schottenlandt
Ist gezogen mit starcker handt
In die Grafschafft, die er will gwinnen.
Da solt jhr vns ein Raht für finnen.

Edwart, der König, liest den Brieff vnd sagt:
35 Die sach ist eben gferlich gnug.

Balt zeich du beim ohn all verzug
Vnd sag der gnaden Frauen dein,
Wir wollen gar balt bey jhr sein ,
Vnd die Feindt auß dem Lande jagen.

5   **Jahn sagt:**
Soll ichs zu meiner Frauen sagen?

       Der König sagt:
Ja, zu deiner Frauen sag es du!

       Jahn ziecht das Paret ab vnd sagt:
10 Last mich doch noch ein mal hörn zu!
Dann ich hör nicht wol an dem aug.

       Der König sagt:
Du bist halt ein nerrischer gauch.
Wir wölln balt bey deiner Frauen sein.

15   **Jahn geht fort vnd sagt:**
Ein gauch? Frauen sein?

       Er kehrt wider vmb vnd sagt:
Ir wolt meiner Frauen doch heut
Hinschicken noch eure Kriegsleut,
20 Welche die Schotten sollen weg schlagen?

[387ᶜ]   **Der König sagt:**
Ja, also geh hin! thu jhrs sagen!
Wir wölln nicht lang hinder dir bleiben.

       Er geht fort, kehrt wider vmb vnd sagt:
25 So wolt jhr meiner Frauen nicht schreiben?
Dann mein sach ich als fleissig außricht.

       Der König sagt:
Geh hin! es darff keins schreibens nicht.

       Jahn geht fort, kehrt wider vmb vnd sagt:
30 Ja noch eins hett ich schir vergessen.
Gibt man mir nicht vorhin zu essen?
Will dennoch morgen wol heim kummen.

       Der König sagt:

So geh vnd frag den Koch darummen!

Ietzt geht Jahn ab. Edwart, der König, sagt:

Greifft man vns diese Grafschafft an,
So wöll wir in eigner Person
5 Den Schotten thun groß widerstand.
Drumb, jhr Soldatten alle sand,
Macht euch fertig vnd ziehet mit!
Diese Gräfin verlaß wir nit,
Dieweil sie vns so hertzlich bitt.

10   Abgang jhr aller.

ACTUS SECUNDUS.

Marcellinus, der König in Schottlandt, mit Oßwalt vnnd Florentino, seinen Rähten, lauffen gerüst ein, als ob sie flihen.

Marcellinus, der König, sagt:

15 Ey ist denn das nicht ein vnfurm,
Das wir verlirn diesen sturm
Mit vnserm gantzen Kriegsheer groß?
Vnd ist doch niemand auff dem Schloß
Am meinsten als nur WeibsPerson,
20 Die warlich gar kein Kriegsvolck han.
Aber der verlust ist ein stück,
Das wir gewiß haben kein glück,
Ietzt zu bekriegen Engeland.
Ey pfui der schmach, vnehr vnd schand,
25 Die vns ja ist begegnet heint!

Oßwalt sagt:

Wir haben gar ein grosen feind,
[387ᵈ]   Dem wir warlich seind vil zu ring.
Ich meinet zwar, durch diese dieng
30 Solln wir nun dem gantzen Schottland
Zufügen jammer, noht vnd schand.
Wer besser, wir wern daheim blieben.

Florentinus sagt:

Weil man vns hat vom Schloß abtrieben,
35 Hett wir vrsach zu ziehen ab.

Zu dem Krieg keinen lust ich hab,
Dann ich fürcht, es reiß sich weit ein.
Engelland wir gar vil zu schwach sein
Vnd sollen wol in dem Land binnen
5 Mit vrlaub einen Schweinstal finnen
Vnd dargegen verlirn ein Statt,
Wie es vns vor auch gangen hatt.
Doch will ich nicht der erste sein.

Marcellinus sagt:

10 Schau! dort laufft ein Curir herein.
Dem wöl wir seine Brieff abjagen
Vnd wölln hörn, was er werd sagen.

Jahn geht ein vnd sagt:

Was gelts, der König werd die Schotten
15 Abtreiben vnd jhr darzu spotten,
Das sie hinfort kommen nicht mehr?

Die Schotten fallen jhn vnversehen an.   Oßwalt, der Königlich Rath, sagt:

Hör, Männlein, sag! wo laffstu her?
20 Du must dich vns geben gefangen.

Jahn sagt:

Ich bin auff disem weg hergangen,
Wie jhr jhn dann selbst vor euch secht.

Florentinus sagt:

25 Ey, du Lecker, balt sags vns recht!
Wer bist vnd was bastu zu than?

Jahn sagt:

Ich bin halt meiner Frauen Man
Vnd wolt widerumb heim gehn zu jhr.

30   ### Oßwalt sagt:

Wo bistu daheim? das sag mir,
Vnd wo du jetzt gewesen seyst!

Jahn sagt:

So wist! Salberich das Schloß heist.

Daselbsten ich daheimen bin

Vnd da beger ich wider hin.

Darumb last mich meins wegs balt gahn,

5 Dann ich ·muß etwas zeigen an

[388]   Der Gräfin, meiner Gnedigen Frauen,

Das mir der König thet vertrauen.

Vnd wenn jhr wolt bleiben bey leben,

Möcht jhr die flucht auffs baldest geben,

10 Ehe dann der König kompt hernach,

Euch wie die wütigen Hund erschlag,

Wie er euch denn das hat geschworn.

Marcellinus, der König, sagt:

Von wem bistus beredet worn,

15 Das vns der König wolt erschlagen?

Jahn sagt:

Der König thet mirs selber sagen.

Darumb so last balt ziehen mich!

Der König kompt sonst eh, als ich;

20 So brecht jhr mich warlich vmbs leben.

Marcellinus sagt:

Hat dir der König kein Brieff geben,

Die du solst bringen deiner Frauen?

Jahn sagt:

25 Ey der König hat sein vertrauen

Zu mir vnd wolt mir kein Brieff geben.

Aber starck befahl er mir darneben,

Ich solt sagen der Frauen mein,

Er wolt mit hülff balt bey jhr sein

30 Vnd es dörfft keiner antwort nit.

Drumb last mich gehn! das ist mein bitt.

Der König wird vns sunst all erschlagen.

Marcellinus sagt:

Weil er hat Brieff wider vns tragen,

35 So wöll wir jhn nemen gefangen

Vnd da an einen Baumen hangen.

Jahn sagt:

Was hangen? wie köm mein Halß darzu?
Hencken lassen ich mich nicht thu.
5 Iedoch so wil ichs mit euch wagen
Vnd darnach auch meinem Herrn sagen.

Oßwalt sagt:

Ir Herrn, was thut jhr albie stehn?
Ich seh dorten ein staub auffgehn.
10 Ein Kriegsheer thut auff vns zuziehen.
Wolauff! wer fliehen kan, mag fliehen!

Die Schottländer lauffen alle ab. Jahn sagt:

Die Schelmen wolten mich, Hans Clan,
Mit Flöh vnd Leussen gehencket han.
15 Weil sie aber haben vernommen,
Das vnser König hernach werd kommen,
[388ᵇ]   So haben sie die flucht balt geben.
Die hat erhalten mich bey leben.

Er geht ab. Kompt Elipsa, die Gräfin, mit Longina, jhrer
20   HofJungfrau, vnd sagt:

Die Feind haben in den rumorn
Den Sturm an dem Schloß gar verlorn,
Darfür ich mir hart gfürchtet hab.
Sein mit spot wider zogen ab,
25 Eh dann ich die Pottschafft vernommen,
Ob vns der Köng zu hilff werd kommen,
Weil vnser Pott ist so lang auß.

Longina, die Jungfrau, sagt:

Gnedige Frau, ich hör Leut drauß,
30 Die wöllen herein ins Gemach.

Elipsa, die Gräfin, sagt:

So gehe balt hin vnd sich darnach!

Longina macht auff. Jahn geht ein V

Gnedige Frau, inich, ewrn Potten,

Wolten da draussen die losen Schotten
Berauben vnd nemen gefangen
Vnd droheten, mich auffzuhangen,
Fragten mich auch, von wann ich lieff
5 Vnd was ich bey mir hett für Brieff.
Da saumbt ich mich nicht lang in dem,
Sagt jhn, wie das der König kem,
Brecht mit jhm ettlich tausent Mann.
In dem sahens ein staub auffgahn.
10 Gar eylend sie die flucht all namen
Vnd damit auß dem Lande kamen.
Secht! das hab ich als zwegen bracht
Vnd vnsere Feind flüchtig gemacht
Vnd verdient ein gutes tranckgelt.

15   **Elipsa sagt:**

Was hat aber der König gmelt?
Vnd hat er dir kein Brieff nicht geben?

          Jahn sagt:

Nein, er sprach, er wolt Leib vnd leben
20 Für eur Genad in die schantz setzen,
Eh er euch wolt lassen verletzen;
Ich solt meines wegs nur fort gan,
Er wolt bey euch sein von stund an,
Vnd hat mich abgwisen mit worten.
25 Mich dunckt, er sey schon an der Pforten.

Edwart, der König, geht ein mit Frigio, dem Grafen von Varucken, Leu[388ᶜ]polt, dem Secretario, Lienhart vnd Dieterich,
        zweyen Trabanten, vnd sagt:

Ihr Herrn, trettet was von vns ab,
30 Biß vns die Gräfin empfangen hab!
So ruffen wir euch wider rein.
Wir müssen allein bey jhr sein.

Das Hofgesind geht alles zu rück, die Gräfin weist den Jahn-
       nen auch zu ruck. Edwart sagt:

35 Ach jetzt ist die seligste stund,
In der wir vnser Lieb jetzundt

Der Gräfin öffnen, vnser hertz;
Weil vnser Feind zogen abwertz,
So balt wir nur her kommen sein
Vnd wir sind bey jhr gar allein.

Der König geht gegen der Gräfin. Longina, die Jungfrau,
gehet auff die seiten. Die Gräfin geht dem König entgegen,
neigt sich demütig vnd sagt:

Ach allergnedigster Herre mein,
Eur Mayestat sol mir wilkomm sein,
10 Das jhr vns zu hilff kombt in nöten.
Ich dacht, man wir vns all sampt töden,
Als die Feind lieffen an den sturm
In eim so erschröcklichen furm.
So ist es, Gott lob, noch wol gerathen.

15   Edwart, der König, sagt:
Ir habt vns zu allen genaden
Vnd wir sind euch gar wol gewogen.
Darzu eur Tugent vns hat zogen
Das wir euch haben hertzlich lieb.

20   Elipsa sagt:
Eur Mayestat ich mich ergieb
Mit leib vnd leben, mit hab vnd Gut,
So weit mich das nicht letzen thut
An meiner ehr vnd ehlicher pflicht.
25 Wider dieselbig thu ich nicht,
So lang ich leb auff dieser Erden.

     Edwart, der König, sagt:
So müß wir toll vnd töricht werden,
Dann eur schöner Leib vnd Tugent,
30 Eur wolgebarte zarte Jugent
Haben vns in Lieb also gefangen,
Das, wo wir dieselb nicht erlangen
Vnd vnser bitten ist vergebens,
So bringt es vns verlust des lebens.
35 Drumb hoffen wir, jhr werd vns gwern.

     Elipsa sagt:

[388ᵈ]

Ich weiß eur Mayestat der Ehrn,
Wenn ich schon zur vnzucht lust bett,
Das es eur Mayestat nicht thet,
Dann ein Fürst soll der vnderthanen
5 Ehr helffen schützen vnd verschonen,
Weil die Ehr ist das höchst kleinat,
Das mit dem leben ein gleichheit hat
Vnd zu zalen ist mit keim Gut.
Vnd wer wider Ehlich pflicht thut,
10 Begeht ein verdamliche Sünd.
Vnd wer in dem Sieg vberwind
Vnd jhm selbst stillt der Lieben Krieg,
Der bhelt an blutvergiessen Sieg,
Wie Cicero sagt, der weiß Mann.
15 Drumb, Gnediger Herr, last davon!
Dann es kan in warheit nicht sein.

Edwart, der König, sagt:

Die Grafschafft geben wir euch ein
Ewig zu behahlten für eigen.
20 Thut nur eur hertz zu vns was neigen
Vnd liebet vns, wie wir euch lieben!

Elipsa sagt:

Ehrlich bin ich mein lebtag blieben,
Ehrlich will ich bleiben in todt
25 Vnd eh leiden tödliche noht
Vnd alhie vil lieber arm sein,
Als an dem lieben Herra mein
Brüchig vnd Eydvergessen wern.
Drumb thu sich eur Gnad nicht beschwern
30 Vmb das sie nicht erlangen kan!

Der König sagt:

Heint wir euch nicht mehr reden an
Vnd euch bedacht geben ein tag.
Denckt jhr der sachen besser nach,
35 Wie jhr bey vns könt kommen zu gnaden
Mit eim dienst, der euch nicht thut schaden

Vnd da kein Mensch nicht weiß davon!

Elipsa sagt:

Anderst ich nichts bedencken kan,
Als das ich Gott bitt frü vnd spat,
5 Das er wöll eure Mayestat
Lassen vergehn die böse Lieb.
Longina, mir das gleid nein gieb,
Das man richte die Mahlzeit zu,
Wie jhr Mayestat gebüren thu!

Elipsa neigt sich tieff vnd geht mit der Longina ab. Edwart, der König, sagt:

Nun wiß wir vns kein hilff noch Raht.
Weil vns jhr Lieb abgschlagen hat
Die Gräfin vnd sagt vns dabey,
15 Was vns zu thun obglegen sey
[389]   In ehrnsachen den vnderthan,
Hab wir müssen lasen davon,
Dann sie hat vns troffen das hertz.
Nun aber dobt der lieben schmertz
20 In vns, das wir nicht ruhen mügen.
Wo wir jhr Lieb nicht werden krigen,
So müß wir mit schanden abziehen
Vnd vmb sie fort nicht mehr bemühen.
Schau! dort kumbt vnser Hofgsind rein.

Kompt Frigius, der Graf, Leupolt, der Secretarius, Lienhart vnd Dieterich, die zwen Trabanten. Frigius, der Graf, sagt:

Eur Mayestat die soll hinein.
Die Tafel ist gedecket schon.
Der Koch wolt gern richten an,
30 Wo es eur Mayestat hahn wöll.

Edwart, der König, sagt:

Ja, dasselbig geschehen söll.
Ihr Herrn, wie vns die sach ansicht,
Hab wir balt vnser gschefft verricht,
35 Weil die Feind abgezogen sein.

Frigius sagt:

Großmechtiger König, das macht allein,
Das die Feind warhafftig vernommen,
Wie eur Mayestat zu hülff wöll kommen
Dieser edlen Gräfin, der zarten,
5 Haben sie deß nicht wöllen erwarten,
Sorg gehabt, es möcht setzen kappen.

Der König sagt:

Was wir für Schottlender erdappen
An dem heimziehen auff der Strassen,
10 Der wöll wir keinen leben lassen,
Sonder sie alle zu todt schlagen.
Morgen wöll wir euch lassen sagen,
Wenn wir wider auff wöllen sein.
Ietzt last vns zu der Malzeit nein!

Abgang. Kompt König Johannes in Franckreich mit Egidio
vnnd Rolando, den Räthen, vnd etlichen Trabanten. Johannes,
der König, sagt:

Auff beint vns gwiß verkunthschafft ward,
Das Herr Greger, Graf von Suffart,
20 Vnd Wilhelm, Freyherr, der Statthalter,
Ein Englischer Kriegsmann, ein alter,
Bede des Königs gschickte Gsanden,
Hie durch Reisen auß frembden Landen
[389ᵇ]   Vnd widerumb nach Lunden begern.
25 Die zwen vns rechte Vögel wern.
Wenn wir sie bed könten erlangen,
So wolt wir sie halten gefangen
Dem König zu trutz jhr leben lang,
Der vns auch füegt vil not vnd zwang,
30 Das wir vns an jhm möchten rechen.

Egidius sagt:

Wol wers, das wir die alten frechen
Zwen Englischen Räth möchten erwischen,
Das eur Mayestat könt erfrischen
35 Ir wütendts hertz an jhrem Feind,
Vnd das wern gleich auch solche Leüt,

An den dem König ist vil glegen.

'Rolandus sagt:

Man streifft vorhin schon auff den Wegen,
Das jhn verleget ist der Paß.
5 So ist hie die fürnembste Straß,
Das es vns gar nicht fehlen kan,
Man muß sie im Landt treffen an,
Dann sie könten sonst nicht zu hauß.

Johannes, der König, sagt:

10 Ir Trabanten, secht auff tStraß hinauß
Vnd nembt Herr Rolanden zu euch
Vnd ein QuartiKnecht dergleich!
Wen jhr dann fangt zu disem mal,
Den bringt vns her auff vnsern Saal!

Die Trabanten neigen sich vnd gehn ab, so geht der König
vnd die andern auch hinnach. Graf Greger von Suffart vnd
Wilhelm Montagi, der Freyherr, gehn ein. Graf Greger sagt:

Albie wir gar böß Reisen han.
Ich fürcht mich stets, man greiff vns an,
20 Weil wir seind in Franckreich, dem Landt;
Dann euch ist baß, als mir, bekandt,
Das der König ist vnser Feindt.

Wilhelm Montagi sagt:

Albie wir schon verrahten seindt,
25 Dann die Trabanten vnd Soldaten
Warlich dort her an vns gerathen.
Den müssen wir ein katzen halten.

Graf Greger sagt:

Ey, das müst sein als vnglück walten!
30 Nun helff vns ja Gott allen zwen!
Es wird vns warlich vbel gehn.

[389ᶜ] Roland laufft mit zweyen Trabanten ein, vmbringen die
zwen Englendischen Räht, ziehen vom Leder. Roland sagt:

Ihr bößwicht seit auß Engeland.
35 Falt sie an! bind sie starck in band

Vnd last sie vnserm König bringen!

Graf Greger sagt:

Ihr habt vns beide leicht zu zwingen,
Weil jhr vns anlegt solchen gwalt.
5 Ich bin nunmehr ein Kriegsman alt,
Wolt mich sunst wol wehrn vmb mein haut.

Herr Montagi sagt:

Der vntreu hab ich nicht getraut,
Das jhr vns hie auff freyer strassen
10 Nicht solt nach hauß passirn lassen
Vnd den paß so gfehrlich verlegen.
Ich wolt mich sunst gar wol dargegen
Gefaßt gmacht vnd gerüstet han,
Das jhr vns nicht hett griffen an.
15 Aber es ist leider vbersehen.

Die Trabanten binden sie. Roland sagt:

Es ist euch nicht vnrecht geschehen.
Wolt jhr mit gutem gehn, so thuts!
Oder euch sol eurs vbermuhts
20 Mit streichen also abbruch gschehen,
Das jhr nicht vil lust dran solt sehen.
Balt bind sie vnd führt sie herein!
Wie wird der König so lustig sein,
Wenn wir sie zu jhm bringen nein!

25   **Abgang jhr aller.**

ACTUS TERTIUS.

Kompt Jahn, tregt in einer Flaschen zu Trincken, vnd Dietrich, der Trabant, mit jhm. Jahn sagt:

Nim hin vnd Trinck, mein Dieterich!
30 Allein eins will ich bitten dich.
Du hörst ja nechst den König sagen,
Das mich mein Frau nicht mehr soll schlagen,
Sonder ich soll Herr sein im Hauß.
Dasselbig richt gegen jhr auß
35 Vnd mach die sach hefftig vnd schwer,

Das solchs des Königs befelch wer!
Erretstu mich, das sie all tag
Mich nicht also vexier vnd plag,

[389ᵈ] Vnd thut es dir am Trincken fehln,
5 Sag mirs! ich wil dir deß gnug steln
Vnd dir den Durst damit wol büsen.

Dietrich trinckt vnd sagt:

Nun wol! ich will dichs lassen gnissen
Vnd dir außrichten dein bottschafft.
10 Villeicht möcht sie gewinnen krafft.
Wie komb ich aber zu dem Weib?

Jahn sagt:

Ich sorg nicht, das sie lang außbleib.
Sie wird halt kommen vnd zu mir sagen,
15 Ich sol jhr jhrn Korb nach tragen
Vnd holn, was sie am Marck ein kauff.
Schau! dort führt sie der Teufel rauff.

Kompt Fetasa, des Jahnnen Weib, tregt ein Korb vnd sagt:

Was stehstu da auff dem schwatzblatz?
20 Da nim den Korb, du wüster fratz,
Vnd trag heim, was ich dir kauff ein!

Jahn ziecht sein hütlein ab vnd sagt:

Was? soll ich ein wüster fratz sein?
Vnd, was du kauffst, sol ich heim tragen?

25 Fetasa sagt:

Ja oder ich will dir die haut vol schlagen.
Gib flucks endt vnd mach nit vil wort!

Jahn sagt:

Nein werlla, Frau, ich wer dir fort
30 Den Korb nicht tragen, wie bißher.
Ja, wenn des Königs gebot nicht wer,
So ließ ich mich leicht darzu zwingen.

Fetasa schlegt jhn vnd sagt:

Ey, ich will dich wol darzu bringen.

Sih, Löll! faß mir den korb da auff
Vnd trag heim, was ich dir einkauff!
Oder ich schlag dir beid arm ab.

Jahn würfft den Korb von sich. Dietrich, der Trabant, sagt:

5 Frau, ein befelch ich an euch hab
Von Königlicher Mayestat.
Dieselbig mir befohlen hat,
Ich sol euch bey jhr vngnad sagen,
Das jhr eurn Mann solt nimmer schlagen
10 Vnd er soll forthin eur Herr sein
In allen sachen groß vnd klein;
Dann es sey wider billigkeit,
Das jhr Herr vber den Mann seit.
[390] Drumb tragt den Korb jhr vnd nicht er!
15 Vnd du laß jhr kein Herrschafft mehr,
Sondern laß sie warten auff dich!

Fetasa sagt:

Wie kompt der König so eben an mich?
Weiß ich doch wol, das in der Statt
20 Manchs Weib im hauß die Herrschafft hatt,
Ihr Männer vbler halten, als ich.

Dietrich sagt:

Wiltu nicht lassen warnen dich,
So zeig ich es dem König an.
25 Der wird dir geben solchen lohn,
Du wirst die hend ob dem kopff zsam schlagen.

Jahn reist jhr den Beutl vnd Schlüßll von der seiten. Fetasa
sagt:

Nun so will ich gleich den korb tragen,
30 Aber das gelt laß ich dir nit.

Jahn sagt:

Halt nur das maul vnd geh du mit!
Dritt mir fein züchtig binden nach!
Heint ist meiner Herrschafft der erst tag.

Jahn geht vor, die Frau geht jhm nach. Jahn sagt zu jhr:

Wenn ich mich also nach dir vmb sich,
Kanstu nicht züchtig neigen dich,
Die arm stürtzen vnd wacker sehen?
Wenn ich gehe, solstu auch gehen
5 Vnd als thun, was ich dich heiß.

Fetasa sagt:

Dein Herrschafft treibt mir auß den schweiß.
Ich meint, ich wer sein neher kummen,
Wenn man mir bett den schenckl abgnummen,
10 Als ich dein Herrschafft leiden sol.

Jahn sagt:

Ey, wie thuts aber mir so wol,
Das ich den korb darff nimmer tragen

(Er gibt jhr eins zum kopff vnd sagt:)
15 Vnd das ich dich jetzund darff schlagen!
Drumb gehe fort! sieh fein wacker auß!

Zu dem Dietrich sagt er:

Vnd du komb darnach in mein Hauß
Vnd nimb dein Gselln, den Lienhart, mit!
20 Das jhr sehet meinen Haußfrid,
Wöll wir ein Trunck mit einander than.

Dietrich geht ab. [390ᵇ] Fetasa sagt:

Das gebot ich nicht halten kan.
Halt ichs lang, so halt ichs zwen tag;
25 Darnach ichs nimmer halten mag.
Wolt eh verlirn meinen leib.

Jahn sagt:

Ey ich bin Mann vnd du bist Weib.
Darumb geh fort! so kauff wir ein,
30 Damit darnach die Gsellen mein
In vnserm Hause mögen han
Ein Trunck vnd ein Collation
Vnd anders, was man jhn zuricht.

Fetasa sagt:

Ich bedörff deiner fraßgsellen nicht.
Wirst mir den bringen offt ins Hauß,
So mustu oder ich darauß
Vnd sollen dein all Teufel walten!

5 Jahn schlecht sie an ein Ohr vnd sagt:
Wolstu des Königs gebot nicht halten,
So will ichs wol dem König sagen.

Fetasa sagt:

Ich wils halten, wenn du mich nicht wilt schlagen,
10 Dich ehrlich halten, wie mein Mann.

Jahn sagt:
So thu mir weidlich hernach gahn!

Er tregt schlüssel vnd beutel vber sein stangen ab; die Frau
geht jhm nach, so sicht er sich je einmal vmb. Die Frau
neigt sich vor jhm, Jahn lacht vnd brangt stoltz ab, die Frau
hinach. Kompt König Edwart mit seim Hofgesind, setzt sich
vnd sagt:

Wo bleiben so lang vnser Gsanden?
Wenn jhn nur nichts böß wer zugstanden
20 In Franckreich, wie vns anden thut!
Dann der König ist vns nicht gut
Vnd müsten vns die alten getreuen
Herrn vnd Räht von hertzen reuhen.
Auch wolt wir darauff sein bedacht,
25 Das sie würden ledig gemacht
Vnd sol es kosten groses Gut.

Frigius sagt:
Ein Curier dort Postirn thut,
[390ᶜ] Den hört ich auff der hohen strassen,
30 Sehen in sein Posthorn stosen.
Der wird gwiß etwas nötigs bringen.

Edwart sagt:
Der König in Franckreich wirdt vns nicht zwingen,
Sol er schon vnser Gsanden fangen.

Wir wollen auch wol Leüt erlangen,
Die auß Franckreich kommen hieher.
Doch wird es vns fallen gar schwer,
Vnser besten Räht sein beraubt.

5   **Leupolt sagt:**

Wenn mans schon gsagt, hett ichs nit glaubt,
Das jetzt der König in Franckreich
Solt ferners handeln wider euch,
Der nun mehr so offt hat vernommen,
10 Das es jhm ist vbel bekommen,
Wenn er wider eur Majestat than.

        Der König sagt:

Still, still! jetzt kompt der PostPott schon,
Der ist gleich vom Pfert ab gestanden.

Julius, der PostPott, geht ein, tregt ein Brieff, gibt jhn dem König vnd sagt:

Großmechtiger König, eur Gsanden
Einer, so gfangen in Franckreich,
(Der ander aber ist gstorben gleich)
20 Hat mich her gsand mit diesem Brieff.
Wie es jhm geht, helt der begriff.

        Der König list den Brieff vnd sagt:

Ach weh! Herr Montagi ist todt.
Dessen Seel gnad der liebe Gott!
25 Vnd wie wir erst gsagt, so ists gangen.
Graf Greger ligt zu Páriß gfangen,
Darob wir billich traurig sein.
Darumb, jhr Herrn, geht jetzt hinein
Vnd denckt den sachen fleissig nach,
30 Wie man sie auff das klügst anfach,
Das wir den Grafen von Suffartt,
Welcher gefangen ligt so hartt,
Widerumb ledig machen mügen,
Vnd wie wirs der Freyfrau anfügen,
35 Die nun jhren Herrn hett verlorn.
Bey vnserm Eyd soll sein geschworn,

Das wir es nicht vngerochen lahn.
Geht hin! wir wolln balt hinach gahn.

Zum PostPotten sagt er:

Du aber geh in die Turnitz!
5 Man soll dich balt abfertigen jetz.

Sie gehn alle ab. [390ᵈ] Der König sagt:

Ach diser Freyherr reũt mich sehr.
Wenn sein Gemahl kein Wittfrau wer,
Nach der vnser Hertz sehnt vnd brindt,
10 So wolt wir sie nemen geschwindt
Vnd gar gering achten dabey,
Das sie vns am Standt vngleich sey,
Weil die Tugendt vnd Schön erfüllt,
Was sie der Geburt halb nicht gilt.
15 Ach weh! wie thut das Weib vns reuhen!
Dann wir meinen sie gut mit treuen.
Noch gnediger aber sie vns hett,
Wenn sie nach vnserm willen thet:
So wolten wir jhr zu gedencken
20 Die Grafschafft gar zu eygen schencken.
An jhr Lieb können wir nicht bleiben.
Wir wöllen jhr ein Briefflein schreiben
Vnd geben zu erkennen, das
Die Lieb sich nicht verbergen laß,
25 Ob wirs mit bitt möchten erlangen.

(Er besinnt sich.)

Ey nein! man muß weißlich anfangen
Vnd etwa davon halten Rath.
Weil vnser Secretari hat
30 Vns nun Dient treulich ettlich Jar,
Ist aller sach erfahrn zwar,
So meinen wir, es sol nicht schaden,
Wenn wir vns darinn liessen rathen.
In Gottes Namen wölln wirs wagen
35 Vnd jhm die gheimnus allein sagen.
Villeicht so erfind er ein weg,

Das sich vnser anfechtung leg.

Abgang. Elipsa geht ein mit Longina in Traurkleidern vnd
sagt:

Ach Gott vom Himl, erbarm dich mein!
5 Sol ich dann die vnseligst sein,
Die so kurtz nach dem Hochzeittag
Kompt in solch grose noth vnd klag,
Das ich des liebsten Herren mein
So schendlich sol beraubet sein,
10 Den ich sol sehen nimmermehr?
Vnd stellt mir hefftig nach der Ehr
Der König, der mich schützen sol!
Sein kan ich mich nicht wehren wol,
Weil ich hie bleib in der Grafschafft.
15 Des bin ich mit vil leidt behafft.
Weiß nicht, was ich sol fangen an.

Longina, die Jungfrau, sagt:

Gnedige Frau, wenn ich solt stahn
[391]   In dem fall an eur Gnaden statt,
20 So west ich mir kein bessern rath,
Als das jhr thet dem König schreiben,
Das jhr zu Salberich nicht wolt bleiben,
Sonder wolt zihen hin gen Lunden,
Biß euch etwa rath werd gefunden
25 Bey eurem Vatter, wie doch jhr
Eur leben solt zubringen hinfür,
Das wir dem König machen ein grauen.
Wird eurm Herr Vatter nicht trauen,
Euch weiter vmb die Lieb zu bitten.

30   Elipsa sagt:

Ja warlich, es muß sein geschieden.
Alhie ich gar nicht bleiben kan.
Hab niemandt, der sich mein nimbt an.
So will auch mir gar nicht gebürn,
35 Als ein Statthalterin zu Regirn,
Dann die Grafschafft ward vbergeben

Meim Herrn, so lang er thet leben
Vnd seine absteigende Erben.
Nun thet jhn das gfengknuß verderben,
Das er ohn Erben ist gestorben.
5 Dardurch hat der König erworben,
Das die Grafschafft jhm auch beim geht.
Wenn ich nun gleich erlangen thet,
Das man mir sie auch ließ mein tag,
So bett ich keinen Fried darnach
10 Vnd ließ sich der König nicht stillen,
Biß er mich brecht zu seinem willen,
Oder ich müst mich ergeben
In sein vngnad vnd wol das leben
Darüber setzen in gefahr.
15 Drumb ist der beste rath fürwar,
Das ich hie thu nicht lenger bleiben,
Sonder will meim Herr Vatter schreiben,
Das ich mich wöll zu jhm begeben,
In traurigem Wittwenstandt zu leben.

Abgang. Frigius, der alte Graf von Varucken, geht ein mit
seiner Gemahl vnd sagt:

Ich bin zu groser klag bewegt,
Das ich so vbel hab versteckt
Elipsa, die liebst Tochter mein.
25 Weil sie schon soll ein Wittwe sein,
Von jhrer Grafschafft muß abtretten.
Wie wol ich hab den König betten,
Das er jhrs lenger lassen sol.
Das hat er jhr bewilligt wol.
30 Aber es bedunckt mich dabey,
Er vnser Tochter nicht feind sey
[391b] Vnd beger jhrer zu vnehrn.
Will kürtzlich auch bey jhr einkehrn.
Das ich jhr das kan rahten nicht,
35 Der hund geht mir vmb vor dem liecht;
Dann vnser Tochter ist ein schöns Weib,
Tugentsam, jung, schön, krat von Leib,

Das ich gar keinen zweiffl han,
Sie bekompt noch wol einen Mann,
Weil sie noch kein Kind hat getragen.
Darumb hab ich jhr lassen sagen,
5 Sie soll all jhres Herren Gut,
Das jhr jetzt allein zustehn thut,
Nemen vnd sich zu vns begeben.
Da kan sie in rhu vnd frid leben,
Biß jhr Gott ein Heürat bescherd.

10   Montana sagt:
Wann vnser Tochter alher begert,
Warumb solt wirs nicht nemen an?
Es ist nicht gar vmb vil zu than.
Sie möcht wider greiffen zu ehrn,
15 Dem König sein suchen erwehrn,
Das ich jhm doch nicht zu thu trauen.
Es hat auff der Welt vil Jungfrauen,
Der keine jhm abgschlagen werd,
Wenn er jhr anderst zur Eh begert.
20 Da mag er jhm nemen ein Weib,
Das ein andre vngeschmecht bleib.
Darumb so wer mein treuer rath,
Man wart nicht, biß es wehr zu spat,
Laß vnser Tochter bringen her,
25 Das ander vnrath verhütet wer.

        Frigius, der Graf, sagt:
So will ich vnser Tochter schreiben,
Das sie nicht lenger sol auß bleiben,
Sonder sich zu vns geben her,
30 Biß das jhr sachen besser wer.

Abgang. Kompt der König mit Leupolt, dem Secretario,
        allein vnd sagt:
Leupolt, es sind heint Brieff her kommen,
Auß welchen wir warhafftig vernommen,
35 Das die Gräfin zu Salberich
Wider her wöll begeben sich,

Vnd ich meinen Mann etwas heiß,
Das er nicht halt verrichten will,
So will ich jhn fein in der still
Nach allem vortel wol abschlagen.
5 Wolt ers schon darnach von mir sagen,
So kan ich es verlaugnen wol.
Heint wird sich der Narr sauffen vol
Mit seinen Gsellen, den Trabanten:
Da mach ich jhn gar nicht zu schanden.
10 Wenn sie aber sind kommen zu hauß,
Laß ich an jhm mein boßheit auß.
Er sol sein tag kein Gast heimführn.

Jahn geht ein vnd sagt:

Hör, alte! es will sich gebürn,
15 Das du fein tapffer richtest zu,
Das man die Gäst bewürden thu,
Die ich beint her zu mir hab gladen.

Fetasa sagt:

Hest jhr zwar wol können gerahten.
20 Du verthust das gelt, als wie die spreur.
Du weist wol, alle dieng ist teur,
Das mans nicht wol bezaln kan:
Solstus dann vnnütz werden an
Mit solchem losen Lumpengsind?
25 Ich warhafftig nicht rahtsam find.
Vnd ich will dirs dabey auch sagen:
Wirstu mich mehr so rauffen vnd schlagen,
Wie du mir die tag hast gethan
Vnd deine gselln von vns weg gahn,
30 So will ich dich recht wol abschmirn,
Der masen marttern vnd tractirn,
Das du dein lebtag dran solst dencken.

Jahn sagt:

Ey schweig! ich will dich nicht bekrencken.
[392] 35 Doch mustu dencken ans Mandat,
Das der König Mandiret hat,

Besonders wenn es die Leüt sehen.
Schau! dort thun sich mein Gäst her nehen.

Lienhart vnd Dietrich, die zwen Trabanten, gehn ein. Jahn geht hin, empfecht sie vnd sagt:

5 Seit mir zu tausent mal willkum! ·

Zu seim Weib sagt er:

Fetasa, sich ein wengla vmb!
Empfang die Gäst! thut sich gebürn.

Fetasa sagt:

10 Ich wolt, der Teufel solt sie weg führn
Vnd dich mit jhn, du loser Mann!

Lienhart sagt:

Nachtbarin, o ich merck jetzt schon,
Ir seit gleich wol noch Herr im hauß.
15 Wir wölln gern gehn wider hinauß,
Das jhr nur fangt kein vnwilln an.

Fetasa sagt:

Ey bey leib, nein! ich hab mein Mann
Da gar vmb etwas heimlichs gfragt.

20   **Jahn sagt zornig:**

Geh hin! thu, was ich dir hab gsagt!

Sie neigt sich vnd sagt:

Ja, Herr Jahn, das soll geschehen.

Vnd zu jm sagt sie auff die seiten:

25 Du solsts heint auff den abent sehen.
Tröst du die weil nur deine Gäst!

Sie geht ab vnd tregt collation herein. Dietrich sagt:

Mein Jahn, gar gern ich von dir west,
Wie sich dein Weib jetzt gegen dir helt.

30   **Jahn sagt:**

O sie thut als, was mir gefellt,
Wie jhr jetzund erfahren solt.

Vnd wenn sie es auch nicht thůn wolt,
So schlůg ich jhr den buckel voll.

Dietrich sagt:

Ey, das gefelt mir auff dich wol,
5 Weil du eins Manns hertz nimbst an dich
Vnd auch dein Frau bekehret sich.
Das bastu wol zu dancken mir.
Darauff bring ich das Trüncklein dir.

[392ᵇ] Fetasa setzt ein collation auff. Lienhart sagt:
10 Nun, Frau, den trunck bring ich euch zu.

Fetasa sagt:

Gar gern ich euch bescheit thu.
Nachbar, so will ich euch eins bringen.

Sie will trincken. Jahn reist jhr den Becher vom maul vnd sagt:
15 Gehin, bring mir vor allen dingen
Die grosen öpffel auff dem Bret,
Die ich einkauffet nechten spet!
Was soll wir mit dem gritßwerck than?

Fetasa sagt:

20 Kein grösser öpffel ich finden kan.
Hastu grösser, so weiß sie mir!
So will ichs auch tragen herfür.

Sie führt jhn auff ein seiten vnd sagt:
Oder ich will dir den kopff zerschlagen.
25 Du solst dein lebtag davon sagen.

Jahn sagt:

Ir Nachbarn, seit fein   dingen!
Ich will gehn ander   ringen.

Fetasa führt Jahn   , schlegt jhn ins Ange-
30   t:

Scl   rs lachen,

Vn

Jahn weint vnd sagt:

O Frau, schweig vnd laß mich jetzund
Nicht zu spot werden bey mein Gästen!
Wenn sie den hochmut von dir westen,
5 Würden sies dem König zeigen an.
Iedoch so wil ich dein verschan
Vnd jhnen jetzt nichts davon sagen.

Fetasa sagt:

Sagstus, so will ich dich so schlagen,
10 Du solst dein lebtag dencken dran.

Jahn sagt:

So geh, vnd eh sies mercken than!

Sie bringt mehr öpffel. Jahn wischt die augen vnnd geht zu
den Trabanten vnd sagt zu seinem Weib zornig:

15 Gelt? ich kan schöner öpffel finnen.

[392ᶜ]   ### Dietrich sagt:

Jahn, wie das dir die augen rinnen!
Ich glaub, dein Frau hab dich geschlagen.

Sie lacht gegen den Leuten. Jahn sagt:

20 Ey nein, die warheit wil ich sagen.
Es ist finster der Keller mein,
Darinn trefflich schön zwifel sein.
Das kont ich am greiffen nicht wissen.
Da hab ich in ein zwifel bissen,
25 Die hat mirs Wasser trieben auß.
Gelt, Frau? ich bin noch Herr im Hauß
In allen dingen ohn vnterschied.

Fetasa sagt:

Ja, Herr Jahn, warumb das nit?
30 Ir seit mein Herr vnd lieber Mann.

Lienhart sagt:

Wir wolln wider zu Hauß heim gahn.
D————————ᴵᴵᴵ gehn in den Garten.
       wenig auffwarten.

Sie trincken rumb, geben jhn beden die hend.　Jahn sagt:

> Wolan, jhr Herrn, nembt so vergut
> Vnd morgen wider kommen thut!
> Wils Gott, so wöll wirs besser machen.

5　　　Sie gehn ab.　Fetasa sagt:
> Ja, du solst aber des nicht lachen,
> Das du mehr ladest Gäst ins Hauß.
> Hör, Narr! dein Gleit ist jetzund auß.
> . Nun will ich dir geben dein lohn.
> 10 Weistu, wie du mir heüt hast than?

> 　Sie schmirt jn weidlich ab vnd sagt:
> Solt ich dir Schelmen das vertragen?
> Ich wolt eh Leib vnd Leben verschlagen.

Sie geht ab.　Jahn steht, weint vnd sagt:
> 15 Des Königs Gleit hat nicht lang gwert.
> Kein ärmerer Mann ist auff Erd,
> Den sein Weib übler plagt, als ich.
> Wil vorm König beklagen mich.

Jahn will abgehn, so kompt Edwart, der König, mit dem Secretario.　Der König tregt ein Brieff, sagt zu Leupolt:

[392ᵈ]　Ist nicht diser der Gräfin Knecht?
> Der deucht vns zu den sachen recht,
> Das er jhr vnsern Brieff hett bracht. ·
> Wir haben die tag an jhn dacht,
> 25 Er könt die sach vns richten auß.

> 　Leupolt, der Secretarius, sagt:
> Hör, mein Jahn Clam! wo wiltu nauß?
> Geh her vnd laß dir etwas sagen!
> Du solst vns disen Brieff außtragen
> 30 Vnd vns wider ein antwort bringen.
> Vnd bistu fleissig in den dingen,
> So sols dir tragen ein neues Kleidt.

> 　　Jahn sagt:
> Ja, ich wils than; doch sagt mir beyd,
> 35 Wo sol ich den Brieff tragen hin?

Der König sagt:

Zu deiner Frauen, der Gräfin.
Doch sieh, das du jhrn gibst allein!

Jahn sagt:

5 Es wird gewiß ein BulBrieff sein,
Weil es sonst niemand wissen sol.

Leupolt sagt:

Ey, was es ist, erfehrst noch wol.
Nichts liegt dran, wann dus schon nicht weist.

10   Jahn sagt:

So saget mir, wie jhr beyd beist,
Das ichs kan meiner Frauen sagen,
Wenn ich den Brieff zu jhr hab tragen,
Vnd wem sie soll antwortn darneben.

15   Der König sagt:

Sag nur, der König hab dirn geben,
Vnd bring vns balt gut antwort wider!
Zu hoff erwart wir deiner sider.

Jahn nimbt den Brief vnd geht ab. Der König sagt:

20 Ach Gott, verley dein hilff vnd raht,
Das sie diß schreiben recht verstaht
Vnd vns nicht trostloß laß verderben,
Dann sunst müß wir warhafft sterben,
Wenn sie den Brief nicht wolt annemen.

25   Leupolt sagt:

Der König dörff sich des nicht gremen.
Es hat vil mittel mancherley,
Gassirn, Gastung vnd Mummerey,
Das man leichtlich mag fangen an,
30 Das man selbst zu jhr kommen kan.
[393]   Wenn schon der Brieff nicht helffen wolt,
Eur Mayestat mir trauen solt,
Ich will so vil weg wol anfangen,
Das wir der Gräfin Lieb erlangen.
35 Eur Mayestat sag nur bey zeit,

Was sie jhr drauff für antwort geit!

Der König sagt:

Ach das ein selige stund köm,
Darinn sie vnser Lieb annemb
5 Vnd vnser traurigs Hertz erquicket!
Das ist hart zerbrest vnd zerdrücket,
Wie wir warhafft noch kaum halb leben;
Dann jhr hab wir vns gar ergeben.
Vnd wenn es vns solt kosten gleich
10 Den halben theil vom Königreich,
Wolt wirs doch gern daran wagen,
Damit wir nur nicht gar verzagen.

Sie gehn bede ab. Kompt Elipsa vnd Longina. Elipsa sagt:

Nun bin ich bey mein Eltern wider
15 Vnd aber nicht vernommen sider,
Das mir der König noch nach tracht,
Dann ich hoff, mein Gebet hab gmacht,
Das er meiner Lieb hab vergessen
Vnd mir thu kein vnehr zumessen,
20 Sonder thu mein Herr Vatter scheuen.

Longina sagt:

Gnedige Frau, was wolt er sich zeihen,
Das er sein Königlichen Standt
Bemackln wolt mit solcher schandt
25 Vnd euch auch an euren ehren krencken?
Er kan mit sein gaben vnd schencken
Im wol kriegen ein Ehlichs Weib,
Die jhm gar zu leib eygen bleib,
Vnd vnbefleckt lassen eur Gnad.
30 Es wer auch ewig für euch schad,
Das jhr euch solt also beflecken,
In solche sünd vnd schand einstecken.
Ir köndt noch wol nemen ein Mann,
Der euch Ehlich beywohnen kan,
35 Dieweil jhr seit noch jung von Jarn.
Auch so hab ich gester erfahrn,

Das des Königs vorige Frau
Sey gwest ein Gräfin von Hanau
Vnd euer Gnaden gleich am stand.
Die weil jhm dann sunst gfelt niemand,
5 So nemb er euch gar zu der Ehe.

Elipsa sagt:

Mein Longina, wie ich verstehe,

[393ᵇ]   So scheuhet er mein Standt gar nit,
Sonder wer damit wol zu frid,
10 Wenn ich nur keinen Mann ghabt bett.
Schau! dorten vnser Jahn her geht.
Der schüttelt den kopff vnd sehr lacht,
Als hab er etwas neues bracht.

Jahn geht ein. Elipsa, die Gräfin, sagt:

15 Jahn, was bringstu vnd auß was Landen?

Jahn sagt:

Gnad Frau, neue Brieff sind verbanden.
Dieselben hat mir der König geben
Vnd ernstlich befohlen darneben,
20 Das jhr jhm wider schreiben wolt.

Elipsa nimbt den Brieff, lacht vnd sagt zu Jahn:

Ein weng jhr vns entweichen solt,
Das wir vns drauff können erklern.

Jahn sagt:

25 Sol ich den Brieff nicht lesen hörn,
Das ichs doch auch west, was es sey?
Mich dunckt, es treff an Bulerey.
Iedoch ichs nicht gwiß wissen kan.

Elipsa sagt:

30 Sichstu mich für ein Bulerin an?
Das wer meiner Ehr geredt zu vil.
Geh hin! nach dir ich schicken wil,
So ich dein wider dörffen werd.

Jahn sagt:

35 Ja, der König gar hefftig begert,

Das ich solt bringen ein antwort.

Elipsa sagt:

Was stehstu lang? geh deins wegs fort!

(Jahn geht ab. Sie liest den Brieff laut.)
5 „Wolgeborne Gräfin, so wist!
Kein Weib auff gantzer Erden ist,
In der Lieb wir also beharret,
Das wir gleichsam darin erstarret,
Vnd tragen euch noch Lieb vnd gunst.
10 Nicht gmeint, das es sol sein vmb sunst.
Zumal, wenn jhr recht bett betracht,
Was jhr dardurch zu wegen bracht,
Vnd jhr köndts noch erlangen beint,
So stellt jhr euch wie vnser Feindt
15 Vnd möcht euch lassen schauen nicht,
Verbergt vns eur schöns angesicht.

[393ᶜ] Durch dessen sehnliches anblicken
Könt jhr wol vnser hertz erquicken.
So thut jhr vns noch mehr beschwern,
20 Badt in vnsern geweinten zehrn,
Vnd wenn jhr vns auch nicht solt wern,
Wir nichts mehr, als den todt, begern.
Warumb treibt jhr vns vmb so lang?
Was hilfft euch vnser vndergang?
25 Dann euch sind wir also ergeben,
Das wir kein stund mehr wöllen leben,
Wenn jhr vns nicht zu gunst wolt wern.
Drumb ist vnser sehnlichs begern,
Ihr wolt vns, den betrübtsten Mann,
30 Mit barmherzigkeit nemen an
Vnd vor dem bittern todt erretten,
Wie wir die hoffnung zu euch hetten,
Euch mehrers, als vns selber, liebten.
Darumb wolt vns armen betrübten,
35 Der es mit euch meint gar mit treuen,
Mit einer gwerlichen antwort erfreuen!
Edwart, trauriger König in Engelland.“

Elipsa sagt darauff:

Ach, was setzt jhm der König für?
Sucht er solche vnehr bey mir?
Das thu ich warlich nimmermehr
5 Vnd will mich lasen tödten eher.

Longina sagt:

Gnedige Frau, secht euch doch vmb!
Ich glaub, der Secretari kumb.

**Leupolt, der Secretarius, geht ein, thut der Gräfin reverentz
10   vnd sagt:**

Gnedigste Frau, mich schicket her
Der König vnd ist sein beger,
Ob auch anderst eurer Jungfrauen
In solchen sachen ist zu trauen,
15 Das sie albie bey euch thut bleiben,
Solt jhm wider ein antwort schreiben;
Dann lenger er nicht wartten kan.

Elipsa sagt:

Mein Secretari, was sol ich than?
20 Ich hetts jhr Mayestat nicht zu traut,
Das sie mich für ein solche anschaut,
Das ich sol vnzucht mit jhm treiben.
Sagt jhm, das ich es noch laß bleiben
Bey der antwort, die ich jhm gab
25 Zu Salberich, als ich schlug ab
[393ᵈ]   Sein mündlichs begern der Lieb.
Solch antwort ich jhm alzeit gib,
Die weil mir geht der athem auß.
Anderst wird warhafftig nichts drauß.

**Sie geht mit jhrer Jungfrau ab, lest den Secretari drin stehn;
der sagt:**

Die Gräfin ist wol schön von Leib,
Aber das aller härtest Weib,
Der ich keins mein tag hab gesehen.
35 Ach Gott! was wird der König jehen,
Das sie mich gar nicht hören will?

Fürwar sie thut der sach zu vil
Vnd wird den König bringen vmbs leben,
Weil sie jhm will kein antwort geben.

Er geht ab. Kompt der König mit dem Secretario vnd sagt:
5 Ach wie sind wir so hertzlich schwach,
Das man gar nichts erlangen mag!
Als was man nur die Gräfin bitt,
Zur Mahlzeit will sie kommen nit,
Sonder lest sich gar hoch entschulden.
10 Die pein könn wir nicht mehr gedulden
Vnd wissen vns kein hilff noch raht.

Leupolt, der Secretarius, sagt:
Heint des abents so wöll wir spat
Vermumbt jn jhr hauß kommen nab,
15 Weil ich verstanden, das beint hab
Ihr Vatter etlich Gäst geladen.
Da möcht es jhr Mayestat gerahten,
Das sie vermumbt vnd vnerkand
Die jung Gräfin krigt bey der hand
20 Vnd jhr etwas heimlichs verehrn,
Mit einem Tantz das leid verkehrn,
Ob sie sich dardurch ließ bewegen,
Das sie jhr Lieb auff euch thet legen.
Auch könt man an dem heim passirn
25 Ihr singen vnd schön Musicirn
Vnd alle kurtzweil fangen an,
Das sie auch wird entzünd davon
Vnd sich ergeh eur Mayestat.

Der König sagt:
30 Wir wöllen folgen eurem raht.
So kompt herein vnd rüstet zu,
Das man auch zeitlich auß gehn thu!
Verschaff Singer vnd Instrumentisten
Vnd vns mit andrer notturfft rüsten!

Abgang. [394] Kompt Frigius, der Graf, mit Montana, seiner Gemahl, Elipsa, seiner Tochter, vnd der HofJungfrau vnd sagt:

.Hertzlieber Gemahl, zeigt mir an!
Zu Hof hat man das wissen schan,
Das wir halten ein Gastung beint,
Von wem die ding auß kommen seint,
5 Die mir warlich nicht gfallen wol;
Dann man sagt, wie der König sol
Vermummet zu vns kommen rab.   .
Darauß ich warlich gschlossen hab,
Das·es gescheh von deinet wegen.

10   **Elipsa sagt:**
Es ist zwar nicht vil dran gelegen.
Gut ists, das ich weiß von den sachen.
Ich will mich wol vnsichtbar machen,
Weil er mein begert zu vnehr.
15 Das thu ich warlich nimmer mehr.
Wolt eh bey eitler nacht davon.
Drumb, wenn er nach mir fraget schon,
So sagt, ich sey gefahren auß
Vnd sey auff dißmal nicht zu hauß.
20 So will ich mich denn spern ins Gmach,
Das mich kein Mensch sicht heint den tag.

   . **Elipsa geht ab. Montana, die alt Gräfin, sagt:**

Ach Gott, mein Tochter ist zu schlecht,
Das sie der König nicht zu fall brecht
25 Entweder mit gschenck oder Gaben,
Dessen die Herrn gar vil haben,
Oder mit groser verheissung
Oder gwaltsamer anweisung,
Wie ich dann gar offt hab gesehen,
30 Das der aller frömbsten ist gschehen.
Ach was wolt ich doch·darumb geben,
Das ich das vbl nicht solt erleben!
Mich müst reuhen mein frommes Kind.

       Frigius, der Graf, sagt:

          *

3 O haken. ? haben.

Des Königs vnderthan wir sind.
Vnser ist er wol mechtig zwar
Vnd wir jhm zu schwach, das ist war;
Doch trau ich jhm nichts solches zu.
5 Ists dann sach, das er kommen thu,
So weiß man jhn mit worten ab
Vnd sag jhm, das zu schaffen hab
Vnser Tochter auff jhrem Gut.
Will er mit vns sein wolgemuth,
10 Das sey jhm zugelassen frey!
Hör, hör! die Music kombt herbey.

[394ᵇ] In dem kommt der König mit dem Secretario vnd mit
etlichen Pfeiffern eingetretten, gibt dem Grafen die hand, neigt
sich. Frigius, der Graf, sagt:

15 Die Herrn ich jetzt nicht kennen kan,
Was jhn gebürt für ehr zu·than.
Doch mögen die Herrn kommen rein
Vnd mit vns guter dingen sein!

Sie schlagen jhm ein Mumbschantz. Frigius, der Graf, sagt:

20 Ihr Herrn Mumer, ich spil jetzt nit.
Derhalben ich euch fleisig bitt,
Ihr wöllet mit vns gehn herein.
Villeicht noch drinnen spiler sein.

Sie gehn ab. Edwart, der König, geht ein mit dem Secretario
25   vnd sagt:

Weil die jung Gräfin nicht da ist,
Sein wir versichert vnd vergwist,
Das wir jhr sind verkundschafft worn.
Das thut vns in dem hertzen zorn.
30 Derhalb, wenn der Graf kompt herein,
So fragt jhn nach der Tochter sein!
Vnd könn wir nicht kommen zu jhr,
So mögen nicht lang bleiben wir,
Weil mir nicht haben vnsers gleichen.

Leupolt, der Secretarius, sagt:

Dort thut der altte Graf rein schleichen,
Den sprich ich an mit frembter stimb,
Das ich die sach gwißlich vernimb,
Ob sein Tochter zu hauß jetzt sey.
5 Vnd das sie vns werd bracht herbey.

Graf Frigius geht allein ein vnd sagt:

Ihr Herrn, wie muß ichs doch verstahn,
Das die Herrn wider herauß gahn,
Bleiben nicht bey vns auff dem Saal,
10 Nemen für gut mit dem Nachtmal?
Die Herrn sollen mirs verzeihen
Vnd sich vor vns mit nichten scheühen,
Die Larffen thun von dem angesicht.
Es soll kein schaden bringen nicht,
15 Sonder vns mit den Herrn erfreüen.

Leupolt sagt:

Könt wir nicht Tantzen einen Reyhen
Mit eurer Tochter, der jungen Frauen,
Warumb lest sich dieselb nicht schauen?
[394ᶜ] 20 Ich mein, sie sey vor vns geflohen.

Frigius, der Graf, sagt:

Nein, sie ist heüt vber Felt zogen,
Zu meiden diser Gastung freüd,
Dann sie sagt, sie wöll tragen leid,
25 Biß sie wider bekomb ein Mann,
Dieweil keins Manns sich nemen an.
Wollen aber die Herrn mit andern Frauen
Lustig sein vnd dieselben schauen
Vnd mit meiner gringen armut,
30 Was Hauß vermag, nemen für gut,
So kommen die Herrn mit mir rein!
Sie sollen mir lieb Gäste sein.

Der König schüttelt den kopff, geben dem Grafen die Hend
vnd gehn davon. Frigius sagt:
35 O den König hab ich erkendt,

Da er sich hat auff tseiten gwendt.
Ich kenn jhn an seinen geberden
Vnd merckt, das er thet zornig werden.
Den andern ich auch kennen thu.
5 Hett nicht gmeint, das er helff darzu,
Der Erbar Secretarius;
Ob dem ich billich trag verdruß,
Iedoch es Gott befehlen muß.

Abgang.

10 ACTUS QUINTUS.

Fetasa geht ein, tregt ein korb vnd sagt:
Jahn Clam, balt geh du rein zu mir!

Jahn geht ein, zittert, ziecht den Hut ab vnd sagt:
Hie bin ich, Frau! was wollet jhr?

15 Fetasa sagt:
Komb her! laß dir wider ein trencken,
Das ich schwur, ich wolt dirs nicht schencken,
Da du mir fuhrst so übel mit.

Jahn sagt:
20 O liebe Frau, vergest euch nit!
Den korb will ich gar gern tragen;
Allein schont mein! thut mich nicht schlagen!

Fetasa schlegt jhm den korb vmb den kopff vnd sagt:
Faß den korb auff! geh deins wegs fort!
25 Vnd mach andermal nicht vil wort,
[394ᵈ] Ehe denn ich dich zum krüppel schlag!

Jahn sagt:
So halt jhrs gebot nur drey tag!
Was wird der König darzu sagen,
30 Wenn ich euch werd vor jhm verklagen?
Es wird euch wol der Teuffel bscheissen.

Fetasa sagt:
Ey, ich will dirs wol anderst weissen.
Wolstu mich vor dem König verklagen?

Sie schlegt jhn. Jahn sagt:

Nein, nein, ich wil kein wort jhm sagen.
Hört nur auff vnd last mich doch gahn!
Als, was jhr wolt, das wil ich than.

Er fast den korb auff sein stangen, gehet der Frauen nach;
sie sicht vmb, er ziecht das Baret ab, neigt sich. Fetasa sagt:

Sih! wie stehstu, loser Mann?
Machs fein, wie ich jhm hab gethan!

Sie schlegt jn an hals vnd gehn ab. Kompt der König vnd
Secretarius in Mummkleidern mit vorigen Spilleuten, gehn
gassiren. Der König sagt:

Der fürschlag hat vns auch fehl gschlagen.
Was soll einer von vnglück sagen!
Was wir anfangen, ist verlorn.
15 Sind wir dann zu vnglück geborn,
So muß es Gott geklaget sein.
Ach wie trag wir die schwersten pein!
Drumb, Singer, steh für den Pallast
Vnd sing dises lied, so du hast
20 Gestern früe von vns empfangen,
Vnd thu in hoher stimb anfangen!

Einer auß den Instrumentisten, der Singen kan, singt nachfolgents lied Im Thon: Leucht vns der Morgenstern.

1.

25 Ach Gott, was soll ich singen?
Was soll ich heben an?
Die Lieb die thut mich zwingen,
Das ich nicht singen kan.
Ich möcht vil lieber weinen,
30 Dann das ich singen scl.
Mein hertz ist traurens vol.

2.

[395] Wie offt hab ich gelesen
Vnd auch gehöret nur
35 Vnd ist mein meinung gwesen,
Das der Weiber natur
Gantz blöd vnd wanckelmütig,

Balt zu bewegen sey.
Dem fall ich nimmer bey,

3.

Die weil ich hab vernommen,
Das manches Frauen bilt
Mir nur zu hand ist kommen
So streng vnd so vnmilt,
Das sie es als verachtet,
Was man jhr sagen thut,
10 Auch gschenck vnd groses Gut.

4.

Venus hat mich betrogen,
Mit solcher Lieb verwund,
Das nit will wern gewogen,
15 Mir macht vil böser stund.
Ach wehe des schweren leiden,
Das einer liebet vil,
Das man nicht achten wil!

5.

20 Wie solt mir würscher gschehen,
Dann das ich leiden muß,
Das man mich thut verschmehen?
Hat meiner Lieb verdruß,
Die ich doch nicht kan wenden
25 Von jhrem starcken trieb.
Ach der schmertzlichen Lieb!

6.

Kan ich kein hult erwerben,
So kost es meinen Leib,
30 Vnd lestu mich verderben,
Bistu das hertest Weib,
Das sich nicht lest bewegen
Vnd ich je gsehen han.
Ach Gott, was soll ich than?

35 7.

Ich kan sie nicht auß schlagen,
Das macht jhr schöner Leib.
Ach laß mich nicht verzagen,
Du Edles zarttes Weib!

Laß mich der treu geniessen!
Wend auch dein hertz zu mir!
Mein hertz das schenck ich dir.

8.

Das sey dir, hertzlieb, gsungen
Zu tausent guter nacht!
Die Lieb hat mich bezwungen,
Das ich dir diß lied gmacht,
[395ᵇ]   Ob ich dich könt erweichen
10   Wol zu dem willen mein.
So köm ich auß der pein.

Edwart, der König, sagt:

Hör auff! es hilfft kein singen nit.
Verlorn ist doch all flöh vnd bitt.
15 Wir wollen traurig zu Bett gahn.
Hilfft Gott, das wir morgen auff stahn,
So wölln wir zwischen vns beden
Von diesen sachen weiters reden.

Sie gehn ab. Elipsa geht ein mit Longina vnd sagt:

20 Longina, hastu auch gewacht,
Da mans heint hat so gut gemacht
Erstlich mit manchem Seitenspil?
Iedoch ich darnach trachten will,
Wie ich bekomb das gsungen Lied.
25 Aber des Königs begern thu ich nit!
Der gstalt sol er mich nicht erwerben,
Vnd sol ich sampt jhm deßhalb sterben;
Dann kein Mann auff der gantzen Welt
Mit allen Gütern, Golt vnd Gelt
30 Sol mich lebendig nicht berührn,
Als der mich thut gen Kirchen führn
Allen Weibern zu eim fürbilt;
Dann die Ehr alzeit so vil gilt,
Als gelten kan des Menschen leben.
35 Wer sich thut in vnehr begeben,
Derselbig Mensch ist zeitlich todt.

Longina, die HofJungfrau, sagt:

Ey Gnedige Frau, behůt euch Gott!
Iedoch so bedenckt auch dabey,
Das es warlich gar gferlich sey,
Solchen Herrn jhr bitt abschlagen.
5 Grose gfahr ist dabey zu tragen
Vnd thut sich auch gar offt begeben,
Das man darob verliert das Leben.
Dasselb ich euch nicht gönnen wolt.

Elipsa sagt:

10 Wenns mir das Leben gelten solt,
So wolt ich doch wider mein Ehr
Etwas fürnehmen nimmer mehr.
Leib vnd Leben will ich dran wagen
Vnd will es gehn meim Vatter sagen.

Sie gehn ab. Edwart, der König, vnd Leupolt, der Secretarius, gehn ein. Edwart, der König, sagt:

[395ᶜ]   Dem raht wir dißmal folgen wöllen,
Dem alten Grafen selbst erzehlen,
Was vns so hart sey glegen an,
20 Vnd wöllen jhm geben zu lohn
Drey Herrschafft seinen dreyen Söhnen,
Darauff sie sich erhalten können.
So hat der viert seins Vatters Gut,
Ob wir jhn doch brechten zu muht,
25 Das er sein Tochter dahin red,
Das sie doch vnsern willen thet.
Dardurch wöll wir jhr hult erwerben.
Wir müssen doch der brunst sunst sterben.

Leupolt sagt:

30 Großmechtiger König vnd Herr,
Der alte Graf geht dort von ferr
Herauff wol an den steinen wenden
Sehr traurig mit gefalten henden,
Der doch noch gar nichts weiß davon,
35 Was er bey eur Mayestat sol than.

Graf Frigius geht ein. Edwart, der König, sagt:

Herr Graf, jhr werd sein noch wol wissen,
Das wir jederzeit warn geflissen,
Wie wir euch möchten gutes than,
Vil Lands vnd.Leůt geschencket han.
5 Vnd sein euch dessen noch bereit,
Die weil.vnser glückseligkeit
In der Welt auff mesigkeit steht.
Wer aber solches vbergeht,
Der muß jhm selbst′ geben die schuld.
10 Nun bieten wir euch gnad vnd huld,
Wenn jhr die nur wolt nemen an.
Dargegen so könt jhr vns than
Ein dinst, der euch ist ohne schaden,
Vns tödlichen schmertzn abzuladen.
15 So jhr vns nun hierin gewehrt,
Sollen euch werden balt verehrt
Drey Herrschafft für eur junge Söhn,
Das sie für Grafen können bstehn.
Doch sagt vns zu! wolt jhr vns gwehrn?

20   **Frigius, der alt Graf, sagt:**

Was eur Mayestat wern hegern,
So anderst das steht in mein henden
Vnd ich es vermag zu vollenden,
Das will ich than, auch setzen zu
25 Alles, was ich nur haben thu.
Das vertrau mir eur Mayestat!

     Der König sagt:

Grose lieb vns vmbgeben hat
Zu eur lieben Tochter, dern wir
30 Biß her warlich sein gstorben schir.
Der willen begern wir zu han.

[395ᵈ]   **Frigius, der Graf, sagt:**

Ich will 'es jhr wol zeigen an.
Iedoch kan ich in solchen dingen
35 Sie weder nöten oder zwingen,
Die weil wir jhn Gottes wort hörn,

Das die Eltern nicht sollen lehrn
Ihre Kinder vnerbare thaten,
Die zwar selten sind wol gerahten
Denen, die gwalt gevbet han.
5 Den Regenten steht vbel an,
Ihr Vnderthan an ehrn zu letzen,
Wenn sie gleich groß Gut mit zusetzen;
Dann besser ists in armut leben,
Als in der gstalt Gelt lassen geben;
10 Dann groß Gut mit vnehr bekommen
Hat oft ein schimpfflichs end genommen.
Drumb thus eur Mayestat außschlagen!
Vnd ich wils meiner Tochter sagen.
Was mir von jhr für antwort gfelt,
15 Eur Mayestat balt erfahrn sölt.

Graf Frigius geht ab. Edwart, der König, sagt kläglich:
O dises mittel fehlt vns auch,
Dann diser weg ist streng vnd rauch.
Es geht dem Grafen schwerlich ein.
20 Er darff wol erst die Tochter sein
Mit straffen vnd lehrn wenden ab.
Drumb bringt vns das Weib noch ins Grab,
Dieweil vns geht kein fürschlag an.

Leupolt sagt:
25 Darauff ich jetzt gesunnen han:
Wenn das hegern auch nicht stattfind,
Die Mütter sind den Töchtern lind,
So müst mans an die Mutter werben.
Ich verhoff, ehe sie euch laß sterben,
30 Ehe beweg sie die Tochter darzu,
Das sie eur Mayestat willen thu.

(Der Graf geht ein.)
Da kompt der Graf; doch weiß ich nit,
Was er bringt für ein bottschafft mit.

35   Edwart, der König, sagt:
Herr Graf, was bringt jhr vns für mär?

O 395ᵈ (24) 1987

Frigius, der Graf, fellt zu Fuß vnd sagt:
Ich hab eur Mayestat beger
[396]   Meiner Tochter gleichwol angebracht.
Die hat mich vbll auß gemacht
5 Vnd sagt, es steh mir an nicht wol,
Das ein leibeygner Vatter sol
Solch Werbung bringen an sein Kind;
Kein solches Weib man an jhr find
Vnd sie wolt lieber jhr leben geben,
10 Als sie in solcher schand solt leben;
Sagt auch, wenn ich jhr Vatter alt
Schon vber sie hab grosen gwalt,
So hab ich dennoch die macht nicht,
Das ich sie böses vnderricht,
15 Vil wenger zu vnehrn znöthen;
Lieber sey jhr, ich soll sie tödten;
Das wöll sie gern vnd lieber leiden,
Als das man zu jhrs lebens zeiten
Schand vnd vnehr jhr solt nachsagen,
20 Im hertzn ein nageten Wurm tragen;
Sonder wöll leben nach Gottes gebot;
Ehrlichs leben hab ein löblichen todt
Vnd krieg bey Gott die ewig Kron.
Weil ich sie dann nicht zwingen kan,
25 So bitt eur Mayestat ich vmb gnad,
Die wöllen mich, jhrn alten Raht,
Verlauben vnd so vil nach geben,
Das ich mög auff mein Gütern leben,
Dann mein Tochter ich fort nicht kan
30 Kecklich mit Ehrn mehr sehen an,
Weil ich das hab an sie geworben.

Er steht auff vnd geht ab. Edwart, der König, sagt:
Nun, so muß es nur sein gestorben,
Weil vns die bitt auch wird abgschlagen.
35 Groß leiden wir im hertzen tragen.
Ach ist dann das Weib gar ein Engel,
Das sie will leben so gar ohn mengel?

125 *

:Nun raht vns, was wir jetzund than!
Dann alles, was wir fangen an
Vnd anderen erquickung geit,
Das macht vns weder lust noch freüd.
5 Wir können nichts reden noch dencken,
Dann vns mit dieser Lieb bekrencken.
Drumb thut vns ferrners ein raht sagen!

Leupolt sagt:

Der König Reit ein weil auffs Jagen
10 Oder spatzier hinauß in Gartten!
So will ich auff jhr Mutter wartten,
Wenn sie kumbt, jhr das halten für.

Der König sagt:

Wir wollens selber sagen jhr.
[396ᵇ] 15 Vor vns thut sie sich eher scheuhen
Vnd vns mit gutem bscheid erfreuen.
Kompt rein! drin wöll wir auff sie warten,
Das sie vns zu weg bring die zartten.

Sie gehn ab. Elipsa geht mit Longina ein vnd sagt:

20 Ach, das es Gott im Himll erbarm,
Das mir Witfrauen schlecht vnd arm
Der König stelt so hefftig nach!
Wie ernstlich ich sein bitt abschlag,
Will er doch meiner nicht vergessen.

25 Longina, die HofJungfrau, sagt:

Er hat den Narrn an euch gefressen
Vnd wüet als ein tobsichtigs Pfert,
Als müßt man thun, was er begert.

Elipsa sagt:

30 Ewiglich ich keusch vnd rein bleib.
Will er mich nit nemen zum Weib,
Will eh verlieren leib vnd leben,
Mir selbst ein stich fügen vnd geben,
Eh dann ich vmb mein ehr will kommen.
35 Hab drumb das Messer zu mir gnommen.
Wenn ich mich nicht mehr wehren kan,

So will ich mir selbst den todt than
Vnd der sach nicht so lang nach sehen,
Biß das die vnehr ist geschehen,
Wie die Lucretia gethan;
5 Sonder, wann nichts mehr helffen kan
Vnd man mit gwalt setzet an mich,
Ich dieses Messer in mich stich.
Doch schweig vnd thu es niemand sagen!

Montana, die Gräfin, geht ein vnd sagt:
10 Ach Tochter, soll ich dir nicht klagen?
Der König nicht nach lassen thut,
Sonder beut vns an ehr vnd Gut,
Wenn du dich nur darein ergebst,
Vnd ein mal seines willens lebst.
15 Wo du jhm aber dein Lieb abschlagst,
Sein hegern wie biß her versagst,
So soll ich noch erfahrn balt,
Das er dich mir nemb mit gewalt.
Dieweil dann der vnderthan leben
20 Des Königs hend ist vnder geben,
So sorg ich, liebe Tochter mein,
Das du mich vnd den Vatter dein,
Auch deine Brüder alle vier
In höchste armut bringest schir,
25 Wo nicht anderst gar vmb das leben,
Vnd dich must ins elend begeben,
[396ᶜ] Verlieren Adel, Ehr vnd Gut.
Weil vns dann so vil drauff stehn thut,
So thu dich eines bessern bsinnen!

30 **Elipsa sagt:**
Die sach soll diesen weg nicht gwinnen.
Ich will der sachen wol recht than,
Mit euch selbst zu dem König gahn.
Daselbst will ich mein leib vnd leben
35 Für euch alle dem König geben,
Der hoffnung, Gott werd sein gnad senden
Vnd dem König sein fürsatz wenden.

Sie gehn ab. Kompt der König; den führt der Secretarius.
           Der König sagt:

    Ach weh! wir sind von hertzen schwach.
    Die Lieb zu tragen nicht mehr vermag.
  5 Doch haben wir ein trost genommen,
    Weil die alt Gräfin her wöll kommen,
    Verhöfflich, das dieselb von Gott
    Vns werde sein ein guter bott,
    Das wir in Lieb nicht also sterben.

  10   Leupolt sagt:

    Großmechtiger König, gnad vnd verderben
    Hab ich der Gräfin für gehalten,
    Damit gar sehr erschreckt die alten;
    Sagt jhr, das sie erwehlen solt
  15 Gutes oder böses; was sie wolt,
    Dasselbig soll jhr wider fahrn.
    Gwißlich wird sie kein müh nicht sparn,
    Sonder jhr Tochter bereden fein,
    Das sie gibt jhren willen drein.

  20   Man klopfft an. Der König sagt:
    O secht, wer vor der Pfortten sey!

         Leupolt thut auff vnd sagt:
    Die Gräfin vnd jhr Tochter dabey
    Sein drauß, hegern zu euch herein.

  25   Der König sagt:
    Heint so wird der seligst tag sein,
    Den wir noch nie erlebet han.
    Balt macht auff vnd last sie rein gahn!

Er steht auff, geht jhnen entgegen, empfecht sie. Elipsa fellt
   jhm zu fuß, hebt die hend auff vnd sagt kleglich:

    Ach weh der jammer vnd der straff,
    Das ich jetzt wie ein arms schlachtSchaf
[396ᵈ] Vnschultig bin gebracht daher,
    Weil mein Eltern förchten so sehr
  35 Vil hertter den zeitlichen todt,

Als meine vnehr, schand vnd spot.
Doch weil es nicht kan anderst sein,
So muß ich mich wol geben drein.
Iedoch so hab ich vor ein bitt,
5 Wo mirs der König versaget nit,
Das ich warhafft kan mercken dabey,
Das sein Lieb ein wahre Lieb sey
Vnd mich derselben wird gewehrn,
Will ich mich jhm ergeben gern.
10 Vnd das ding, so ich fordern will,
Darff zu verbringen gar nicht vil,
Das es der König leicht thun kan.

Der König sagt:

So schwer wir euch bey vnsrer Kron,
15 Das wir eur bitt wollen verbringen.
Darzu thut vns die groß Lieb zwingen,
Es sey auff Erden, was es sey.
Das globen wir euch bey der treü.

Er gibt jhr die hand. Elipsa sagt:

20 Weil mir der König ist verpflicht,
So kan er mir verweigern nicht,
Was erstlich von mir wird begerd.
Nun sol er auß ziehen sein Schwerd
Vnd dasselbig durch mich durch stossen.
25 Als dann will ich mein Leib jhm lassen,
Das er damit thu, was er wöll.
Wo er aber das nicht thun söll
Vnd vergessen sein treu an mir,
Will ich mich selbst erstechen schir.

Sie reist das Messer herfür; der König fellt jhr drein vnd sagt:

Ach last es bleiben! Gott sey dar vor!
Ach sein wir nicht ein groser thor,
Das wir des keuschsten Weibs auff Ern
Zu vnzüchtiger Lieb begern?
35 Ach steht auff vnd bhalt euch eur leben!
Diese zeugnus müß wir euch geben,

Das wir kein keuscheꞃs Weib nie gsehen.
Gott sey lob, das nichts böß ist gschehen!
Weil wir euch dann also erkend
Vnd jetzt in dem Witwerstand send,.
5 So saget, wenn wir euch begern,
Wolt jhr dann vnser sein zu ehrn
Vnd vns zu einem Gemahl han?

Elipsa sagt:

Ja freylich; dasselb wolt ich than,   .
[397]   10 Wenn ich nicht wer zu ring vnd schlecht.

Der König hebt sie auff, druckt sie vnd sagt:

Ach nein, jhr seid vns eben recht
Vnd darzu als die keuschest auff Erd
Dieser grosen ehr gar wol wehrt.
15 Vnd das menniglich spür dabey,
Das diß alles vnser ernst sey,
So geht! heist vns den Bischoff rein,
Das er vns bede segne ein!

Leupolt, der Secretarius, geht auß, bringt ein Kron vnd den
20   Bischoff. Dieweil sagt Elipsa:

Gott, der kein vbel stifftet nit,
Der hat durch mein flöhliche bitt
Eur Mayestat hertz dahin gewend,
Das es noch kompt zu seligem end.

Ruprecht, der Bischoff von Eberach, geht ein mit allem Hof-
gesind. Edwart, der König, sagt:

Herr Bischoff, dises keusche Weib
Hab wir genommen vnserm Leib,
Mit jhr im Ehlichen stand zu leben.
30 Vnd jhr solt vns zusammen geben,
Das die Hochzeit noch beint fang an,
Vnd gebt jhr auff die Ehe die Kron!

Der Bischoff sagt:

So begert jhr all bede sander
35 Ehlich zu haben an einander?

Sie bede sagen:

Ja.

Der Bischoff sagt:

So gib ich euch in Gottes namen
5 Zu rechter wahrer Ehe zu sammen,
Vnd was Gott fügt, soll niemand scheiden!
Gott wöll vil glücks geben euch beyden!

Der König setzt jhr die Kron auff vnd sagt:

Nun bringt vns vnsern Schweher rein!
10 Ach wie wird er so frölich sein,
Das die Lieb, damit wir beladen,
Noch ist abgangen ohne schaden!

Montana, die alt Gräfin, sagt:

Von jetzo an vnd alle wegen
15 Wünsch ich euch von Gott heil vnd segen.
Der wöll euch beden leiten recht,
Biß daß jhr Kindes Kinder secht!

[397ᵇ] **Das Hofgesind gibt jhn glück. Elipsa fellt auff die knie vnd sagt:**

20 Gott, dem Herrn in seinem trahn,
Den ich so treulich gruffet an
Vnd der mich erhalten bey Ehr,
Des lob versprich ich jmmer mehr,
Der wöll mir auch ferrners gnad geben,
25 Das ich beim König mög leben,
Das ich jhn nimmer mehr beleidig,
All sein sach verricht vnd verteidig,
Wie es eim ehrlichn Weib steht an!

Der König hebt sie auff vnd sagt:

30 Vns zweiffelt nicht, jhr werd es than.
Nun kompt! thut euch mit vns erfreßen!
Ihr Spilleut, machet vns ein Reyhen,
Das wir mit springen zu dem Mahl,
Frölich einkehren auff den Saal,
35 Zu haben aller freuden wahl!

Man Pfeifft auff. Vnd gehn alle ab.

ACTUS SEXTUS.

Der Ehrnholt geht ein vnd beschleust:

Der König Edwart auß genaden

5 Lest euch alle auff sein Hochzeit laden,

Die jetzund ist angangen schan.

Dabey so merck auch jederman,

Das er in seinem beruff bleib,

Nemb sich nicht an vmb frembte Weib,

10 Dann die Lieb ist ein solches stück,

Die gar vil Leüt bringt in vnglück,

Das sie werden verwegen gantz,

Schlagen ehr, leib vnd Gut in dschantz.

Vnd wenn man dem nach henckt zu lang,

15 So gwind es ein bösen außgang.

Wer aber bleibt in seim beruff,

Darzu jhn Gott erwöhlt vnd schuff,

Der ist all gfahr vnd vnglück frey

Vnd Gott steht jhm auch alzeit bey,

20 Das er keim solchen ding tracht nach,

Das jhm doch je nicht werden mag

Vnd darauß jhm wachs spot vnd schmach.

Zum andern, Weiber vnd Jungfrauen

Solln alzeit wol auff sich schauen,

25 Frembter Männer beywohnung meiden

Vnd, ob sie schon anfechtung leiden,

[397ᶜ] In derselben gar nicht verzagen,

In keuschheit Gott sein Creutz nachtragen;

Dann Gott, der in das finster sicht,

30 Bringt jhren wandel an das liecht.

Also welche recht wandeln thut,

Die erwirbt hie vil zeitlichs Gut,

Auch bey dem Menschen ehr vnd preiß;

Dann Gott, der alle ding wol weiß,

35 Den man anruffet mit andacht,

*

5 O lagen.

Des vbls ein seligen außgang gmacht,
Das vor kein Mensch nicht hett betracht.
Zum dritten, die Eltern jhn sóllen
Lassen die Kinder sein befohlen,
5 Sie auff ziehen zu Gottes ehr
Vnd in vil andern Tugent mehr,
Sie nichts bőß sehen laßn vnd hőrn,
Sondern Stúdirn vnd etwas lehrn,
Davon sie sich ernehrn kőnnen,
10 Bey Gott vnd Menschen gunst gewinnen,
Das die Eltern jhr freud dran sehen.
So thut man jhn auch guts verjehen.
Gott verleyhe vns allen sand
Vnd eim jeden nach seinem stand,
15 Das er vns Ewig sey bekand!

Abgang.

Die Personen in diß Spiel:

1. Edwart, der Kőnig in Engellandt.
2. Frigius, Kőniglicher Rath vnd Graf zu Varucken.
3. Leupolt, der Secretarius.
4. Wilhelmus Montagius, der Freyherr.
5. Montana, die Gräfin von Varucken.
6. Elipsa, jhr Tochter.
7. Longina, ein Hofjungfrau.
8. Marcellinus, der Kőnig in Schottlandt.
9. Oswaltus,
10. Florentinus, zwen KriegsRäth.
11. Lienhart,
12. Dieterich, zwen Trabanten des Kőnigs in Engelland.
13. Jahn Clam, der Wittfrauen Diener.
14. Johannes, Kőnig in Franckreich.
[397ᵈ] 15. Egidius,
16. Rolandus, zwen Kőniglicher Räth.
17. Greger, Graf zu Suffart.
18. Cocleus, der Koch.

2 O Des.   20 O Leudolt.

19. Fetasa, des Jahnnen Weib.
20. Julius, ein PostPott auß Franckreich.
21. Ruprecht, Bischoff zu Eberach.

ENDE.

(25)

COMEDIA, VOM KÖNIG IN CYPERN, WIE ER DIE KÖNIGIN IN FRANCKREICH BEKRIEGEN WOLT VND ZU DER EHE BEKAM,

Mit 14 Personen vnd hat 5 Actus.

Jahn Clam geht ein, hat einen Harnisch zu hinderst föderst
angelegt vnd sich gar wunderlich staffirt vnd sagt:

O lerma, lerma in alln gassn!

Wolt jhr euch nit erschlagen lassn,

10 So dörfft jhr nit lang daher stehn.

Der lerma wird gar halt angehn,

Weil der König von Cypern heūt

Mit seim Volck vor der Statt jetzt leit,

Will, man sol jhm die Königin geben,

15 Oder er wöll vns nemen das leben

Vnd gwinnen das gantz Königreich.

Der mär bin ich erschrocken gleich

Vnd hab mich auch gschickt zum schertz.

Drumb, lieben Leūt, macht euch ein hertz!

20 Rüst euch! es kan nit anderst sein.

O ich will es frisch setzen nein,

Mich wehrn, wie ein redlicher Mann.

Er Pausiert vnd sagt:

Ey gēht doch vnd legt Harnisch an!

25 Was thut jhr daher stehn vnd sitzen?

Wie balt solt eim werden ein schmitzen,

Wenn vns der Feind hie vberfiel?

Labia geht ein, sicht jhren Mann, verwundert sich vnd sagt:

Da kom ich zu eim rechten spiel.

[398] Hans Narr, was machst im Harnisch du?

Jahn sagt:

₅ Ich hau von leib vnd leben zu.
Dieweil der König vns drohet hat,
Das er gewinnen wöll die Statt,
So wolt ich jhn dran hindern gern.

Labia sagt:

₁₀ Ey schweig nur still! du stichst kein Bern,
Weil ein bratwurst ein kreützer gilt.
Du bist fürwahr nicht halb so wilt,
Als du dich stelst vnd gibest auß.
Drumb back dich, Narr, hinein ins hauß!
₁₅ Schau, was du hast etwann zu arbeiten!.

Jahn sagt:

Ey ich muß für die Königin streitten,
Dann mir will pflicht halb nit gebürn,
Das ich sie laß von binnen führn
₂₀ Oder den Feind gewinnen die Statt.

Labia sagt:

Wenn die Königin sunst niemand hat,
Als dich, so ists vmb vns gethan.

Jahn sicht sich vmb, erschrickt vnd sagt:

₂₅ O seit doch still! sie kommen schon.
Warlich sie sends; da bleib ich nit.
O alta, lauff! das ist mein bitt.

Er würfft als von sich, laufft davon. Labia sagt:

Secht doch! wie hab ich ein Kriegsman.
₃₀ Ich dacht, er wolt zu föderst dran.
Ietzt so der Feind geg jhm zeucht,
Ist er der erst, der   h   reucht.
Vnd wirfft Wehr vnd W   von sich.
Die will jhm jetzt l   ich.

Abgang. Kompt Flavius,

miro gerüst, setzt sich vnd sagt:

Wir ligen hie wol vor der Statt
Mit grosem Volck vnd eim vorraht
Vnd haben das rauch rauß gewend.
5 Zu dem Sturm wir gestellet send.
Iedoch die Lieb vns vberwind,
Die vns das gmüt vnd hend zsam bind,
Das wir der Statt nichts können than.
Die Köngin ist schuldig daran,
10 Das vnser Kriegen ist vmbsunst.
O hett wir jhr genad vnd gunst,
Das sie mit vns wolt Ehlich leben,
So wolt wir jhr vil lieber geben,
Als das wir jhr was solten nemen.
15 Doch müß wir vns. der Thorheit schemen,
Wo wirs nicht lassen ein ernst sehen.

Philippus sagt:

Großmechtiger König, es könd wol gschehen.
Gschicht aber in dem ernst ein schad,
20 Hahn bey der Köngin kein genad
Eur Königlich Würd all jhr lebtag.
Man weiß, das ein alts sprichwort sprach:
Welcher die Vögel fangen will,
Muß damit vmbgehn leiß vnd still
25 Vnd nit mit prügln werffen drunter.
Man könd die Statt bschiessen jetzunder
Vnd einen blinden lermen machen
Zu einem anfang dieser sachen.
Doch geht es schwerlich ab ohn schaden.

30 ### Heremirus sagt:

Die Köngin könd jhr gschütz auch laden
Vnd vns mit Fallcanet vnd schlangen,
Auch anderm hagl vnd gschoß empfangen,
Das vns so halt schad gscheh, als jhr.
35 Gibt nun der König Freyens für,
Förcht ich, es werds also nit than.
Ich bin ohn rahm auch ein Kriegsman

[398b]

Vnd wolt auch gern ehr legen ein.

Doch kans in solcher gstalt nit sein,

Vnd mach man gleich drauß, was man wil.

König Flavus sagt:

5 Ligen wir dann hie lenger still

Vnd schiessen gar nicht in die Statt

Vnd thun mit Blündern vnd Feur kein schad -

Vmb die Statt auff dem Land den Leüten,

Hab wir den schimpff auff vnser seiten.

10 Vnd was wird man doch von vns sagen?

Philippus sagt:

Man laß im Leger vmbschlagen!

Versammelt das gantz Regiment!

Zu dem Raht vnser zu weng send.

15 Viel wissen mehr, als einer allein.

König Flavus sagt:

Ja das vmbschlagen kan wol sein.

Wann wir aber sagen solten,

Das wir die Königin werben wolten,

20 Das schadt vnser Könglichen Würd.

Wir haben vor mehr Krieg gefürt.

[398ᶜ] Drumb wöllen wir vmbschlagen lahn

Vnd etlich schüß in die höh abgahn,

Zu sehen, was drauß folgen wer.

25 Schiessen sie auch, so ists vngfehr.

Doch hab man acht auff den außfahl,

Das vns der kunst nicht fehl dißmal!

Sie gehn ab. Clareta, die Königin, geht ein mit Mariana, jrer Jungfrauen, Fabiano, dem Statthalter, vnd Wilhelmo, dem andern Raht. Die sind gerüst. Die Königin sagt:

Von Cypern der König mit seim gesind

Sich vor vnserer Statt jetzt find,

Der erst neulich vmb mich thet Freyen.

Meint er es mit kein andern tretten,

35 Als das er vns hochmuten will,

So acht ich seins Freyens nit vil.

Auch thut mich gar vbel verdriessen,
Das sie in dem Läger drauß schiessen,
Vnd schrecket vnser vnderthan.
Der Müntz wir Gottlob auch wol han,
5 Damit wir jhn bezahlen künnen.
Die Statt sie so balt nicht gewinnen.
So sind wir Gottlob wol so keck,
Das wir jhn wollen weisen wegk,
Wann er die ding lang treiben solt.
10 Mit jhm ich gar gern reden wolt,
Wenn ich glegenheit zu jhm bett.

Fabianus sagt:

Wenn jhr Mayestat mich schicken thet
Zu jhm mit eim geschriebnen gleit,
15 Verhieß jhm auch gut sicherheit,
Das man jhm gar kein leit soll than
Vnd der König soll eygner Person
Mit eitlichen Dienern in die Statt,
Sich zu bereden mit euer. Gnad,
20 Villeicht würd ers nit schlagen ab.

Wilhelm, der Ritter, sagt:

Dergleich ich vor mehr gsehen hab,
Das man durch vernünfftige redt
Die Feindt gütlich abweisen thet
25 Von jhr vnbefügten fürnemen.

Clareta, die Königin, sagt:

Ich wolt mich in mein hertz nein schemen,
Das ich ein, der mir nichts bett than,
Solt vmb das seinig fechten an,
30 Ob ich gleich wol nur bin ein Weib.
Herr Statthalter, schafft, das man schreib
[398ᵈ] Ein gleit vnd jhms balt schicke zu!
Kompt er, ich jhm anzeigen thu,
Was jhm wird anzuzeigen sein.
35 Kompt! last vns in dCantzley hinein!

Abgang. Kompt Jahn, hat ein Bottenbüxen an vnd ein spießlein vnd sagt:

Vor angst so muß ich schier verzagen.
Ich soll Brieff nauß ins Läger tragen,
Die die Königin jetzt nauß lest schreiben.
5 Kan ich doch schier alhie nit bleiben.
Muß sorgen, das ich werd erschossen,
Mir vnschuldig mein blut vergossen.
So schickt man in die gfahr mich nauß.
Soll mir was widerfahrn drauß,
10 Das ich leicht nit komb wider rein,
Werd ich jhns nicht lassen gut sein.

Er geht ab. Kompt die Königin Clareta mit Mariana, Fabiano vnd Wilhelmo, setzt sich vnd sagt:

Albie warten des Königs wir,
15 Verhoffen, er soll kommen schier.
So will ichs jhm mit güten sagen,.
Ihn vngfehr mit den worten fragen,
Ich hab jhm nie kein leid gethan
Vnd er Feindt mich vnschuldig an
20 Vnd zieh mir mit seim KriegesHeer
Vnverwachet Königlicher ehr
In mein Land vnd für mein HaubtStatt,
Beger mir zuzufügen schad.
So beger ich, das er doch schir
25 Woll sagen, was er hab bey mir.
Rest ich jhm was, ich jhm bezal.
Vnrechter Krieg Siegt nit almal
Vnd will jhm ein kampff bitten an.

Fabianus sagt:

30 Still, still! er thut jetzt kommen schan.

Kompt Flavius, der König auß Cypern, mit Philippo und Here-
miro, neigt sich gegen der Königin gar hoch. Die Königin
steht auff, gibt jhm die hand vnd sagt:

Eur Lieb soll vns Gottwilkom sein!

31 und fehlt O.

Eur Lieb vergleidet ich herein,
Zu reden selbst mit eurer Liebt,
Dann schreiben offt groß weiterung gibt.
[399] Eur Lieb sind von Königlichem Stam,
5 Haben im Land ein grosen nam;
Derhalb sich wol gebüren thet,
Das sie das in acht gnommen hett,
Dann ich, ein arme WeibsPerson,
Hab eur Lieb mein tag nichts böß than
10 Vnd jhr seit mit bewehrter hand
Herein gefallen mir in mein Land,
Das eur Lieb macht böse nachred.

Flavius, der König, sagt:

Zu diesem vns bewegen thet,
15 Das eur Lieb sich so wilt gemacht
Vnd vnser Lieb so gar veracht,
Eur gunst vns theten rund abschlagen.
Die schmach kunden wir nit ertragen,
Wissen die auch nit außzusprechen,
20 Sonder wolten vns an euch rechen.
So hat doch die angfangen Lieb
Ein solchen starcken herben trieb,
Das wir eur Lieb der selben müssen
Lassen wider verhoffen gniessen
25 Vnd können euch nichts vbels than,
Sonder noch in der hoffnung stahn,
Das jhr solt vnser Gmahl noch wern;
Dann alles, was jhr thut begern,
Das wöll wir euch nit schlagen ab.

30 Clareta sagt:

Weil ich dann dessen wissens hab
Vnd nicht weniger ist denn war,
Das ein WeibsPerson steht in gfahr,
Die Leūt vnd Land Regiren sol,
35 Wenn es euch denn thet gfallen wol,
Das ich thet ein mittel fürschlagen,
Dardurch der Krieg wird abgetragen,

Vnd eur Lieb wolt sich vnderstahn,
Zu Streitten mit einem Kriegsman,
Der an meiner Statt soll kempffen,
Versuchen, ob jhr jhn künd dempffen,
5 So wolt ich vnd das Reiche mein
Fürtter eur Lieb zu eigen sein.
Solt aber mein kempffer obsigen
Vnd eur Lieb im kampff vnderligen,
So soll mein sein euer Königreich
10 Vnd eur Person eben zugleich.
Sagt, wie eur Lieb gfelt der fürschlag!

Flavius, der König, sagt:

Wenn eur Lieb das gedulten mag,
So bitt wir: zeigt vns an darbey,
15 Wer für eur Lieb der kempffer sey!
So woln wir vns gar balt erklern.

Clareta sagt:

[399ᵇ] Statthalter, jhr solt kempffer wern.
Ich hoff, jhr werdts vns nicht abschlagen.

20 ### Fabianus, der Statthalter, sagt:

Mein Leib vnd leben will ich wagen,
Sambt allem gut schlagen in dschantz.
Mir ist, als solt ich gehn zum Tantz,
Alles dem Königreich zu ehrn.

25 ### Flavius, der König, sagt:

Wir werden vns villeicht eur wehrn,
Doch steht die Victori beim glück.

Wilhelm sagt:

Vnd stünd das der Königin zu rück,
30 So stünd ich ans Statthalters stat.

Philippus sagt:

Wo vnderleg jhr Mayestat,
So wolt ich für sie kempffer sein.

Clareta, die Königin, sagt:

Nun wol! des gedings geh ich ein
Vnd wils auff das glück alles wagen.
Morgen, wenn es thut zehene schlagen,
Soll der kampff gschehen an dem ort.

5   **Flavius, der König, sagt:**
Frau Königin, ein wort ein wort:
So soll ein Mann ein Mann auch sein.
Morgen vmb zehne komb wir rein
Vnd bringen diesen Ritter mit.
10 An eur Lieb so ist vnser bitt,
Ihr wolt auch eurn zorn abwenden,
Nicht glauben denen, die vns schenden,
Vnd vns nicht lassen in schanden bestahn.

           Clareta sagt:
15 Wir müssen erwarten, wie es. wird gahn.

Der König geht mit den seinen ab. Clareta, die Königin, sagt:
Ich habs nit gewist zu voran,
Was der Köng ist für ein Person.
So ich jhn aber jetzt gesehen,
20 Kan ich jhn so hart nit verschmehen.
Er ist jung, schön, Edel vnd Reich
Vnd mir am Stand durchauß auch gleich.
So thut er zimlich wol Regirn.
An dem beding wir nichts verlirn.
25 Ligen wir ob, so ist er mein;
Lig wir vndern, so bin ich sein
Vnd werd zweyer Land Königin,
Eins Königreichs Reicher, dann ich jetzt bin.
[399ᶜ]   Ich werd doch nicht stehts also leben.
30 Drumb will ich mich darein ergeben.
Herr Statthalter, wie meinet jhr?

     Fabianus, der Statthalter, sagt:
Besser wers, das oblegen wir,
So stünd der König vnd sein Reich
35 Mit leib vnd leben als zugleich,
Mit Land vnd Leüt euer Würden zu.

Clareta sagt:

Es gilt als gleich (gebt euch zu rhu!),
Es lig gleich oben, welches wöll.
Doch eines des andern sein söll.
5 So werd wir vnser alle beid.
Doch das man sich recht zubereit,
So wöll wir in die Capell gahn
Vnd den lieben Gott ruffen an,
Das er vns mit gnad wöll beystahn.

10   Abgang.

ACTUS PRIMUS.

Kompt Jahn mit Labia, seim Weib, die tregt ein schüssel mit
    Suppen vnd etliche löffel hinein vnd sagt:
    Jahn, der Feind, so ligt vor der Statt,
15 Sich mit der Königin verglichen hat,
    Das er vnd für sie ein Kriegsman
    Sollen ein grosen kampff außstahn;
    Vnd welcher theil obligen thut,
    Des ist der ander mit Leib vnd Gut.
20 Dasselbig ich möcht sehen wol.
    Vnd weil du warest nechten vol,
    So bring ich jetzt ein Suppen dir.
    Darnach wöllen albede wir
    Hinauff gehn, dem kampff sehen zu,
25 Welcher theil doch das beste thu,
    Vnd wöllen Guilhelm nemen mit.

        Jahn sagt:
    Nein fürwar, das thu ich nit.
    Den Guilhelm liebstu mehr, als mich.

30   Labia sagt:
    Guilhelm lieben? wie? was? solt ich
    Guilhelm lieber, als dich, haben?
    Nun wolt ich, dich fresen die Raben,
    Weil du mir trauest böses zu.

35   Jahn sagt:

Ich merck, das hast bestellet du
Den Guilhelm, der soll mit vns gahn.

Labia sagt:

Wie anderst es gibt sich zu verstahn!
5 Bistu dann nicht damit zu frid?

Jahn sagt:

Nein, werla nein, nein eben nit.
Ich bin damit gar nicht zu friden.
Hast jhn dann schon her beschieden,
10 Das er mit vns gen Hof gehn sol?

Labia sagt:

Ja, ich habs gethan eben wol.

Jahn sagt:

Nun wol, nun wol!
15 Ich will dir nichts böß drumb zumessen.
Doch welches thut am ersten essen
Von der Suppen an diesem ort
Oder redt am ersten ein wort,
Das hab verschuld ein guts abpern!

20 ### Labia sagt:

Des glücks wil ich mich auch nit wehrn.

Sie setzt die Suppen nider; es will aber keins essen; sie deu-
ten lang aneinander je eins dem andern, es soll essen; es wils
aber keins than; entlich klopfft man an; es deut eins dem
andern, es soll auff thun; da niemand auff thun will vnd das
klopffen lang wehrt, macht die Labia auff. Guilhelm geht ein,
gibt dem Jahnnen die hend vnd sagt:
Da kum ich zu der Suppen recht.
Ich wolt euch fragen, ob jhr auch secht
30 Zu Hof heut das ernstliche Kempffen,
Welcher theil wird den andern dempffen.
So wolt ich mit euch gehn hinauff.
Wer sunst nicht zu euch kommen rauff.

Jahn knapt mit dem kopff vnd seim Weib deut er, sie soll

essen; Labia schütelt den kopff. Guilhelm gibt jhr die hand
vnd sagt:

Mein Labia, wolt jhr mit mir?

Vnd wie kombts, das nit redet jhr?

5 Habt löffel in henden vnd wolt nicht essen.

Ich glaub fürwahr, jhr seit besessen.

Geht jhr doch, wann eur Mann nicht will!

Jahn brumbt wie ein Beer, Labia schweigt still. Guilhelm sagt:
Labia, wie schweigt jhr so still?

[400] Er nimbt sie bey der hand, sie würfft den löffel weg,
geht mit jhm. Guilhelm sagt:

Wolt jhr nun gehn, so habt jhr zeit.

Jahn sagt:

Last mir mein Frauen vngeheit!

15 Mit wem wer sie jetzt gehn Hof gangen,

Wenn man euch vor eim Jar bett ghangen?

Darumb last mir sie vnverworn!

Labia sagt:

Jahn, du hast geredt vnd verlorn.

20 Darumb werd ich dich jetzt abschmirn.

Jahn sagt:

Ich glaubs, so müst ich wol verliern.

Nein, nein, es gilt nichts vnser gwet.

Die notturfft es erfordern thet.

25 Drumb bleib hie! ich geh selbst mit dir.

Guilhelm sagt:

Ey, wenn jhr nit gern geht mit mir,

So möcht jhrs vnder wegen lahn.

Guilhelm geht ab. Jahn nimbt sein Labiam vnd geht auch
30   ab vnd sagt:

Wir können auch allein wol gahn.

Abgang. Kompt Clareta, die Königin, mit Mariana, jhrer
Jungfrauen, Fabiano, dem Statthalter, vnd Wilhelm, dem Rit-

ter, jhrem Raht, die sind gerüst, vnd sagt die Königin:

Dieweil herzu geht die kampffstund,
So wart wir des Königs jetzund,
Das wir des Kriegs machen ein end,
5 Wissen, wer vnser vnd weß wir send;
Dann Krieg ist verderbung des Lands,
In dem auff kommen kan niemands.
Er macht vil Wittwen vnd vil Weisen,
Hindert, das man kan sicher reisen,
10 Er verzehrt Schätz vnd auch Reichtumb
Vnd bringt vil junger Mannschafft vmb,
Macht Stätt vnd Flecken vnder gahn
Vnd verderbt gar vil Vnderthan,
Die doch sind eins Regenten Schatz.
15 Auch bleiben offt selbst auff dem platz
König, Fürsten, Grafen vnd Prelaten
Vnd bringt vnvberwindlichen schaden.
[400ᵇ] Darumb so halten wir für gut,
Weils die zeit also geben thut,
20 Das ich meins Stands ein Witfrau bin.
Sey vil besser, das ich nemb jhn
Vnd setz in gfehrlichkeit mein leib,
Als das Krieg in dem Lande bleib,
Der mir verderbet Land vnd Leüt.
25 Doch bitt ich, jhr wolt in dem Streit
Für mich vnd auch das gantze Land
Brauchen euer Siegreiche hand.
Erhaltet jhr vns den obsieg,
Gar danckbar will ich halten mich,
30 Das jhr mein Gnad drauß spüren solt.

Fabianus sagt:

Gnedigste Frau, wist, das ich wolt
Für euch vnd das gantz Königreich
Setzen mein Leben vnd Gut zu gleich,
35 Mich Tapffer wie ein Helt auch wehrn
Vnd alln müglichen fleiß ankehrn,
Das ich beint möcht den König schlagen!

Wilhelm, der Ritter, sagt:

In gleichem wil ich auch als wagen.

Wo der Statthalter nit siegen solt,

Ich mich für jhn ein lassen wolt,

5 Vnverzagt alles daran wagen

Vnd den König zu ruck verjagen.

Clareta sagt:

Nun habt danck, lieben Herren mein!

Dort kompt der König gleich herein.

Kompt Flavius, der König, vnd mit jhm Philippus gerüst, neigt sich gegen der Königin, die stehet auff, gibt jhm die Handt vnd sagt:

Seit vns wilkum zu tauset mal!

Zum kampff ist zugericht der Saal,

15 So sind auch schon die Kempffer grüst.

Wenn jhr denn nun, wie jhr wol wist;

Den Krieg durch kampff wolt zu end bringen,

So schicket euch zu diesen dingen!

Flavius, der König, sagt:

20 Durchleuchtigst Königin Hochgeborn,

Wie wir Gester sind einig worn,

Also soll es auch nachmals bleiben;

Dann eur Lieb schön ob allen Weiben

Treibt vns, das wir eh sterben wolten,

25 Dann euer Lieb entrahten solten.

Derhalb wer lust zu kempffen het,

Auff den Plan für her zu vns tret!

[400ᶜ] So wöll wir sehen, was er kan.

Der Statthalter sagt:

30 Eur Mayestat wil ich bestahn.

Sie schlagen zusammen. Der König weicht zu rück vnd sagt:

Ach weh! das vns als vnglück schend!

In heiser Lieb send wir verblend,

Das wir den streit haben verlorn.

35 ### Philippus sagt:

Herr König, es ist abgeredt worn,
Wenn euer Mayestat erlig,
Das für die selb wöll streitten ich.
Drumb, Herr Statthalter, kombt nur her!
5 Versucht, ob ich euch fliehen wer!

Der Statthalter schlecht auff jhn vnd er, Statthalter, weicht
entlich vnd sagt:
Ritter, ich kan dich nicht bestehn.

Wilhelmus sagt:
10 So müssen nun kempffen wir zwen.
Den Statthalter muß ich entsetzen.
Ich hoff doch, jhr solt mich nicht letzen.

Sie schlagen zusammen, entlich weicht auch Wilhelm. Phi-
lippus sagt:
15 Also hab ich mit meiner hand
Zu ruck gschlagen euch bede sand.
Derhalb die Königlich Mayestat
Die Frau Köngin gewunnen hat
Mit sambt dem gantzen Königreich.

Flavius, der König, geht zu jhr, neigt sich vnd sagt:
Gnedigst Königin, so bitt wir euch,
Ihr wolt euch gütlich darein geben,
Mit vns in dem Ehstand zu leben.
Eur Königreich das sol eur bleiben.
25 Auch wöll wir euch darzu verschreiben
Am gelt ein Könglichs HeüratGut.
Vnd was jhr bey vns schafft vnd thut,
Das soll vnd muß alles geschehen.

Clareta steht auff, geht zum König vnd sagt:
30 Die Heürat sind von Gott versehen,
Vnd weils dann Gott so gschaffen hat,
Das ich eur Königlich Mayestat
Soll vnd muß zu eim Gemahl han,
So will ich nichts darwider than,
[400ᵈ] 35 Sonder demselben ghorsam sein .

In allen dingen groß vnd klein.
Vnd Gott, ein Schöpffer aller ding,
Mach vns den Ehstand sanfft vnd ring
Vnd geb vns langs vnd gsundes leben!
5 Doch bitt ich eur Lieb das darneben:
Eurem Kriegsvolck dem dancket ab!
Sagt, das man sich verglichen hab!
Aber eur Lieb sol hie bey mir bleiben.
Ein Hochzeit wollen wir außschreiben,
10 Die wir auffs stattlichst halten wöllen.
Herr Statthalter, schafft zu bestellen,
Was vns sey auff die Hochzeit not!

Flavius, der König, sagt:

Weils dann also versehen Gott,
15 So danck wir jhm vmb sein wolthat.
Philip, sagt dem Heer vor der Statt,
Das es niemand nichts böses füeg,
Dann es sey vertragen der Krieg!
Vnd welcher wird darwider than,
20 Soll Leib vnd Leben verlorn han.
Morgen wöll wir jhn sagen wol,
Wer bleiben oder abziehen sol.

Philippus geht ab. Der König gibt der Königin die hand, druckt sie vnd sagt:

25 Hertzliebster Schatz, Zier, wohn vnd freud,
Weil jhr vns zu theil worden seit,
Könn wir vnser Freud nit außsprechen.
Die Lieb wil vns das hertz zerbrechen.
Davon wolln wir zwischen vns beden
30 Ein ander mal weitleufftig reden,
Verhöfflich, jhr werd euch auch freuen.

Clareta sagt:

Fürwar bey mein Weiblichen treuen,
Weils Gott also versehen hat,
35 Das ich vnd euer Mayestat
Sollen einander habn zur Ehe,

Wil ich mirs nit selbst machen wehe,
Sonder eur Lieb mit treuen meinen,
Wie wir vns des tehten vereinen.

Flavius, der König, geht zu dem Stathalter vnd Wilhelm gibt
5　　　jhnen die hand vnd sagt:
Ihr Königliche Räht vnd Strenge Ritter,
Macht euch die sach selbsten nit bitter!
Wir wolln ein guter König sein.

Fabianus, der Statthalter, sagt:
10 Wir sein des wol zu friden; allein
[401]　　Weil wir zwen kempffer gwesen send,
Dardurch die Heürat wer zertrent,
So bitten euer Könglich Mayestat
Wir alle bede hoch vmb gnad,
15 Dessen nit in vngnad zu dencken.

Flavius, der König, sagt:
Wir wolln euch mit Könglichen schencken
Eur treuer dinst halb noch begaben
Vnd solche schenckung solt jhr haben
20 Auß dem Cyperischen Königreich.

Philip geht wider ein.

Vnd vnser Diener auch der gleich,
Der bey vns hat das best gethan.

Philip spricht zum König allein:
25 Großmechtiger König, gebt mir zu lohn
Mariana, die Könglich Jungfrauen!

Flavius, der König, sagt:
Mit jhr reden wir im vertrauen,
Vnd was wir guts von jhr erfahrn,
30 Das wöllen wir dir offenbarn.

Clareta, die Königin, nimbt den König bey der hand vnd sagt:
Herr König vnd vertrauter mein,
Eur Lieb komb zu der Taffel rein!
Da wöll wir reden von der sachen,

Wenn wir wollen die Hochzeit machen,
Auch vnser bed seits Leüt begaben,
Die beint für vns gekempffet haben
Vnd dise Heürat zu wegn bracht,
5 Darauff kein Mensch kein rechnung macht
Vnd ich mein tag nicht hin gedacht.

Sie führen einander bey den henden ab.

ACTUS SECUNDUS.

Kompt Jahn allein vnd sagt:

10 Als ich hab gester gsehen nur,
So ist fürwahr mein Frau ein Hur
Vnd thut an meinem Nachtbarn hencken.
Ich thu der sachen offt nach dencken,
Aber sie sein mir vil zu gscheit.
15 Drumb hab ich mich berahten heüt,
Zu sehen, ob ich ein Zaubrer find,
Der mich vnsichtbar machen künd:
So wird meinen die Fraue mein,
Das ich nit teht daheimen sein;
20 Wenns mich nicht sicht, sagt sie vorhin,
Das sie nicht wiß, wo ich doch bin.
Wenn sie dann bede zusammen kömen,
Könnt ich sehen vnd auch vernemen,

[401ᵇ]   Was sie doch bey einander tehten,
25 Auch zuhörn, von was sie reden.
Dann mich dunckt, es geh nit recht zu.
Den Zaubrer ich jetzt suchen thu.

Er geht ab. Kompt die Königin mit Mariana vnd sagt:

Mariana, wie gfelt es dir,
30 Das schir wider mein willen mir
Gott hat ein gute Heürat bschert?

Mariana sagt:

Man sagt, so ein Mensch was begert
Vnd tracht demselben fleisig nach,
35 Das er es wol bekommen mag;
Vnd kompts jhm schon nit gar zu heil,

Wird jhm auffs wengst der vierte theil.
Also ist auch eur Gnaden gschehen.
Ich habs lengst wol gmerckt vnd gesehen,
Das eur Gnad nit wird ledig bleiben.

5   Clareta sagt:

Wiltu dann dein zeit so vertreiben
Vnverheürat im ledigen stand?

            Mariana sagt:

Zu Heüraten beredt mich niemand,
10 Dann solt ich von eim Freyen leben
Mich einem Mann zu eigen geben,
Da müst ich ja ein Nerrin sein.
Eim Mann müst ich geben das mein,
Der hauset mit nach seinem Sinn.
15 Also ich meins Guts selbst Herr bin.
Ist es nit vil, so ists dest minder.

       Clareta, die Königin, sagt:

Du redst einfeltig wie die Kinder.
Meinst, Gott hab den Ehstand eingesetzt,
20 Das du von deim Mann werst verletzt?
O nein, der Mann ist dein ernehrer.

            Mariana sagt:

Oder wol meins Guts ein verzehrer,
Ein Spiler, Balger oder ein Zecher,
25 Ein Hurer oder ein Ehbrecher,
Ein Kinder- vnd ein Weiberfeind;
Dann solcher Männer vil mehr seind,
Als die es recht meinen mit treüen.
Darumb so mag ich gar nit Freyen,
30 Auch keinem Mann nach dencken mag.
Will ledig bleiben mein lebtag,
So weiß ich, das ich bin mein eigen.

            Clareta sagt:

Du darffst dich nit so wilt erzeigen,
[401ᶜ]   35 Als ob du seist den Männern feind.

Fürwar, ich hab es selbst nicht gmeint,
Das ich den König nemen wöll.
Wie wenn ein schöner junger Gsell,
Der Adelich Reich ist geborn,
5 Dich bett zu ehren außerkorn,
Wolstu jhm auch die Ehe abschlagen?
Sunst will ich dir vertretlich sagen:
Der Ritter Philip begert dein.

Mariana sagt:

10 Ich will vnverheürat frey sein.
Drumb bleib die Königin zu rhu!

Clareta sagt:

Kein wort ich dir mehr sagen thu.

Sie gehn ab. Kompt Nigrinus, der Zaubrer, mit einem wei-
15   sen stab vnd sagt:

Der Zauberkunst bin ich erfahrn,
Habs glernt in mein jungen Jarn.
Dieselb ich noch bißweilen treib.
Ich weiß ein, eiffert vmb sein Weib,
20 Der wird ein raht suchen bey mir.
Da secht, wie ich jhn vmbher führ,
Als wol ich jhn vnsichtbar machen!
Sein Weib hat mir gsagt von den sachen,
Der hab ich nur gesagt allein,
25 Wenn er trag einen pflasterstein,
So soll sie jhn drauff bleiben lahn,
Als ob man jhn nicht sehen kan;
Als denn, schleich er der Frauen nach,
Wenn sie helt mit jhrm Bulen sprach,
30 So sollen sie jhn loben vnd ehrn
Vnd jhn dabey lassen zuhörn
Vnd doch nit thun, als sie jhn sehen;
Vnd wenn das etlich mal geschehen,

---

25 Dieselbe posse, wie bei Boccaccio, Decameron 8, 3. Vgl. Steinhöwels
Decameron s. 473 ff.   29 O jhrn.

So wird er glauben setzen in sie,
Als bett sie vnrecht than vor nie.
Er ist nicht weit, als ich schon weiß.
Drumb will ich da machen ein Kreiß
5 Vnd jhm solch gar gut gschir machen.
Solt euch des Narrn halb kranck lachen.

Er macht ein Kreiß. Jahn geht ein, sicht dem Zaubrer zu
vnd sagt:

Hört, mein Herr! was thut jhr machen
10 Mit diesem Kreiß? . das macht mir wunder.

Nigrinus sagt:

Geh! steh vnder den Baumen vnder!
Dann es wird jetzundt regnen sehr.

Jahn sagt:

[401ᵈ]   15 Hats doch auch geregnet vor eher.
Ich meint, es sol schöns wetter geben.
Doch will ich euch nit wider streben.

Er steht vnder den Baum, so regnets. Das Wasserwerck ist
·aber also gemacht, das oben Wasser in einer hencketen Multter verdeckt gossen worden, vnd die Multter hat hinden ein
schnürlein. So nun der Jahn an dem schnürlein gemechlich
an zeicht, so felt das Wasser in ein Sieb, das auch mit wed-
len verdeckt ist, vnd fellt auff Jahnnen, macht jhn zimlich
naß, vnd wenns als auß gossen ist, springt er wider rab. Jahn
25   ·   sagt:

Ja, es hat hart geregnet beim Baum
Vnd doch bißher geweret kaum.
Ich glaub, jhr habt das Wetter gmacht.

Nigrinus sagt:

30 Gehe weg vnd hab auff dich gut acht!
Ein schwartze Wolck seh ich dort hinden:
Darumb spring du balt auff die Linden!
So wirstu hörn vnd sehen ritzen,
Hefftig Donnern, bagln vnd Blitzen.

Es möcht dir sunst ein schaden than.

　　·　Jahn steigt hinauff vnd sagt:
O ich will nauff steign von stund an.

Ietzt sind Racketla ober vnd vnder jm, hinder vnd vor jm,
　5　die werden angezünd.　Jahn schreit:
　　O wehe! o helfft! ich muß verderben.
　　O mordio redio! helfft! ich muß sterben.

Wenns auffhört, springt Jahn wider rab vnd sagt:
　　Ich bitt, mein Juncker, mich bericht!
　10 Seit jhr kein Wettermacher nicht?
　　Weil euch der Regen nit hat genetzt
　　Vnd euch der schaur nit hat verletzt,
　　So seit jhr nit erschrocken, wie ich.
　　·Ich kan nit recht besinnen mich
　15 Vnd wolt euch doch gern ymb raht fragen.

　　　　Nigrinus sagt:
　　Ich weiß wol, was du mir wilt sagen.
　　Ich weiß, was dein anligen ist,
　　Dastu ein arger eiffrer bist,
[402]　20 Wolst wissen, was der Nachbaur dein,
　　Wenn er ist bey deim Weib allein,
　　Mit jhr handlet, thut vnd abred.

　　　　Jahn verwundert sich vnd sagt:
　　Ey, Herr, wann jhr ein solch kunst het
　25 Vnd theilet mir dieselben mit, ·
　　Nichts liebers west ich auff Erden nicht;
　　Ich wolt mich gern mit euch vertragen.

　　　·　Nigrinus sagt:
　　Ja hör vor! laß dir noch eins sagen!
　30 Was du begerst, soll als geschehen;
　　Du must aber vor ein Teuffel sehen,
　　So lern ich dich die kunst darnach.

　　　　Jahn sagt:.
　　Was kan der Teuffel denn für ein sprach?

Ob ich jhn villeicht kűnd verstahn.

Nigrinus sagt:

Allerley sprach der Teuffel kan
Vnd sunst auch, was du wissen wilt.

5   ### Jahn sagt:

Ja, wenns nur nit gar vil gelts gilt
Vnd dabey ist kein grose gfahr,
Seh ich den Teuffel gern fűrwahr,
Ob ich auch kűnd sein kundschafft krigen.

10   ### Nigrinus sagt:

Thu dich nur in den kreiß rein schműgen!
Steh still vnd geh kein dritlein fort!
Auch solstu reden gar kein wort,
Dann sunst ging dich als vnglűck an.

15   ### Jahn sagt:

Ja, was jhr mich heist, will ich than.

Er geht in Kreiß; der Zauberer macht etliche Caracteres; der
Teuffel kriecht rauß, laufft vmb den kreiß, speit Feuer auß
vnd hat ein busch in henden, der gibt auch Feuer auß. Der
Narr fengt an zu zittern, machet das Creutz für sich. Der
Teuffel zűnd jm ein Racket am latz an; er schreit vnd sagt:

O Feurio! lescht, lieben Leűt!
Mein Jüngster tag ist gwißlich heűt.

Der Teuffel reist jn zu boden, springt vber jn vnd laufft davon; der Zauberer lacht sein. Jahn sagt:

Ich glaubs bey Gott, jhr habt gut lachen.

[402ᵇ]   ### Nigrinus sagt:

Du Narr! du thest dirs selber machen.
Warumb bliebst nit drinn in dem Kreiß?

30   ### Jahn sagt:

Ja, der Teuffel machet mir so heiß,
Ich forcht mich auß der maß gar sehr
Vnd meint nicht, das der Teuffel wer

Ein solcher Feur, außspeieter dieb.

Nigrinus sagt:

Ietzund ich dir zu mercken gib,
Zu erfahrn deines Weibs sachen,
5 So will ich dich vnsichtbar machen.
Das kanstu verbringen allein,
Wenn du bey dir tregst einen stein,
So kan dich kein Mensch kennen noch sehen
Vnd kan in deinem Hauß nichts gschehen,
10 Du sichts vnd man sicht dich doch nit.

Jahn sagt:

O lernt mich die kunst! ich bitt,
Das ich all ding kan sehen vnd hörn.

Nigrinus sagt:

15 Noch eins das will ich dich jetzt lehrn,
Das warhafftig die Fraue dein
Soll glauben, du müst Wilhelm sein.
Da kanstu ins Wilhelms Person
Sie selbst vmb vnzucht reden an;
20 Dann wenn du, wie ich dir will sagen,
Ein stein thust auff der achsel tragen,
Vermeint man, das du Wilhelm seist.
Darauß du dann gewißlich weist,
Ob auch dein Weib jhr treu halt vest.

25 Jahn sagt:

Die letzter kunst ist schier die best.
Lernt mich die letzter kunst allein!

Nigrinus sagt:

Gehe für die Kirchen! da ligt ein Stein;
30 Den selbigen trag mit dir heim
Vnd Bet auch alle zeit in gheim
Zwölff Vatter vnser in der nacht!

Jahn sagt:

Ich hab nie vil Betens verbracht.
35 Die kunst wer sunst nit so gar schwer,

Wenn nur das eintzlich Betn nit wer.
Dasselbig geht mir vbel ein.
Nun, ich will gehn: find ich den Stein,
So, will ich mich mit euch vertragen.
5 Ihr solt mir fleisigen danck drumb sagen.

    Jahn geht ab. [402ᶜ] Nigrinus sagt:
Gehe hin! du einfeltiger thor!
Dein Weib vnd Wilhelm wissens vor,
Was ich dich glernt hab für ein kunst,
10 Werden dir machn ein blaben dunst,
Das du wirst meinen, sie sein frumb.
Doch wird sichs nit erfinden drumb.

Er geht ab. Mariana geht allein ein vnd sagt:
Ich Heürat nicht bey all mein tagen.
15 Doch hat mir einen Mann antragen
Die Königin, mein Gnedigste Frau.
Keim Mann auff gantzer Welt ich trau.
Männer nemen ist gar nit gut,
Nemen den Weibern Leib vnd Gut
20 Vnd handeln damit, wie sie wöllen.
Ergreifft eine ein losen Gesellen,
So verthut er jhr, was sie hat.
Darumben ich jhr Mayestat
Abgschlagen hab die Heüraht gschwind.
25 Zu Heürahten ich nicht rahtsam find.

Sie geht hin vnd wider, ficht mit den henden, schüttelt den
    kopff; kompt Philippus vnd sagt:
Ach dort sehe ich die schön vnd die zarten
Spatzirn im Könglichen Garten,
30 Die ficht gar hefftig mit den Händen,
Thut den kopff hin vnd wider wenden.
Darauß ich wol vermercken kan,
Mein Lieb die sey jhr zeiget an
Vnd das sie mich nicht haben wil.
35 O ich mercks wol, mehr dann zu vil.
Deß bin ich mit hertzleidt beladen.

Doch meinet ich, es solt nicht schaden.
Wenn ichs schon selbst anreden thet,
So west ich, was sie willens hett.

Er geht zu jhr, neigt sich vnd sagt:
5 Edle zarte Jungfrau, ich bitt,
Wolt mirs für übel haben nit,
Das ich euch soll hie reden an!

Mariana sagt:

Ey gar nicht; sagt! was wolt jhr han,
10 Das jhr kompt in den Garten rein?

Philip sagt:

Da wolt ich gern eur Diener sein
Vnd wolt euch anbitten mein dienst.
Verhoff davon ein danck auffs minst.

[402ᵈ] 15 Dann solt ich eur hult nicht erwerben,
So müst vor hertzenleid ich sterben;
Iedoch nur als in zucht vnd ehrn.

Mariana sagt:

Ach, der red last euch nur nit hörn!
20 Dann ich habs lengst beschlossen schan,
Zu nemen kein Gemahl vnd Mann,
Sonder ein Jungfrau hie zu sterben.
Drumb ist vergebens diß eur werben.
Ich wil bleiben im Jungfraustandt.

25 ### Philippus sagt:

Ach edles Bildt, mir thut gar andt,
Das jhr mich also gar veracht,
Darzu mit worten so auß macht,
Der ich doch nichts vngleichs begert.
30 Wolt jhr mich eur nicht achten wehrt,
So denckt, das Königlich Mayestat
Mich braucht für ein Königlichen Rath
Vnd mir gnedigst gewogen sind.
Meins gleichen jhr all tag nit find.
35 Ich will euch setzen in Ehr vnd Gut.

Mariana sagt:

In dem jhr mir gar vnrecht thut,
Das ich euch solt haben veracht,
Verschmehet oder auß gemacht.
5 Ihr seit mir mehr dann vil zu gut.
Ich hab aber kein Sinn noch muht,
Mich in Ehlichen Stand zu geben.

Philippus sagt:

Die red brecht mich vmb Leib vnd Leben,
10 Wenn mein hoffnung nit wer dabey,
Das die red nur ein Hofbscheit sey,
Die sich bißweiln offt verendern.
Ir werd nicht so feind sein den Männern,
Weil eur Vatter auch war ein Mann.

15 ### Mariana sagt:

Mein meinung habt jhr ghöret schon,
Das ich noch nit Heürahten wil.

Philippus sagt:

Kan ich erlangen nit so vil,
20 Das jhr mir nur befehlen wolt,
Was ich eurenthalben thun solt,
Das jhr erkennt die dienste mein?

Mariana sagt:

Wenn ich euch auch könnt dienstlich sein
25 In ehrn, wolt ichs gar gern than.

Philippus sagt:

Ein grosse bitt ich an euch han.
[403] Wenn jhr mich wolt derselben gewehrn,
So thu ich euch hin wider gern
30 Alles, was jhr an mich thut werben,
Vnd solts mir bringen todt vnd sterben.
Das schwör ich euch bey treu vnd ehr.

Mariana sagt:

Weil jhr die ding beteurt so sehr,

So last mich eur hegern wissén!

Philippus sagt:

Das ich euch eurn Mund sol küssen.
Wann ich dessen gewehret bin,
5 Beger ich von euch nichts forthin.

Mariana sagt:

Ach Gott der gantz schendlichen bitt!
Nun zümbts gleichwol Jungfrauen nit,
Das sie sich sollen lassen küssen.
10 Aber das solt jhr von mir wissen,
Werd jhr mir meiner bitt gnug than,
Ich einen kuß wol halten kan
Vnverletzt meiner Jungfrauschafft.

Philippus sagt:

15 Ach wie bin ich in lieb behafft?
Jungfrau, euch sey gar hoch geschworn,
Ich wil haben alles verlorn,
Wenn jhr mich dieses kuß gewehrt,
Das ich auch thu, was jhr begert.

20   (Er gibt jhr das Lied.)

Da nemet das schön Bullied hin,
Dessen ich allein Meister bin,
Das jhr dabey gedencket mein!

Mariana sagt:

25 In Gottes nam, so soll es sein!
Verricht jhr erstlich eur hegern.
Darnach sol euch anzeiget wern,
Was zu vor mein begern war.

Er küst sie. Mariana sagt:

30 Nun so solt jhr ein gantzes Jar
Kein wort reden, biß ich voran

*

31 Dieser zug findet sich in einer novelle Bandellos 3, 17. Vgl. Heidelberger jahrbücher der litteratur 1837, 672.

Eur langs Bullied gelernet han,
Das jhr mir habt zu ehrn gmacht,
Vnd ich wil haben darauff gut acht;
Dann wann jhr brecht eur zusagen,
5 Könd ich euch bey all mein tagen
Halten für kein warhafften Mann.

Philip kratzt sich im kopff, gibt jhr die hand vnd sagt:
Was ich versprach, das wil ich than.

Sie geht ab. [403ᵇ] Er geht traurig hin vnd wider, ficht mit
den henden, kratzt sich im kopff, verwundert sich; in dem
kompt Arras vnd sagt:
Strenger Ritter, der König schickt mich rein.
Ihr Mayestat wolt gern bey euch sein.

Philip gibt jhm eins zum kopff vnd geht stillschweigent ab.
15 Arras sagt:
Die kappen ich bekommen hab
Vnd geht mein Herr stillschweigent ab.
Ich hab wol mein bottschafft außgericht.
Das aber kan ich wissen nicht,
20 Ob auch des Königs willen gschicht.

Abgang.

ACTUS TERTIUS.

Kompt Jahn, tregt ein stein auff der Achsel vnd sagt:
Den edlen stein hab ich dort vnden
25 Nicht weit von der Kirchthür gefunden,
Bey dem ich mein Gebet verricht.
Ietzt man mich für Wilhelm ansicht.
Mein Nachbarn, der dort gleich geht her,
Laß hörn, was er sagen wer!

Wilhelm geht ein. Jahn geht auff Wilhelms thür zu. Wil-
helm sagt:
Ich hab mich warlich schir kranck glacht,
Das Nigrinus dahin gebracht,
Das der Jahn lest bedůncken sich,

Das man jhn werd ansehen für mich.
Nun es ist gut; ich hilff darzu.
Alda ich jhn gleich finden thu.

Er geht zu jhm, sicht jhn an, geht vmb jhn rumb vnd sagt:

5 Das ist schir ein Kerl gleich wie ich.

Jahn lacht. Wilhelm sagt weiter:

Mein guter freund, berichtet mich!
Was habt jhr hie zu richten auß?

Jahn sagt:

10 Ich will da heim gehn in mein Hauß.
Was fragt jhr? wolt jhr auch darein?

[403ᶜ] **Wilhelm sagt:**

Ey, freundt, dieses haus das ist mein
Vnd gehört euch mit nichten zu.

15 **Jahn sagt:**

So sag mir halt! wie heist denn du,
Das dieses hauß dein soll sein?

Wilhelm sagt:

Wilhelmus ist der namen mein
20 Vnd das hauß ist mein lauter eigen.

Jahn sagt:

Ich kans beweisen vnd bezeigen,
Das ich Wilhelmus heisen thu
Vnd das das hauß ist mein darzu
25 Vnd das ich darin bin geborn.

Wilhelm sagt:

So müssen vnser zwen sein worn,
Dann ich auch bin geborn darin.

Jahn sagt:

30 Der recht Wilhelm aber ich bin,
Der in diesem hauß ist geborn.

Wilhelm sagt:

Bey der weiß so wer ich verlorn
Vnd du werst kommen an mein statt.
Der sachen will ich halt schaffen raht,
Sehen, das ich mit meiner klingen
5 Dich wegk von meinem hauß kan bringen.

Wilhelm laufft ab, will ein wehr holen. Jahn lacht, das er
erschottelt, vnd sagt:

Ach das ist ein köstlicher stein.
Ietzt gehe ich zu der Frauen mein
10 Vnd Bul mit jhr an Wilhelms statt.
Da lern ich, was gemüt sie hat.
Kompt dann jetzt der Wilhelm wider,
So leg ich meinen stein balt nider
Vnd thu, samm wiß ich kein wort drumb,
15 Vnd bring jhn zu recht widerumb.

Wilhelm laufft mit bloser Wehr ein vnd sagt:

Sich, Jahn! wo kombstu da her?
Gern west ich, wo hin kommen wer
Der bößwicht, der wolt Wilhelm sein.

20   Jahn sagt:

Es ist einer gloffen da nein.
Schau! dorten er noch lauffen thut.

[403ᵈ] Wilhelm sicht sich vmb. Jahn hebt den stein auff,
lacht, schreit vnd sagt:

25 Wilhelm mein, sey doch wolgemut!
Sich! jetzt thut Wilhelmus hie stahn.

Er legt den stein wider nider vnd sagt:
Sich! jetzundt sichst dein nachbar Jahn.

Wilhelm sagt:
30 Von wem hastu die kunst gelehrt?

Jahn sagt:
Ein Zaubrer michs gelernet hat,
Der wohnet hie in dieser Statt.
Kein künstlicher Mann kan hie nicht sein.

Sich! diese krafft die hat der Stein.
Balt ich jhn nur faß in die hend,
So wert ich in dein gstalt verwend·
Vnd kan mich gahr kein Mensch nicht kennen.

5   Wilhelm sagt:

Darauff hett ich mich lassen brennen,
Wo du die Kunst best ghabt in dir.
Ich scheid: hab nichts vervbel mir!

Wilhelm geht ab vnd lacht. Jahn lacht noch sehrer vnd sagt:

10 Ach Gott, das ist ein köstlicher Stein.
Ich wil jetzt ruffen der Frauen mein.
Die will ich meisterlich probirn,
Sehen, was sie im schilt thut führn.

Jahn schreit:

15 Labia, kombt balt herfür!

Labia schreit inwendig:

Wer ists, der also schreiet mir?

Weil sie hinauß zu jhm geht, spricht sie zu den zusehern:

Sich da! mein Narr wil mich bethörn.
20 An·dein Stein wer ich mich nit kehrn.
Ich kenn den Esel bey den ohrn.
Fürwar dein kunst die ist verlorn.

Sie geht zu jhm vnd sagt:

Secht, Nachbar Wilhelm! seit es jhr?
25 Was wolt jhr also eylend mir?
Ich bett daheim nötig zu than.

Jahn lacht vnd winckt, als sol man jhn nit melten, vnd sagt:

Mein Nachbarin, wo ist eur Mann?

[404]   Ich hab euch lieb gehabt lang zeit.
30 Wann es jetzt bett gelegenheit,
Mich in Lieb mit euch zu ergötzen,
Ich wolt was dapffers daran setzen
Vnd solt mich gar kein gelt nicht reüben.

Labia sagt:

Nachbar Wilhelm, thut mirs verzeihen!
Secht jhr mich für ein solche an?
Ich hab selbst ein ehrlichen Mann.
Darff eur, auch sonst keins andern nit.
5 Drumb last mit solchem mich zu frid!
Oder ich werds euch anderst sagen.

Jahn sagt:

Wolt jhr mich in lieb lassn verzagen?
Ich bitt, jhr wolt verschonen mein.
10 Sind wir doch bede nur allein,
Nembt hin den thaler zu verehr!

Labia sagt:

Ich hab ein Mann vnd darff keins mehr.
Drumb last mich nur deßhalb zu frid!
15 Nach eurm gelt so frag ich nit.
Wolt jhr aber der ding nit gschweigen,
So wil ichs meinem Mann anzeigen.
Dann werd jhr sehen, was jhr gewind.
Kein solches Weib jhr an mir find.

Sie wend sich vmb, als wöll sie wegk gehn. Jahn legt den
stein wegk; sie sicht sich vmb vnd sagt:
Ach lieber Jahn, wo kombstu her?
Ich meint, wie Nachbar Wilhelm wer.
Der hät mit mir von sachen gredt,
25 Die jhm zwar nit gebüren thet.
So bistus, Jahn; wie thustus machen?

Jahn lacht vnd sagt:

Ey, soll ich dann nicht deiner lachen?
Sihe dich doch nur ein wenig vmb!

30 Er hebt den stein wider auff vnd sagt:
Ietzund so sich halt wider rumb!
Mit der kunst ists gar balt geschehen.

Sie sicht wider vmb vnd sagt:

Erst hab ich meinen Jahn gesehen,
35 Ietzt sich ich Nachbar Wilhelm schan.

Nachbar Wilhelm, wo ist mein Mann?

Jahn legt den Stein wider wegk vnd sagt:
Da da bin ich, hertzliebes Weib!
Nun ich aller sorgen frey bleib,
[404^b] 5 Dastu seist deiner ehren frumb.

Labia lacht ihn auß vnd sagt:
Ja, du darffst kein sorg haben drumb.

Sie geht ab. Jahn sagt:
Wenn etwann einer binnen wer,
10 Der steck in eiffersucht so sehr
Vnd trauet nit der Frauen sein,
Derselb kauff mir ab diesen Stein!
Weil ich eim den kan grecht bewern,
So gilt er hundert gulden gern.

Er fast den Stein auff vnd geht ab. Flavius, der König, geht
ein mit Fabiano, dem Statthalter, Wilhelm vnd Philippo, seinen
Rähten, Clareta, der Königin, vnd Mariana, der Jungfrauen,
vnd Arras, dem Lackeyen. Der König setzt sich vnd sagt:
Ihr lieben getreuen, gebt vns bericht!
20 Ist keins vnder euch allen nicht,
Wer Philippo hab leids gethan,
Vnd das er nicht mehr reden kan
Vnd hört doch, was man mit jhm redt?
In schwern gedancken er hergeht
25 Vnd wil sich lassen trösten nicht;
Darob vns groß hertzleid geschicht;
Dann er war vnser treuer Raht,
Auch für vns künlich gstritten hat.
Solcher wolthaten zu gedencken,
30 Wöll wir dreissig tausent Cronen schencken
Dem, der jhn wider redent macht.

Fabianus, der Statthalter, sagt:
Großmechtiger König, ich hab erdacht
Ein weg, dardurch wolt ich jhn zwingen,
35 Vorige red jhm wider bringen,

Wenn ich wer der verehrung gwiß.

Flavius, der König, sagt:

Wolt jhr zweiffel setzen in diß,
Als wolt wir vnsern glauben brechen,
5 Nicht halten, was wir theten versprechen,
Das hieß vns grieffen an ehrn an.
Darumb, was wir versprochen han,
Das wol wir halten bey ehr vnd Eyd,
Dabey anzeigen den bescheid.
10 Wer sich dieser ding vnderstünd
Vnd jhn nit redent machen künd,
Dem wöllen wir lassen den kopff abschlagen.
Wers nun auff das geding will wagen,
[404ᶜ]   Der steh sein abentheur darfür!

15   ### Mariana sagt:

Eur Mayestat verzeihens mir!

(Sie deut auff den Statthalter.)

Mein Herr Bruder weiß nichts davon,
Auch dem Philip nicht helffen kan;
20 Aber ich weiß jhn redent zu machen,
Das er soll frölich sein vnd lachen
Bey des Königs gesetzter peen.

Flavius, der König, sagt:

Wenn jhr euch das wolt vnderstehn
25 Vnd gwin bey diesen sachen finnen,
So gwart auch des vnglücks darinnen!
Könd jhr jhm helffn, wöll wir euch lohnen.
Fehlt jhr, wöll wir eur nit verschonen,
Solt jhr vns entlich darumb glauben.

30   ### Mariana sagt:

Meins lebens sol man mich berauben,
Wenn ich jhn nit kan redent machen,
Dann ich weiß vrsach dieser sachen.

Sie geht zu jhm, nimbt jhn bey der hand vnd sagt:

Philippe, weils die weg erlangt,
Zu reden widerumb anfangt!
Ich erlaß euch jetzt eurer pflicht.

Philippus schüttelt den kopff. Mariana sagt:
5 Wie? wolt jhr mit mir reden nicht
Vnd ich solt eur hertzliebste sein?
So ist eur Lieb gegen mir gar klein.
Aber das die warheit werd gespürt,
Das jhr mich nur mit spot vmb führt,
10 So bitt ich: fangt zu reden an!

Philippus schüttelt den kopff. Mariana sagt:
Hertzliebster, wolt jhr das nicht than?
Ihr wist: mir steht ein pfand gar teur,
Vnd was ich gwinn, das ist halb eur.
15 Das gelt könn wir gar balt erwerben.

Philippus schüttelt den kopff. Mariana sagt:
Ey, wolt jhr mich lassen verderben?
Ihr habt ghört, was der König geschworn.
Redt jhr nicht, so bin ich verlorn.
20 Das kan niemand, als jhr, verhindern.

[404ᵈ] Er schüttelt den kopff. Mariana sagt:
Ein Stein wer vil eh zu erlindern,
Als ich euch bring zu eurer gunst.
Nun, ist dann all mein bitt vmbsunst,
25 So muß ich wol mercken dabey,
Das eur Lieb ein falsche Lieb sey.
Doch wil ich solches keim Menschen sagen,
Sonder mir lassen den kopff abschlagen.

Sie geht von jhm zum König, neigt sich, fellt darnach zu
30   fuß vnd sagt:
Großmechtiger König, ich bett geschworn,
Wo mein hegern wer gwest verlorn.
Aber es ist all bitt vnd gunst
Bey dem Philippo gar vmb sunst.
35 Er kan wol reden, wils doch nit than.

Was ich für straff verwircket han,
Das will ich hertzlich gern leiden.
Es muß doch alhie sein gescheiden.

Flavius, der König, sagt zornig:
5 Balt heiset vns den Burgkvoigt her!
Der ruhm soll euch noch fallen schwer.

Arras geht ab, bringt Bernhart. Flavius, der König, sagt:
Burgkvoigt, nimb Marianam an,
Die ist zum todt verurtheilt schon,
10 Vnd schlag jhr ab jhr falsches haupt,
Der wir zu vil getraut vnd glaubt,
Als wie sie selbst bewilligt hat!

Clareta, die Königin, steht auff, neigt sich vnd sagt:
Eur Lieb wol jhr erzeigen gnad!
15 Sie hat vns in vnserm Gemach
Treülich gedient vil Jar vnd tag
Vnd vns warhafft vil guts gethan.
Hat sie einmal vnrecht gethan,
Kan man jhr solchs doch wol vergeben.

20   **Fabricius, der Statthalter, sagt:**
Ach Herr König, schonet jhr am leben!
Mein Schwester hat gehofft, das er
Auff erden lieb kein Weibsbild mehr,
Als sie: so ist sie doch betrogen.
25 Das soll billich werden bewogen
Vnd mit jhr nit vorfahrn so gschwind.

Flavius, der König, sagt:
Kein vnwarhaffter Man wir sind.
Wir wölln halten, was wir jhr gschworn;
30 Vnd weil sie hat das leben verlorn,
[405]   So mag jhr kein Mensch gnad erwerben.

Zum Burgkvoigt sagt er:
Schlag jhr den kopff ab! sie muß sterben.

Bernhart, der Burgkvoigt, sagt:

Nun, Jungfrau, so kompt mit zum todt!

Mariana sagt:

Gnedigster Herr, nun gsegn euch Gott,
Auch euch, Gnedigste Königin!
5 Gar vbel ich betrogen bin
Durch mein Weibische vnvernunfft,
Köhr billig in der thorn zunfft.
Der ich erstlich wolt keim Mann trauen,
Muß jetzt mit grosem schaden schauen,
10 Das ich zu weit vertrauet hab.
Ein Bullied mir Philippus gab.
Daran wil ich nur etlich gsetz,
Ihn zu ehren, singen zu letz.
Dardurch, hoff ich, soll er noch sich
15 Auß lieb erbarmen vber mich.
Wo nicht, so wöll euch Gott bewahrn,
Zu dem ich will gehn Himel fahrn!

Bernhart, der Burgvoigt, wil sie binden, sie wehrt sich vnd
sagt:

20 Laß mich meins Liebs Bullied vor singen,
Eh du den befelch thust verbringen!

Sie hebt an vnd singt nach volgents Lied Im Thon: O wehe
der jemmerlichen pein.

1.

25 Ach, wie ists ein so schmertzlichs ding
Dem, der vergeblich liebet, ja liebet,
Vnd man acht seiner doch gering!
Gar hart man jhn betrübet, betrübet,
Zu mal wenn liebet gleich seins gleich
30 Vnd man wils nit erkennen, erkennen.
Also thut mir die seuberleich,
Die ich doch nit will nennen, ja nennen.

2.

Ihr hertz sie gar von mir abwend,
35 Verachtet all mein bitten, ja bitten.

8 ? Die. 9 O grosen. 16 ? wöll mich.

Ach, das sie mich recht hett erkend,
Wie ich, jhr Tugent vnd sitten, ja sitten!
So wird sie mirs villeicht nit than,
Sonder heilen mein schmertzen, ja schmertzen,
5 Denn ich sie warhafftig lieb han
Von wahren grund meins hertzen, ja hertzen.

3.

Ach, ich bin doch nit gar der minst
Vnd thust mich doch verachten, verachten,
10 Vnd wenn du ein andern lieb gwinst,
[405ᵇ]   Müst ich in not verschmachten, verschmachten.
Da magstu als denn sehen zu,
Wie du es Gott ab bittest, ab bittest;
Dann solstu kommen in vnruh
15 Vnd etwa kummer liedest, ja liedest.

4.

So wers mir selber leid für dich
Vnd ich wolt dirs nit günnen, ja günnen.
Darumb erbarm dich vber mich!
20 Laß mich gunst bey dir finnen, ja finnen!
Ich wil mich halten gegen dir,
Als wer ich dein dienstknechte, ja knechte,
Vnd als, was du befihlest mir,
Verricht ich dir gar rechte, ja rechte.

25   ### 5.

Ach, das dich mir wol Gott beschern!
Des wolt ich mich erfrewen, ja frewen,
Vnd solst mir all mein Gut verzehrn,
So sols doch mich nit reuhen, ja reuhen,
30 Dann dein gunst mir vil lieber ist,
Als all zeitliche Gütter, ja Gütter.
Die aller schönst auff Erd du bist:
Gott wöll sein dein behütter, ja bhütter!

6.

35 Kein Tadel hastu an deim Leib;
Das muß ich selbst bekennen, bekennen.
Beköm ich dich zu einem Weib,
Selig wolt ich mich nennen, ja nennen.
Hastu doch sunst kein mengl an dir;

Dann dastu dein strengs hertze, ja hertze
Vber all bitt wendest von mir.
Das ist mir der gröst schmertze, ja schmertze.

7.

5 Solt dich Gott straffen, das wolt ich nicht,
Wenns gscheh von meinet wegen, ja wegen.
Man erfehrt zwar, das es offt gschicht,
Kriegt weder glück noch segen, ja segen;
Wenn man das glück mit füssen tritt
10 Vnd thut wolfahrt verschlagen, verschlagen.
Drumb wenn du mir versagst mein bitt,
Muß ichs meinem Gott klagen, ja klagen.

8.

Ade zu tausent guter nacht
15 Sey dir, schöns Lieb, gesungen, gesungen!
Das ich dir das Lied hab gemacht,
Hat mich dein lieb gezwungen, gezwungen,
Ob du drauß mercken wolst mein Lieb,
Die mir mein hertz helt gfangen, ja gfangen.
20 Dir ich mich zu eygen ergib:
Laß mich dein huld erlangen, erlangen!

9.

Doch seh ich, das es nit will sein.
Ich muß mich dein verwegen, verwegen.
[405ᶜ] 25 Darumb gib ich mich willig drein!
An mir ist nit vil glegen, ja glegen.
Vnd kümmerst du dich schon nit drumb
Vnd thust dich meiner schämen, ja schämen,
Komb ich deinet halben gern vmb.
30 Gott helff mir dorten! Amen, ja Amen.

Dann kniet sie nider vnd spricht:
Dein Lied hastu gedicht auff dich
Vnd schickt sich doch vil baß auff mich,
Weil ich muß sterben von wegen dein.
35 Herr, laß mich dir befohlen sein!
Vnd du, Burgkvoigt, verricht die that,
Wie dir der König befohlen hat!

28 ? schamen.   35 O dich.

Der Burgkvoigt zeicht vom leder, als wol er jr den kopff weg
    schlagen. Philip laufft jn ein vnd sagt:
        Halt in! steck dein Schwerdt wider ein!
        Die edel Jungfrau die ist mein.
    5 Warumb ich bißher nit hab gredt,
        Dessen ich grose vrsach bett,
        Wie ich will sagn eur Mayestat.

Der Burgkvoigt steckt wider ein, lest sie gehn vnd geht ab.
          Der König sagt:
    10 Weil sie jhn redet gemacht hat
        Vnd er sagt, die Jungfrau sey sein,
        So kommet all mit vns herein!
        Da wöll wir reden von den sachen,
        Wie wir wollen ein Hochzeit machen.
    15 Vnd was wir jhr haben versprochen,
        Das wöll wir halten vnverbrochen
        Vnd soll noch gschehen diese Wochen.
         Abgang jhr aller.
         ACTUS QUARTUS.

Kompt Fabianus, der Statthalter, allein vnd sagt:
        Der Philip mir groß schimpff zu fügt,
        Hat den preiß im kampff vor mir kriegt.
        Doch verdreust mich das noch vil vester,
        Das er will haben meine Schwester.
    25 Vnd darumb, daß sie sein nit acht,
        Hett er sie balt ums leben bracht
        Vnd jhr grose Injury than,
        Das ich jhm nit gut heisen kan.
        Will mich derhalb fleissig bemühen,
    30 Ein reiß jhm vber den weg zu ziehen,
        Vnd will mich nichts dran hindern lassen,
        Mein Sinn vnd witz zusammen fassen,
[405ᵈ]   Das ich mein anschlag zu wegen bring.
        Da kompt des Königs Kämmerling.
    35 Den frag ich, wo der König sey.

Arras geht ein, sicht sich vmb; der Statthalter schreit vnd sagt:

Arras, Arras, balt komb herbey!
Wo ist der König? mir ansag!

Arras sagt:

Er ist drinnen in seim Gemach.
5 Nicht weiß ich, was er darin thut.

Fabianus sagt:

Wann er drinn ist, so ist es gut,
Dann ich wolt gern bey jhm sein.
Da geht ihr Majestat gleich rein.

Flavius, der König, geht ein vnd sagt:

Herr Statthalter, was macht jhr hie?
Alda bett wir euch gsuchet nie.
Was ist euch, das jhr so saur secht?

Fabianus, der Statthalter, sagt:

15 Großmechtiger König, es ist nicht recht
Vnd ich habs nit erfahren gern.
O wenn sie in mein henden wern,
Ich wolt sie der maß also straffen,
Sie solten nimmer beysammen schlaffen.
20 Dasselbig mich zu zorn bewegt.

Flavius, der König, sagt:

Was ist? das geredt vns endeckt!
Vnd auff wen seit so zornig jhr?

Fabianus sagt:

25 Herr König, dises daurt mich hier,
Das Philippus, dem jhr traut so wol,
Ein solcher loser Bub sein sol
Vnd sich darff zu der Königin Betten.

Der König zuckt am Rappier vnd sagt:

30 Kein Mensch sol jhn von vns erretten,
Das Rappir wöll wir durch jhn stechen.

Fabianus, der Statthalter, sagt:

Eur Mayestat kan sich baß rechen
Vnd sie erstlich lassen einziehen.

Darmit sie der straff nit entfliehen,
Kan man sie stellen für Gericht.

Flavius sagt:

So wöll wir den Sack vnd Bößwicht
5 So balden lassen legen ein.
Burgkvoigt, komb eylends zu vns rein!

[406]   (Bernhart laufft ein.)

Nimb vnsern Gmahel vnd den Philip
Vnd bind sie bede wie ein dieb
10 Vnd leg sie in den stock gefangen!
Sie solln jhrn lohn erlangen.

Abgang jhr aller. Mariana geht allein ein vnd sagt kläglich:

Ach Gott, nun möcht ich wissen gern,
Was wolt auß meiner Heûrat wern.
15 Ja freylich hab ich vnrecht than,
Das ich bin gwest gantz frey voran,
Vnd hab mich versteckt in die Ehe,
Die fengt sich an mit angst vnd wehe.
Wie neulich ist mir darzu kommen,
20 Das man mir hett das leben gnommen!
Mein liebster hat mich wol probirt,
Biß in todt in versuchung gführt,
Doch bin ich noch der straff entgangen.
Ietzt ligt mein Liebster auch gefangen
25 Vnd ist mit der Königin verzicht.
Iedoch kan ich es glauben nicht,
Das er solch lose hendel treib.
Die Königin ist ein ehrlichs Weib,
Die jhr solchs nit nach sagen ließ.
30 Es ist in König tragen gewiß.
Was sol ich aber darzu than?
In not ich jhn nicht lassen kan,
Sonder mich annemen darumb,
Das ich zu jhm ins Gfengknuß kumb,
35 Wil jhm anlegen die kleider mein,
Im Gfengknuß bhalten die kleider sein

Vnd will jhm helffen auß der not.
Bleib ich dann an seiner statt todt,
So komb ich erst mein's vnglücks ab,
Das ich nun lang getragen hab.

Sie geht zum Thor, klopfft an. Bernhart, der Burgkvoigt,
schreit:
Wer klopfft so starck drauß vor der Thür?

Mariana sagt:
Mein Burgkvoigt, komb herauß zu mir!

10   **Er geht herauß vnd sagt:**
Was sol ich, zarte Jungfrau rein?

Mariana sagt:
Ich bitt, jhr wolt mir dienstlich sein,
Mir sagen, was jhr habt für Gäst.

15   **Bernhart, der Burgkvoigt, sagt:**
Wann jhr dann solches so gern west,
[406ᵇ]   So hab ich gfangen die Königin
Vnd Philip ligt auch gfangen drinn.
Doch weiß ich jhr verbrechen nit.

20   **Mariana sagt:**
Mein Burgkvoigt, an euch ist mein bitt,
Ihr wolt mich zu dem liebsten mein
In die Gefengknuß lassen ein,
Das ich nur ein weng mit jhm red.

25   **Der Burgkvoigt sagt:**
Edle Jungfrau, wenn ich das thet
Vnd der König wirds von mir innen,
So müst ich auß dem Land entrinnen
Oder müst verlieren mein leben.

30   **Sie ziecht gelt herauß vnd sagt:**
Hundert stück golts wil ich dir geben:
Laß mich nur ins gfengknuß ein gang!
Ich wil darin nit bleiben lang.
Es soll dir sein ohn allen schaden.

Der Burgkvoigt wend sich vmb vnd sagt:

Sol ich mir die vngnad auff laden,
Mein leben setzen in todes gfahr,
So felt es mir gar schwer fürwahr.
5 Soll ich dann so vil gelts entbern,
So thu ichs fürwahr auch nit gern;
Dann vil Menschen sind in der Welt,
Der keiner verdient so vil gelt,
Als mir jetzt ist gebotten an.

Er wend sich wider herumb vnd spricht zu Mariana:

Gebt mir das gelt! so wil ichs than.
Doch solt jhr bey all eurn tagen
Keim Menschen kein wort davon sagen,
Damit ich nit in vnglück komb.

15   Mariana sagt:

So wahr ich bin an ehren frumb,
Will ich gar nichts sagen davon
Vnd jhr solt des kein schaden han.

Bernhart, der Burgkvoigt, gibt jhr den schlüssel vnd sagt zu jhr:

20 So nembt die schlüssel vnd geht hin!
Albie ich euer warttend bin.

Der Burgkvoigt geht hin vnd wider vnd sagt:

Die Jungfrau lang auß bleiben thut.
Ich weiß nit, wie mir ist zu muht.
[406ᶜ] 25 Gelt macht schelck, sagt das sprichwort,
Vervrsacht mauchs vnglück vnd mord
Vnd bringt vil böse sach zu recht,
Macht zu Herrn die nidern gschlecht
Vnd in summa vil nutzens schafft,
30 Hat grose sterck, wirckung vnd krafft,
Wie es mich jetzt auch vberwunden.
Doch bleibt zu lang in Turn vnden
Die Jungfrau: deßhalb wird mir bang.

Kompt Philip in Weiberkleider, als obs der Mariana kleider
gewesen wern, die sie zuvor angehabt; die Mariana aber thut

allein den stock vnden ab, setzt ein Baret vber die harhauben
vnd nimbt ein mandel vmb vnd Philip sagt mit gedempffter
stim:

Bin ich nit auß gewest zu lang?

5 Das gsprech sich hat verzogn sieder.

Alda habt jhr den schlüssel wider.

Sie gehn alle bede ab, ein jeder seinen weg. Kompt der König
Flavius mit Fabiano, dem Statthalter, Wilhelm, dem Raht, vnd
Bernhart, dem Stockmeister. Der König setzt sich vnd sagt:

10 Ihr lieben getreuen, die jhr all wist,

Was schmacheit vns begegnet ist

Von Philippo, den wir hoch liehten,

Der hat vns gmacht zu eim betrübten

Hoch vnd hart angefochtnen Mann.

15 Darumb zeigt eurn Raht vns an,

Mit was straff er sey zu belegen.

Fabianus, der Statthalter, sagt:

Wann wir der sachen gstalt bewegen,

So sprich ich, das er verwircket hab,

20 Das man jhm seinen kopff schlag ab

Vnd das man auch die Königin tödt.

Wilhelm sagt:

Schau! dort der Philip gleich hergeht,

Vber den wir jetzt Vrthelln söllen.

Philip geht ein, sicht sich vmb vnd sagt:

Man will ein Vrtl vber mich fellen,

[406ᵈ] So will ich gehn auch hören zu.

Er geht für den König, neigt sich. Der König sagt:

Philip, balt sag vns, wie bistu

30 Auß der gefengknuß kommen her?

Philippus sagt:

Ich ward gefangen nimmermehr,

Sondern die vergangen tag albeid

Bin ich gewesen auff dem gejeidt.

Wer soll mich gfangen geleget han,
Der ich doch niemand nichts hab than?

Flavius, der König, sagt:

Statthalter, was beduncket euch?
5 Die sach will nit zutreffen gleich.
Der Proceß der geht widersins.
Wir begern nicht euers gewins,
Den jhr auß der sach möcht bekommen.

Fabianus, der Statthalter, erschrickt vnd sagt:

10 Der gleich hab ich noch nie vernommen.
Herr König, last die gfangenen bringen!
Es geht nit recht zu mit den dingen.

Flavius, der König, sagt zum Burgkvoigt:

Burgkvoigt, bring die gfangenen dein
15 Auffs aller ehst zu vns herein!

Bernhart geht ab. Fabianus, der Statthalter, sagt:

Der Burgkvoigt wird sein schuldig dran.
Der wird jhm gholffen hahn davon.

Bernhart, der Burgkvoigt, führt die Königin in Weiberkleidern vnd Mariana in Männerkleidern ein vnd sagt:

Herr König, diß sind meine gefangen.

Flavius, der König, sagt:

Das vbel, das sie haben begangen,
Solt jhr, Statthalter, zeigen an,
25 Das man sie drauff vervrteln kan,
Weil sie jetzt beide stehn für gericht.

Fabianus sagt:

Eur Mayestat weiß die geschicht,
Auff die ich anstell mein anklag,
30 Vnd bitt, das man auff diesen tag
Sie bede straff an leib vnd leben.

[407] Mariana wirfft den mandel vom maul vnd sagt:

Ey, darffstu dein Schwester angeben,
Als ob ich hett verwirckt mein leib

Vnd die Königin, das ehrn Weib,
Bringen in solch grosen argwohn,
Die nie nichts vnehrlichs hat thon?
Das soll dir zu weng wern deins Guts.

Der Statthalter kratzt sich im kopff, der König sichts vnd sagt:
Mariana, seit jhr gutes muhts
Vnd saget vns die rechte warheit,
Wie jhr doch in Turn kommen seit,
Vnd last euch für jhn daher stellen!

10   Mariana sagt:
Da hab ich an Tag bringen wöllen
Meins leiblichen Bruders grose vntreu.

     Flavius, der König, sagt:
Wir wollen auch wissen dabey,
15 Wie Philip auß dem Turn kam.

       Mariana sagt:
Als ich seine gfengknus vernam,
Thet ich von dem Burgkvoigt erlangen,
Das er mich gehn ließ zu dem gfangen,
20 Vnd fragt jhn, was er bett gethan.
Da zeigt er mir sein vnschult an
Vnd erbot sich der außzuführn,
Der Köngin vnschult zu probirn
Mit einem kampff, wie ist der brauch,
25 Vnd begert nicht zu weichen auch,
Biß die warheit kumb an den tag.

Flavius, der König, spricht zu Bernhart:
Du loser Lecker, vns halt sag,
Ob man dir nit befohlen hab,
30 Dastu niemand solst lassen nab
In den Turn zu den gefangen!

     Bernhart sagt zu der Mariana:
Ihr seit gleich wol hinab gegangen.
Zu euch ich mich nichts böß versach,
35 Hab gmeint, jhr seit rauß gangen hernach.

So sieh ich wol, ich ward betrogen.

Flavius, der König, sagt zu jhm:

Du bist ein Lecker, loß, verlogen:
Drumb solstu kriegen deinen lohn. -

[407ᵇ] Bernhart kratzt sich im kopff. Clareta, die Königin, sagt:

Hab wir doch niemands leid gethon.
Warumb solt wir so gfangen sein,
Das niemand bey vns auß vnd ein
Gehen vnd vns besuchen sol?
10 Aber das wil ich glauben wol,
Das mich bey eurer Mayestat
Der Statthalter verkleinert hat.
Wil ich das gegen jhm purgirn
Vnd mit kampff mein vnschult probirn,
15 Das mir von jhm gescheh vnrecht.

Flavius sagt:

Herr Statthalter, dennoch zu secht!
Die Königin erbeut sich vil
Vnd jhr vnschult purgirn wil
20 Mit kampff, wie jhr jetzt habt vernommen.
Vnd solt sie nun Kempffer bekommen,
So könden wir jhrs nit abschlagen.

Fabianus sagt:

So müst ich den kampff mit jhr wagen,
25 Damit die warheit köm an tag.
Kein andern beweiß ich haben mag,
Dann mein klag zu erhalten mit kempffen.

Philip dritt herfür vnd sagt:

So will ich dir dein hochmut tempffen
30 Vnd zwar nicht für die Königin allein,
Sonder auch vmb die vnschult mein.
Wer recht hat, soll sich im kampff finnen.

Fabianus sagt:

So kom! thu dich nit lang besinnen!

Man wůrfft jhn Schwerter für, sie kempffen lang; endlich fellt
der Statthalter zu fuß, wirfft das Schwerdt von sich, hebt die
hend auff vnd sagt:

.Ach strenger Ritter, ich bitt vmb gnad.
5 Vnd, O Königliche Mayestat,
Nicht allein bewehrt mein gefecht,
Das ich jhn beiden thet vnrecht,
Sondern ich muß es selbst bekennen.
Ein heimlicher haß in mir thet brennen
10 Von wegen der lieben Schwester mein,
Das sie solt Philips Gemahl sein.
Das dacht ich also zu verhindern,
Sein ehrenstand dardurch zu mindern,
Vnd hab jhn ziehen der vbelthat,
15 Die er doch nie begangen hat,
Vnd hab jhn beiden vnrecht than.

[407ᶜ]   Clareta, die Königin, sagt:

Ach solstu sein ein solcher Mann,
Der mich arme vnschuldige Frauen
20 Bey dem König also nein soll hauen
Vnd meines lebens nicht verschonen?
Wolstu vmb wolthat also lohnen
Deiner Gnedigsten Obrigkeit,
Ernstliche straff hett bey dir zeit.
25 Iedoch will ichs dem König heim stelln.

      Flavius, der König, sagt:

Die straff wir vns vorbhalten wölln.

Der König steht auff, fellt der Königin zu fuß vnd sagt:

Ach hertzenliebster Gemahl frumb,
30 Wie halt werd jhr jetzt kommen vmb
Sambt Philip, vnserm Diener treu!
Darob hett wir gnommen groß reuh,
Wann euch Gott nicht erhalten hett.
Gar hart vns das zu hertzen geht,
35 Das wir so gschwind gefahren send.
Das wöll wir biß an vnser end

Euch widerumb lassen geniessen.
Last euch nur der schmach nit verdriessen,
Die euch von vns ist widerfahrn!

Clareta sagt:

5 Der lieb Gott thut die sein bewahrn,
Der aller Menschen hertz erkend.
Der weiß, das wir vnschuldig send.
Ob er vns schon hat gsteckt in schmach,
Ist doch die warheit bracht an tag
10 Vnd die lügen offenbar worn.

Flavius, der König, sagt zum Statthalter:

Dein Leib vnd Gut hastu verlorn.
Das soll dir auch genommen wern.
Dieweil du darffst so keck hegern,
15 Der Königin vnd guten Leüten
Nicht allein treu vnd ehr abschneiten,
Sonder sie bringen vmb das leben,
Wollen wir deinen lohn dir geben,
Das dus solst forthin nicht mehr than.

20 Zum Burgkvoigt sagt er:

Vnd du solst auch in den Turn gahn,
Weil du hast brochen deine pflicht
Vnd vnsern befelch ghalten nicht,
Das du solst niemand lassen ein
25 In Turn zu den gefangnen dein.
Darauß wer bald vnglück gerahten.

Clareta sagt:

[407ᵈ] Weil es abgangen ist ohn schaden
Vnd wir durch diß mittel allein
30 Der gfengnuß ledig worden sein,
So bitt ich, des Burgkvoigts zu schonen,
Dann wir sein schuldig, jhm zu lohnen,
Weil er durch sein vnwissenheit
Vns wider macht fröliche zeit.
35 Vnd wie wol der Statthalter arck
Wert wer, das man jhm auff dem Marck

Rauß schnid sein falsch betrogens hertz,
Iedoch das nicht treib hinder wertz
Eins einichen Menschen klag vnd leid
Vnser auff heint erlangte freůd,
5 So bitt ich, jhm zu schenckn das leben.

Flavius, der König, sagt:

Weil dann eur Lieb vns hat vergeben,
Der wir das vbel an euch theten,
Euch halt vnschuldig vmbracht betten,
10 Darzu für den Statthalter bitt,
Das man sein vbel soll straffen nit
Vnd der Burgkvoigt weng hat verbrochen,
So bleibs, wie euer Lieb hat gesprochen!
Vnd kommet all mit vns herein,
15 Das man all die geschicht schreib ein,
Dabey ein König vnd Fürst lehr,
Das er sich nicht an schwetzer kehr
Vnd eyl nit zu gschwind zu der rach,
Sonder erfahr vor wol die sach!
20 Dann vor gethan vnd nach bedacht
Hat manchen in groß trauren bracht.
Wann wir das haben verrichtet jetz,
So wolln wir nein in die Turnitz
Vnd vns mit essen vnd trincken labn,
25 Ein guts gsprech mit einander habn,
Hinfürtter weiß vnd witzig wern,
Niemand vbels zu fügen hegern,
So lang wir leben auff dieser ern.

Abgang jhr aller.

30 ACTUS QUINTUS.

Beschluß:

Also ist die Comedi auß.
Volgente lehr tragt heim zu hauß!
Erstlichen bey der Königin,
35 Die auß gantz hochmůtigem siu
Den König gar nit haben wolt,

Das ein Wittfrau bedencken solt,
Ob sie wider zu Freyen begert,
Vnd hat ein Freyer, der jhr ist wehrt,
Das sie sich nicht zu lang besin,
5 Das sie nicht gehe darhinder bin

[408]   Vnd sitz zwischen zwen stüll nider;
Dann ein Wittfrau nimbt nicht ein jeder.
Vnd kem sie drob in schand vnd schmach,
Wers recht, wenn man jhr spott darnach.
10 Zum andern solln die Jungfrauen .
Ihnen selbst nicht zu wol vertrauen
Vnd das Heüraten gahr verreden,
Wie vor Jarn die Nunnen theten
Vnd auch Mariana gethan,
15 Dieweil man doch. nit wissen kan,
Was etwan Jar, Monat vnd zeit
In künfftig bringt für glegenheit.
Drumb war ein sprichwort bey den alten,
Man solt verreden, was man könd halten,
20 Vnd theten solche Leüt anweisen,
Zu verreden das nasen abbeisen.
Zum dritten merckt bey dem Statthalter,
Das Regenten vnd Landsverwalter
Sich halten warhafft grecht vnd frum,
25 Das sie erlangen preiß vnd ruhm,
Dann man gibt jhn das Regiment
Zu Regirn darumb in die hend,
Das sie sollen sein frum vnd schlecht
Vnd keinem Menschen thun vnrecht;
30 Dann der, so selber ist nicht gut,
Nimmer mehr das recht födern thut,
Dann Paulus sagt, das ohne Sünd
Kein dieb den andern hencken künd.
Zum vierten merckt beim König wol,
35 Das man bedechtlich handeln sol,
Nicht glauben geb den dellerschleckern,
Den ohrnblasern vnd losen leckern,
Die zu Hof manchen Mahn vnd Frauen

Vnschuldig thun zu der banck hauen
Vnd jhn dardurch einkommens machen,
Sonder das man erfahr die sachen,
All vmbstend vnd beweiß besech,
5 Damit keim Menschen vnrecht gschech.
Endlich bey der Königin (wist!)
Dieses gar wol zu mercken ist,
Ob jhr ward schon gefügt groß schmach,
Das sie doch nit begert der rach,
10 Thet jhrem Feind als halt vergeben;
Dann welcher Mensch wil ewig leben,
Muß vergeben, gleich wie er wolt,
Das man jhm auch vergeben solt,
Dann Christus, der Heiland allein,
15 Heist vns alle barmhertzig sein,
Wie sein Vatter barmhertzig ist.
Das bedenck wol, o Mensch vnd Christ!
So wird dir Gott nach diesem leben
Den ewig werenden Himel geben.
20 **Abgang.**

[408ᵇ] **Die Personen in diß Spiel:**

1. Flavius, der König in Cypern.
2. Philippus, sein fürnembster Raht vnd junger Ritter.
3. Heremirus, ein ander Raht.
4. Clareta, die Königin auß Franckreich.
5. Mariana, jhr HofJungfrau.
6. Fabianus, der Statthalter.
7. Wilhelmus, der ander Ritter.
8. Nigrinus, der vermeint Zaubrer.
9. Jahn Clam, der Narr oder dantman.
10. Guilhelmus, sein Nachtbaur.
11. Labia, sein Weib.
12. Arras, des Königs Lackey oder Jung.
13. Bernhart, der Burgkvoigt oder Kerckermeister.
14. Lucifer, der Teufel, hat aber nichts zu reden.

ENDE.

(26).

SPIEGEL WEIBLICHER ZUCHT VND EHR. COMEDIA
VON DER SCHÖNEN PHÄNICIA VND GRAF TYMBRI VON GO-
LISON AUSS ARRAGONIEN, WIE ES JHNEN IN JHRER EHR-
LICHEN LIEB GANGEN, BISS SIE EHELICH ZUSAMMEN
KOMMEN,

Mit 17 Personen, vnd hat 6 Actus.

Venus, die Göttin, geht ein mit blosem halß vnd armen, hat
ein fliegents gewand vnd ist gar Göttisch gekleit, ist zornig
10   vnd sagt:

> ICh wolt hie gern klagen mein not,
> Das mich vnd mein Sohn macht zu spot
> Tymborius, der Graf von Golison,
> An Königs Hof zu Arragon.
> 15 Der helt sich Mannlich, starck vnd vest,

*

2 Dieses stück ist auch abgedruckt in L. Tiecks deutschem theater 2,
35 ff. Der stoff ist der gleiche, wie in Shaksperes stück Viel lärmen um
nichts. Moriz Rapp sagt in der einleitung zur übersetzung des letzteren s. 3:
Der stoff ist aus einer novelle des Bandello entlehnt, den der dichter wohl
im original gelesen, da noch keine übersetzung existirte. Selbst die eigen-
namen und nebenumstände sind daher. Aber der stoff war auch vor Shakspere
schon dramatisch verarbeitet worden. Diß wißen wir einmal jetzt durch Col-
lier, der erwähnt, daß ein stück Ariodante und Ginevra vor der königin Eli-
sabeth aufgeführt wurde. welches den stoff aus Ariosts Orlando entlehnt und
das in den hauptzügen mit unserem stücke übereinstimmt; zweitens aber aus
einem deutschen stück des Nürnbergers Ayrer, von der schönen Phönicia, das
Tieck im zweiten band des deutschen theaters hat abdrucken laßen, und von
dem es nach der gantzen behandlung mehr als wahrscheinlich ist, daß ihm ein
altenglisches stück zum vorbild gedient hat. Die fabel ist dieselbe wie bei
Shakspere.

[408ᶜ]

Hat im nechsten Krieg than das best,
Da Prochyte angfangen hat
In Sicilien das groß blutbad,
So man Sicilisch Vesper nendt.
5 Weil aber so vil Leüt hie sendt,
Die mir villeicht möchten zuhörn
Vnd mir meinen fürschlag zerstörn,
So halt ich, ich will schweigen still.

Sie besind sich vnd sagt:

10 Was ich mir für gesetzt, das will
Ich mit glück verhofflich nauß bringen.
Vor zorn wil mirs hertz zerspringen,
Dann ich hab manchem Helten wehrt
Sein Kriegshertz zu Weibslieb verkehrt
15 Vnd auß jhm einen weichling gmacht,
Das er keines Kriegs mehr hat geacht,
Sonder hat mit gedancken gestritten,
Weiber zu führn auff den Schlitten,
Ihn zu Ehrn kempfft vnd Turnirt,
20 Zu nacht gesungen vnd gassirt,
Dieweil mir nach fleischlicher art
Alzeit angenemb vnd lieber wart,
Das Menschlich geschlecht zu heuffen vnd mehrn,
Als zu verderben in Kriegshörn.
25 So ist aber der Graf vnd Ritter
Wider mich so grim vnd bitter,
Das er sich keiner Weiber acht,
Liebt vil mehr groß Kriegsweßn vnd schlacht.
Das hat mich billich hart verdrossen.
30 Cupido hat vil pfeil verschossen
Nach jhm, send all gangen in windt.
Vulcanus ist zornig vnd geschwindt
Vnd will jhm keine Pfeil mehr schmiden,
Wird offt mit mir drob zu vnfriden.
35 Darumb so muß ich mich bedencken,
Wie ich den Ritter möcht ablencken,
Das er auch Weiber lieb möcht han.

Mein Natur liebet schön Person.

So weiß ich aber kein andern raht,

Dann weil der König verordnet hat

Zu Messina einen Turnir,

5 Will ich allen fleiß wenden für,

Das der Phänicia lieb gewin. ·

Dieselb ist auch geladen hin.

Die ist so schön vnd Tugentreich,

Auff Erd ist nirgend jhres gleich

10 Ein Jungfrau von Sechzehen Jarn.

Aber jhr solt dabey erfahrn,

Wie ich jhm will sein Kriegshertz demmen, ·

Im weiten Meer der lieb vmb schwemmen,

Das man gewiß soll halten dabey,

15 Das die gschicht ein Tragedi sey.

Darauß soll man erfahrn vnd lehrn,

Was gehört zu Weiblichen Ehrn.

[408ᵈ]   Darumb habt ruh vnd schweigt all still!

Secht wunder, wie ichs machen will!

Cupido geht ein, wie er gemalt wird, mit verbunden augen,
    hat ein Pfeil auff seim bogen vnd sagt:

Frau Mutter, habt fort kein verdruß!

Mein Vatter, der zornig Vulcanus,

Der hat mir etlich Pfeil geschmit

25 Vnd sagt, ich könn mit fehlen nit,

Sonder treff, was ich treffen sol.

Venus sagt:

Ist das wahr, so gfelt es mir wol;

So werd wir vns befleisen müssen,

30 Den Grafen Timbori zu schiessen.

Nun hastu je bey all dein tagen

Noch kein kleid niemals angetragen.

Triffstu jhn, so schwer ich ein Eydt,

Ich will dir kauffen ein schönes kleidt,

35 Wie sie die Götter tragen an.

Cupido sagt:

Frau Mutter, vnd wolt jhr das than,
So kompt vnd helfft mir suchen jhn,
Das jhr erfahret, was ich künn!

Abgang. Jahn geht ein, ist mit einem Pfeil, der jhm noch
im geseß steckt, geschossen worden, helt bede hendt für das
geseß vnd sagt:

Auwe, Auwe meines hertzen!
Ey, wie leid ich ein grosen schmertzen!
O Anna Maria, komb vnd tröst mich!
10 Dann ich kan nicht leben ohn dich.

Er greint vnd sagt:

Auwehe! wie leid ich ein schmertzen!
Fürwahr, es ist nicht mit zu schertzen,
Dann der schelm der hat mich geschossen.

15 Er zeucht an dem Pfeil vnd schreit:

Auweh! fürwar gar seltzam bossen,
Das das loß schendlich hurnKindt
Kan schiessen vnd ist dennoch blindt.

Er reist den Pfeil rauß, sicht jhn vnd sagt:

20 Ja fürwahr, er hat mich recht hart troffen.
O Anna Maria, erfreu mein hoffen!
Laß mich nur einmal bey dir

[409]   Er verzeicht ein wenig vnd sagt:

Kommen!

25 Gerando, der Ritter, laufft ein vnd sagt:

Was für gschrey hab ich da vernommen?
Ich mein, es wer mein Knecht, der Jahn.

Jahn schlegt an sein hertz, weist jhms geseß, zeigt jhm den
Pfeil vnd sagt:

30 Ja fürwahr, ich hab es than.
Secht jhr da, wie ich gschossen bin!
Ach meines hertzen! wo soll ich hin?
Es brennet in mir, wie lauter feur,

Vnd kompt mein schmertzen nicht zu steur
Die Anna Maria bey rechter zeit
. Vnd mir jhre

Er pausirt ein wenig vnd sagt:

5. Schneeweise hend beüt,
So muß ich dises schuß noch sterben.

Gerando sagt:

Schweig, Jahn! ich will dir helffen werben,
Das dein hegern gehe von statt.

10 Jahn sagt:

Fürwahr, das wer ein guter raht.
O helfft mir erwerben jhr gunst!
Ihr verlirt euren Jahnnen sunst,
Dann der schuß mir zum hertzen geht.

15 Gerando sagt:

So sag mir, wer dich schiessen thet,
Davon dir diser schmertzen kam!

Jahn sagt:

Ich kan nicht behalten den Nam;
20 Aber wie ich jhn gesehen hab,
So ist es noch ein junger Knab
Vnd ist jhm verbunden das angesicht,
Das einer meint, er geseh ein nicht.
Aber der schelm scheüst gar wol.
25 Gott geb, das jhn der Teufel hol
Vnd das ich wider gesundt wer!

Gerando sagt:

Nun wol, mein Jahn! was wiltu mehr?
Ich will dir selbst die Jungfrau werben.

30 Jahn sagt:

Wolt jhr? fürwahr, ich muß sonst sterben.
Vnd zeiget jhr auch an dabey,
Wie ich so ein fein Kerls sey,
[409ᵇ] Ein Exilend schöne Person!

Vnd was sie sagt, zeigt mir wider an!
Aber halt, ehe mir mein hertz zerspring!
Fürwahr, es ist gar nötigs ding;
Dann ich bin gar zu hart verwundt.

5   Gerando sagt:
Schweig! du solst bald werden gesund,
Dann ich bin des orts wol bekandt.

Gerando geht, als wöll er abgehn. Jahn sagt:
Hört jhr?

10   (Er geht wider zurück.)

So sagts aber sonst niemandt,
Sonder lasts als bey euch bleiben!
Das Buln muß man verschwiegen treiben.

Gerando sagt:
15 Es ist gut; ich will der sach recht thon.

Er geht wider fort. Jahn sagt:
Hört jhr?

Er geht wider zurück. Jahn sagt:
Lieber, so sagt nichts davon!

20   Gerando geht ab. Jahn sagt:
Es hat mich gleichwol hart verdrossen,
Das mich das Kerl so hat geschossen.
Auch hab ich gelitten grosen schmertzen,
Dann die Liebsbrunst eilt mir zum hertzen.
25 Also ward ich mit lieb besessen.
Ietzt aber hab ichs als vergessen
Vnd bin schon halb geheilet ich,
Weil Anna Maria wil haben mich.

Er geht ab, juchtzet vnd ist gar fro. Kompt König Petrus
auß Arragonien mit Reinhart vnd Dietrichen, seinen beden
Rähten, Tymbori, dem Grafen, setzt sich vnd sagt:
Euch ist wol wissent, wie das wir
Haben angestelt ein Turnir,
Weil wir in der nechsten gehaltenen schlacht

Vil Frantzosen haben vmbbracht,
Darzu Prochyte geholffen hat
Vnd angerichtet ein blutbad,
[409ᶜ]   Die Sicilische vesper genandt.
5 Das die geschicht lang bleib bekand,
Hab wir darzu vil Ritter geladen.
Den besten Kämpffer mir begnaden
Mit einer Ketten vnd einem Krantz
Vnd nach der Malzeit mit eim Tantz.
10 Derhalb wer vnder euch kempffen wöll,
Nach Turnirs gebrauch kempffen söll
Ohn all verbotten stück vnd gfahr
Vnd alle zeit nur par vnd par,
Das man sehe, welcher thu das best.

15   Reinhart sagt:
Es kommen gleich die frembten Gäst,
Die zu dem Turnir gerüst sein.

          König Petrus sagt:
Es send vns liebe Gäst; last sie rein!

In dessen geht das gantz Frauenzimmer auff die zinnen, sehen
oben herab. Man macht auff. Kompt Lionito von Toneten,
der alt Ritter, Lionatus, ein alter von Adel, vnd Gerando, ein
Ritter. Der König steht auff, gibt jhnen allen die handt;
deßgleichen thun auch die Räht. Der König setzt sich wider
25   nider vnd sagt:
Ihr Herrn, wir haben gern vernommen,
Das jhr zum Turnir seit herkommen,
Vns vnd euch selbst zu erlustirn
Vnd vns vnser Malzeit zu zirn
30 Zu Ehr dem Königlichn Frauenzimmer.
Deß wöllen wir vergessen nimmer,
Darzu auch die Kempffer begaben.
Wer das best thut, soll von vns haben
Diese Ketten sambt einem Krantz,
35 Nach der Malzeit den ersten Tantz.
Auch soll ein jeder nach seinen Ehrn,

Nach dem er kempfft, begabet wern.
Drumb bedenckt euch nicht lang hierinnen,
Die weil jhr sehet auff der zinnen
Die Königlich Frauen vnd Jungfrauen,
5 Die dem Turnir zu wollen schauen
Vnd zu dem kampff haben verlangen.

Lionito, der alt Ritter, sagt:

Wie wol mein sterck mir ist vergangen
Vnd meine glieder schwach send worn,
10 Doch ist mir Kempffen angeborn,

[409ᵈ]   Das ichs nicht vnterlassen kan,
Kurtzweil halb auch mein bestes zu than
Vnd an dem Streit ein gang zu wagen.

Tymbor sagt:

15 Eur Lieb wolt ich nicht gern schlagen.
Iedoch bin ich zum Kampff begirig.
Drumb will ich allein kempffen zierlich
Vnd eur Lieb gar kein leid nicht than.

Lionito sagt:

20 Ey, es kan so gleich nicht zugahn.

Sie schlagen zusammen. Lionito, da er auffhört, sagt:

Eur Lieb ist mir weit vberlegen,
Doch Kempffet ich von freundschafft wegen.
Vor Jarn ich auch baß Kempffen kundt.

Sie geben die hend aneinander. Tymbor sagt:

So komb ein anderer her jetzundt
Vnd Kempff mit mir auß langer schneiden!
Wer troffen wird, der muß es leiden,
Als wenn jhn hett ein hundt gebissen.

30 Lionatus, der alt Edelman, sagt:

Ich hab mich wol ehe mit eim geschmissen
Vnd darffs auch noch so alt wol than.

Sie schlagen zusammen. Lionatus sagt:

Ich bekens, das du bist mein Man,

Das alter mir die sterck hat gnommen.

Tymbor gibt jm die hand vnd sagt:
Ey, so mag ein anderer herfür kommen.
Der alten zu schonen werd ich gezwungen.
5 Wolt gern Kempffen mit eim jungen.
Den wolt ich etwa besser streln.

Gerando sagt:
So komb! ich will dein auch nicht fehln.
Hab gleich so wol zwo hend als du.
10 Hastu ein hertz, schlag weidlich zu!

Diese bede schlagen lang einander; endlich felt der Gerando
zu boden, würfft das Schwerdt nider vnd sagt:
Thu gmach! ich hab deins Kempffens gnug.

Reinhart, der Raht, geht herfür vnd sagt:
15 Herr Tymbor, kan es haben fug,
So thu ich auch ein Kampff mit euch.

[410]   Tymbor sagt:
O schlagt nur her! es gilt doch gleich,
Weil es dem König gschicht zu Ehrn.

Sie schlagen zusammen, vnd als sie auffhörn, sagt Reinhart
vnd beut jhm die hand:
Hört auff! ich kan mich nimmer wehrn.
Also habt jhr mich vmbgetrieben.

Tymbor sagt:
25 Ist dann keiner mehr vberblieben,
Der mit mir zu kempffen beger?

Dietrich sagt:
Hie bin ich schon; drumb schlat nur her!

Sie schlagen auch zusammen. Tymbor treibt jhn auch zu
ruck. Theodorus gibt jhm die hand vnd sagt:
Ihr habt mich Ritterlich bestanden.

Tymbor sagt:

Ist gar kein Kempffer mehr vorhanden?

Er sagt weider:

Weil sich dann niemand meltet an,
Hab ich im Kampff das best gethan
5 Zu Ehrn Königlicher Mayestat.

König Petrus sagt:

Von wegen eurer Khünen that
So nembt die Ketten vnd den Krantz!
Die tragt bede am AbentTantz!
10 Ietzt aber kombt zur Malzeit rein!
Da soll das Frauenzimmer sein
Vnd sich mit vns zu Tafel setzen.
Da wöll wir vns als leidts ergötzen
Vnd auch einnemen das Nachtmal,
15 Darnach auff dem Königlichen Saal
Halten ein herlichen AbentTantz,
Das vnser freude werde gantz.

Abgang jhr aller. Gerando geht allein ein vnd sagt:

Tymbor, der Graf von Golison,
20 Legt vns hie allen groß schandt an.
Der thut gar hoch herprechen sich,
Weil er im Franckreichischen Krieg
Durch verrehterey angericht hat
Vberauß ein sehr groses blutbadt,
25 Das man Sicilisch Vesper heist
Vnd jhn der König so gar hoch preist.
[410ᵇ]   Des helt er sich dest steüff vnd strenger
Vnd ander gegen jhm vil wenger.
Sein Künheit wechst von tag zu tagen.
30 Der hats im Turnir als wegk gschlagen
Vnd ist beim Königlichen Abentessen
Zu nechst oben bey dem König gesessen,
Bey jhm das Königlich Frauenzimmer,
Das ich es kan zusehen nimmer,
35 Sonder bin gleich gangen davon,
Weil ich schir saß zu vnderst an.

Vnd will der sachen dencken nach,
Wie ich mich an jhm rechen mag.
Nun ists mit Kempffen gar vergebens.
Mir 'schad der schimpff die Zeit meins lebens.
5 Er ist zu Khůn, lüstig vnd scharff.
An jhn ich mich nicht richten darff,
Sonder muß mich nur dahin schicken,
Das ich mit falschen Practicken
Ihm etwa schand vnd schimpff beweiß.
10 Ich will ankehren allen fleiß
Vnd will mich an dem Grafen rechen,
Mir wöll dann Gott das leben brechen.

Er geht zornig ab. Venus, die Göttin, geht ein mit Cupido,
der hat sein köcher vol Pfeil, vnd sein Pogen ist staffirt, wie
15   man jhn malt. Venus sagt:

Hie steck dich in die ecken nein!
Es wird jetzt Tymbor kommen rein
Vnd mit sich zum Tantz führn da
Die allerschönst Phänicia:
20 Den schieß mit deiner lieben Pfeil,
Das jhn der liebsbrunst vbereil
Vnd sich in mein gesellschafft begeb,
Nicht steht dem Krieg vnd Kampff nachstreb
Vnd ander Ritter mach zu schand,
25 Sonder das jhm auch werd bekand,
Was ich durch meinen gewalt außricht!

Cupido sagt:

Frau Mutter, ich will sein fehlen nicht,
Sonder jhm sein Mannhafftes hertz
30 Verwunden mit der lieben schmertz.
Iedoch so soll er sich schemen,
Phäniciam Ehelich zu nemen.
Damit so will ich jhn vmbtreiben.
Er soll nicht wissen, wo er kan bleiben,
35 Vnd eur schmach an jhm wider rechen.

Venus sagt:

So thus! was ich dir thet versprechen,
Dasselbig ich dir halten wil.
Sie kommen: ich hör die Seidenspil.

[410ᶜ] Ietzt blöst man auff vnd so man außgeblasen hat, so kompt der König; dem folgen seine Räht, darnach allerley Seidenspil; darnach führt Tymborus die Phäniciam, Lionito sein Gemahl Veracundia, Lionatus die Anna Maria, die KammerJungfrau, vnd Gerando die Philis oder KammerFrau. Cupido schiest den Tymbor mit einem Pfeil, hebt jhn balt wider auff. Tymbor sicht die Phäniciam an, seüfftzt, truckt sie vnd führt den Reyhen vnd wird auch Venus auffgezogen. Wenn sie nun etlich Reyhen getantzt, so tritt Dietrich, des Königs Raht, herfür vnd sagt:

Ihr Musicanten, haltet still!
15 Hört, was der König fürbringen will!

König Peter neigt sich gegen seinen TurnirsGästen, deut mit dem Zepter vnd sagt:

Ihr lieben Herrn vnd werden Gäst,
Die jhr am Turnir thet das best
20 Vnd all, die wir her laden theten!
Wenn sie jhn genug getantzet hetten,
So wolten wir den schlafftrunck thon
Vnd halten ein Collation
Vnd diesen ersten tag beschliessen.
25 Morgen wir wider trincken müssen
Vnd noch ferrners in freuden leben.
Doch wöll wir niemand ordnung geben,
Dann die kurtzweil ist euch angstelt,
Das jhr all thun mögt, was jhr wölt,
30 So vil geschehen kan mit Ehrn.

Tymborus wend sich zu den zusehern vnd sagt:

Soll wir zu Tantzen schon auffhörn
Vnd ein end haben der beste muht?
Ach wie hart mein hertz brennen thut
35 Gegen Phäniciam, der schön Jungfrauen!

Dergleichen Mensch thet ich nie schauen.
Wenn ich jhr hult nicht kan erwerben,
So muß vor hertzenleid ich sterben,
Vngeacht ich sie vor nie thet sehen.
5 Ich weiß nicht, wie mir ist geschehen.
Werd ich jhrer lieb nicht geniessen,
So muß ich noch mein leben bschliessen.

[410ᵈ] Ich glaub, das Venus vnd jhr Kind
Selbst hie bey disen Reyen sind
10 Vnd schleichen diesen liebschmertz ein.

König Petrus sagt:
Ich bitt, folgt vns all nach herein!

Man blöst auff. Der König geht mit seinen Rähten voran,
vnd so der König zum abgang kompt, hört man deß blasens
auff vnd heben die andern Musicanten an vnd gehn wider in
der ordnung ab, wie zuvorn. Venus vnd Cupido bleiben herauß,
gehn herfür. Venus sagt:

Cupido, du hast Ehr eingelegt,
Weil du den Tymbor hast bewegt
20 Mit deinem Pfeil durch einen schuß,
Das er Phäniciam lieben muß.
So will ich jhn nun darzu treiben,
Das er nirgent soll können bleiben
Vnd jhr soll zu vnehr hegern.
25 Doch sol sie jhm nicht zu theil werden,
Biß er sie Ehelich nemen thu,
Vnd soll gar kaum kommen darzu,
Das er dasselbig kan erleben,
Das man sie jhm thu Ehelich geben,
30 Auff das er merck vnd lern dabey,
Das ich Jupiters Tochter sey
Vnd vermög mich an jhm zu rechen.

Cupido sagt:
Frau Mutter, jhr thet mir versprechen,
35 Das jhr mich gar schön kleiden wolt.

Venus sagt:

Dasselb dir gehalten werden solt
Vnd ein schöns kleid werden gemacht,
Weil er in meinen gewalt ist bracht,
Der mich zuvor so hat veracht.

Abgang jhr aller.

ACTUS PRIMUS.

Kompt Gerando allein vnd sagt:

Ich habs vor gesagt vnd sag es noch:
Tymbor tregt vns den zaum zu hoch
10 Vnd vbernimet sich der gnad,
Die er bey vnserm König hat,
Da jhm doch besser vnd nützer wer,
Er beköm solch gnad nimmermehr, .

[411] Könd er deß Königs zorn entweichen.
15 Hofleüt thu ich den Vögeln vergleichen,
Derselben die Vogler vil mehr fangen
Mit jhrem locken vnd gesangen,
Als die Paurn mit jhrer grobheit.
Groser Herrn gunst ist alle zeit
20 Müßlich, schedlich vnd zu besorgen,
Es sey gefahr darhinder verborgen.
Vnd wer groser Herrn gnad erlaufft,
Ihm selbst gefahr mit gefahr erkaufft;
Dann sich dergleichen gnad ergötzen,
25 Muß man Ehr vnd Gut in schantz setzen,
Wie es Tymbor noch sol erfahrn.
Was gelts? ich bring jhn selbst ins garn,
Das ich an jhm gerochen wer.
Potz! dort geht Anna Maria her,
30 Welcher mein Jahn will hoffiern.
Ich muß sie ein weng mit jhm vexirn.

Anna Maria geht ein. Gerando geht zu jhr vnd sagt:
Edle Jungfrau, wo wolt jhr hinauß?
Ich wolt gleich zu euch in eur hauß.
35 Ich hab etwas bey euch zu werben.
Es will einer vor liebe sterben,

Die er in Ehren zu euch tregt.

Anna Maria sagt:

Ach, wie hat mich der Herr erschreckt!
Dieweil mir je nit ist bewist,
5 Obs eur schimpff oder ernst ist.
Ich hab sonst kein, der vmb mich würbt,
Vil weniger meinethalben stirbt.
Was wird der wol für einer sein?

Gerando sagt:

10 Fürwahr, er leid eurthalben pein
Vnd sagt, ohn euch kan er nicht leben.

Anna Maria sagt:

So thut mir jhn zu erkennen geben!
Soll ich ein nemen, ehe ich weiß,
15 Von wann er ist vnd wie er heiß,
Das wer meiner freundtschafft ein schandt.

Gerando sagt:

Er ist mit euch gar wol bekandt
Vnd seins theils ist die sach schon gwiß.

20   ### Anna Maria sagt:

So west ich gern, wie er hieß.
Ich glaub fürwahr, jhr spottet mein.

Gerando sagt:

Nein zwar, wie soll das gespottet sein,
25 Weil jhm ligt leib vnd leben dran?

Anna Maria sagt:

Wenn ich dann nicht erfahrn kan,
[411ᵇ] Wie er heist, so niemb ich jhn nit.
Das habet hiemit zum abschiedt!
30 Ich mag nicht alle prügl auffklauben.

Gerando sagt:

Ihr werd jhn seiner sin berauben,
Wenn jhr jhm gebt kein andern bescheid.

Anna Maria sagt:

Er ist villeicht vorhin nicht gescheidt,
Weil er nicht saget, wie er heiß.
Ich spiel nicht gern der blinden meüß.
5 Diß ist gar kein Heürat für mich.
Er mag auch wol versehen sich!

Sie geht, als wöll sie wegk gehn. Gerando schreit vnd sagt:
Verziecht! ich wils euch zeigen an.

Sie geht wider zurück; er sagt:

10 Es ist halt eben mein Knecht, der Jahn;
Der begert eur so hertzlich sehr.

Anna Maria sagt:

Ich dacht wol, das es ein Narr wer,
Vnd ich hets euch nich thun zutrauen,
15 Das jhr einer Edeln Jungfrauen
Solt ein solchen Narren antragen.
Wenn ichs thet meinen freunden klagen,
Sie würdens des kein gefallen han.

Gerando sagt:

20 Ich habs in keinem ernst than,
Euch auch zu keiner schand noch schmach.
Ich hört heimlich von jhm die tag,
Das er nach euch gar senlich echtzet,
Gar kleglich winselt, seüfftzt vnd lechtzet
25 Vnd gar hoch lobet sein Person,
Vnd sprach mich jhm zu langen an.
Das hab ich jetzt gleich außgericht
Vnd meinet, es könd schaden nicht,
Das jhr jhn beschied für eur hauß
30 Vnd giest ein schaff vol wassers rauß
Vnd thet jhm die lieb mit auß leschen,
Liest jhn wider zu hauß heim zeschen.
Das wer ein rechte saltzen für jhn.

Anna Maria sagt:

35 Derselben Menschen ich keines bin,

Mit solchen Leûten vil gesprech zu han.

Gerando sagt:

Ich wils von eurentwegen thon
Vnd jhm ein solchen bossen machen,
5 Das jhr sein lange zeit solt lachen.
Vnd es soll euch ohn schaden sein.

[411ᶜ]   ### Anna Maria sagt:

Das laß ich mich anfechten klein.

Sie geht ab. Jahn geht ein vnd sagt:

10 Fûrwahr, Herr, ich muß heut noch sterben.
Ihr seit zu langsam mit eurm werben
Bey meiner lieben Anna Maria.

Gerando sagt:

Mein Jahn, sie ward gleich jetzund da.
15 Da hab ich mit jhr schon geredt.

Jahn seüfftzt, schlegt an sein hertz vnd sagt:

Ach, sagt mir, waß sie sprechen thet!
Ach, bringt ein gute bottschafft mir,
Das ich mein leben nicht verlier!
20 Dann mein hertz im leib zappeln thut,
Wie ein lauß in eim filtzhut.
Drumb sagt mir! hat sie mich gewerth?

Gerando sagt:

Hör, Jahn! die Anna Maria begert,
25 Dastu solst jhr geliebster sein.
Doch wer sie gern bey dir allein,
Ferrners mit dir zu reden drauß.
Drumb komb morgen nachts fûr jhr hauß,
Wenn die vhr hat achte geschlagen!

30 ### Jahn fellt jhm in die Red vnd sagt:

Herr, thets die Anna Maria sagen,
Vnd das ich zu jhr kommen sol?

＊

30 O jhn in.

Gerando sagt:

Ja, sie hats gesagt; du hörst ja· wol.
Ich werd kein Eyd nicht schweren dir.

Jahn lacht vnd streicht den Bart, die strümpff, auch das ge-
5   **seß hinauff vnd sagt:**

Ja solt sie nit lieb haben zu mir?
Ich bin ja ein herrliche Person.
Ey, Herr, was gib ich euch zu lohn,
Weil jhr mir die gut Bottschafft bracht,
10 Das ich vmb acht vhr morgens nacht
Solt kommen für der ·Jungfrau hauß,
Das sie mit mir selbst red darauß?
Ietzt ist mein hertz wider frisch
Vnd hupfft im leib, als wie ein Visch,
15 Den man auß dem wasser zeucht.
Ietzt ist mir mein sin wider leicht.
Wehr nur der tag vnd nacht hinumb!

[411ᵈ]   **Gerando sagt:**

Wie ich hab gsagt: vmb acht vhr kumb!
20 Da wirstu kriegen guten bescheid.

Jahn knabt, zeicht den hut ab vnd sagt:

Drauff ich von euch mit wissen scheid.

Jahn geht ab. Gerando sagt:

Ja, mein Narr, ich wils schon verfüegen,
25 Dastu deinen theil solst kriegen,
Doch aber nicht, wie du wolst han.
Du solst dein lebtag dencken dran.

Abgang. Kompt Tymbor vnd sagt:

Ach, wie ist mir mein gemüth verkehrt!
30 Ich ward ein Graf gar hoch geehrt,
Als vor andern ein kecker Kriegsman,
Bracht im Turnir den preiß davon,
Wie ich auch sonst bey meinen tagen
Den ruhm vnd preiß davon hab tragen.
35 Ietzt ist mir all Mannhafft vergangen.

In Venus stricken lieg ich gefangen,
Dann mir auff Erd nichts mehr gefelt,
Dann Phänicia, die außerwehlt,
Die hat mit lieblichen gebert vnd prangen
5 Mein hertz in Lieb also eingfangen,
Das ich vor jhr hab gar kein ruh.
Ich schlaf oder wach, vnd was ich thu,
Das geschicht alles jhr zu gedencken.
Mein hertz thut sich gar an sie hencken.
10 Vnd werd ich jhrer Lieb nicht gniessen,
So werd vor leid ich sterben müssen.

Er besindt sich vnd sagt:

Ach, was thu ich, ich armer thor?
Was such ich vnd was hab ich vor?
15 Die Jungfrau ist Edel geborn,
Mit grosem fleiß erzogen worn
Von jhren Eltern ehrlich vnd frum.
Ich sorg, das ich vergebens kumb,
Ihrenthalb ein leers stro trisch
20 Vnd vmb sonst vor dem hamen fisch.
Ich glaub nicht, das sie mir mög wern
Anders, als zu der Ehe in ehrn.
So ist sie aber nicht gar reich,
Auch mir an dem stand nit geleich.
25 Mein Freundschafft würden mich außmachen,
Gar schimpfflich halten vnd außlachen,
Das ich, ein reicher Graf geborn,
Mir hett ein Edele außerkorn
[412] Vnd zuvor keine Fürstin wolt.
30 Das macht aber, ich hets nicht holt.
Darzu jhr schön gstalt mich thut treiben.
Ich will jhr halt ein Briefflein schreiben
Vnd darinnen vmb jhr Lieb werben,
Auff das sie mich nur nit laß sterben,
35 Sonder mich meiner bitt thu gewern.
Was sie begert, schenck ich jhr gern.

Er geht ab, kombt balt wider vnd sagt:

Nein, ich hab mich anderst besunnen
Vnd einen bessern raht erfunnen.
Ich will jhr vor gehn für das hauß.
Ob ichs möcht sehen gehn herauß,
5 So rede ich sie selber an.
Wenn ichs aber nicht sehen kan,
Will ich heut gehn zu nacht Gassirn,
Mit Seidenspil lassen hoffirn,
Darnach jhr lassen ein Liedlein singen,
10 Ihr drinn mein anliegen fürbringen.
Das will ich also treiben lang,
Biß ich ein gute antwort empfang.

Abgang. Gerando geht ein vnd sagt:
Dieweil die Sonn schir geht zu ruh,
15 Ich meim verheisen ein gnügen thu
Vnd gehe in Anna Maria hauß
Vnd sehe so lang zum Fenster rauß,
Biß das mein Jahn herkombt gegangen.
Den will ich jhrenthalben empfangen,
20 Ein Hafen vol wassers vber jhn giessen,
Das jhms soll vbers maul abfliessen.

Gerando geht ab. Jahn geht ein mit seinem spießlein vnd sagt:
Fürwar, ich hab gsorgt vnd gedacht,
Es würde heut nicht werden nacht.
25 Mein hertz hat grose freud empfangen,
Das nur dieser tag ist vergangen,
Denn jetzt thut meine sach wol stehn.
Ich muß zur Anna Maria gehn.
Fürwar ein hertzigs Mägdelein!
30 Ich hoff, sie laß mich zu jhr nein,
So will ich jhr

Er pausirt vnd reüspert sich, dann sagt er weiter:
Freundlich zusprechen,
Sonst wird mir doch mein hertz zerbrechen.

[412b] **Er geht gegen jhrem hauß zu. Jahn schnaltzt mit der**
zungen vnd sagt:

O hertzeter schatz, hörstu mich?
So laß mich nein! so tröst ich dich.

Gerando schreit in Anna Maria Personen:
Wer ist so spat vor dem hauß?

5   Jahn sagt:
Fürwahr, Juncker Jahn der ist herauß
Vnd wolt gern zu euch hinein.

Gerando sagt:
Ja wart! es sol als halten sein.
10 Mein Magt soll euch als balt auff thun.

Jahn sagt:
Ja, Anna Maria, ich hör euch schon
Vnd wart, biß jhr mich last hinein.

Er schnaltzt, springt vnd ist lustig; so giest man oben ein
Hafen vol wassers vber den kopff. Jahn sagt zornig:
Was all die Teuffel soll das sein?
Ein starcken leußguß hab ich empfangen.
Mein Buln ist mir schon vergangen.
O Anna Maria, geustu mich,
20 So Bul hinfort ein ander vmb dich!
Der birn mag ich gar nicht fressen.
Was gelts? man wird andern auch so messen,
Wie mir jetzo ist gschoren worn.
Nun sey das Buln forthin verschworn!

Jahn schüttelt sich vnd geht ab. Kompt Tymbor mit seinen
Seidenspillen still, geht einmal zwey hin vnd wider; dann
sagt er:
Es ist alles sambt in diesem hauß
Verspert vnd so still wie ein Mauß.
30 Darumb schlaget auff, jhr Spilleüt,
Zu sehen, was vns bring die zeit!

Sie schlagen auff; als dann, so es auß ist, sagt Tymbor:
Kein Menschen ich sehen noch hörn kan.
Singer, fang eins zu singen an!

Ietzt fengt einer nachfolgents Lied an Im Thon: Ach wehe
der jemmerlichen pein, hertzLieb ob allem schmertzen:

[412^c]

1.

Ach Venus, du vil schönes bilt!
5 Wie hast du mich gebunden, ja gebunden?
Deins blinden Kindes Pfeil vnmilt
Haben mich vberwunden, ja wunden.
Deß leidet mein hertz grose pein,
Thu ich dir, feins Lieb, klagen, ja klagen.
10 Wirstu dich nicht erbarmen mein,
So muß ich noch verzagen, ja zagen.

2.

Nun bistu so Edel geborn
In vil Tugent erzogen, ja zogen.
15 Ich hoff, mein bitt sey nicht verlorn,
Du werdest noch bewogen, ja bewogen,
Dastu mich nicht verschmachten last,
Mein hertz will mir zerbrechen, ja brechen,
Vnd hat ohn dich kein ruh noch rast.
20 Ach, thu mir doch zu sprechen, ja sprechen!

3.

Ach, hett ich das gantz Meer vol gelt,
Wie wasser drinn thut fliessen, ja fliessen,
Ich dirs doch alles geben wölt,
25 Könd ich nur dein geniessen, ja geniessen.
Ach, schlag mir doch die bitt nicht ab!
Du bringst mich sonst vmbs leben, ja leben.
Dargegen alles, das ich hab,
Das will ich dir auch geben, ja geben.

4.

30 HertzLieb, ich bitt, so hoch ich kan,
Thu mein bitt nit verschmehen, ja schmehen!
Dann mein hoffnung ich zu dir han.
Wolst es doch lassen gschehen, ja gschehen!
35 Was ich von dir beger vnd bitt,
Will ichs doch gern vergelten, vergelten
Vnd darzu auch mein lebtag nit
Gegen keinem Menschen melten, ja melten.

5.

Auch so hoff ich, du kenst mich wol,
Du ich mich schon nicht nennen, ja nennen.
Gester wir wahrn freüden vol,
Fieng mein hertz an zu brennen, ja brennen.
5 Das lest mir gantz vnd gar kein ruh,
Biß ich dein Lieb erwürbe, ja würbe.
Ach hertzigs Lieb, sprich mir doch zu,
Ehe vnd wann ich verdirbe, ja verdirbe!

6.

10 Alde zu tausent guter nacht!
Merck, was ich dir ließ singen, ja singen!
Ich zweiffel nicht, du habst gewacht.
Dein schön die thet mich zwingen, ja zwingen,
Das ich dir offenbart mein hertz.
15 Ich hab mich dir ergeben, ja geben.
[412d] Traurig zieh ich wider heimwertz.
Gott laß dich lang gesundt leben, ja leben!

Die Musicanten schlagen wider auff vnd gehn alle ab. Lio
nito, der alt Edelman, geht mit Veracundia, seiner Gemahl
20   ein vnd sagt:

Hertzliebe Haußfrau, was bedeut
Das Musicirn vnd singen heut,
Das man vor vnserm hauß heut thet?
Darob ich gleich ein vnlust hett.
25 Vnd solts gehn vnser Tochter an,
So west ich gern, wers hett than,
Das ich west, wie es gemeinet wer.
Es gibt jetzundt der Hofleüt mehr,
Die den Jungfrauen nach Ehrn stellen,
30 Als dern, die sie ehelichen wöllen.
Vnser tochter ist ein junges blut,
Am Adel Reich, doch arm am Gut.
Auch ist sie schön vnd wol erzogen.
Doch könd sie villeicht werden betrogen
35 Vnd an Ehrn werden verletzt
Vnd wir in schand vnd schaden gsetzt.
Darumb so thu sie fragen allein,
Wer die nachtvögl gwesen sein,

(Sie send gewest vor vnser Thür)
Vnd thu es wider sagen mir!

Veracundia sagt:

Hertzlieber Gemahl, geht nur hinein!
5 Sie wird als balt da bey mir sein.
So will ich mit jhr reden davon
Vnd es euch wider zeigen an.

Er geht ab. Kompt Phänicia mit Philis, jhrer KammerFrau, geht gegen der Mutter, neigt sich, beut jhr die hand vnd sagt:

10 Frau Mutter, Gott geb euch ein guten tag!

Veracundia sagt:

Hab danck, mein Tochter! mir doch sag,
Wer heut die nacht auff der Gassen
Hat so hoffirn vnd singen lassen!
15 Hastus auch ghört vnd bastu gwacht?

Phänicia neigt sich vnd sagt:

Frau Mutter, ich hab der sach nach dacht,
Es habs Tymbor, der Graf, than,
Der nechst am Tantz mich lieb gewahn.
[413] 20 Das merckt ich an sein augenblicken
Vnd das er mir die hend thet drücken,
Auch das er so offt Tantzt mit mir.

Veracundia sagt:

Ach, du liebs Kindt, setz dirs nit für,
25 Das der Graf dein beger zu Ehrn!
Laß dich auch der ding keins hörn!
Er ist ans Königs Hof der gröst,
Am Gut der Reichst, im Kampff der best,
In Rahtschlagen listig vnd geschwind.
30 Er find noch wol eines Fürsten Kindt,
Die jhm zubringet Leüt vnd Landt.
Vnser armuht ist jhm bekandt.
Er geht dir zu vnehren nach,
Das er dich hindergehe vnd fach.
35 Darumb vertrau jhm bey leib nicht!

Schreibt er dir oder dich anspricht,
So thu jhn an dein Eltern weisen!
Sag, was dich wern dieselben heisen,
Denselben wolstu gehorsam sein.
5 Begert er dann zu Ehren dein,
So darffstu gar kein zweiffel tragen,
Das wir jhm sein beger abschlagen.
Spricht er vns aber nicht selbst an,
So magstu sein wol müssig stahn,
10 Dastu nicht komst in schand vnd spot.

Phänicia sagt:

Hertzliebe Mutter, behüt mich Gott,
Das ich solt handeln ohn eur wissen.
Hab ich mich doch mein tag gefliessen,
15 Euch vnd dem liebsten Herr Vatter mein
In all dingen ghorsam zu sein.
Von euch bin ich mit schmertz geborn,
Vom Herr Vatter ernehret worn
Vnd aufferzogen mit groser müh.
20 Wider euch thu ich nimmer nie.
Wenn mich derhalb der Graf red an,
So will ich jhn abweisen schan,
Iedoch mit höchster bescheidenheit.

Veracundia sagt:

25 Wirstu die Regel halten alzeit,
So wirst nach dem virden gebot
Langs leben vnd glück haben von Gott.
Der wird dir auch nach deinen Ehrn
Noch wol ein gute Heürat bschern,
30 Wenn es sein will vnd gfallen ist,
Dann du noch jung von Jahrn bist.

Sie gehn mit einander ab. [413ᵇ] Tymbor geht ein, geht
traurig hin vnd wider, schüttelt den kopff, schlegt an sein
brust vnd sagt:

35 Ach jammer, not, was will doch wern!
Das gelt will ich dran wenden gern,

Wie ich die gesterig nacht hab than.
Aber was bringe ich davon?
Es hett sich in dem gantzen hauß
Nicht sehen noch hören lassen ein mauß,
5 Geschweigen die hertzallerliebste mein.
Sich mehrt je lenger je mehr mein pein,
Das ich ohn sie nicht bleiben kan.
Ich wolt sie gern reden an,
Wenn ich nur könd kommen zu jhr.
10 Ich will bey jhrem hauß gehn für.
Villeicht es sich begibt vnd schickt,
Das sie durch mich nur werd erplickt,
Oder das ich zwischen vns beden
Nur ein wort oder zwey könd reden.

Er geht lang hin vnd wider vnd schlegt an sein brust vnd sagt:

Ach hertzlieb, wiltu mich erquicken?
Thu nur ein weng zum Fenster auß plicken,
Vnd sprich mir ein wenig freundlich zu!

Er geht ferrner vmb vnd sagt:
20 Ach wie steck ich so vol vnrhu!
Ietzt denck ich diß, balt anders das.
Seh ich die Lieb, so wer mir baß.

Er geht hin vnd wider, Phänicia geht mit Philis, jhrer KammerFrauen ein vnd sagt:

25 Mein Frau Mutter hat mir befohlen,
Ihr Portten auß dem Kram zu holen.
Das wöll wir eillend richten auß
Vnd balt wider kommen zu hauß.

Tymbor sicht auff vnd er sicht sie, geht zu jhr, neigt sich
30 vnd sagt:

Phänicia, meins hertzens Lieb,
Euch ich mich gar zu eigen gib.
Ihr seit der einig trost meines lebens.
Ich hoff, mein bitt sey nicht vergebens,
35 Ihr werd mich eur Lieb lassen gniessen.

Phänicia neigt sich gar tieff vnd sagt:

Eur Gnad wöll sich nicht lassen verdriessen,

[413ᶜ] Das ich euch solche antwort gieb!

Ich weiß noch nicht von Mannes lieb,

5 Dieweil ich noch jung bin von Jarn,

Hab nicht gelernet noch erfahrn,

Sonder ich muß gehorsam sein

Dem Vatter vnd der Mutter mein,

Von denen ich hab leib vnd leben.

10 In der gehorsam bin ich ergeben.

An die ich eur Gnad thu weisen,

Denn ich thu als, was sie mich heisen.

Was sie mir aber verbieten vnd wehrn,

Davon thu ich mich lencken vnd kehrn.

15 Die werden eur Gnad bescheid geben.

Tymbor beut jhr die hand; er will sie trucken, so scheubt
   sie jhn von sich; er sagt:

Die red bringen mich vmb das leben,

Dann sie greiffen gar weit vmb sich.

20   Phänicia sagt:

Eur Gnad wird nicht verdencken mich.

So wird sie auch nicht scheuhen tragen,

Hat sie mir etwas Ehrlichs zu sagen,

Das sie es mein Eltern anmelt.

25   Tymbor sagt:

Zart schöne Jungfrau, helff kein gelt,

Kein gutes wort, kein schenck, noch gab?

Ich will euch geben, was ich hab,

Wenn ich eur Lieb erlangen kan.

30   Phänicia sagt:

Eur Gnad hat mich verstanden schon;

Meine Eltern sein mein gelt vnd gab,

Die ich nach Gott am liebsten hab.

Was mich die heisen, das will ich than.

35 Ein anders vnd mehrers ich nicht kan.

Ich muß gehn. Gott gesegn eur Gnad!

Phänicia geht mit jhrer KammerJungfrauen eillend ab. Tymbor
schreit jhr nach:

Hat dann mein bitten gar kein stadt?
Ich bitt dürch Gott, hört noch ein wort!

5 Sie geht eillend wegk. Tymbor sagt:

Ja wol, sie geht jhrs wegs strachs fort
Vnd ist mir mein bitt gar abgeschlagen.
Ihrem Vatter werd ich davon nichts sagen,
Was ich fürhabens bin mit jhr.
10 Er solt wol antwort geben mir,
Das es die halbe Statt erfuhr.

[413ᵈ] ACTUS SECUNDUS.

Jahn geht ein, sicht sich lang vnder den Leüten vmb; darnach sagt er:

15 Ich weiß wol, was jhr also lacht,
Das man mich also naß hat gmacht
Vnd ich durch den Korb gefallen bin.
War ists, doch giengs als wol hin,

Er greint vnd sagt:

20 Wenn nur mein Mutter noch leben thet
Oder sie der Teuffel lengst wegk hett:
So hett ich lengst jhr Gut bekommen
Vnd mich die Anna Maria gnommen,
Der ich also ein gast muß sein.

Er zeucht ein sack gelts herauß vnd sagt:

Secht da! das gelt ist alles mein.

Malchus, der betriger, sicht zum außgang hinein, patzscht mit
den henden. Jahn sagt:

Das hab ich von meiner Mutter ererbt,
30 Die mir mein Freyerey verderbt.
Hett ich gelt ghabt, so wers angangen.

Malchus sagt zu den zusehern durch den außgang:

Ich will dir dein gelt balt abfangen.
Ich wolt, es wer sein noch so vil.
35 Gar halt ich jhn drumb bescheissen wil.

Er zeucht den kopff wider zu ruck. Jahn steckt das gelt
wider in die Taschen, prangt auff vnd nider vnd sagt:

> Das gelt ist gar ein gute war.
>
> Ietzt bin ich stöltzer, dann vor eim Jar.
>
> 5 Darumb ists wahr, das gelt vnd Gut
>
> Gibt den Leüten ein frischen muht.
>
> Armuht bringt vil Melancoley.

Er geht hin vnd wider gar hochfertig, streicht den part, streicht
auch die strümpff hinauff; in deß kompt Malchus, hat ein leilach vmb gehület vnd ein Feur brent jhm auff dem kopff.
Jahn macht das Creutz für sich, hebt an zu lauffen vnd sagt:

[414]   Ey Herr, behüt! was kompt da herbey?

> Alda ist meines bleibens nit.

Malchus schreit:

> 15 Sohn Jahn, steh still! das ist mein bitt.

Jahn sagt:

> Was wiltu? soll ich dein Sohn sein?
>
> Pack dich nur in die Höll hinein!

Er macht ein Creutz vnd sagt:

> 20 Du bist der Teuffel oder ein gespenst.

Malchus sagt:

> Sohn Jahn, wenn du mich gleich nicht kenst,
>
> Bin ich doch deiner Mutter geist.

Jahn sagt:

> 25 Geist, sag mir, wie du dann heist,
>
> Ob ich möcht wissen, wer du bist.

Malchus sagt:

> Anima mein Namen ist.

Jahn sagt:

> 30 Hat doch mein Mutter Vrsel geheisen.

Er zuckt sein stangen vnd sagt:

> Ich darff dich vber den kopff balt schmeissen.
>
> Du Teuffel wolst mich gern bethörn.

Jahn macht gar vil Creutz für sich. Malchus sagt:

> Mein Sohn Jahn, thu mich recht hörn!
> Wieß! ich bin deiner Mutter geist.

Jahn sagt:

> 5 Warumb, das du nicht Vrsel heist?

Jahn zuckt den spieß vnd sagt:

> Ich trau dir nit; geh nur nit her!

Malchus sagt:

> Bey meiner treu ich dir hie, schwer,
> 10 Das ich bin deiner Mutter Seel
> Vnd muß erleiden grose quel
> Im Fegfeur; darumb ist mein bitt,
> Du wolst doch vnterlassen nit
> Vnd meiner nicht so gar vergessen
> 15 Mit Jartägen, Vigilen vnd Seelmessen,
> Dann sonst ich vor dem Jüngsten tag
> Darauß nimmermehr kommen mag
> Vnd ist die pein so groß vnd schwer,
> Als wenn ich gar in der Höll wer.
> 20 Darauß hilff mir, hertzlieber Sohn!

Jahn greint vnd sagt:

> Ach liebe Mutter, was hastu thon,

[414ᵇ]

> Dastu bist kommen ins Fegfeur?

Malchus sagt:

> 25 Ich hab mein wahr verkaufft zu teür
> Vnd zu wenig geben vmb Gotts willen.

Jahn sagt:

> Ey Mutter, ich will dein pein dir stillen
> Vnd will dir stifften ein Jartag.

Malchus geht zu dem Jahn, fellt jhm vmb den halß vnd sagt gar greinerlich:

> Darfür ich dir grosen danck sag.
> Du bist mein einiger trost allein.

Jahn greint auch, fellt jhr vmb den halß vnd sagt:

Ach du hertzliebe Mutter mein,
Thut es so vbel vmb dich stohn?

Malchus sagt:

O freylich, du hertzenlieber Sohn!
5 Du bist mein trost, mein hilff vnd heil.
Verricht die meß von deim Erbtheil,
Welchen ich dir verlassen hab!

Er greifft jhm alleweil in die Taschen, erwischt das gelt, laufft
mit ab vnd sagt:
10 Ich hab das gelt vnd scheid mit ab.

Jahn sicht sich vmb, greifft in sein Taschen vnd sagt:
Sie! der Prager hat mich beredt,
Vnd das ich es frey glauben thet,
Das er meiner Mutter geist wer,
15 Davon wird mir mein Taschen lehr.
Ich muß jhn eillend lassen fangen
Vnd darnach an den galgen hangen.

Er laufft eillend ab; der Prager laufft wider ein, hat aber die
leilach von sich geworffen, tregt des Jahnen gelt in henden.
20   Jahn schreit inwendig:
Halt auff! halt auff! der dieh hat gestollen.

Malchus sagt:

In die wett wir beid lauffen sollen.
Drumb weichet vnd verkürtzt mich nit!

Jahn laufft jhm nach, er laufft wider ab. Jahn schreit:
[414^c]   Ey halt auff! halt auff! das ist mein bitt.

Sie bleiben bede aussen. Kompt Tymbor, der Graf, vnd sagt:
All mein begern ist mir abgschlagen.
Drob muß ich verschmachten vnd verzagen.
30 Also werd ich in Lieb vmbtriben.
Ich hab jhr halt ein Brieff geschrieben
Vnd geschickt bey jhrer KammerFrauen
Vnd hab die hoffnung vnd vertrauen,
Sie wer mir was guts richten auß.

Bringt sie mir gut Bottschafft zu hauß,
So wil ich sie von neuen kleiden.
Ich hoff, sie werd mich zu jhr bescheiden.

Er geht ab. Phänicia geht allein ein, tregt ein Brieff, liest
5   jhn, dann rufft sie:
Philis, Philis, balt komb herfür!

Philis, die KammerFrau, geht ein vnd sagt:
Edles Jungfräulein, was wollet jhr?

Phänicia sagt:
10 Ihr habt mir einen Brieff gebracht,
Der mich zwar schir hat zornig gmacht.
Der Graf ist gar von hohen stammen,
Hat bey dem König ein grosen namen,
Auch ist er Reich an Leüt vnd Landt:
15 Mich zu nemen, wer jhm ein schandt,
Weil ich jhm bin am Stand vngleich.
Darumb so will ich bitten euch,
Ihr wolt jhm meinthalben sagen,
Ich hab von mein Kindlichen tagen
20 Gehabt zwo guter Meisterin,
Von den ich vnterwiesen bin:
Die erste ist Gottsfürchtigkeit,
Die ander aber ist keüschheit.
Die erst Meisterin gibt nicht zu,
25 Das ich was hinder meim Vatter thu.
Die ander Meisterin, die keüschheit,
Auch nicht gedultet oder leid,
Das ich allein red mit jhr Gnad.
Wenn er mich aber Ehrlich lieb hat,
30 So sprech er meinen Vatter an.
Was mich der heist, das will ich than.
Das ist mein antwort; dabey sols bleiben.
Vnd heist mir nur nit weiter schreiben!
Oder ich wils meim Vatter sagen.

35   Philis, die KammerFrau, sagt:
[414ᵈ]   Edles Jungfräulein, darff ich fragen,

Ob es nicht thet, das jhr jhm schriebt?
Dieweil er euch so hertzlich liebt,
Möcht er sich drauß ein weng erquicken.

Phänicia sagt:

5 Jungfrauen sollen kein Brieff auß schicken.
Mein Vatter hat mich das nicht gelehrt.
Ich hoff, wenn er die antwort hört,
So werd er darauß mercken wol,
Was er thun oder lassen sol.

Phänicia geht ab. Philis bleibt stehn vnd sagt:
Mit der antwort, die ich empfangen,
Werd ich ein schlechts Trinckgelt erlangen,
Dann sie ist hart wider den Grafen.
Mit seim Bulen wird er nichts schaffen,
15 Sonder wird des gar abstehn müssen.
Das wird jhn gar vbel verdriessen.
Doch richt ich meinen befelch auß.
Schau! dort geht der Graf gleich herauß.

Tymbor, der Graf, geht ein, sicht die KammerFrauen, gibt
20 jhr strachs die hand vnd sagt:
Ach, wie ist mir die weil so lang,
Biß ich gute antwort empfang
Von der hertzallerliebsten mein!

Philis sagt:

25 Gnediger Herr, ich ergib mich drein,
Das ich kein Tranckgelt vberkum.

Tymbor sagt:

Ach liebe Jungfrau, sagt! warumb?
Meint jhr dann, ich sag eim was zu,
30 Vnd jhm dasselb nicht halten thu?
Da nembt von mir die zwey par Cronen!
Seit nur fleissig! ich will euch lohnen.
Ihr solt damit zu friden sein.

Philis sagt:

Gnediger Herr, die Jungfrau mein
Die ist aber mit mir nit zu friden.

Tymbor sagt:

Was sagt sie dann? ich thu euch bitten:
5 Halt mich nicht lang auff! oder ich stirb.

Philis sagt:

Ach Gott, je lenger ich Bul vnd würb,
Ie weniger ich erlangen kan.

[415] ### Tymbor sagt:

10 Ach, soll ich mir selbst den ˏtodt than?
Ich kan nicht wartén; ich bitt: sagts doch!

Philis sagt:

Ich hab mein Jungfrau betten gar hoch,
Sie soll eur Gnaden bitt gewehrn.

Sie schweigt, schüttelt den kopff. Tymbor sagt:
Ach, sagts! wie möcht jhr mich beschwern,
Der ich vor steck voller vnmuths?

Philis sagt:

Gnediger Herr, es ist nichts gut.
20 Darumb ichs euch nicht gern sag.

Tymbor sagt:

Ey sagts, das ich der sach denck nach,
Ob ich villeicht könd finden raht!

Philis sagt:

25 Mein Jungfrau embeut eur Gnad
In gebür ein freundlichen gruß.
Nun, weil ichs dann je sagen muß,
So wolt mir nichts vor vbel han!

Tymbor sagt:

30 Ach Gott vom Himel! was sol ich than?
Sagts rauß, es sey gleich was es wöll!

Philis sagt:

Eur Gnad, ich euch anzeigen söll,

Mein Jungfrau sey also begabt,
Das sie hab zwo lehrMeisterin gehabt,
Den hab sie fleissig gefolgt vnd gehorcht.
Die ein die heist die Gottesforcht,
5 Die ander heist zucht vnd keüschheit.
Die Gottesforcht mit nichten leid,
Das sie an jhres Vatters raht.
Etwas rede mit eur Gnad,
Die keüschheit aber weiß sie an,
10 Aller Mansbilder müssig gahn,
Als die jhr zu Ehrn begern;
Dieselben wol anders werben wern
Bey jhren Eltern vnd Freundschafft.
Vnd hat mit worten mich gestrafft,
15 Das ich solch Brieff von euch hab gnommen,
Sagt, ich soll nicht mehr wider kommen,
Oder sie wolts jhren Eltern sagen.

Tymbor sagt:
Von hertzen leid muß ich verzagen.
20 Ach, wie hat das geant mein hertz?

[415ᵇ] Er greifft in pusen, ziecht ein Brieff oder Lied herauß
vnd sagt:
Drumb hab ich mein jammer vnd schmertz
Alda in dieses gesang gebracht.
25 Bringt eur Jungfrauen zu guter nacht!
So will ich mein junges leben
In dieser liebesbrunst auff geben,
Dieweils nicht anders gesein kan.
Doch bitt ich, jhr wolt das beste than,
30 Mich helffen bey dem leben erhalten.

Philis sagt:
Gnediger Herr, Gott wöll eur walten!
Ich teht mich lang bey euch verweiln.
Ich muß wider zu hauß heim eiln,
35 Das es mein Jungfrau nicht erfahr.
Doch sag ich euch jetzt zu fürwahr:

Was an mir ligt, das will ich than
Vnd eur Gnad wider zeigen an.

Sie geht eylend ab. Tymbor sagt:
Ich bitt: thut nicht vergessen mein!

5   Er sagt ferrners:
Ach, solt das junge Jungfräuelein
Haben ein solchen hohen verstandt,
Mich machen mit vernunfft zu schandt,
Das sie mich zu jhren Eltern weist?
10 Mein thorheit mich selber verdreist,
Dann mir bey allen meinen Jahren
Kein solcher schimpff ist widerfahren,
Das macht die blindt vnd töricht lieb,
Die hat so grosen harten trieb,
15 Das ich mich selbst nicht hab bedacht,
Auß mir ein Löffler vnd Buler gmacht,
Der ich bin eines Königs Rath,
Hochghalten bey jhr Mayestat,
Vnd mach mich jetzo selbst zu schand.
20 Der Jungfrau Vatter ist wol bekandt,
Ein frommer ehrlicher Edelman,
Der nie hat wider Ehr gethan.
Ob er schon nicht ist so gar Reich,
Auch an dem Standt mir ist nicht gleich,
25 Ist es doch offt zu schulten kommen,
Das ein Graf hat ein Edle gnommen.
Weil ich dann hab vil Leut vnd Landt,
Ein grose Paarschafft vnderhandt,
Könd sie ein Gräfin wern durch mich.
30 Auch so kan sie Reich machen ich.
Darumb so will ich mich nicht schemen,
Dise Jungfrau Ehelich zu nemen;
[415ᶜ]   Dann jhre Tugent, die sie hat,
Meim Grafenvermögen weit für gaht,
35 Weil man sie nicht bezalt mit gelt,
Sie mir auch liebt für die gantz Welt.
Ich muß doch sonst vor liebsbrunst sterben.

Ich will mir vmb sie lassen werben
Lionitem, den frommen alten.
Ich hoff, er soll mir sie erhalten.
Schau da! weil ich noch von jhm red,
5 Er zu gutem glück gleich her geht.

Lionatus, der alt Ritter, geht ein vnd sagt:

Gnediger Herr, was macht eur Gnad
Allein auff der Gassen so spat?
Haben eur Gnaden kein gut zechgesellen?

10   **Tymbor sagt:**

Ich hab gleich zu euch gehn wöllen
Vnd hab euch wollen sprechen an,
Ihr solt mir etwas zu gfallen than,
Wenn jhr mir das nicht wolt abschlagen.

15   **Lionatus sagt:**

Ach Gnediger Herr, thuts nur balt sagen!
Was ich eur Gnad zu lieb thun kan,
Da wag ich leib vnd leben dran
Vnd alles mit gutem geneigtem willen.

20   **Tymbor sagt:**

So bitt ich: halt die sach im stillen!
Die brennet lieb hat mich gefangen.
Ihr solt mir ein Heürat erlangen
Bey Lionito, den jhr wol kend.
25 Sein Tochter, Phänicia genend,
Die hat mein jungs hertz mir gebunden
Vnd mich in der lieb vberwunden,
Das ich jhr muß zur Ehe begern.
Drümb bitt ich: wolt euch nicht beschwern
30 Vnd wolt mir ein guter Werber sein!

       Lionatus sagt:

Ist dieses das hegern allein,
Das ich eur Gnad verrichten sol,
So thu ichs gern vnd kans gar wol.
35 Lionitus ist mir wol bekandt

Von Ehrn, Gottsforcht vnd verstandt,
Der seine Kinder in jhrer jugent
Zeucht in Gottesforcht vnd Tugent;
Darumb er in der gantzen Statt
5 Ein guten Ehrlichen namen hat,
Das sich eur Gnad gar nicht darff schemen,
Sein Tochter Phäniciam zu nemen.
[415ᵈ]   Sie ist ein solches gezogens Kind,
Als man in Messina nicht find.
10 Will denoch niemand mit andasten.

Tymbor sagt:

So richts balt auß (ich kan nicht rasten)
Vnd bringt ein gute Bottschafft mir!
Ach wie wirds mir gehn, biß das jhr
15 Mir sagt, was jhr habt außgericht?

Lionatus sagt:

Schweigt still! es wird vns fehlen nicht.

Sie gehn bede ab. Kompt Phänicia mit Philis, jhrer Kammer-
Frauen, tregt das gesang, so jhr der Tymbor geschickt. Phä-
20   nicia sagt:

Philis, wer hat das Lied gedicht?

Philis sagt:

Jungfrau, der Graf hats zugericht.
Er sagt, er hab darein gebracht
25 Die schmertzen, die jhr jhm habt gemacht,
Vnd bitt, jhr solts jhn lassen geniessen,
Eur hertz vor jhm nicht gar zu schliessen,
Vnd meint, das Lied soll euch bewegen.

Phänicia sagt:

30 So muß ich auch bekennen dargegen,
Das ich mein tag kein schöners Lied
Hab gelesen oder gesehen nit.
Iedoch ich es nicht singen kan.
Ich bitt euch: lernet mich den thon!
35 So will ichs lernnen von seinet wegen.

Philis sagt:

Ja, daran ist nit vil gelegen.

Ietzt hebt die KammerJungfrau das Lied an zu singen Im
Thon, Wie man das' Lied vom Reinthaler singt.

5 Ach Lieb, wie ist dein Name süeß!
Wie sanfft dustu einschleichen!
Wenn einer meint, du seist gewieß,
Thustu gar von jhm weichen.
Das macht groß pein,
10 Die dir allein
Nach hencken vnd vertrauen.
Ich hab auch gewieß
Erfahren dieß
Mit einer schön Jungfrauen,

15   2.
Auff die ich hab mein hertz gesetzt,
Vermeint, jhr Lieb zu gniessen.
Die hat mir gar abgsagt zu letzt,
Mein gunst gstossen mit füessen.
20 Ach lieber Gott!
Groß ist der spot,
Wer ohne danck thut lieben;
Dann er damit
Krigt bessers nit,
25 Als sich hoch zu betrieben.

                3.
Also ist es auch gangen mir,
Da ich recht liebt von hertzen.
Deß wuchs mein jammer für vnd für
30 In seüfftzen vnd vil schmertzen,
Dann ich die nacht
Vergebens wacht.
Beim tag hett vil gedancken.
Sucht ich schon raht,
35 Fand ich kein gnad,
Hett stehts in mir zu zancken.

                4.
Ich kam auch immer tieffer drein
Vnd kund gar kein ruh finden.

Des verschmacht mir das hertze mein,
Meine krefft theten verschwinden
Vnd mein verstand
Mir auch verschwand,
5 Gieng daher wie der schatten,
Lied grose pein.
Ach liebste mein,
Nimb mich doch an zu gnaden!

5.

Vnd wenn du mir mein bitt abschlegst,
10 Thust mir mein leben nemen,
Als dann du böse nachred tregst,
Der du dich noch wirst schemen.
Man sagt von dir,
Du seist an mir
15 Schultig, das ich bin gestorben.
Ach hat jedoch
Ein griengerer noch
Sein feines Lieb erworben.

6.

20 Drumb, hertzLieb, so erhör mein klag!
Laß mich déin lieb erwerben!
Wenn ich dich nicht bekommen mag,
So muß ich schmertzlich sterben.
Das hab ich dir
25 Ietzt tragen für.
[416b] Bitt: nimb es doch zu ohren!
Wenn das nicht geschicht,
Hilfft niemand nicht.
Ich hab mein leben verlohren.

30   Phänicia sagt:
Ach, was setzt jhm der Graf nur für,
Das er also nachstellet mir,
Zu fellen an Jungfränling Ehrn,
Der es billig soll andern wehrn?
35 Drumb wird er mit all seiner bitt
Mich darzu bringen nimmer nit.

1 O Das.

Jungfrauschafft vnd ein weisses kleid
Lassen sich zusam gleichen beid.
Wenn der eines bekombt ein flecken,
Bleibt er Ewig darinnen stecken
5 Vnd kan man jhn nicht mehr vertreiben.
Drumb laß er nur sein flehen bleiben!
Will er nicht Ehelich vmb mich werben,
So mag er deßhalb gar wol sterben.

Kompt Lionitas, der alt Edelman, vnd Veracundia, sein Weib.
10 Lionitas sagt:
KammerFrau, trett ein wenig ab!
Alhie ich was zu reden hab.

Philis neigt sich vnd geht ab. Lionitas sagt:
Tochter, ich hab dich was zu fragen.
15 Drumb wollest mir die warheit sagen,
Was dein gemüth vnd will wird sein!
Graf Tymbor begert Ehelich dein,
Hat Lionitem geschickt zu mir her.
Dieweil es dann nicht billig wer,
20 Dich vngehört jhm zuzusagen,
So hab ich dich vor wollen fragen.
Ich meint, die Heürat wer für dich.

Phänicia neigt sich vnd sagt:
Ach Herr Vatter, was fragt jhr mich?
25 Bin ich doch eür mit leib vnd leben,
Euch zu folgen auch vndergeben!
Find jhr die Heürat gut für mich,
So will gar gern folgen ich,
Dann der Graf ist von hohem stand,
30 Die Heürat helff vns alle sand.
Doch haben eur Lieb ein bedencken,
Dürffen sie sich gar nicht bekreucken
Vnd jhm die Heürat schlagen ab,
Weil ich noch vil zu lernen hab
35 Vnd noch gar jung von Jaren bin.
Ihr bhalt mich oder gebt mich hin,

[416ᶜ] So will ich euch gehorsam sein.

Leonitas sagt:

Es ist recht, liebe Tochter mein!
Solt wir die gelegenheit abschlagen,
5 Wer weiß, ob du bey deinen tagen
Villeicht mehr dergleichen bekembst.
Drumb raht ich dir, das du jhn nembst,
Ob du jhn anderst lieben thust.
Ich sag nit, dastu es thun must,
10 Sonder, wenns sein könd, wer es gut.

Phänicia sagt:

Herr Vatter, all mein sin vnd muth
Ist nur gericht nach eurm willen.
Was jhr mich heist, will ich erfüllen
15 Vnd ich weiß, wenn ich folgen thu,
Das mir Gott gibt vil glücks darzu.
Darumb darff es nicht fragens vil.

Leonitas sagt:

Drauff ich dich jhm zusagen will.
20 Komb rein! sein Werber ist noch drin.
Dich zu versprechen ich willens bin
Vnd hoff, es gschech vns allen zu gewien.

Abgang.

ACTUS TERTIUS.

Kompt Jahn, hat ein Peütschen auff dem hindern, kratzt sich
hinder den ohren, stelt sich weiñerlich vnd sagt:

Der Prager ist mit dem gelt hin,
Des hab ich warlich klein gewien.
Aber ich weiß, wo er sich helt.
30 Da hab ich jhn schon auff gestelt,
Das ich mein gelt werd wider kriegen,
Vnd soll der schalck den lecker betriegen.

Er geht wider ab. Malchus geht ein, tregt das gestollen gelt
vnd sagt:

Alhie hab ich das gelt noch als,

Ohn das ich jagt hab durch den halß.

Dargegen hab ich gewunnen vil,

Wo ich hinkomb, mit falschem spil,

5 Von KauffmansDienern vnd wanderknaben.

Nun sagt man, Jahn sol noch mehr haben,

Das möcht ich jhm auch wol abschwatzen.

Ich bin eine der falschen Katzen,

[416ᵈ] Die bedes lecken vnd kratzen kan.

10 O treff ich den Kerl wider an,

Sein gelt das wer fürwahr schon mein.

Schau! fürwahr, er kombt gleich herein.

Jahn sicht durch den eingang herauß. Da er Malchum sicht,
steckt er den kopff wider nein, nimbt ein Petitschen, steckts
hinden auff dem ruck in die görttel, helt mit den henden die
Taschen zu. Malchus schreit:

Jahn, komb rein! Jahn, bist nicht mein Sohn?

Jahn geht herauß vnd sagt:

Sich, Prager, was soll ich bey dir thon?

20 Vor warstu meiner Mutter geist,

Ietzt weiß ich, das du Malchus heist,

Ein schelm, der mirs gelt hat gnommen.

Weil du aber bist wider kommen,

So sag mir, weils den halß dir gilt,

25 Ob du mir wider geben wilt

Mein gelt, dastu mir stehlen thest!

Malchus sagt:

O wenn du sonst kein gelt mehr hest,

Dann ich solt wider geben dir.

30 Kanstu kein dreyer wechseln mir?

Ich hab dirs nit, sonder mir gestoln.

Jahn zeigt die Peütschen vnd sagt:

Ja, schelm, wer hat dir das befohlen?

Weist nicht? wer stilt, den sol man hencken.

35 Was gelts? ich will dirs eindrencken.

Er Peütscht jhn. Malchus fellt zu fuß, hebt die hend auff
vnd sagt:

    Ehrnvester Jahn, schenck mir das leben!

       Jahn sagt:

5 Wenn du mir mein gelt hast wider geben.

Er schlegt als dapffer drauff. Malchus sagt:

    Ey, Juncker Jahn, thut doch auffhörn!
    Wolt jhr mich des gelts halb ermörn?
    Ihr solt eur gelt als wider han.

10   Jahn sagt:

    Ja, bin ich jetzo Juncker Jahn?
[417] Gelt? vor da solt ich dein Sohn sein.
    Es kostet dir das leben dein,
    Wenn du mein gelt nicht balt rauß gibst.

Malchus würfft jhm das Gelt für vnd sagt:

    Weil du mich je so hart betrübst,
    So nimb dein gelt! zieh deins wegs hin!
    Ich danck Gott, das ich dein loß bin.

Jahn hebt das gelt auff. Malchus geht ab, kratzt sich im
20   kopff vnd sagt:

    Dich zu betrigen, thet ich hoffen:
    So hat der schalck den Lecker troffen.
    Behalt dir dein gelt! hab dir den teüffel!

       Jahn sagt:

25 Hab dir die streich! fahr hin zum Teüffel!
    Vor warstu meiner Mutter Seel.
    Fahr hin zum Teuffel in die Höll!

Er geht auch ab. Gerando, der Ritter, geht schön Kleid ein
vnd sagt sehr kläglich:

30 Ach, wie solt ich mir wünschen zu leben?
    Phänicia die ist vergeben
    Tymbori, dem reichen mechtigen Grafen.
    Ach, ist sie mir denn nicht beschaffen,

Auff die ich all mein hoffnung gmacht.
Ey, ey! wer solt haben gedacht,
Das der Graf vmb sie Freyen sol?
Doch halt ich sie sein wirdig wol
5 Wegen jhrer Gottsforcht vnd Tugent,
Ihrs Adels vnd jhr schönen jugent.
Ach ich hab dacht, sie sey gwieß mein:
So muß ich jhr beraubet sein.
Das kostet mich leib, Ehr vnd Gut.
10 Ach wehe! ich steck voller vnmuth,
Das ich nicht davon reden kan.
Ich muß vor grosem leid vergahn.

Er setzt sich nider, seüfftzt vnd schlegt an sein brust. Jahn
geht ein, sicht jhn also sitzen, verwundert sich vnd sagt gar
15 einfeltig:

Ach Herr, sagt, was bedeuten thut,
Das jhr so steckt voller vnmuth,
Als sey euch etwas widerfahrn!

Gerando sagt:

20 Ja, mir ist bey all mein Jahrn
[417b] Kein solches hertzenleid geschehen.

Jahn sagt:

Fürwahr, das leid ist zu verschmehen,
Das eim auff Erd zukommen mag.
25 Allein das bringt hertzleid vnd klag,
Wenn jhm einer ein Lieb bestelt
Vnd er darnach durch den Korb felt,
Wie mir dann gar vor wenig tagen
Die Anna Maria hat gezwagen,
30 Da mirs wasser vbers maul floß.
Da stecket ich in traurn groß.
Vnd jhr habt auch gholffen darzu.

Gerando sagt:

Dasselbig ich bekennen thu.
35 Aber ich hab dahin nicht gedacht,
Das offt einer ein gruben macht

Eim andern vnd fellt selbst darein.
Geh balt vnd heiß mir Gerwalt rein!
Dem will ich klagen mein gebrechen
Vnd vmb ein guten raht ansprechen.

5   Jahn sagt:
Gerwalt solt ich heisen rein?
Es würd doch der Edelman sein,
Der so vil böser hendel anricht.

     Gerando sagt:
10 Darnach hastu zu fragen nicht.
Gehin! heiß jhn halt zu mir her
Vnd sag jhm, das ich sein beger!

Jahn geht gegen dem außgang vnd sagt:
Zu mir her!
15 Sein beger?

     Er kehrt wider vmb vnd sagt:
Ja, wo soll er euch aber finnen?

     Gerando sagt:
Ich werd auff jhn warten hierinnen.

Jahn schüttelt den kopff, geht ab vnd sagt:
Weil ich nur mein gelt wider hab,
So geh ich vnd heiß jhn herab.

     Er geht ab. Gerando sagt kläglich:
O Phänicia, die gantze Welt,
25 Silber, Golt vnd alles gelt,
[417ᶜ]   Edelgestein vnd all Metal,
All Perlein, die haben kein zahl,
Vnd was der Mensch sonst lieben thut,
Halt ich alles sambt nicht so gut,
30 Als dich, mein hertzenLieb allein:
Vnd ich soll dein beraubet sein?
Ach, ich muß eben alhie verzagen.

Gerwalt, der Edelman, geht ein, sicht jhn sitzen vnd sagt:
Was hat sich mit euch zugetragen,

Das jhr euch also traurig stelt?

Gerando sagt:

Ach wehe! ich hab mir außerwehlt
Die Phänicia zu bekommen;
5 So hat sie den Graf Tymbor gnommen.
Dasselbig mich so hart vexirt,
Dann wann die Jungfrau mir nicht wird,
So muß ich sterben; das ist schon gwiß.

Gerwalt sagt:

10 Wenn ich dann könd verhindern diß,
Was wolt jhr mir zu lohn geben?

Gerando sagt:

Ihr erhaltet mich bey dem leben;
Drumb ich euch billig danckbar bin.

15   Gerwalt sagt:

So geh ich zu dem Grafen hin,
Phänicia auffs höchst verklag,
Wie das man vnehr von jhr sag,
Mit jungen Gesellen in jhrem Garten;
20 Will jhn darinnen lassen warten
Zu nachts wol bey dem Moneschein,
Steigen mit eurm Knecht allein
In Weiberskleidern; mit dem wil ich
Gar freundlichen besprechen mich,
25 Als ob er Phänicia wer,
Ihn führn im Garten hin vnd her,
Endlichen mich in einer ecken
Mit jhm verlirn vnd verstecken,
Das vns der Graf nicht mehr kan sehen:
30 So meint er, es sey mit jhr geschehen,
Wird jhr die Heürat wider auffsagen.

Gerando sagt:

15 Dieselbe geschichte behandelt Shakspere in Much ado about nothing
nach Bandellos novelle 1, 22. Letztere steht deutsch in meinem italiänischen
novellenschatz 3, 135 ff. Vgl. oben s. 2051.   19 O jhren.   21 O den.
22 O eurn.   23 O den.   26 O in.   28 O jhn.

Ayrer.   132

Was ich hab, will ich als dran wagen.
Geht nur hin! richt die sach wol auß!
Ich will wider schleichen zu hauß.

Sie gehn mit einander ab, schwatzen gemechlich mit einander.
[417ᵈ] Dann kombt Tymbor, der Graf, vnd sagt:

Heut ist der allerglücklichst tag,
Weil mir ist geschehen die zusag,
Das Phänicia mein soll sein.
Verschwunden ist all schmertz vnd pein.
10 All mein anfechtung ist vergangen.
Zu jhr steht mir all mein verlangen,
Dann ich hab warlich recht gethan,
Das ich mehr hab gesehen an
Ihr Tugent, zucht, dann zeitlichs gut.
15 Nun bin ich frölich vnd wolgemuth.
Gott helff vns beiden glücklich zammen
Vnd laß vns auch lang leben beysammen!

Der Graf spacirt hin vnd wider, ficht mit den henden; in dem
geht Gerwalt, der Edelman, ein vnd sagt:
20 Gnediger Herr, verzeihet mir!
Was haben euer Gnaden für,
Das sie also melancolirn?

Tymbor sagt:

Nein zwar, ich geh sonst hie spacirn
25 In lieblichen süssen gedancken.
Vor hett ich schmertzen, wie die krancken,
Die send mir Gott lob all verschwunden.
Des bin ich fro, wie andere gsunden.
Alles leid hab ich gelegt ab,
30 Dieweil ich nun bekommen hab
Phänicia, die allerschönst Jungfrauen.

Gerwalt sagt:

Gnediger Herr, thut mir zuschauen,
Das jhr nit werd betrogen mit!
35 Ich wolts eur Gnaden gönnen nit.
Phäniciam kennt jhr nicht recht.

Tymbor sagt:

Last jhr mir mein Braut vngeschmecht,
Wolt jhr mit mir bleiben zu frid!

Gerwalt sagt:

5 Gnediger Herr, ich schmech sie nit,
Sonder sag, eur Gnad soll zuschauen
Vnd jhr so vil guts nicht vertrauen,
Als eur Gnad jhr möcht bilten ein.

Tymbor sagt:

10 Soll dann das nicht geschmehet sein?
Nun solt jhr nicht kommen von mir,
Ihr sagt dann, was jhr wist von jhr,

[418]   Oder ich werd eins mit euch wagen.

Gerwalt sagt:

15 Gnediger Herr, ich wils nicht sagen,
Sonder heut die nacht solt jhr sehen,
Was thu in jhrem Garten gschehen
In einer stunden bey dem Mondschein.

Tymbor sagt:

20 Ja, wie solt ich kommen hinein,
Dieweil die Pforten ist verspert?

Gerwalt sagt:

Ein gute Lättern darzu gehört.
Da kriecht jhr in die Haselstauden.
25 Halt euch drin ohn regen vnd schnauden!
Da werd jhr kennen vnd hörn mich,
Was mit jhr werd fürbringen ich,
Das jhr jhr werd nicht mehr vertrauen.

Tymbor sagt:

30 Ich glaub es nicht von der Jungfrauen.
Doch was des Menschen Aug selbst sicht,

●

23 Ist wohl druckfehler für läiter. Indess steht auch bl. 418b diese form,
418c lätter, und Tieck druckt ebenso nach. Schmeller führt im bayerischen
wörterbuch 2, 515 nur die form laiter auf.

Das kan das hertz betrigen nicht.
Ziecht hin! die nacht bricht schon herein.
Ich will halt in dem Garten sein.

Tymbor geht ab. Gerwalt sagt:
5 So geh ich recht zum Jahnnen zu,
Das ich den Grafen betrigen thu.

Er geht auch ab. Kompt Veracundia mit jhrer Tochter Phä-
nicia vnd sagt:
Phänicia, du hast mir gehorcht,
10 Dich befleissigt der Gottesforcht
Vnd gelebt in zucht vnd reinigkeit.
Dasselb vergiltet Gott allezeit
Mit sein vnaußsprechlichen gnaden.
Der hat dich also wol berahten,
15 Das wirs selber nicht wünschen mügen.

Phänicia sagt:
Ach, Gott thut vns vil guts zufügen.
Dem seind wir billig danckbar drumb,
Weil ich ein Gemahl vberkumb,
20 Deß ich mein tag bett nicht begert,
Bin auch sein nicht würdig noch werd,
Aber jedoch notürfftig wol.
Die Gottes güt ist gnaden vol.
Darfür danck jhm zufürderst ich,
25 Dann euch, Frau Mutter, das jhr mich
[418ᵇ] Sambt dem Herr Vatter habt erzogen,
Zur Tugent·in der jugent bogen.
Des will ich euch stetig danckbar sein.

Veracundia sagt:
30 Ach, Tochter, wie ist es so fein,
Wenn man Gottesforcht vnd Eltern liebt!
Solchen Kindern Gott sein segen gibt,
Das sie lang leben in dem Land,
Behütet sie vor Sünd vnd schand
35 Vnd thut jhn auch nach diesem leben
Das ewig wehrent Himelreich geben.

Drumb komb mit zu dem Vatter rein!
Es möcht jhm sonst diè weil lang sein.

Sie gehn ab. Ietzund wird ein Lättern aussen des eingangs
angeleint, daran steigt Tymbor herunder, als wenn er vber
ein Maurn stieg, vnd dann so sagt er:

Alhie so bin ich in dem Garten
Vnd will der Abentheur erwarten,
Die mir Gerwalt thet offenbarn,
Die warheit dardurch zu erfahrn.

10 Er steckt sich in ein ecken vnd sagt:

Alda kan ich bey dem Monschein
Sehen, wer hie geht auß vnd ein.

Es steigt Gerwalt vnd dann der verkleidt Jahn in Weiberkleidern auch herab. Gerwalt führt Jahnnen bey der hand.
Jahn brangt wie ein Weib. Gerwalt sagt:

Ach, Phänicia, hertzliebste mein,
Ietzt send wir abermahl allein,
Vnser Bulwerck hie zu verbringen.

Jahn sagt:

20 Ey, schweig nur gar still zu den dingen,
Das es mein Vatter nicht erfahr!

Sie gehn im Garten hin vnd wider, setzen sich zusammen.

Tymbor, der Graf, sagt:

O ho! vnd ist das gleichwol wahr?
25 Das bett ich nicht glaubt, muß ich jehen,
Hett ichs nicht ghört vnd zum theil gsehen.
[418ᶜ]   Nun pack dich hin zum Teuffel wegk,
Du leichtfertiger loser schandfleck!
Ich meint, du werst in dein geberten
30 Die allerzüchtigst auff der Erden,
So bistu ein loser hurnsack.
An liechten galgen dich wegk pack!
Ich will gehn Lionito sagen,
Ihr die Heürat wider abzuschlagen.

Er ist gar zornig vnd geht ab. Gerwalt sagt zu Jahnnen:

So komb! wir wöllen auch zu hauß.

Jahn sagt:

Was hab wir hie gerichtet auß?
Nichts, dann ich hab je kein Menschen gsehen.

5   **Gerwalt sagt:**

Du erfehrst wol, was ist geschehen.

Sie steigen wider vber die Lätter ab. Kompt Lionatus, der
alt Edelman, mit Veracundia, Phänicia, Philis, der Kammer-
Jungfrau, vnd etlich stummen Jungfrauen. Lionatus sagt:

10 Ihr lieben Töchter, nembt zu muth,
    Wie vns Gott also gütlich thut,
    Die wir jhn haben gefürcht vnd geliebt!
    Darfür er vns jetzt vil glücks gibt,
    Das wir jhn billig loben vnd Ehrn.
15 Nun wird kürtzlich die Hochzeit wehrn.
    Da mustu, lieber Gemahl mein,
    Mit Phänicia bemühet sein,
    Das sie mit Kleidung vnd mit zier
    Staffiret werde nach gebür,
20 Vnd die andern müssen versehen,
    Was auff die Hochzeit ist zu nehen.
    Aber Philis, du must vmblauffen
    Vnd, was man bedarff, einkauffen,
    Das alles zeitlich sey bey der handt
25 Vnd man nicht einleg schimpff vnd schandt
    Bey dem Grafen, vnserm Eyden.

Veracundia sagt:

Phänicia will ich wol kleiden,
Wie es jhr standt wird auß weisen.
30 Auch will ich andere Jungfrauen heisen,
    Was wird zu Neben vonnöten sein.
    Vnd als, was man soll kauffen ein,
    Das will ich Philis zeichen auff,
    Das mans bey rechter zeit einkauff.
[418ᵈ]   35 Eur Lieb bekümmern sich nicht drummen!

Phänicia sagt:

Ich danck Gott, das darzu ist kommen.
Iedoch so bin ich traurens vol,
Das ich euch Eltern bemühen sol
5 Mit meiner Ehrn frölichkeit.

Veracundia sagt:

Weil es dann also gibt die zeit,
So muß vnd wöll wirs gern than.

Man klopfft. Veracundia sagt:

10 Balt secht, wer so frü klopffet an!

Lionitas, der Edelman, geht ein, beut jhn allen die hand, sie
empfangen jhn gar freundlich. Lionitas sagt:

Hertzlieber Vatter, es ist mein bitt,
Ihr wolt mirs alles verargen nit!
15 Ich bring euch ein Bottschafft zu hauß.

Lionatus, der alt, sagt:

Mein Vetter, was ists? sagts nur rauß!
Es soll euch sein ohn allen schaden.

Lionitas sagt:

20 Es schicken mich her jhr Genaden
Vnd künden euch die Heürat ab,
Die ich jhm neulich geworben hab,
Vnd lest euch anzeigen dabey,
Eur Tochter nicht frum von Ehrn sey;
25 Drumb wöll seim stand nicht gebürn,
Ein solche dirn zu Kirchen zu führn.
Was er jhr geschenckt, das mag sie bhalten.

Phänicia geht herfür vnd sagt:

Ach, das sein ewig Gott muß walten!
30 Wer hat das zeigt dem Grafen an,
Das ich hett wider Ehr gethan?
Der thut mir groß gwalt vnd vnrecht.
All Vppigkeit hab ich verschmecht,
Auch mir mein tag nie für genommen,

Das mir jetzt von euch ist fürkommen.
Des ruff ich Gott zu zeigen an.
Das heiß eysen auch tragen kan
Zu bewehrung meiner vnschult.
5 Ach Gott, solt ich dann deine hult
In vnehrlicher lieb verlirn,
Mich Böse begirt lassen verführn?
[419] Das sey immermehr weit von mir!
O Herr Gott, ich befelch mich dir.
10 Vor angst muß ich mein geist auff geben.

Sie sinkt darnider, sie halten sie. Lionatus sagt:

Ach, sol mein Tochter kommen vmbs leben,
Ehe sie jhr vnschult thut purgirn,
So will ichs nach jhrem todt außführn,
15 Dann ich weiß, das jhr vnrecht gschicht.

Lionitas sagt:

Herr Vatter, habt mirs frühel nicht!
Ich kan meins theils davon nit sagen,
Wers also hat in Grafen tragen.
20 Doch kan mans noch wol werden innen.

Er geht ab. Veracundia sagt:

Philis, in meinem Kestlein drinnen
Hab ich ein köstlichs Aquavit,
Vnd bringt auch ander labung mit!

25 Zu Phänicia sagt sie:

Hertzliebe Tochter, laß dich erweichen!
Lebstu noch, so gib mir ein zeichen!

Lionatus sagt:

Was sol sie geben? sie ist schon todt.
30 Ihr woll gnaden der liebe Gott!
Sie lest von sich fallen alle glieder.

Philis kombt mit dem Wasser vnd labung, man streicht sie

---

2 O Das. 3 Vgl. darüber Karl Weinhold, die deutschen frauen in dem mittelalter s. 129. 11 O singt. 22 O meinen. 23 O köstliches.

an. Veracundia sagt:

Ihr krefft kommen ein wenig wider.
Sie hat jetzund ein Athem gholt.

Lionatus sagt:

5 Ich bitt: sie halt abtragen wolt!
Kombt sie wider zu jhrer krafft,
Soll der sach schon raht werden gschafft.

Sie gehn mit jhr vmb; auff die letzt sagt Phänicia:

Ach Gott, ach, wie ist mir geschehen?
10 Wie so vil schönes ding hab ich gesehen,
Das ich gwieß mercken muß dabey,
Das ich im Himel gwesen sey!
Ach, führet mich ein wenig ab!
Dann mein kraft ich verloren hab.

[419^b] Die WeibsPersonen fürn sie ab. Lionatus sagt:

Auff das es ein weil bleib dabey,
Das Phänicia gestorben sey,
So wollen wirs in kleidern beklagen,
Ein todenSarg gen Kirchen tragen,
20 Denselben an jhrer statt begraben.
Villeicht möcht der Graf ein reuben haben,
Was er hat an jhr begangen,
Vnd möcht ein bessern bericht empfangen,
Das sie die schand nicht hab gethan,
25 Sich wider vmb sie nemen an.
Dann ich weiß, das jhr vnrecht gschicht.
So lests auch Gott geschehen nicht,
Das die Warheit verdrucket werd.
Villeicht sich dann der Graf vmbkehrt
30 Vnd seiner Braut auffs neu begert.

Abgang.

ACTUS QUARTUS.

Kommen etliche in Leidkleidern angelegte Diener, die tragen

*

14 O kraff.

einen Sarg, ist mit einem Leichtuch bedeckt; den setzen sie
nider vnd ist darauff geschrieben: Gedechtnuß der vnschulti-
gen Edlen vnd Tugentreichen Phänicien von Loneten seeligen.
Vnd gehn alle wider ab. Kompt Jahn, liest, was auff dem
sarg geschrieben ist, greifft zu seinem Beutel vnd sagt:

> Ich muß dennoch sehen, das nicht jhr geist
> Mir das Gelt auß dem Beutel reist,
> Als wie mir Malchus hat gethon.

(Er wundert sich.)

> 10 Ist dann Phänicia gestorben schon,
> Wie ich an dem Sarg hab gelesen?
> Bin ich nicht nechten Phänicia gwesen?
> Dann also hieß der namen mein.
> Ich darff fürwahr balt gestorben sein.

Er bedast sich selbst allenthalben vnd sagt zu den zusehern:

> Gelt, jhr Herrn? ich bin noch do.
> Ja fürwahr, ich bin gleich fro.

[419ᶜ] Er lists noch einmal, besind sich vnd sagt:

> Potz Valtin! jetzt ist mir bewist,
> 20 Wer die gestorben Phänicia ist.

Er greindt vnd sagt:

> O weh, sie ist meines Herrn Braut.
> Ey, ey, wer hett des vnglücks traut?
> Ich will jhm gehn die zeitung sagen.
> 25 Ach, wie wird der Mann weinen vnd klagen!

Abgang. Tymbor geht ein in einem klagmantel, sagt gar
kleglich:

> Ach weh, ach weh mir armen Mann!
> Ach weh, ach weh, was hab ich than,
> 30 Das ich hab dem Gerwalt geglaubt!
> Er hat mich meiner sinn beraubt
> Vnd mich wie einen thorn bethört
> Vnd ich hab Phäniciam ermört,
> Als hett ich jhr den halß abgstochen.
> 35 Ach weh! das bleibt nicht vngerochen.

Auch wolt ich, das die rach balt köm
Vnd mir derhalb mein leben nemb.
Soll ich an deim todt schultig sein,
Der du keüsch warst vnd Engelrein,
5 Wie soll ich nun das vbel büessen!
Ich werd noch selbst verzweiffeln müssen.

Er geht hin vnd wider. Kompt Gerando auch in einem Leidt-
Mantel vnd geht der Jahn hinden hernach, weint gar sehr.
Gerando sagt kläglich:
10 Ach jammer der traurigen mäer!
Ach das ich nie geborn wer!
Ein groß vbel hab ich gestifft,
Das mich leider am meinsten trifft.
Ach das ich nur köm zu dem Grafen,
15 Das er mich nach verdienst thet straffen!
Ich habs verschult vnd wils als leiden.

Tymborus, der Graf, geht zu jhm vnd sagt:
Herr Gerando, was thuts bedeuten,
Das jhr euch also kläglich stelt?

20 Gerando sagt:
Gnediger Herr, ach, wenn jhr wölt
Ein gang mit mir in dKirchen than,
So zeig ich euch mein traurn an.

[419ᵈ] Sie gehn alleweil fort; der Graf sagt:
25 Ja, kein traurn ist vber mein traurn.
Nicht weiß ich, wie ichs werd auß taurn.
Ich wolt Gott, das ich todt wer.

Jahn sagt:
Ja, mein Herr hat kein Braut mehr,
30 So bin ich durch den Korb gefallen.
Also gehts vns gar vbel allen;
Darumb ich billig weinen sol.

Gerando sagt:
Gehe! balt mir den Gerwalt hol!
35 Sprich, er soll eylend kommen her!

Jahn sagt:

Wer weiß, wo ist zu finden er?

Er geht ab. In dem kommen sie zu dem Sarg. Tymbor sagt:

O Phänicia, du einiche Kron,
5 Ein spiegl der Jungfrauen schon,
Du wahrer außbundt aller Tugent,
Wie schendlich starbst in deiner Jugent!
O jhr Weiber vnd Jungfrauen,
Thut mich betrübten Mann anschauen!
10 Mein groses leid thut mich bewegen,
Das ich selbst hend an mich muß legen
Von wegen der hertzallerliebsten mein.

Gerando helt jn, zeucht sein schwerdt auß, wirfft jhms für, felt auff die knie zur Erden vnd sagt:

15 Ach, Gnediger Herr, ich bin allein
Der recht schultig an diser that,
Die mich Gerwalt anglernet hat.
Drumb nembt mein Rappir (das bitt ich)
Vnd stost dasselbig balt in mich!
20 Oder ich will es selber than.
O jhr, all Menschen, secht mich an,
Ein verderber solcher schön jugent,
Ein Kron vnd zier aller Tugent!
Drumb ich auch hab mein leben verlorn.
25 Doch sey es Gerwalten geschworn,
Der mich darzu felschlich verfürt,
Das jhms von mir nit gschencket würt.

Tymbor hebt den Gerando auff vnd sagt:

[420] Die sach kombt mir gar seltzam für.
30 Ich bitt euch: wolt doch sagen mir,
Wie sich alle sachen zugetragen!

Gerando sagt gantz demütig:

Gnad Herr, ich will die warheit sagen.
Phäniciam bett ich so holt,
35 Das ich sie selber nemen wolt;

Vnd als sie hat eur Gnad erworben,
Wer ich vor hertzenleid schir gestorben
Vnd thet mich die groß lieb bezwingen,
Eur Heürat hinder sich zu bringen.
5 Nun west ich nicht, was ich thun solt:
Da vnderstundt sich der Gerwalt,
Eur Gnaden balt dahin zu treiben,
Das sie nicht wurden bstendig bleiben,
Sonder künden die Heürat ab,
10 Als ich jhm dann gefolget hab.
Wie aber er das spil angfangen
Vnd wie jhms ferrners nauß ist gangen,
Wissen eur Gnad vil baß, dann ich.
Doch bitt ich: wolt begnaden mich
15 Oder strafft mich, wie ich verschult!
Ich wils als leiden mit gedult.

Tymbor, der Graf, sagt:

Ach jammer, ach wehe der grosen schand!
Das als hat balt mein hertz geandt,
20 Das Gerwalt vmbging mit betrug.
Nun hab ich von euch brichts genug,
Wie ich komb vmb die liebsten mein.
Iedoch kan ich euch nicht feindt sein,
Sonder wils euch halten zu gut,
25 So ferrn jhr abbittung thut
Erstlich der toden Jungfrauen,
Auch jhren Eltern, den jhr auff trauen
Habt zugefügt groß hertzenleid.
Aber Gerwalt schwer ich ein Eyd:
30 Wo ich den Lecker vberkumb,
Soll er sein lohn bekommen drumb.
Er sols sein lebtag nimmer than.

Gerando sagt:

So last vns zu der Jungfrau gahn,
35 Da sie liget in jhrem grab,
Vnd ich jhr bitt das vbel ab!

Sie gehn zu dem Sarg. Gerando fellt darnider vnd sagt:

Ach Phänicia, du Edles bilt,
Ich bitt durch all dein Tugent milt
Vnd die lieb, die ich zu dir trug,
Derhalben dir groß schmach zu zug,

[420ᵇ]   5 Du wolst mit mir tragen gedult
Vnd mir vergeben meine schult;
Dann ich hab dir groß vnrecht than.
Von dir nichts anders wissen kan,
Dann Ehr, Tugent vnd redlichkeit.
10 Du warst ein Brunn aller keüschheit
Vnd ein spiegel aller Jungfrauen.
Das sag ich jetzt bey Ehr vnd trauen;
Anderst kan ich nicht reden von dir.

     Tymbor fellt auch nider vnd sagt:
15 Auch ist die schult zu geben mir,
Das ich glaubt hab dem losen Mann,
Der mir von dir zeigt vbels an,
Vnd dir mein Ehegelüb hab auff kündt.
Ich bitt: verzeih mir meine Sündt,
20 Das ich so gar balt glauben thet,
Vnschultig in dem verdacht bett!

Sie stehn alle beed auff, geben die hend aneinander. Tymbor
        sagt:
Ach könd ich sie vom tod auff wecken!
25 Leib, Ehr vnd Gut wolt ich dran strecken
Vnd wer mir nichts zu lieb auff erden.
Sagt aber, wie wir bestehn werden,
Wenn wir zu jhrem Vatter kommen!

     Gerando sagt:
30 Er wird vns vbel halten drummen
Vnd thut vns auch gar nicht vnrecht.
Potz! dorten kombt gleich Jahn, mein Knecht.
Derselb hat den Gerwalt gsucht.

     Jahn geht ein vnd sagt:
35 Ich hab mich schir zu tod geflucht.
Ich kan den Gerwalt nicht finnen.

Ich hör, er hab sich gemacht von hinnen
Vnd hab halt einen weiden geben.

Tymbor sagt:

So lang vnd weil ich hab das leben,
5 Soll er haben kein hult noch gleit.

Jahn sagt:

Er ist ein schelm, auff mein Eyd.
Er legt mir Frauenkleider an,
Thet mit mir im Garten rumb gahn
10 Vnd mich Phäniciam nennen thet,
Stelt sich, als wenn er mich lieb hett.
Was solt er mir für zeit verkürtzen?
Ist eben, als wann zwen Hafen stürtzen,
[420ᶜ] Einer wolt stürtzen vber einander.

15 ### Tymbor sagt:

Hett ich euch kennet beyde sander,
Ich wolt euch haben füeß gemacht.

Jahn sagt:

Des bett ich mir zwar balt gnug glacht,
20 Ich bett in kleidern nicht lauffen können.

Tymbor sagt:

Gerwalt wird mir auch kaum entrinnen.
Kompt! last vns in jhrs Vatters hauß
Vnd vnser sach gahr richten auß!

Sie gehn alle ab. Man tregt den Sarg darnach ab. Kommen
Lionatus, der alt Edelman, mit Veracundia, seiner Gemahl,
vnd der KammerJungfrauen, all in leidtkleidern. Lionatus sagt:

Veracundia, ich hab vernommen,
Es sey als für den Grafen kommen,
30 Wie vnser Tochter sey gestorben,
Vmb die er hat gebetten vnd geworben,
Darfür trag er groß hertzenleid
Vnd hab auch weder muth noch freüd,
Das er nicht mehr beger zu leben;

Wolt all sein haab vnd Gut drumb geben,
Wenn nur Phänicia leben solt;
Gar gern er sie bhalten wolt.
Darumb halt alle sach in still!
5 Mit Gottes hilff ich machen will,
Das die Heürat gwien ein fortgang.

Veracundia sagt:

Ach, das sichs nur verzüg nicht lang
Vnd köm villeicht was anders drein!
10 Still, still! es wollen Leüt herein.
Gott geb, das sie was bessers werben,
Alls das dient zu vnserm verderben!

Es geht Graf Tymbor ein mit Gerando, dem Ritter, tragen
alle beede leidt. Lionatus, der alt Edelman, empfengt sie;
deßgleichen auch geben sie allen die hend. Tymbor sagt:

Herr Schwehr, mir ist leid eur vnmuth,
Der mich nicht wenig krencken thut,
Als ob der wer selbst eigen mein.

[420ᵈ]   ### Lionatus sagt:

20 Wehe denen, die dran schultig sein,
Das ich bin vmb mein liebs Kind kommen!
Iedoch weil sie Gott hat genommen
Zu jhm auß diesem armen leben,
So kan ers auch wol wider geben,
25 Wenn es ist sein Göttlicher will.

Tymbor fellt zu fuß vnd sagt:

Ach Gott, ich bin dran schultig vil.
Wolt Gott, das ichs könd widerbringen!

Gerando fellt auch zu fuß vnd sagt:

30 Ich bin die gröst vrsach der dingen,
Die seind erfolgt auß bösem raht.
Aber ich bitt durch Gott vmb gnad,
Vnd wolt jhrs nicht verzeihen mir,
So stosset in mich mein Rappir,
35 Als ich es wol verschultet hab!

Tymbor sagt:

Ach Gott, die gröst vrsach ich hab,
Das ich die Heürat hab auffkündt.
Ich hab begangen ein grose sündt,
5 Die mir nicht wol kan werden vergeben;
Dann ich bracht sie damit vmbs leben.
Ach, Herr Schwehr, wenn es sein kan,
So nembt mich wider zu gnaden an!
Ich weiß wol, das ich hab vnrecht
10 Vnd eur Tochter vnschultig gschmecht
Vnd das ich hab geglaubt zu balt.
Ich ergieb mich in euren gwalt.
Schafft mit mir, was euch selbst gefelt!

Lionatus sagt:

15 Gnediger Herr vnd Strenger helt,
Eur Gnaden haben glaubt zu geschwind
Vnd mich gebracht vmb mein frombs Kindt,
Das ich in Tugent hab erzogen.
Das hab ich offt hertzlich erwogen
20 Vnd bringet mir auch grosen schmertzen.

Tymbor sagt:

Ich trag die gröst pein vnd schmertzen,
Erstlich das ich hab glaubt so gern
Vnd das ich jhr nun muß entpern.
25 Aber was soll ich armer than?
Niemand, dann Gott, mir helffen kan
Vnd meinen schmertzen mir abladen.
Ich bitt, Herr Vatter, thut mich begnaden!
Last mich gleichwol euren Sohn sein!
30 Ich will die zeit des lebens mein
[421] Euch in keinem punct widerstreben.

Lionatus sagt:

Eur Gnaden sey es als vergeben,
So ferr mir eur Gnad saget zu,
35 Wenn sich die verheüraten thu,
Das sie Heüraten mit meim Raht.

Ich hoff zu Gott, es gescheh ohn schad;
Dann ich jhr nichts böß rahten will.

Tymbor sagt:

Deß erbietten ist vil zu vil.
5 Ich hets euch nicht dörffen anmuten.
Darumb so niemb ichs auff in guten
Vnd glob euch das an Eyds stat an,
Ohn eur wissen nichts mehr zu than.
Bey den alten find man gut raht.

10 ### Gerando sagt:

So bitt ich gleicher weiß vmb gnad.
Ob ich schon thöricht ghandelt hab,
So bitt ichs eur Lieb wider ab,
Wie auch Phänicia ich hab than.

15 ### Lionatus sagt:

Es ist leider geschehen schon.
Doch ist es mir ein groser schad,
Das jhr so eim Närrischen raht
So vnbesunnen habt nachgsetzt,
20 Mich vnd mein gantzes gschlecht verletzt.
Ihr solts auch bey mir nicht endgelten,
Iedoch thut nichts mehr davon melten,
Wie jhr mein Tochter habt vmbbracht,
Das mir mein leid nicht werd neu gmacht!
25 Kombt rein vnd Est mit mir zu nacht!

Sie gehn alle ab.

ACTUS QUINTUS.

Kompt Jahn vnd sagt:

Fürwahr, mich thuts gar hart verdriessen,
30 Das man mich thet mit wasser giessen
Vnd durch den Korb mich fallen ließ.
Mein Herr hats gschafft; das weiß ich gwieß.
Er hats dem Grafen auch so gemacht
Vnd die Phänicia vmb gebracht,
35 Das ich bey jhm nicht bleiben kan.

Er weist das gelt vnd sagt:

Weil ich dann mein gelt wider han,
Das mir mein Mutter gelassen hat,
So weiß ich mir kein andern raht,
5 Dann ich ziech an ein anders ord.
Ich bin ja schultig an dem mord,

[421ᵇ] Das Phänicia ist vmbkommen;
Dann solt ich werden gfangen gnommen,
So leget man mich gwießlich gfangen
10 Vnd thet mich für mein Herrn bangen,
Der mich doch darzu bringen thet;
Dann in der Welt es also geht,
Das die spinn die klein mucken erbeissen,
Vnd die websen durchs netz auß reissen.

Er geht ab. Gerando geht ein vnd sagt:

Ach Gott, was soll ich leider sagen?
Phänicia todt ist wol vertragen,
Das ich kein straff hab zu besorgen.
Doch ist die sach dir vnverborgen
20 Vnd ich stehe, Herr, in deinem zorn.
Nun bin ichs je angelernet worn,
Ich hets sonst nimmermehr gethan.
Nichts weniger ich nicht ruhen kan.
Mein gewissen mich hart heist vnd nagt,
25 Mich tag vnd nacht hefftig anklagt,
Das ich kan nimmer frölich sein.
Ach, gwiessenspein ist die gröst pein.
Die kan der Mensch gar schwerlich tragen.
So darff ich es auch niemand klagen,
30 Das das vbel nicht komb an tag.

Jahn geht ein vnd sagt:

Bey euch ich nimmer bleiben mag.
Drumb gebt mir vrlaub vnd meinen lohn!
Ich will jetzund als balt davon.
35 Drumb schaut vmb einen andern Knecht!

Gerando sagt:

Ey, mein Doctor Jahn, besinn dich recht!
Es ist dein verspruchzeit nicht auß.
So darff ich jetzt dein wol im hauß,
Dieweil ich jetzt muß Reisen davon.

5   Jahn sagt:

Nein fürwahr, Herr! das werd ich nicht thon;
Dann jhr habt mir mein Lieb verstört,
Die Anna Maria dahin verkehrt,
Das sie mich mit bruntzwasser gossen,
10 Das mir ist vbers maul geflossen.
So habt jhr mich zum Mörder gemacht,
Die Phänicia vmbgebracht.
Wie mirs da gieng, so gehts jetzt euch.
Ihr seid durch den Korb gfallen zugleich.
15 Phänicia hat ein andern gnommen.
Eurthalb ist sie vmbs leben kommen.
Von eurs gelts wegen halff ich darzu.
Solch schelmsarbeit ich nimmer thu.
[421ᶜ]   Weil mir auch ist mein Mutter gestorben
20 Vnd ich jhr Erbgut hab erworben,
So ists mir besser, ich legs selbst an,
Als das mirs trag ein dieb davon,
Wie mirs schon stal der galgenstrick.
Bey euch ist weder heil noch glück.
25 Drumb gebt mir gelt vnd last mich wandern!

    Gerando sagt:

Wiltu nicht bleiben, dieng ich ein andern.
Deins gelts halb du kein Juncker bist.
Man gereht eines jeden, der nicht da ist.
30 Gehe nein ins hauß! dann so will ich
Also balt abfertigen dich.

   Er geht ab. Gerando sagt:

Ich bin mit grosem leid besessen.
O hett ich meines jammers vergessen,
35 Ich bett den lecker also abgschlagen,
Er bett die zeichn lang soln tragen.

So muß ich tragen Patientz
Vnd laß jhn haben die pestilentz.

**In dessen geht Graf Tymbor ein, sicht den Gerando, geht zu
jhm vnd sagt:**

5 Mein freundt als Bruder, wie stehn all sach?

Gerando sagt:

Gnediger Herre, all gemach.
Mir will der anfechtungsschmertzen
Gar nicht verschwinden auß dem hertzen,
10 Den ich für Phänicia trag.

Tymbor sagt:

Ich dencke auch dran nacht vnd tag.
Ach, wenn ich gedenck jhrer schön,
Die ich ob alle Weibsbilt Krön,
15 So ist sie die schönst auff der Erden.
Gedenck ich jhr züchtigen geberten,
Wie sie kund die augn vnderschlagen,
Thu ich billig leid vmb sie tragen;
Dann jhr ohrn vnzüchtige wort
20 Niemals gern haben gehort,
Ihr zung hat nichts vergebens gredt,
Allein sie Gott anruffen thet;
Sie hasset, was vnehrlich war;
Auch hat sie alles gedultet zwar,
25 Was man jhr vbels hat gethan.
Wo ist ein solche WeibsPerson,
Die darzu Edel ist geborn,
Als wir an jhr haben verlorn?

[421ᵈ]   Ach Gott, jhrs gleichen thut nicht leben.
30 Nun hab ich darzu vrsach geben,
Das sie vor hertzleid ist verschieden.
Des kumbt mein hertz nicht mehr zu friden,
Sonder schwebet in steter klag,
Das ich kein andere nemen mag,
35 Sonder will eben ledig bleiben,
Mein zeit in klag vnd leid vertreiben,

Biß mich von hin abfordert Gott.

Gerando sagt:

Ich bin schultig, das sie ist todt.
Ich wolt sie eur Gnad erleiden,
5 So ist sie vns entgangen beiden,
Das ich doch je nicht hab begert.
Darumb ist mein gewissen bschwert,
Das ich nicht weiß, was ich sol than.
Ihrs Vatters gnad wir bede han,
10 Iedoch eur Gnad vil mehr, dann ich.
Doch will das nicht benügen mich.
Ich fürcht, die streng Göttliche rach
Die werd auch noch kommen hernach.
Deß schweb ich in groß hertzenleid.

15 Tymbor, der Graf, sagt:

Ey kombt! wir wollen alle beid
Besuchn jhren Vatter, den altén.
Den wollen wir zum freund behalten,
Weil wir jhn hart beleidigt han.

20 Gerando sagt:

Wolln eur Gnad mit ins hauß rein gahn?
Mein Jahn will nicht mehr bey mir bleiben.
Vil vnützer red thet er treiben,
So will ich jhn vor fertign ab.
25 Seines gleichen Knecht ich alzeit hab.

Sie gehn ab. Kompt Lionatus, der alt Edelman, mit Veracundia, seiner Gemahl, vnd Philis, der KammerFrau. Lionatus sagt:

Hertzlieber Gemahl, Gott sey lob!
30 Die warheit schwebet allzeit ob,
Dann vnser Tochter ward geschmecht
Vnschultig vnd bebelt noch recht.
Auch ist der zugefügte schaden
Durch Gottes hilff noch wol gerahten,
35 Weil der Graf vnd Gerando beid
Schweben jetzo in hertzenleid,

Wissen nicht anders, dann sie sey todt.
So hat es nun ferrners kein not,

[422] Weil der Graf sich mir hat ergeben,
Als ein Sohn meins willens zu leben.

5 Dem will ich geben einen rath,
Das sich Verheüraten sol sein Gnad,
Im sagen, das er mir sol trauen,
Ich wiß jhm ein schöne Jungfrauen,
Der Phänicia gar geleich,

10 So schön, so Edel vnd so reich,
In gleicher größ, sitten vnd Jugent,
Kenn all jhr Höflichkeit vnd tugendt;
Die wöll ich jhm hie tragen an;
Wöll er mir folgen als ein Sohn,

15 So soll er Verheüraten sich.
Dann will jhm vnser Tochter ich
Lucilia heisen vnd nennen,
Fürstellen, die wird er nicht kennen,
Ihr ein verkehrten Namen geben,

20 Nicht sagen, das sie noch thu leben,
Biß es gibt bessere glegenheit,
Vnd weil Gerando vor der zeit
Auch Phäniciam haben wölln,
Im Belleflura dann fürstellen

25 Vnd also auff einmal jhn beiden
Ein köstliche Hochzeit bereyten,
Das auß dem Leid groß freud thu wehrn.

Veracundia sagt:

Ach lieber Gemahl, das sehe ich gern.
30 Wenn es Gott gfiehl vnd haben wolt,
Das es also hinauß gehen solt,
So hett ich jhm zu dancken drummen.

Lionatus sagt:

Still, still! ich sehe sie bede kommen.

In dem geht Tymbor mit Gerando ein, geben dem Lionato

5 O Den.   35 O den L.

vnd Veracundia die hand. Lionatus sagt:

Gnediger Herr, es frewet mich,
Das ich eines mals eur Gnaden sich,
Die ich gern lengst gesehen hett.

5   Tymbor sagt:

Ich will sehen, wies eur Lieb geht
Mit sambt meim Bruder Gerando.

Lionatus sagt:

Ihr lieben Herrn, vns gehts also
10 Ein weil vbel vnd ein weil wol,
Dann das glück stecket vntreu vòl
Vnd bleibt nicht lang bey eim allein.

Tymbor sagt:

So muß wir vns schicken darein,
[422ᵇ] 15 Was Gott aufflegt, gedultig tragen.
Ich west auch von vnglück zu sagen;
Aber ach Gott, was solt ich thon?

Gerando sagt:

Ich kan auch wol sagen davon.
20 Gott helff mir darauß wiederumb,
Ehe dann ich in verzweifflung kumb!
So viel hertzleidts hab ich erlieden.

Lionatus sagt:

Ihr lieben Herrn, gebt euch zu frieden!
25 Vergest der alt geschehen dingen,
Die man je nicht kan wieder bringen!
Doch solche schwermuth abzuladen,
So west ich erstlich eur Gnaden
Ein außpündig schöne Jungfrauen
30 Vnd (eur Gnad soll mir das vertrauen)
Sie ist Edel, doch nicht gar reich,
In dem der Phänicien gleich.
Auch ist sie wol so schön, als sie,
Vnd ist kein Maler gewesen nie,
35 Der sie gleicher abmahlen könd.

Ja, wenn sie lebendig selbst da stündt,
Künt man finden kein vnderscheid.
Deß gleich in zucht vnd höflichkeit
Ist sie gleich der Phänicia
5 Vnd würd genand Lucilia.
Wolt ich eur Gnad zum Gemahl geben.

Tymbor sagt:

Wie wol ich hab begert zu leben
Einig hinfürter ohn ein Weib,
10 Iedoch ich auch bestendig bleib
In dem, was ich eur Lieb verhieß,
Das ich derselben wolt folgen gewieß.
Das will ich halten, weil ich thu leben.
Vnd wenn jhr mir ein Weib wolt geben,
15 So felt sie mir zu bahn nit schwer,
Wenns nur eines Baurn Tochter wer,
Wenn michs eur Lieb kan lassen sehen.

Lionatus sagt:

Eur Gnad kumb mit mir! es soll gschehen.
20 Doch hab ich sie nicht in meim hauß,
Sonder auff meinem Schlosse drauß;
Dahin wöll wir zu Gast vns laden.
Ich hoff, es soll vns sein ohn schaden.

Sie gehn alle ab. Kompt Jahn vnd sagt:

25 Nun mein vrlaub hab ich bekommen
Vnd meinen lohn auch eingenommen;
[422ᶜ] Dann hie zu sein muß ich mich schemen.
Ich will nun selbst ein Frauen nemen
Vnd wie ein andrer selbst Herr sein,
30 Dann das Dienen tregt wenig ein.
Vnd wenn ich selber ein Herr bin,
So hab ich selbst verlust vnd gwien
Vnd kan gelt zaln, wenn ich sein hab.
Darumb scheid ich mit wissen ab.

Er gehet ab vnd gibt ein gute nacht. Kommen Phänicia vnd
Bellaflura. Phänicia sagt:

Hertzliebe Schwester, ich danck Gott,
Der mich, da ich schon war halb todt,
Wider zum leben hat erquickt
Vnd meine sach so wol geschickt,
5 Das alle, die mich theten schmeben,
Sagen, es sey mir vnrecht gschehen,
Vnd mir noch tragen Lieb vnd gunst.
Drumb, liebe Schwester, ist nit vmb sunst,
Das man Gottes wort gern hört
10 Vnd darzu Vatter vnd Mutter ehrt,
Sich auch befleissigt der Keuschheit
Neben der Demut allezeit,
Die ist aller Weibsbilt ein zier.
Der Vatter hat geschrieben mir,
15 Das der Herr Graf vnd seine Gsellen
Bey vns die Malzeit nemen wöllen,
Da wöll er alles richtig machen.
So bitt ich: hilff mir in den sachen
Alles auff das best zu versehen!

20   Bellaflura sagt:
Hertzliebe Schwester, das sol geschehen.
Auch bin ich es schultig zu than,
Was du begerst; schaff mich nur an!
Ich wils verrichten nach meim verstand,
25 Auff das wir einlegen kein schand.
Hör! hör ich nicht ein Trommeten blasen?
Wir wollen vns nicht sehen lassen.

Sie gehn eilend ab. Kompt Lionatus, der alt Edelman, führt
den Grafen bey der Hand, Gerando geht mit jhnen, Veracundia geht mit der KammerJungfrau hernach. Lionatus sagt:
       Eur Gnad soll auff dem Hause mein
[422ᵈ]   (Er wendt sich zu Gerando.)
       Mir sampt eur Lieb Gottwillkom sein!

Sie geben alle die Händ aneinander. Lionatus deut, das sie
35 sich setzen sollen; als denn sagt er:
       KammerFrau, bringt Collation

Vnd Wein, das wir ein Trüncklein thon!

Man bringet Collation vnd Wein; die Veracundia vnd Philis,
die KammerFrau, tragens rumb; alsdann trincken sie auch
entzwischen; als dann sagt Lionatus:

5 Gnediger Herr, ist euch zu Sinn,
Wie ich vor mit euch redet drinn,
Das jhr die Jungfrau haben wolt?
Ir sie zu sehen kriegen solt.

Tymbor sagt:
10 Was ich vor einmal hab geredt,
Das beger ich zu halten stet.
Das sollen mir eur Lieb zutrauen.

Lionatus sagt zu Gerando:
Vnd jhr solt auch ein Jungfrau schauen,
15 Die euch auch möcht werden zu theil.
Iedoch bitt ich euch keine feil.
Warumb das aber thut geschehen,
Das werd jhr noch wol hörn vnd sehen.
Ich meins mit euch alln beeden gut.

20 #### Gerando sagt:
Was eur Lieb will ist, dasselb thut!
Dann wir beede eur Diener sein.

Lionatus sagt:
KammerFrau, heist die Jungfrau rein!

Sie Trincken; in diesen kompt Phänicia vnd Belleflura vnd
geht jhn die KammerFrau nach, gar schön geputzt, in groser
Zucht vnd Demut, geben erstlich den Frembden Herren, darnach auch jhren Eltern die Hand, nemen als dann die Collation, tragens vmb vnd schencken ein. Tymbor sicht die
Phänicia an, führt Gerando auff die seiten vnd sagt:

[423] Ach, Gerando, nun glaub ich frey,
Das der Phänicien Seele sey
Leibhafftig in das Mensch gefahrn.
Sie kan gleich eben, wie sie, gebarn.

Sie kan jhr sitten vnd gepreng,.
Hat auch jhr alter vnd jhr leng,
Das ich jhr gar nicht feind sein kan.

Gerando sagt:

5 Ach weh, ach Gott! was hab ich than?
All mein hertzleid wird mir verneut,
Das ich sie hab so vervntreut.
Deß muß ich in mein hertz mich schemen.

Tymbor sagt:

10 Ey, solt ich dieses Mensch nicht nemen?
Ich nembs, wenn ich schon Keiser wehr.

Gerando sagt:

Ach Gott, erst wird mein leid mir schwer.
Doch weil hie seind der Jungfrau zwu,
15 Villeicht ghört mir die ander zu.

Sie gehn wider mit groser Reverentz zu den andern Gästen.

Lionatus sagt:

Was haben die Herrn berathschlagt?

Tymbor sagt:

20 Wir haben etwas zusammen gsagt,
Wie ist der Jungen Gsellen brauch.
Drumb es nicht zu erzehlen tauch,
Wiewol es ehrlich ist vnd gut.

Lionatus sagt zu Phänicia:

25 Lucilia, ist dir zu muth,
Mein gnedign Herrn, den Grafn, zu nemen?

Phänicia neigt sich gegen dem Vatter vnd dem Grafen vnd sagt:

Wenn sich jr Gnaden mein nit wol schemen
Vnd das nicht halten für ein Tatel,
30 Dieweil ich allein bin von Adel,
Nicht hohs herkommen, wie sein Gnad,

(Zu Lionato:)

Vnd eur Lieb befind das im Rath,

So folg ich eur Lieb allezeit.

Tymbor sagt:

Ach dieser Red zu friden seit!
Die Tugent Edel machen kan.
5 Das Weib kriegt den stand durch den Mann.
[423ᵇ]   Wie er ist, also ist auch sie,
Dieweil er lebet, je vnd je.
Seit jhr schon nur Edel geborn,
Seit jhr doch heut zur Gräfin worn,
10 Dann euch will ich vnd keine mehr.

Lionatus gibt sie zusammen vnd sagt:

So geb ich euch zu Gottes Ehr
Beide Ehelichen zusammen.
Gott geb euch glück!

15   ### Tymbor vnd sein Bruder sagen:

Amen, Amen.

Er zeicht ein Ring von der handt vnd ein Ketten vom halß,
henckt jhrs an, steckt jhr den Ring an vnd trucket sie, helt
sie bey der hand. Lionatus sagt:

20 Nun last bey der Collation
Nochmals ein Trüncklein vmbher gahn!

Man trinckt; dann sagt Phänicia:

Ach, Edler Gemahl, saget mir!
Ward vormals auch verheürat jhr,
25 Ehe vnd wann eur Gnad mich namb?

Tymbor schlegt an sein Brust vnd sagt:

Ach schrecklicher red mir nie für kam.
Ach, diese frag bringt mir groß schmertzen
Vnd gebet mir so tieff zum hertzen,
30 Das sie mich gleich gar will vmbbringen,
Thut mich ein Mann zu weinen zwingen.
O Phänicia, was hab ich thon?
Ich wolt, ich wer gestorben schon
Für dich! wie schweb ich in vnmuth!

Phänicia sagt:

Gnediger Herr, habt mirs zu gut!
Ich hab in allen guten gfragt.

Tymbor sagt:

5 Ach, das sey Gott im Himel klagt!
Mein voriges Lieb thut todt liegen,
Für die ich in die Höll wehr gstiegen,
Wie auch Orpheus hat gethan,
Solt ich all verdambt Seel bestahn,
10 Wie Hercules, vnd sie erquicken,
Wolt ich mich alsbalt darzu schicken.
Aber es kan doch je nicht sein.
Deß ist desto gröser mein pein,

[423ᶜ] Die kein Mensch auff Erd kan ermessen.

15 **Lionatus sagt:**

Ey schweigt! thut diser klag vergessen!
Lang gnug ich euch auffzogen han.
Secht eur vertraute doch recht an!
Wie, wenn sie eur Phänicia wehr?

20 **Tymbor sicht sie an vnd sagt:**
Auff der Welt sehe ichs nimmermehr.
Werd jhrs aber, wers mir dest lieber,
Vnd ich wolt als erleyden drüber
Vnd mein halbe Grafschafft drumb geben.

25 **Lionatus sagt:**

Hie steht sie vnd thut warhafft leben.
Wiewol wir meinten, sie wer todt,
Hat sie doch wider erquicket Gott,
Welcher gewißlich haben wolt,
30 Das sie eur Gemahl werden solt.
Die hab ich euch an die hand geben.

Tymbor sicht sie an, verwundert sich vnd sagt:
Ach, Phänicia, thustu noch leben?
So solst mir desto lieber sein.

35 Er fellt jhr vmb den Halß vnd sagt:

Ach, Phänicia, die allerliebste mein,
Nun sey Gott gelobt vnd geehrt,
Der mir dich auch hat wider bschert!
Du bist mein auffenthalt vnd freud.

5   **Phänicia sagt:**
Der sey globt vnd gebenedeyt!
Der vns nach solch grosen Trübsal
Hat gnediglich gholffen ein mal,
Der geb vns Segen, Heil vnd glück.

Gerando fellt auff die Knie, sie hebt jhn wider auff vnd er sagt:

Ach, ich begieng ein böses stück
An euch, zart schöne Jungfrau, schon.
Aber die groß Lieb hat es thon,
Die ich in meinem hertzen bett.
15 Euch zu erwerben ich hoffen thet:
So hat es Gott nicht haben wöllen.
Euch thu ich mich zu eygen stellen.
Wie jhr mich strafft, so will ichs leiden.

          Phänicia sagt:
20 Es ist schon hin, auff allen seiten
[423ᵈ]   Ist es Gott lob wol gangen ab.

Lionatus nimbt Belleflura bey der Hand, führt sie zu Gerando vnd sagt:

Alda ich noch ein Tochter hab,
25 Ist Phänicien nicht vngleich;
Die will ich verehlichen euch,
Das jhr eurs hertzleidts werd ersetzt,
Euch an jhr, stadt mit der, ergötzt.
Weil jhr euch mir so thet ergeben,
30 Als mein Sohn nach meim willen zu leben,
So verheürat ich euch zu jhr.
Hoff, jhr bede solt folgen mir
Vnd es werd euch beede nicht reuen.

Er gibt jhnen die Händ zusammen vnd sagt:
35 Darmit wir vns alsampt erfreuen.

Vnd also werd ein gantzes gmacht!

Gerando druckt Bellaflura vnd sagt:
Ach, Herr, dahin hab ich nicht dacht,
Das ich solt die groß gnad erwerben.
5 Ich dacht, im hertzenleid zu sterben:
So hats Gott alles zu freud verkehrt.

Bellaflura sagt:
Darumb sey Er gepreist ynd geehrt
Vnd geb vns glück zu dem anfang
10 Vnd im Ehstand zu leben lang,
Das wirn enden mit Seligkeit.

Veracundia sagt:
Ich hab nie ghabt solch grose freud,
Als ich auff den tag hab erlebt.
15 Darob mein hertz in freuden schwebt.
Darfür thu ich meim Gott lob sagen.

Lionatus sagt:
Last die Collation abtragen
Vnd last vns hinein in das Gmach,
20 Das man die vorHochzeit anfach!
Morgen woll wir gen Kirchen gahn
Vnd alles mit Gott heben an.
Vergesset auch nicht, das man lad
Zur Malzeit Königlich Mayestat
25 Sampt andern fürtrefflichen Gästen!
Die sol man Tractirn nach besten.
Auch wollen wir Tantzen, fechten vnd ringen
Vnd damit acht gantz tag zu bringen.
Wers kan, der thu zum bschluß eins singen!

[424] Ietzt singt einer ein Liedt, der Jungfrau Spiegel genandt, Im Thon: Lob sey den Göttern allzugleich! oder:
Frisch auff, mein Seel, verzage nicht!

1.

Ihr zarten Jungfraun, hört mir zu
35 Von aller Jungfrau Spiegel

Vnd merckt, was ich euch singen thu
Von der zucht wahren Spiegel!
Gottes forcht (wist!)
Der anfang ist
5   Vnd weg zu der Weißheite.
Wer den Weg geht,
Gar wol besteht, ja wol besteht,
Vnd liebt auch Gott allzeite.

2.

10   Dann wer Gott fürcht, der liebt auch jhn
Vnd helt ob seinen worten
Vnd wandelt fleissiglich darinn,
Helt die an allen orten.
Das vierdt Gebott
15   Hat geben Gott,
Das man sol Eltern ehren.
Wer dasselb thut,
Der hat es gut, ja hat es gut.
Gott wird jhm vil bescheren.

20   ### 3.

Dann kein Gebott in dem Gsetz ist,
Drinn Gott was hat verheissen.
Darumb, jhr lieben Jungfrau, wist,
Weil euch Gotts wort thut weisen,
25   Das jhr allein
Solt ghorsam sein
Den Eltern in billign dingen,
So folget jhn!
Groß ist eur gwien, groß ist eur gwien,
30   Guts Lob davon zu bringen.

4.

Kein Eltern sein so vngeschlacht,
Vnd die nicht gerne Wolten,
Das jhr Kinder wol angebracht,
35   Thun alles, was sie solten.
So folgt jhr Lehr!
Deß habt jhr ehr.
Thut sie auch gerne hören!
So werdet jhr
40   Wol bracht herfür, wol bracht herfür,

Wenn jhr thut etwas lehren.

5.

[424ᵇ] Zum andern liebet die Keuschheit!
Der folget nach vil tugent,
5 Das man alle schalckheit vermeit
Vnd flieh balt in der Jugent
Die MannsPerson,
Henck sich nicht an
An böß verdechtlich Gspilen
10 Vnd flieh dabey
All kupplerey, ja kupplerey!
Die hat geschadt jhr vilen.

6.

Auch hab man wol acht der fünff sinn
15 Vnd meid all böß gedancken
Vnd thu gar nicht nachhencken jhn,
Laß die augen nicht schwancken,
Die sonst send jach,
Zu sehen nach
20 Allen üppichen sachen!
Das gehör mach zu!
Nicht hören thu, nicht hören thu,
Davon ander Leut lachen!

7.

25 Deßgleichen halt die Zung in Hut,
Nichts ergerlichs zu klaffen,
Dieweil ein böse zungen thut
Offt groses vnglück schaffen.
Die Füß vnd Händt
30 Allzeit abwend,
Nichts sündlichs zu verbringen!
Bett alle zeit
Vnd gern Arbeit vnd gern Arbeit!
So kan dir nicht mißlingen.

8.

35 Zum dritten brauchet die Demut,
Die kan schweigen vnd leiden!
Die ist auch zu vil dingen gut,
Groß vnglück zu vermeiden,

Macht böß Leut milt,
Den zorn stillt,
Das man balt .wird zu friden;
Dann die gedult
5 Bewehrt vnschult, probirt vnschult,
Die man etwa hat glieden.

9.

Das als hat Phänicia thon.
Darumb wird sie genennet
10 Aller zarten Jungfrauen Kron.
Ihr groses Lob man kennet
In gantzer Welt.
Für Gut vnd Gelt
Wird sie herfür gezogen.
[424ᶜ]   15 Vnd ob sies schon
Gar saur kam an, gar saur kam an,
Ward sie doch nicht betrogen.

10.

Gott ist ein keuscher treuer Gott,
20 Liebt all, die jhn lieb haben,
Vnd erlöst sie auß aller not,
Thut sie reichlich begaben,
Wie er verheist,
Hie guts beweist.
25 Vnd dort nach disem leben
Nimbt er sie ein,
Ins Reiche sein, ins Reiche sein,
Die Seeligkeit zu geben.

11.

30 Schließlich so ist mein fleissig bitt
An all zarten Jungfrauen,
Ihr wolt es doch vergessen nit,
In den Spiegel offt schauen,
Der weiset gleich,
35 Was fehlet euch,
Thut eure Mängel kehren.
Wenn jhr das thut,
So habt jhrs gut, so habt jhrs gut,
Kompt hie vnd dort zu Ehren.
40   Abgang jhr aller.

ACTUS SEXTUS.

Die Personen in dise Comedi:

1. Petrus, der König in Arragonien.
2. Tymborus, der Graf von Golison, sein KriegsRath.
3. Reinhart,
4. Dieterich, seine beede Räth.
5. Lionito von Toneten, der Alte Edelmann.
6. Veracundia, sein Gemahl.
7. Phänicia, sein Tochter.
8. Bellaflura, Phänicia Schwester.
9. Venus, die Göttin der Lieb.
10. Cupido, jhr Kindt, mit seim Pfeil vnd Bogen.
11. Phillis, der Phänicia KammerFrau.
12. Lionatus, ein Alter vom Adel, zu Messina.
13. Gerando, ein Ritter, Olerius Valerian genandt.
[424ᵈ] 14. Anna Maria, ein KammerJungfrau.
15. Jahn, der kurtzweiler.
16. Malchus, der pracher oder betriger.
17. Gerwalt, der betrigerisch Edelman.

ENDE.

(27)

**COMEDIA VON ZWEYEN BRÜDERN AUSS SYRACUSA,
DIE LANG EINANDER NICHT GESEHEN HETTEN VNND ABER
VON GESTALT VND PERSON EINANDER SO EHNLICH WAHREN,
DAS MAN ALLENTHALBEN EINEN VOR DEN ANDERN ANSAHE,**

Mit 14 Personen, vnd hat 5 Actus.

Peniculus, der Fuchsschwentzer, geht an einem stecken ein
vnd sagt:

    Ich kans bey mir je nicht erachten,
10 Warumb die Leut nach viel Guts trachten
    Vnd sind darnach nit also gscheid,
    Zu schaffen jhn ergötzlichkeit,
    Vnd lasen das Gut jhrn Herrn sein.
    Trinckt mancher ein Wochn kein Seidla Wein!
15 Kein solchen Sinn hab ich nie ghabt.
    Wenn ich ein guten Gselln erdapt,
    Der mir hat zessen vnd trincken geben
    Vnd etwan ein wenig kleid darneben,
    So hat es mich genüget schon.
20 Ietzt so mir geht das Alter an
    Vnd ich kan nimmer possen reissen,
    Die Junckern mich von sich abweisen,
    Das mir dardurch jetzt vil geht ab.
    Lang ich nichts guts gefressen hab.
25 Mich hungert, das der Bauch mir kracht.

*

1 Über den stoff vgl. Moriz Rapp, Verwechslungsstück, ein griechisches
lustspiel nach dem Plautus von William Shakspere, übersetzt. Stuttgart, 1843.
Einleitung. Unser dichter schließt sich näher an Plautus an. Vgl. die plau-
tinischen lustspiele im trimeter übersetzt von Karl Moriz Rapp. Stuttgart,
1838. 3, 323.

Halt, halt! ich wil hie haben acht,
Dann Enucles geht dort herein.

Er steht auff ein seyten. Enucles gehet ein, tregt ein schönen Mandel, thut, als sehe er Peniculum nicht, vnd sagt:
5 Alhie hab ich der Frauen mein
Gestoln jhr allerschönstes kleid.
Das sicht sie nicht mehr, auff mein Eydt!
[425] Ich will es meiner Thasa bringen,
Sie damit zu meiner Lieb zwingen,
10 Vnd will mich als halt zu jhr laden.

Peniculus, der fuchßschwentzer, streichet herfür, geht jhm nach.
Enucles wirdt sein gewahr, deckt das Kleid zu vnd sagt:
Potz Velta, nun bin ich verrahten.
Wo führt der Teuffl den schelmen her?

15   Peniculus sagt:
Juncker, kendt jhr mich dann nicht mehr?
Vor Jarn da warn wir gut Geselln.
Hab mich gleich zu euch laden wölln.
Der gstalt wird es nit können gschehen.

20   Enucles sagt:
Fürwar, ich hab euch nicht gesehen,
Vnd wenn ich kendt daheimen sein,
Wolt ich euch gar gern laden ein.
So bin ich aber gladen auß.

25   Peniculus sagt:
Wo Esst jhr denn? in welchem Hauß?
Vor Jarn hat mans wenig geacht,
Wenn schon ein Gast ein mit sich bracht.
Nicht weiß ich, wie mans jetzundt helt.

30   Enucles sagt:
Nun wann jhr dann je mit mir wölt,
So will ich euch die sach vertrauen.
Ich geh zu Thasa, der schön Frauen,
Das ich jhr dises Kleidt verehr.

Peniculus sagt:

Bin ich doch daselbst gwesen mehr.

Ir wist wol, das ich bin verschwiegen.

Secht! da thut sie sich gleich herfügen.

Thasa gehet ein mit Ancilla, jhrer Magdt, geht als balt hin
vnd empfecht den Enuclem vnd sagt:

Ach Juncker, seit mir Gott willkummen!

Peniculus sagt:

Zart edle Jungfrau, sagt, warumben

10 Ir mich nicht auch also empfacht?

Thasa sagt:

Eurs gleichen ich bey mir weng acht.

Ir seit mir in meim Hauß kein nutz.

[425ᵇ]   *Peniculus sagt:*

15 Der alten Leut ist man vrtrutz.

Iedoch laß ich mich nicht auß treiben.

Enucles sagt:

Ey last jhn bey dem Essen bleiben!

Was er verthut, das wil ich zaln,

20 Wie ich auch vor thet zu mehr maln.

Er greifft in Beutel, gibt jhr gelt vnd sagt:

Da, nembt die zwen Thaler von mir!

Darumb last vns einkauffen jhr

Für drey Person ein gutes mal!

25 Was der Wein kost, ich bsunder zal.

Auch nembt von mir auff weitern bscheid

Auff diß mal meines Weihs Ehrkleidt

Vnd traget das von meinet wegen!

Der liebe Gott der woll eur pflegen,

30 Biß ich droben auff dem Rathhauß

Hab mein sachen gerichtet auß!

Er gibt jhr das Kleidt, beut jhr die hand vnd geht mit dem
Peniculo ab. Thasa sagt zu jhrer Magd:

Ancilla, geh zu Cocleum!

Sag jhm, das er balt zu mir kum
Vnd trag das Kleidt mit dir hinein!

Ancilla sagt:

Das Kleidt wird euch nit vil nutz sein;
5 Dann seh es sein Weib, das jhrs thet tragen,
Was meint jhr sie darzu würd sagen?
Sie dörfft euchs wol von dem halß reissen.
Den Cocleum will ich rein heissen.

Sie nimbt das Kleidt vnd geht ab. Thasa sagt:

10 Ja zwar, ich hab nicht dran gedacht.
Das Kleidt muß werden anderst gmacht,
Alles zerfellet vnd zertrennt,
Das es des Junckern Weib nit kenndt.

Die Magd kompt wider mit Cocleo, dem Koch. Der sagt:

15 Frau, weil jhr mich liest fodern rein,
So bin ich hie: was wolt jhr mein?

Thasa sagt:

Zwen Thaler ich empfangen hab.
Die nimb! geh auff den Marck hinab
20 Vnd kauff vns ein für drey Person!

[425ᶜ]   ### Cocleus sagt:

Was werd jhr dann für Gäste han?
Das ich mich darnach richten kan.

Thasa sagt:

25 Enucles, der jung Edelman,
Der hat sich zu mir gladen her.

Cocleus sagt:

Ich west auch gern, wer der dritt wer.

Thasa sagt:

30 Wer sols sein? es ist Peniclus.

Cocleus sagt:

Auff zehen ich einkauffen muß.
Drumb hat er des gelts zu weng bracht.
Peniclus frist so vil, als jhr acht.

Den Junckern rechen ich für neun.

Wenn ich nun gnug soll kauffen ein,

So muß ich für zehen Person kauffen.

Thasa sagt:

5 Ey thu du deins wegs nur fort lauffen!

Kauff so vil, als man haben soll!

Der Juncker muß es zalen wol.

Cocleus geht ab. Thasa sagt:

Ancilla, ich wils nit wagen,

10 Das kleid vnverendert zu tragen,

Dann wenn da solt des Junckherrn Weib

Ir kleid sehen an meinem leib,

So ging sie mit mir an ein Messer.

Ancilla sagt:

15 Ey ja, Frau! darumb ists vil besser,

Das mans anderst ferb vnd zertrenn,

Das nur des Junckern Weib nit kenn,

Dann sie gar ein böses maul hat.

Es müsts erfahrn die gantze Statt.

20 Vnd weil sie thut der eyffer treiben,

Dörfft sie sich der maß an euch reiben

Mit bösen worten, schenden vnd schmehen.

Drumb ist sich vor jhr für zu sehen.

Sie gehn ab. Phileman oder Enucles von Syracusa, der frembt,
geht ein mit dem SchiffPatron vnd Jahn Panser, seim leib-
Knecht, Seryio, eim andern Knecht, vnd etlichen stummen
Personen, tragen alle bündel, als stiegen sie erst aus einem
Schiff. [425ᵈ] Phileman sagt:

Gott sey lob, das wir allesandt

30 Sind wider ankommen zu Land!

Nun ist es schon das sechste Jar,

Das ich meinem Bruder nach fahr

Vnd jhn doch nirgents finden kan.

Noch will ich nicht lasen davon,

35 Auch nicht wider kommen zu hauß,

Biß ich jhn hab gespüret auß,

Gott geb, was mir gescheh darummen!

Jahn Panser sagt:

So werd jhr nimmermehr heim kummen.
Eur Bruder ist vor lengst schon hin.
5 Wolt jhr bein lebndigen suchen jhn,
So ist all eur arbeit verlorn.

Phileman sagt:

Halts maul! dann was ich hab geschworn,
Werd ich deinthalb nicht vnterlassen.

10 Zum Patrono, dem Schiffman, sagt er:
Nun weil wir all gesund auß sassen
Vnd jhr vns all wol habt geführt,
Euch ein danckbarer lohn gebürt,
So weist mich in ein guts Wirtshauß,
15 Das ich euch mit danck zal bar auß!
Da wil ich mich auch mit euch letzen,
Mit essn vnd trincken meins leids ergötzen.

Kompt Cocleus, der Koch, sicht sich vmb vnd sagt:

Potz, dort seh ich Enuclum stehn.
20 Ich will alsbalt hin zu jhm gehn.
Was ich hab kaufft, laß ich jhn sehen
Vnd hörn, was er darzu wird jehen.

Er geht zum Junckern Phileman vnd sagt:

Juncker, secht! ich hab kauffet ein.
25 Auff euch wird warten die Fraue mein.
Darumb so kombt zum essen bey zeit!

Phileman sagt:

Mein freund, ich weiß nit, wer jhr seit,
Vnd weiß auch nicht, wer eur Frau ist.

30   Der Koch sagt:

Ey, Juncker, wenn jhr das nicht wist,
So müst jhr je vergessen sein.
Thasa heist die Fraue mein,

5 O beim.   33 O so heist.

Zu der jhr euch selbst laden thet,
Den Peniculum mit euch hett,
Da jhr jhr die zwen Thaler gabt.

[426]
Phileman sagt:

5 Eur tag jhr mich nie gsehen habt.
Kennt jhr mich denn, so thut mich nennen!

Cocleus sagt:

Enucles, soll ich euch nicht kennen?
Wie vil trinckgelts habt jhr mir geben?

10
Phileman sagt:

Ey, ich bin bey all meinem leben
Nie als jetzt kommen in die Statt.

Cocleus sagt:

Ey schweigt! die sach kein mengel hat.
15 Ihr meint villeicht, das mir mein Frau
Nicht jhre heimlichkeit vertrau.
Drumb kombt desto eh zu dem Mal!
Dort secht jhr den gemalten Saal.

Jahn Panser sagt:

20 Mein gsell, gehe du deins wegs nur hin!

Phileman geht auff die seiten vnd sagt zu seim gesind:

Ob der sach ich vernarret bin,
Das mich soll dieser Kerl kennen,
Kan mich bey meinem namen nennen,
25 Led mich zu seiner Frauen nab.
Darumb ich zu dem gloch lust hab
Vnd will je sehen, was das sey.

Jahn Panser sagt:

Juncker, ich sags euch auff mein treu,
30 Das es in dieser grosen Statt
Gar vil falsch vnd lose Leũt hat.
Geht jhr hin, so seid jhr verlorn.

Patronus, der Schiffman, sagt:

Das Gut ist hie gar balt anworn.

Drumb geht mit vns nein ins Wirtshauß!

Phileman sagt:
Nein, ich will kein gelt geben auß.
Drumb, Jahn, nimb du den Beutl zu dir!

5   **Er gibt Jahnnen den Beutl.**
Zehl drinn dem Patron sein lohn für
Vnd richt ein gute Malzeit zu!
Die verzehrt, biß ich kommen thu!

Zum Koch sagt er:
10 Nun komb! so will ich gehn mit dir.

Cocleus sagt:
Ja ich rahts auch, jhr gingt mit mir.

Sie bede gehn ab. [426ᵇ] **Patronus sagt:**
Wenn es dann nicht kan anderst sein,
15 So kombt mit mir ins Wirtshauß rein!
Da wölln wir mit freuden leben,
Auff keinen schlechten Herrn nichts geben,
Weil wir gesund hie theten schweben.

Abgang jhr aller.
20   **ACTUS PRIMUS.**

Kommen balt wider Jahn Panser, der SchiffPatron, Servus
vnd noch ein stumme Person, klopffen beim Wirtshauß an;
      der SchiffPatron sagt:
Hoscha, boscha, Herr Wirt! kombt rein!

25 **Hospes, der Wirt, laufft ein vnd sagt:**
Ach, wie lieb Gäst mir diese sein!
Seit Gott wilkom, mein SchiffPatron!

    Er weist auff Jahnnen vnd sagt:
Was bringt jhr da für einen Mann?
30 Ich weiß nicht, ob ich es dörff jehen.
Doch dunckt mich, ich hab jhn mehr gsehen.
Nicht weiß ich, ob ich jhm thu recht.

Patronus sagt:

Er ist eins frembten Junckern Knecht
Vnd gar ein Visirlicher gsell.

Hospes, der Wirt, gibt jhm die hand vnd sagt:

Ey, sey der gut Mann, wer er wöll,
5 Soll er ein lieber Gast mir sein.

Zu Servo sagt er:

Der ist offt bey mir zagen ein.
Was jhr begert, will ich euch bringen.

Jahn Panser sagt:

10 Bringt vns Wein her vor allen dingen!
Darnach bringt vns zu essen auch!
Dann weils in dem Land ist der brauch,
Wenn man thut auß den Schiffen stahn,
Das das Schiffgsind vnd der Patron
15 Mit guter Malzeit werd versehen,
Sanct Martin lob mit zu verjehen,
So lassen wirs auch nit gehn ab.

Hospes sagt:

Ein guten Reinischen Wein ich hab.
[426ᶜ]   20 Kellner, geh du, halt bring vns rein
Ein viertll vnsers guten Wein!

**Sie setzen sich zusammen. Cellarius, der Kellner, tregt zu
essen vnd zu trincken auff, sie fressen weidlich; vber ein weil
fengt Jahn an vnd sagt:**

25 Welcher am besten singen kan,
Der selb thu solches fangen an,
Vnd welcher dann am besten singt,
Das schönste lied zu marck her bringt,
Der selb sol von vns sein zechfrey
30 Vnd zaln für jhn die andern drey,
Vnd ich selbst will auch singen mit.

Patronus sagt:

Ja, des bedings bin ich zu frid.

Jahn fengt an zu singen nachfolgents Liedt, Im RosenThon

Hans Sachs:

1.

Ein armer Schuster Peter hase
Vor Jarn zu Bamberg sase.
5 Derselbig vergaß sich ein mal
Vnd ein Kühhaut eim Gerber stahl,
Der jhn offt vbernummen hette.
Das der Gerber erfahrn thete
Vnd thet jhn vor dem Raht verklagen.
10 Den legt man ein vnd thet jhn fragen,
Das er den diebstal da bekendt.
Groß bitt ward für jhn angewend,
Aber doch so must der gefangen
Von wegen dieses diebstals hangen.
15 Des andern tags feyrt man Sanct Veit.
Da ward die Kirchwey zu Hirschheit.
Darauff theten vil Schuster lauffen,
Vor tags jhr Schu zu verkauffen.
Das Wasser war geloffen an,
20 Da mustens für den Galgen gahn.
Da saget man, wie es dabey
Biß weilen so vnheimlich sey.

2.

Des abents zuvor ein Weinhecker,
25 Ein vnbsunnener voller lecker,
Zu nechst beim Galgen ligen blieb,
Der dem Schuster groß forcht eintrieb.
Dann als sie nah zum Galgen kamen,
Da ruffet ein Schuster mit namen
30 Dem Peter Hasen vnd thet schreien,
Mit jhn zu gehn auff die Kirchweyen.
[426ᵈ]   Das erhört der voll Hecker balt,
Richtet sich auff vnd schrie: halt, halt!
Ich will mit dir; glaub mir fürwahr!
35 Gen berg stund den Schustern jhr har
Vnd meinten nit anderst, dann der
Der Peter Haß am Galgen wer.
Derhalben sie mit echtzen vnd schnauffen
Fingen gar hefftig an zu lauffen.

4 ? Vor vil jabren.   6 O ein Gerber.   27. O den.

Der Hecker schrie: wenn ich soll mit,
So dörfft jhr also lauffen nit.
Des erschracken sie noch vil mehr,
Eylten auff den Hautz mohr gar sehr.

5 **3.**

Neben dem Sendl brückla am wege
Hats einen langen schmaln stege,
Darauff die Schuster hinderten sich.
Der Hecker tapffer nach hin strich,
10 Sprach: ich will gar balt bey euch sein.
Ihr forcht vnd schreck bracht jhn groß pein.
Zu lauffen sie erst recht anfingen.
Der steg vnder jhn thet sich schwingen,
Schwengt jhr etlich hinein in Bach.
15 Sie forchten, der Haß kem hernach.
Vil Schu fielln jhn von den stangen,
Darnach mochten sie nit mehr langen,
Dann zu fliehen ward jhn sehr jach.
Der voll Hecker der kam hernach,
20 Klaubt die Schu in dem Bach zusammen.
Also die Schuster von jhm kamen.
Der Hecker kehrt zu rück in dStatt,
Die geschicht darin anzeiget hat
Zu dem groß kopff in dem Wirtshauß.
25 Da lacht man dise Schuster auß.

Patronus lacht vnd sagt:

Fürwahr, Jahn, du hasts gut gemacht.
Hab mich schir kranck der Schuster glacht
Vnd was jhn hat der Hecker than.

30 ### Jahn sagt:

Ey ja, jetzt solt jhr fangen an.

Der Patron singt ein Lied im nachfolgenden Thon, Wie man den dilla dey singt.

1.

35 Ich weiß ein Statt, die ist nicht ferr,
Da hats der Weiber vil,
Die sein in jhrn Heusern herr.
Wenn der Mann etwas will, ja wol will,

Zeigts jhm ein Pesenstil.

2.

Darumb ich einen segen kan,
Der hilfft für die schwachheit.
5 Wenn ein Weib kem die Kranckheit an,
So sprech man jhn bey zeit, ja bey zeit,
Der treibt sie auß der heut

3.

Vnd heist: Mulier, Röslein rot,
10 Laß mich Herr sein, dein Mann!
Weils also hat verordnet Gott,
Thust jhm ein gfallen dran, ja wol dran.
Sein ordnung muß bestahn.

4.

15 Vnd wolt sie sich des wehren,
So nimb ein stecken du!
Thu jhr die Haut zerberen
Vnd schlag nur dapffer zu, ja wol zu!
Biß sie sich gibt zu ruh.

20 **5.**

Vnd wenn jhr wer der steck zu ring,
Nimb ein pengel bey zeit!
Hilffts nit, als dann ein scheid her bring!
Wer sie damit abbleut, ja wol bleut,
25 Ist seelig wie Sanct Veit.

6.

Vnd wiltu der Sünd kommen ab,
So nimb sie bey dem haar
Vnd wirff sie all die Stiegen nab!
30 Die kunst die hilfft fürwar, ja fürwar,
Thut mans zwölff mal im Jar.

Patronus sagt:

Mein Gsang thut nicht so gar lang wern.
Das macht, die Weiber hörns nicht gern,
35 Wenn man jhn die Männer verführt.

Jahn sagt zu Servo:

Nun dir auch zu singen gebürt.

Servus singt nachfolgendes Liedt Im Thon: Leucht vns der
Morgenstern.

Man thut von Weibern singen,
Als wenn sie gar nichts guts.
5 Dasselb thut mich bezwingen,
Ihnen zu halten schutz,
Dieweil doch manche hat ein Mann,
Der bleibt nicht in dem Hauß,
Laufft all Wirtshäuser auß,

10   **2.**
Thut drinn Essen vnd Trincken,
Denckt nicht einmal zu Hauß,
[427b] Lest sein beruff versinken,
Gibt das Gelt vnnütz auß,
15 Lest Weib vnd Kind im hunger gahn;
Vnd wehr das Weib wie er,
Die Katz sein bests Vieh wer.

         3.
Mancher legt sich auffs spilen
20 Vnd will mit werden reich.
Ich habs gehört von vilen,
Kan man das Handwerck gleich,
So füllt es doch kein Taschen,
Nehrt weder Weib noch Kindt,
25 Verschmiltzt wie schnee am Windt.

         4.
Soll das denn nicht der Frauen
Bringen zorn vnd auch grauß,
Die dem Mann muß zuschauen,
30 Das er das Gelt tregt auß,
Bringt heim ein lehre Taschen
Vnd nicht behalten kan,
Was er hat gwunnen schon.

         5.
35 Mancher geht auß zu Bulen,
Verthut vil Gelts damit,
Vnd laufft jhm lehr ein spulen,
Gibt er kein ruh noch fridt,
Biß er sein willen hat verbracht.

Ayrer.   135

Kompt er denn heim zu Hauß,
Das Gelt ist geben auß.

6.

Nun solt er wol ermessen
5 Sein Ehlich treu vnd pflicht,
Weib, Kind vnd Gsind muß essen
Vnd sich gebüre nicht,
Das er mit andern Weibern Bul,
Weil jhm das Gott verbeut
10 Vnd es wird geben streit.

7.

Gott hat Adam geschafft das Weib
Zu einer Ghülffin gut,
Hat sie gnummen auß seinem Leib.
15 Darumb der vnrecht thut,
Der sein Weib thut verachten,
Sie schlegt vnd übel helt;
Denn das als Gott nicht gfellt.

Servus sagt:

20 Das wird den Weibern am besten gfalln.
Vor dem ist gsungen von euch alln,
Ist es aber nicht war, Herr Wirth?
Ietzund zu singen euch gebürt.
Was werd jhr denn noch gutes machen?

[427ᶜ] 25   **Hospes sagt:**
Meins Lieds werd jhr am meisten lachen.

Er fengt an zu singen Im Thon: O weh der jämmerlichen pein.

1.

O wie lieblich geht ein der Wein
30 Vnd macht vil gut Gesellen, ja Gesellen!
Er tröst das hertz in angst vnd pein,
Das man sich thut frölich stellen, ja stellen,
Er macht den Menschen frisch vnd keck,
Vermessen zu allen dingen, ja dingen,
35 Er treibt die lange zeit hin wegk,
Erregt Tantzen vnd springen vnd singen.

2.

Die Gäst die Ehrn jhren Wirth,
Dieweil er thut aufftragen, ja tragen,
Geben jhm mehr ehr, als jhm gebürt,
Vnd thun jhn vil zusagen, ja sagen,
5 Wie das sie reuh kein pfenning nit,
Er soll nur Weins gnug bringen, ja bringen.
Der Gast den Wirth offt selber bitt,
Er sol sein guter dingen, ja dingen.

3.

10 Wenn aber die Zech schir ist auß
Vnd das man sich sol scheiden, ja scheiden
Vnd die Gäst wollen heim zu hauß,
Der Wirth greifft nach der kreiden, ja kreiden,
Da find sich beider seids das felt,
15 Der Wirth der hat zu sorgen, ja sorgen,
Es hab etwann der Gast kein gelt
Vnd er muß jhn dann borgen, ja borgen.

4.

Die ander sorg die hat der Gast,
20 Thut dem Wirth erst zusprechen, ja sprechen
Vnd bitten jhn mit worten fast,
Er soll zu vil nit rechen, ja rechen
Vnd soll bedencken seiner Seel,
Das ers nicht thu beschwern, ja beschwern.
25 Da hebt sich dann mangl vnd fehl
Bey den, die zehrn gar gern, ja gern.

5.

Der Wirth sich aber kehrt nicht dran,
Will der Gast zehrn vnd zechen, ja zechen.
30 So muß er gelt im Seckel han,
Zahlen, was man thut rechen, ja rechen.
Drumb, lieben Gäst, seid wol gemuth!
Last euch mein weiß gefallen, ja gefallen!
Vnd was man euch jetzt rechnen thut,
35 Das thut fein danckbar zalen, ja zalen.

[427ᵈ]   **Hospes, der Wirth, sagt:**
Ir Herrn, wie gfelt euch mein gesang?

*

3 O jhn gebürt.   26 O dem.

Wiewol das nit hat gweret lang,
Ist doch die lauter warheit drinn.

Patronus sagt:

Zu zalen ich vrbittig bin,
5 Dann Jahn hat gsungen das best Lied.
Der darff geben kein pfenning nit.
Doch wenn wir Instrumenta betten,
So wolt wir zu der druckenen Metten
Auch haben ein gut Musica.

10 ### Hospes sagt:

Die Instrumenta sind als halt da.

Cellarius geht ab, Er kompt balt wider, bringet Instrumenta,
ein Rost, ein Hafen mit kochlöffeln, Riebeisen, Geigen, vnd
was man haben kan, machen eins zusammen, Juchtzen, Sauffen. Über ein weil geht der Wirth ab. Patronus sagt:

Die Sonn geht schir zu gnaden nider
Vnd kompt doch der Juncker nicht wider.
Ich werd nauß müssen zum Schiff gehn.
Wir werden tieff in der schuld stehn.
20 Der Wirth der wird vns gar vil rechen.

Jahn sagt:

Herr, ich will als für euch gut sprechen,
Biß mein Juncker her kompt zu nacht.

Patronus sagt zum Kelner:

25 Schaff, das die rechnung werd gemacht!
Wer schuldig ist, der zal den Wirth.

Cellarius sagt:

Drey gulden für die zech gebürt,
Die legt an, wie jhr selber wölt!

30 Sie verwundern sich. Jahn sagt:
Ir Herrn, wann es euch alln gefellt,
So darffs des rechnen nit so vil,
Das man jetzt der blinden Kuh spil.
Der Kellner sey die blinde Kuh!

Dem wöll wir binden die augen zu.
Der soll vnter vns ein fangen:
Wen er am ehstn thut erlangen,
Der sol vnser aller Wirth sein.

[428]   5   Patronus sagt:
Ja, wir willigen all darein.

Sie gehn hin, binden dem Cellarius die augen zu, drehen jhn
          drey mal herumb. Jahn sagt:
Nun fang ein, wer die zech zahln soll!

Sie drehen sich alle ab. Cellarius sagt:
Ihr saget mir von fangen wol:
Wo seyd jhr? wie seyd jhr so still?

Er dapt lang vmb, in dessen geht der Wirth ein vnd sagt:
In das Felt ich spatziren will.

  15 Der Kellner laufft auff jhn vnd sagt:
Nun jhr seyd, der die zech bezal.

          Hospes, der Wirth, sagt:
Was machstu allein auff dem Saal
Mit verbunden augen? was sol ich dir?

Cellarius reist das Tuch von augen vnd sagt:
Die zech solt jhr bezalen mir,
Dieweil ich euch jetzt fangen thet,
Dann es ist also abgeredt,
Wen ich finsterling fangen künd,
  25 Vmb die zech für die andern stünd.
So seid jhr mir recht kommen rein.

          Hospes, der Wirth, sagt:
Seind dann hinwegk die Gäste dein
Vnd du spilst mit jhn vmb mein zech?
  30 Das dir sanct Velta den halß abbrech!·
Ich will dich besser rechnen lehrn
Vnd dir dein grobe haut erbern
Vnd als abziehen an deim lohn.

Der Wirth schlegt jhn wol ab. Der Kellner sagt:

O Herr, ich will es nimmer thon.
Ich bitt durch Gott: hört auff des schlagen!

Hospes sagt:

Da hörstu; jetzt will ich dir sagen:
5 Wirstu nicht besser sehen zu,
Vmb mein zech spilen der blinden kuh,
Ich dich zum hauß nauß schlagen thu.

Abgang jhr beder.

[428ᵇ]   ### ACTUS SECUNDUS.

10 **Peniculus geht ein vnd sagt zornig:**
Enuclem hab ich im gedreng
Auff dem Rathbauß in des Volcks meng
Vor meim angsicht alsbalt verlohrn,
Als wenn er wer vnsichtbar worn.
15 Nun hab ich meine zäen gewetzt,
Auff ein gut mal mein sinn gesetzt,
Dann mich thut nach essen verlangen.
Bin vor der Thasa Hauß hingangen,
Aber kein Menschen sehen kan.
20 So darff ich auch nicht klopffen an,
Dann die Thasa ist mir nicht gut,
Weiß wol, das sie mir nicht auffthut,
Wenn mich der Juncker nicht führt hinein.
Die Schlöt schon all verrochen sein.
25 Das Essen ist versaumet schon.
Vor hunger ich nicht bleiben kan.
Sol man mich nit noch heut begraben,
Muß ich warlich zu fressen haben.
Wil derhalb des Junckern Weib sagen,
30 Er hab jhr das schönst Kleidt entragen
Vnd hab das der Thasa geschenckt.
Was Gelts? es sol jhm werden eindrenckt,
Das er mich vmb die Malzeit bracht,
Vnd ich sol wol werden bedacht
35 Von seim Weib, das ich jhr solchs sag,

27 O begaben.

Das ich zu fressen kauffen mag.

Er geht ab. Phileman geht allein ein, tregt das gestolen Kleidt vnd sagt:

Hie bin ich vnbekandt jedoch
5 Kommen in ein gar gutes gloch,
Dergleich mir nicht gschach in meim leben.
Mann hat mir Essen vnd Trincken geben
Vnd hat mich die Frau in dem Hauß
Für jhrn Bulen ghalten durchauß,
10 Mir auch das kleidt zugstellet wol,
Das ich jhrs ferben lasen sol.
Dasselbe hab ich angenommen,
Weil sie nit recht mit her ist kommen,
Vnd wils zu eygen bhalten mir,
15 Dann ich komb doch nit mehr zu jhr,
Wil jetzt zu meim Gsind ins Wirthshauß.

Cocleus, der Koch, geht ein, tregt ein Ketten vnd sagt:

Juncker, mein Frau schickt mich herauß
[428ᶜ] Vnd schickt euch diese Ketten mit.
20 Sagt, das sies also trage nit!
Es wird verrahten dadurch eur sachen.
Darumb solt jhr drauß lassen machen
Zwey Armbender, wie jhr wol wist.

Phileman schüttelt den kopff vnd sagt:

25 Wenns eur Frauen also lieb ist,
Laß ich drauß machen zwey Armband.

Cocleus sagt:

Juncker, wir sein nun lang bekand.
Ich bitt, der Juncker wol mein dencken
30 Vnd mir ein schönes Ohrgheng schencken,
Weil er sunst jetzt geht zum Goltschmidt.

Phileman sagt:

Mein Koch, daran sols fehlen nicht.

Der Koch geht ab. Phileman sagt:

35 Ich bin schir meiner sinn beraubt.

Hett man mirs gsagt, ich hetts nit glaubt,
Was sich nur den tag in der Stadt
Mit mir schon zugetragen hat.
Ich solt mich des wol halb kranck lachen.

Peniculus geht ein vnd ist zornig vnd sagt:

Eur mal will ich euch saur gnug machen,
Deß jhr mich habt dißmal beraubt.

Phileman sagt:

Ich mein, du seist der sinn beraubt,
10 Du alter lecker! balt sag mir!
Was hett ich meine tag mit dir,
Der ich dich nie gesehen han?
Wer bistu? thu mir zeigen an,
Vnd auch wie heist der namen dein!

15   Peniculus sagt:

·   Soll ich euch jetzt nicht bekand sein?
Bin ich nicht eur Peniculus?

Phileman sagt:

Deins fürgebens hab ich verdruß;
20 Du heist derhalben, wie´du wilt,
Es bey mir nit ein schlehen gilt.
Drumb magstu deines wegs fort gahn.

Peniculus sagt:

So will ich auch gehn von stund an,
25 Eurer Frauen als zusambt sagen,
Das jhr jhr thut das Kleid auß tragen
[428ᵈ]   Vnd thut es eurer Hurn anhencken.
Was gelts? sie wird euch das eintrencken.
Der Teuffl soll euch mit jhr bescheissen.

30   Phileman zuckt die faust vnd sagt:

Ich dörff dich an den halß balt schmeissen,
Du alter verlogner bößwicht!
Kein Weib hett ich mein lebtag nicht.
Was wolstu denn meim Weib vil sagen?

Er schlecht nach jhm. Peniculus droht jhm vnd sagt:

Was gelts? ich wil euch lernen schlagen.

Er geht ab. Phileman lacht vnd geht auch ab. Kompt Enucles vnd sagt:

Ietzt gehe ich erst von dem Rahthauß,

5 Bin gar zu lang gewesen auß.

Darauff bin ich auffghalten worn,

Hab den Peniculum verlorn,

Der wird das essen versaumbt han.

Ach, wie wird der alt fresser than,

10 Wenn er geht hindr der Malzeit hin!

Daran ich zwar vnschuldig bin,

Dieweil der hendl ein gantzen hauffen

Droben fast alle stund für lauffen.

Nun will ich zu der Liebsten nein.

15 Ich hoff, sie hab gewarttet mein.

Jahn Panser geht ein, redt den Enuclem an, lacht vnd sagt:

Juncker, wie hat man euch empfangen?

Ists euch wol auff der Bulschafft gangen,

Das jhr nicht kambt in das Wirthshauß?

20 Wir haben weidlich zehret drauß,

Auch zimlich weidlich gessen darzu,

Darnach gespilt der blinden khu,

Den Wirth betrogen vmb die zech.

Enucles sagt:

25 Was habt jhr da für ein gesprech?

Wer seid jhr? was ist eur beger?

Jahn Panser sagt:

Ey, Juncker, kent jhr mich nicht mehr?

Ich bin eur Diener, der vor sechs Jarn

30 Mit euch auß Syracusa gfahrn.

Enucles sagt:

Ey, ich weiß nichts von diesen dingen.

[429]   Jahn Panser sagt:

Ich will gehn eurn Beutel bringen,

35 Den jhr mir auffzuheben gabt,

Dabey jhr euch zu erinnern habt.

Er geht ab. Enucles sagt:

Ach was ist disem Kerl geschehen?
Vnd für wen thut er mich ansehen?
5 Nun, ich wils halt geschehen lahn,
Den Beutel von jhm nemen an,
Iedoch nur biß auff weitern bscheid.

Jahn Panser kompt, bringt jhm den Beutel, reicht jhm den dar vnd sagt:

10 Secht da, Juncker! bey meinem Eydt,
Es ist kein pfenning darauß kommen.

Enucles sagt:

Ich will dich frey sprechen darumben
Vnd solst fort nicht Leibeygen sein.
15 Verzeich hie! dann ich muß hinein,
Dann ich hab dort in einem Hauß
Etwas nötigs zu richten auß.
Ich will balt wider bey dir sein.

Er geht ab. Jahn Panser sagt:

20 Ich merck, es will der Juncker mein
Wider gehn zu seiner Jungfrauen.
Er wird jhr schir zu vil vertrauen.
Fürwahr, ich hab nicht recht gethan,
Das ich jhm den Beutl geben han.
25 Ich hab sorg, er werd drumb betrogen.
Schau! dort kompt er gleich her gezogen.

Kompt Phileman, tregt das Kleidt vnd Ketten vnd sagt zu Jahnnen:

Was Teuffls machstu auff der Gassen,
30 Das du mich so gar thust verlassen?
Es thet schir noth, ich wartet auff dich.

Jahn sagt:

Bey euch bin erst gewesen ich,
Als jhr eurn Beutel empfangen habt
35 Vnd mich meines Diensts ledig gabt

Vnd hiest mich hier warten auff euch.

Phileman sagt:

Halt nur das maul vnd stille schweig!
Wo solt ich habn mein Beutl empfangen?
5 Seit ich bin auß dem Wirthshauß gangen,
[429ᵇ]   Hab ich dich mit keim aug gesehen.

Jahn sagt:

Juncker, auff dem platz ists geschehen.
Da spracht jhr mich meiner Dienst frey.

10   Phileman sagt:

Ich glaub für wahr bey meiner treu,
Du seyst erst von dem Schlaf auffgstanden.

Jahn Panser sagt:

Still, still! es sind frembt Leut vorhanden.

In dem kompt Leonora mit dem Peniculo, sicht gar zornig
auß vnd sagt zu Phileman:

Du loser, Ehbrecherischer Mann,
Was gehn dich meine Kleider an
Vnd mein Ketten, die du in ecken
20 Verhulst mit andern losen Secken?
Hastu denn nicht Weibs gnug an mir?

Phileman sagt:

Du lose Vettel, was ist dir?
Ich hab kein kleinot, die dein send.
25 Ich hab dich all mein tag nicht kend,
Vnd du wolst mich also auß schenden?

Leonora sagt:

Du Ehbrecher, wirst mich nit blenden.
Du must ein loser lecker sein,
30 Das du verlaugnest das Ehweib dein,
Bey der du stets ligst an der seiten.

Phileman sagt:

Deiner schmachwort werd ich nit leiden.
Ich kenne dein nicht, mag ich wol jehen,

Vnd hab dich mein tag nicht gesehen,
Auch gar kein Weib in dieser Stadt,
Dann was sich heind zutragen hat;
Was solt ich dir dann haben gestoln?

5   **Peniculus sagt:**

Tragt jhr doch bey euch vnverholn
Den Mandl vnd darzu die Ketten
Vnd wolt mit worten vns blind reden.
Meint jhr, vnd das wir Narren sein?

10   **Phileman sagt:**

Halts maul! der stück ist keines dein;
Darumb so last mich nur zu fridt!

Leonora sagt:

O mein Penicule, ich bitt,
15 Lauff eillend, bring mein Vatter her!

Peniculus laufft ab. [429^c] Phileman sagt:

Dàran ich mich fürwar nicht kehr.
Wolt jhr euch selbst schaffen vnruh,
So bringt halt eur Mutter darzu,
20 Auch eurn Anherrn vnd Anfrauen!
Ich förcht sie nicht, solt jhr mir trauen.

Die Frau weint; in dem kompt Socerus, der alt, gibt dem Phileman die hand vnd sagt:

Ach mein Eyden, mir ists ein Leid,
25 Das jhr zwey Ehleut alle beyd
Seit mit einander vneins worn.

Phileman sagt:

Mein alter Herr, es thut mir zorn,
Das ich sol euer Eyden sein.

30   **Socerus geht zu Leonora vnd sagt:**

Ey Tochter, Tochter, es ist nicht fein,
Das du deim Mann thust die vnehr.
Mich bedunckt, du eyfferst zu sehr.
Kompt vnd last vns die sach vertragen!

Phileman schüttelt den kopff vnd sagt:
Mein alter Herr, was thut jbr sagen?
Die sach darff keins vertragens nit.
Ir vnd eur Tochter last mich zu frid!
5 Ich bin nicht eur Tochter Mann.

Socerus verwundert sich vnd sagt:
Ach, Tochter, was hast jhm gethan,
Das er vns doch nicht kennen will?

Leonora sagt:
10 Ey, solt ich darzu schweigen still?
Er kompt den Tag nicht in das Hauß,
Tregt mir darzu mein Kleider auß,
Deßgleich mein Ketten vnd Armbender.
Er ist ein schand all andern Männer
15 Vnd verbult mir darzu die Kleider.

Socerus sagt:
Das wer wol zu beklagen leider.
Ach, mein Herr Eyden, thut das nit!

Phileman sagt:
20 Mein alter Herr, last mich zu frid!
Dann ich kan euch sagen auff trauen,
Das ich weder euch noch die Frauen
[429ᵈ]   Mein lebentag nie hab gesehen.

Socerus sagt:
25 Ach Gott, wie ist dem Menschen gschehen!
Fürwar, er ist der Sinn beraubt.
Hett ichs nicht gsehen, ich hetts nit glaubt.
Wie fang wirs ewig mit jhm an?

Phileman geht auff die seiten vnd sagt zu den zusehern:
30 Die Leut werden mir noth an than.
Auff das ich nur vor jhn mög bleiben
Vnd ich sie von mir mög abtreiben,
Will ich mich gar vnsinnig stelln
Vnd sehen, was sie als dann wölln.

Er wirfft als von sich, was er bey jhm hat, stellt sich nerrisch, ziecht vom leder, schlegt vmb sich. Socerus sagt:

> O Tochter, flieh vnd eylend lauff
> Vnd schick du mir den Doctor rauff,
> 5 Das man jhm eylend zu hülff kumb!

Leonora vnd Peniculus lauffen ab. Socerus sagt:

> Mein lieber Eyden, ich bitt euch drumb,
> Ir wolt dem Teuffl nicht raumb geben.
> Es kan in dem Ehlichen leben
> 10 Nicht alles zu gehn, wie es sol.

Phileman stellt sich gar nerrisch vnd sagt:

> Du alter Narr, du weist es wol,
> Das ich gar nicht dein Eyden bin.
> Drumb, wirstu dich nicht backen hin,
> 15 Solstu bekommen schlechten lohn.

Er schlegt auff den alten; der läufft ab, er klaubt seine wahr
auff vnd sagt:

> Also komb ich mit lieb davon.
> Weil sie mir all thun entweichen,
> 20 Will ich in mein Wirthshauß heim streichen,
> Das mir nicht noch mehr gscheh der gleichen.

Abgang.

ACTUS TERTIUS.

Phileman geht ein vnd sagt:

> 25 Ich kan mich der seltzamen gschicht
> Fürwar gnugsam verwundern nicht,
> [430] Glaub, das die Frau vnd der alt Mann
> Mich sehen für ein andern an.
> Des hab ich heut vil mehr erfahrn,
> 30 Als auff der Reiß in den sechs Jarn.
> Nun west ich gar gern, was doch der
> Für ein Kerl oder Person wehr,
> Für den man mich doch thut ansehen.
> Botz, dort thut sich der alt her nehen
> 35 Vnd bringt ein Doctor mit jhm her.

Ich wolt, das ich jhr ledig wehr.

Kommen Socerus mit Medico, dem Doctor. Socerus, der alt,
sagt:

Secht, Herr Doctor! dort steht mein Eyden,
5 Der sich vor hielt so vnbescheiden.
Ach secht, wie saur er auff vns sicht!
Der Teuffel sicht jhm auß dem gsicht.
Drumb bitt ich euch: thut doch das best!

Phileman sagt:
10 Was Teuffels kommen da für Gäst?
Was wolt jhr? was ist eur beger?

Medicus, der Doctor, sagt:
Mein Herr, wir kommen in guten her.
Mich dunckt, der Herr beschweret sey
15 Mit einer grosen Melancholey.
Mein Herr, sagt mir! was ligt euch an?

Phileman sagt:
Kein nehers anligen ich han,
Dann mein Hemb liegt am blosen leib.

20   **Medicus sagt:**
Tragt jhr ein zorn zu eurem Weib,
So sagt, warumb es zu thun sey!

Phileman sagt:
Ey, ich bin aller Weiber frey,
25 Das ich mit keiner zürnen kan.

Medicus sagt:
So sagt, wer euch denn hat gethan?
Schmeckt euch auch Essen vnd Trincken wol?

Phileman sagt:
30 Wenn ich mich Gessen vnd Truncken vol,
Acht ich keins Trinckens oder Essen.

Medicus schüttelt den kopff vnd sagt:
Eur Kranckheit kan ich nicht ermessen.

Phileman sagt:

Jahn, lang mir her den Seckel mein,
Das ich geh vnd den Wirth bezal!

Jaion sagt:

Ich kan euch den nicht geben zwey mal
Ich hab euch den zugeseit vor langen.

Phileman sagt:

Nein, nein, ich hab jhn nicht empfangen.

Im dem geht Enneies ein vnd Jaion sagt:

So wert jhr nicht mein Juncker sein,
Ja fürwar, dort geht mein Juncker rein.

Er geht zu jhm vnd sagt:

Seit ich hab euch euren Beutel geben
So müst jhr mich frey gantz lassen leben,
Das ich nicht mehr ewr Knecht sein sol.

Enneies sagt:

Ja, mein Kerl, das weiß ich gar wol,
Du solst nun nimmer ledig sein.

Jaion gibt jhm die hand vnd sagt:

Ja, er seit jhr der Juncker mein,
Nun hat der Herr, der hat mir recht,
Nun sol er jhr mein Juncker sein,
Aber er hab nicht länger recht.

Philemon weiset dem Jüngern vnd sagt:

Sehen hat sich mir, wie ihrs gebürt,
Nun ich müste zu dem Herr sehen.

Jaion sagt

Wol ich mich zu mein Juncker gehn,
Damit das ich war Diensthaber sein
Nun ihr wolt Knecht vnd mir sein,
Nun ewr ehr vnd mit grossr schand.

Philemon sagt

Nun ich dann geh vber Wasser vnd Land

Heut erst mit dir gestiegen auß
Vnd dich gelassen im Wirthshauß,
Da ich allein zu Gaste gieng?

Jahn besint sich, verwundert sich vnd sagt:
5 Fürwahr, ein wunderliches ding.
Ja, ja, jhr seit der Juncker mein.

     Er geht zu Enuclo vnd sagt:
Hört! jhr werd nicht mein Juncker sein,
Dann der sagt, wie ich jhm steh zu.
10 Derhalben ich euch fragen thu:
Wie heist jhr denn mit eurm Namen?

        Enucles sagt:
O ja, des thu ich mich nicht schemen.
Enucles heist der Namen mein.

15   Jahn geht zu Phileman vnd sagt:
Der dort wird gwiß mein Juncker sein,
Weil ers mit seim namen beweist.
Darumb sagt mir halt, wie jhr heist
Vnd von wannen jhr seid geborn!

20   Phileman sagt:
Enucles bin ich genennet worn
Vnd erzeugt in Syracusa.

    Jahn geht wider zu Enucle vnd sagt:
Von wann seit jhr? sagt mirs alda!
25 Vnd welcher wird mein Juncker sein?

[431]   Enucles sagt:
Syracusa ist das Heymet mein
Vnd bin her kommen vor sechs Jarn.

Jahn macht das Creutz für sich vnd sagt:
30 Mein lieber Gott wöll mich bewahrn!
Die sach macht mich zu einem tobrn.
Seind denn jhr zwen auß einem worn?
Ich weiß mich nicht zu richten drein.

     Er geht zu Phileman vnd sagt:
                 136 *

Hört! der soll wol eur Bruder sein,
Dieweil er eben heist, wie jhr,
Vnd hat lauter anzeiget mir,
Das er von Syracusa sey.

5   **Phileman sagt:**

Ach Gott, so merck ich schon dabey,
Er ist mein Bruder bey meim Eyd.

        Er geht zu jhm vnd sagt:

Mein guter freund, mich doch bescheyd!
10 Wie heist eur nam? sagt mir ohn bschwer!
Vnd wo seid jhr von wannen her?

        Enucles sagt:

Enucles so bin ich genand,
Von Syracusa wol bekand.
15 Von dann ich her kam vor sechs Jarn.

        Phileman sagt:

Vil Meers hab ich bißher vmbfahrn,
Zu finden einen solchen Mann.
Wie heist eur Vatter? zeigt mir an!
20 Vnd ob jhr auch geschwistrig hett.

        Enucles sagt:

Meinen Vatter man nennen thet
Den Enuclem Phileman.
Nur ein eintzigen Bruder ich han,
25 Der wird als wie mein Vatter gnendt.

        Phileman felt jhm vmb den halß vnd sagt:

Nun hat all mein trauren ein endt.
Dieweil du bist der Bruder mein,
Stell ich als weiters Reisen ein
30 Vnd führ dich gen Syracusa,
Dastu dein Erb besitzt alda,
Weil vnser Vatter groß Gut verließ.

Enucles ziecht den Beutel rauß, gibt jhm die hand vnd sagt:

Ach mein Bruder, hab kein verdrieß,

Daß ich den Beutel hab genommen!
Den hast ohn schaden widerumben.

[431^b] Ietzund ich gar wol spüren kan,
Dein Diener sah mich für dich an;
5 Ich hab jhn nicht zu bhalten begert.

Phileman sagt:

Vns beden ist groß glück beschert,
Wiewol ich dir in warheit sag,
Das mir die zeit meins lebens tag
10 Seltzamer gieng niemals als heut,
Dieweil mich haben so vil Leut
In gut vnd bösen geredt an.

Enucles sagt:

Wir wollen weiter reden davon,
15 Wenn wir deß haben besser zeit.
Ietzt haben wir kein glegenheit,
Weil vns so vil Leut hören zu.
Darumb stell jetzt die sach zu ruh!

Sie gehn ab. Kompt Thasa vnd Ancilla. Thasa sagt:

20 Ach, Ancilla, hör wunder mäer!
Enucles hat geschworen sehr,
Das er nicht mit vns gessen hab,
Hab nicht gekündt von Hauß herab.
Auch so hat er ferners verjehen,
25 Er hab kein Ketten vnd Mandl gsehen,
Den ich jhm wider bett zugestellt.
Die sach mir eben nit gefellt.
Nun hett ich je geschworn, das der
Gast mein Enucles gwesen wer.
30 Sonst bett ich mich zu jhm nicht Beth,
Auch die dieng jhm nicht geben hett.
Ach weh! wo sol ich nun hinauß?
Ietzt kompt mein Bulerey recht rauß,
Die ich so gar lang thet verlaugen,
35 Menniglichen schwur auß den augen,
Ich jetzund nicht mehr laugen mag.

Ancilla sagt:

Nun hab ich je auch mein lebtag
Kein Menschen gsehen, der von art,
Von leng, von größ, von haar vnd Bart,
5 Von sitten, wercken, wort vnd red
Eim andern so gleich gsehen hett,
Als eben eur heüntiger Gast,
Der vns all bringt in grosen last;
Dann solts Leonora erfahrn,
10 Sie würd kein fleiß vnd müh nicht sparn,
Vns zu bringen in groß vnglück.

Thasa sagt:

Ja, wie bringt mans dann widr zu rück?

[431c] Wir haben nicht lang zu rahtschlagen.

15 #### Ancilla sagt:

Da wöll wir vnsern Koch drumb fragen.
Derselb, als er einkauffen thet,
Hat den Gast zu erst angeredt,
Das er ist kommen in eur Hauß.
20 Kompt, laßt vns mit jhm reden drauß!
Dem schimpff ist schir der boden auß.

Sie gehn ab.

ACTUS QUARTUS.

Kompt Enucles mit Phileman allein vnd sagt:

25 Ach, mein Bruder, Gott bezahl dir,
Das du so lang hast gsucht nach mir!
Weil ich dann von dir hab vernommen,
Wie du bist zu der Thasa kommen,
Die dich für mich hat gsehen an,
30 Hastu nun was guts bracht davon,
Das ich dir denn wol gönnen will,
So bitt ich dich: schweig darzu still!
Bring mich vnd sie nit vndert Leut!
Ich bett mit meinem Weib offt streit
35 Von wegen jhres losen Guts.
Die macht mir vil Creutz vnd vnmuths,

Weil ieh jhr nichts bett zugebracht.
Damit hats mich so zornig gmacht,
Das ich nicht thet, was mir gebürt.
Hab jhr das best Kleidt außgeführt,
5 Deßgleichen Ketten vnd armband,
Die du jetzt hast in deiner hand.
Diß alles ist daher geschehen,
Das man dich hat für mich angsehen;
Dann so kriegt ich den Beutel dein.
10 Darumb bitt ich: gib mir das mein!
So schleig ichs wider beim zu Hauß,
Das folg kein weiters vnglück drauß
Vnd mein Weib mit mir zieh von binnen.

Phileman sagt:

15 Das du jhr Lieb thust wider gwinnen
Vnd neben mir bestehst in ehrn,
So wil ich dirs als wider kehrn.
Allein was soll ich darzu jehen?
Dein Weib vnd Schwehr haben gesehen,
20 Das ich jhr wahr hab bey mir tragen.

Enucles sagt:

Da wöll wir zu jhn beden sagen,
Wie ich es Gester gar frü gwist,
Das du alhie gewesen bist
[431ᵈ] 25 Vnd hett dir mein anligen klagt,
Das ich von meim Weib würd geplagt
Mit der argwönigen eyffersucht,
Das sie mich bschuldigt der vnzucht.
Das hastu mir nicht glauben wöllen,
30 Begert, ich soll sie für dich stellen,
Darzu dir geben jhr schönstes Kleidt
Vnd jhre Ketten alle beyd,
Da wolstu es selbst von jhr hörn
Vnd sie etwas gwiß darfür lehrn,
35 Das sies forthin soll nimmer than.
Als dann zeig jhr diß gleichnuß an,
Das der argwohn sey ein bößwicht!

Manchs Mensch eim andern gar gleich sicht
Vnd sey doch ein andre Person;
Also sey es mit dem argwohn.
Man vermuth offt, das sey geschehen,
5 Vnd wenn mans bey dem Liecht thut sehen,
Fehl es wol vmb ettlich Baurnschrit.
So machstu mir bey meim Weib friedt,
Das sie dest lieber mit mir zeucht.
Ir Thorheit halb sich vor dir scheucht,
10 Das sie dich hat für mich angesehen,
Thet vnschuldig schenden vnd schmehen.
Zu mal mein Schweher, der fromb Alt,
Der glaubt, was man jhm sagt, gar balt.
Der wirds vns beden bitten ab.

15   Phileman sagt:

Mein Bruder, gnug bescheids ich hab.
Ich hab der sachen eben gnug.

          Er schreit:

Jahn, komb halt herein ohn verzug

20   (Jahn geht ein.)

Vnd bring drinn in der Kammer mein
Die Ketten vnd das Weibskleidt rein!

Jahn geht ab vnd bringts. Enucles nimbts vnd sagt:

Danckbar verdien ich das vmb dich,
25 Also hehelst bey ehren mich.

Sie gehn ab. Kompt Socerus mit Leonora, seiner Tochter,
vnd sagt:

Tochter, was hat heut dise nacht
Dein Haußwirth für ein leben verbracht?
30 Hat er niemandt kein schaden than?

          Leonora sagt:

Ey nein, man merckt jhm gar nichts an.
[432]   Ich hab jhn heut frü gsetzt zu red,
Er mir aber kein wort nicht gsteht
35 Vnd sagt, wir haben jhn nicht erdapt,

Das er hab mein schönst kleinot ghabt.
So verlaugnet er auch die Ketten
Vnd alles, das wir mit jhm redten,
Sagt auch, er hab kein Doctor gsehen,
5 Es thu jhm von vns vnrecht gschehen,
Vnd hat mir geben die besten wort.

Socerus sagt:

Du solst anrichten main vnd mordt.
Villeicht wird ers nicht gwesen sein.
10 Schau! dort geht er gleich herein.
Den will ich der sach halb selbst fragen.

Enucles geht ein. Socerus sagt:

Mein lieber Eyden, thut mir sagen!
Was war euch gester in dem Hirn,
15 Das jhr also thet Fantasirn
Mit meiner Tochter Ketten vnd schauben?

Enucles sagt:

Ey, Herr Vatter, jhr solts nicht glauben.
Der ding ist keins von mir geschehen.

20 Socerus sagt:

Ey wie? hab ichs doch selber gsehen!
Als jhr euch nicht wolt lassen weisen,
Hab ich den Doctor holen heisen,
Der sol euch wider zu recht bringen.

25 Enucles sagt:

Herr Vatter, von all disen dingen
Weiß ich kein wort in der warheit.
Doch ist war, das ein lange zeit
Mein Weib mich gar wol tribuliert,
30 Von eyffers wegen mich vexiert,
Das ichs hab nimmer können tragen
Vnd habs auch niemand dörffen klagen.
Weil aber gester vngefehr
Mein lieber Bruder ist kommen her,
35 Den ich in sechs Jarn nicht gsehen,

Thet ich jhm mein anligen verjehen,
Der die ding selbst versuchen wolt.
Der befahl mir, das ich jhm solt
Bringen meins Weibs Ketten vnd Kleid;
5 Der wolt suchen gelegenheit,
Das meins Weibs eyfer würd gelegt.

Socerus sagt:

Ach, Eyden, jhr habt mich erschreckt,
Das ich dem frommen ehrlichn Mann
10 So grose schmach hab auffgethan,
[432ᵇ] Gehalten jhn für einen Thorn.
Nun hett ich je ein Eyd geschworn,
Ir werds gwest; ach weh der schand!

Leonora sagt:

15 Wo ist mein Ketten vnd mein gewand,
Das ich bey jhm hab gsehen wol?

Enucles sagt:

Geh! es in deinem Kasten hol!
Vnd wenn dus nicht darinn wirst finnen,
20 Als dann solstu das spiel gewinnen.
Finstus aber, so merck dabey,
Das mir gar vnrecht geschehen sey
Von wegen deiner eyffersucht,
Die mich beschuldigt der vnzucht,
25 Daran ich doch vnschuldig bin.

Leonora sagt:

So geh ich jetzt von stund an hin.
Find ich mein Ketten vnd mein Kleid,
So ist es mir im hertzen leid,
30 Was ich dir vnd deim Bruder than.

Sie laufft ab, Kompt wider, fellt jhrem Mann zu fuß vnd sagt:

Ach du mein hertzenliebster Mann,
Wie bin ich so schendlich bethört!
Die falschen zungen hab ich ghört
35 Vnd glaubet jhrem blosen lallen,

Des bin ich in groß Torheit gfallen,
Vnd bitt, du wolst mir das vergeben,
Dann ich wil bey all meinem leben
Dir der gleichen nimmermehr thon.
5 Solt ich auch etwas sehen schon,
Glaub ichs nicht mehr, biß ichs auch greiff.

Socerus sagt:

Tochter, dein zorn ist gar zu steiff.
Du thust wie all fürwitzig Frauen,
10 Die jhrn Männern so übel trauen,
Die sich doch offt wol selbst verbrennen.
Solstu dein eygnen Mann nicht können?
Ein andern für jhn schenden auß?

Enucles sagt:

15 Schau! dort kompt gleich mein Bruder rauß
Mit allem seinem Hofgesind.

Leonora sagt:

Ach, ich erschreck, das ich erblind.
Nun hett ich gschworn, wo auff der Ern
20 Zwen Brüder künden gfunden wern,

[432ᶜ] Die so gleich sehen an einander,
Als dise Brüder beede sander.
Ach, wie sol ich vor jhm bestehn?

Ietzt kompt Phileman mit Jahnen vnd andern Knechten. So-
25   cerus sagt:
Wir wollen jhm entgegen gehn
Vnd wöllen jhn ehrlich empfangen.
Was wir an jhm haben begangen,
Woll wir jhm wider bitten ab.

Leonora. gibt jhm die Händ, fellt jhm zu fuß vnd sagt:
Ach, günstiger Schwager, ich hab
Euch warhafftig vnrecht gethan,
Euch angesehen für meinen Mann,
Weil ich meinen schmuck hab gekend.

35   Phileman hebt sie auff vnd sagt:

Der argwohn gar vil Leut verblend
Vnd hat gar offt angsehen schlecht
Ein weisen Hund für ein Müllknecht,
Als wie dann jhr auch habt gethan,
5 Mich gsehen für eurn Haußwirth an
Vnd mich vnschuldig außgeschmecht.

Socerus, der Alt, geht hin zu, gibt jhm die Handt vnd sagt:
Wir haben bede than nicht recht.
Ich hab gemeint, jhr seit mein Eydman,
10 Wolt andern Weibern hencken an
Meiner Tochter Ketten vnd Ring
Vnd sich an ander schlepseck hieng,
Vnd ward im argwohn so verstört,
Da jhr euch habt mit worten gwehrt,
15 Hab ich euch ghalten für ein thorn.
Drumb bitt ich: leget ab eurn zorn
Von vns! seit vnser guter freund!
Mit mir so solt jhr Essen heunt:
Da woll wir vns als leidts ergötzen.

20   Phileman sagt:
Des will ich mich nicht widersetzen,
Vngeacht das es mir thut zorn,
Das ich also bin außgmacht worn,
Der ich nur sucht meim Bruder rath.
25 Bin vor nie gwest in diser Statt,
Must jhr Ehbrecher vnd bößwicht sein,
Auch irr sein in den sinnen mein,
Da sie doch an jhr selber war.
Doch ists vergessen gantz vnd gar,
[489ᵈ] 30 Dann was ich red, das ist nicht mehr,
Als jhr gemeint zu einer lehr,
Dann es ist gar ein schweres leiden,
Wer sich die eyffersucht lest reiten.
Besser wers, ein Weib hett ein Mann,
35 Der schönen Weibern hencket an
Vnd sie hielt jhn für ehrn frumb,
Wenn sie nur kein wort west darumb,

Als das sie eyffer vnverschult,
Macht jhr vnd dem Mann vngedult,
Des sie doch keine vrsach hat.
Argwohn nie nichts guts gschaffet hat,
5 Denn welchem gar nicht ist zu trauen,
Dem hilfft in warheit kein auffschauen,
Wie etwann auch die alten reden.
Enthweder es ist nicht von nöhten
Oder aber es ist vergebens.

10   **Leonora sagt:**

Herr Schwager, ich will die zeit meins lebens
Meim Haußwirtt nicht böß mehr zutrauen,
Mich haltn, wie einer frummen Frauen
Wol ansteht, will jhn liebn vnd ehrn
15 Vnd mit euch in eur heimet kehrn
Vnd alles thun, was euch gefelt.

      Jahn sagt:

Weil sich dann als so wol verhelt
Vnd vns glück wohnt mit hauffen bey,
20 So bitt ich euch: machet mich frey
Von meiner langen dienstbarkeit!
Dann durch mich jhr zsam kommen seid
Vnd geht das vnglück gar wol auß.

      Phileman sagt:

25 So halt wir nur kommen zu hauß,
Solstu deines diensts ledig sein.

      Socerus sagt:

Ich bitt: kombt all mit mir herein
Vnd esset heint mit mir zu nacht!
30 Vnd jhr, Eyden, euch ferttig macht!
Deßgleichen auch, mein Tochter du,
Richt dich nach deiner noturfft zu!
Thu mit gen Syracusa fahrn!
Der liebe Gott wöll euch bewahrn
35 Vnd alle sambt lang gesund sparn!

      Sie gehn alle ab.

ACTUS QUINTUS.

Jahn bleibt stehn vnd sagt:

Ietzt gehn sie in deß Schwehers Hauß,
Essen, trincken, leben im sauß

[433]   5 Vnd nimbt die Comedi ein endt
Vnd ist als böß in guts verwendt.
Der Fuchsschwentzer Peniculus
Ietzund mit spot abzihen muß
Vnd hat mit seiner falschen goschen
10 Nichts, denn nur ein leres Stro, gedroschen.
Thasa, das vnverschembte Weib,
Hat hergeliehen jhren leib
Eim frembden, den sie nicht hat kendt.
Der hat jhr die Ketten entwendt
15 Vnd auch der Leonora kleidt.
Enucles vnd sein Weib albeid
Seind auff das best vereinigt worn.
Gefallen ist all eyfer vnd zorn,
Ein lieb die ander hat gemacht.
20 Keins frembten Weib er nicht mehr acht.
Phileman hat den eyfer gschüfft,
Außgereut das böß eyfergifft.
Weil er sein Bruder alhie fandt,
Bringt er jhn in sein Vatterlandt
25 Vnd raumet jhm sein Erbgut ein.
Da kan er wol ein gut Gsell sein
Daselbst in seines Vatters Hauß.
Was gut ist, das behalt darauß!
Was aber nicht ist gut vnd recht,
30 Dasselb veracht vnd verschmecht!
Man sagt, der sey weis vnd gelehrt,
Wenn der was vnrechts sicht vnd hört,
So er dasselbig meiden thut
Vnd folgt dem, der würcket das gut.
35 Wer ohrn hat, zu hörn, der hör
Vnd habt euch das zu einer lehr!

Die Personen in diß Spiel:

1. Peniculus, ein Fuchsschwentzer.
2. Enucles, der Verheürat.
3. Thasa, das Bulweib.
4. Phileman oder Enucles von Siracusa.
5. Jahn Panser, sein Knecht.
6. Patronus, der Schiffpatron.
7. Servus, ein ander Knecht.
8. Hospes, der Wirth.
9. Cellarius, der Kelner.
10. Cochleus, der Koch.
11. Leonora, deß Enucles Weib.
12. Ancilla, der Thasa jhr Magd.
13. Socerus, der Leonora Vatter.
14. Medicus, der Doctor.
15. Dieterich, ein Knecht.

ENDE.

Lightning Source UK Ltd.
Milton Keynes UK
UKHW021101160119
335572UK00008B/351/P